漢代文學與思想學術研討會論文集

國立政治大學中文系所主編

文史哲出版社印行

國立中央圖書館出版品預行編目資料

漢代文學與思想學術研討會論文集／國立政治大學中文系所主編.--初版.--臺北市：文史哲，民 80

面； 公分

ISBN 957-547-076-1（精裝）.--ISBN 957-547-077X（平裝）

1.中國文學-漢（西元前 202-西元 220）-論文，講詞等 2.哲學-中國-漢（西元前202-西元220）-論文，講詞等

112.2 80003715

漢代文學與思想學術研討會論文集

主編者：國立政治大學中文系所
出版者：文史哲出版社
登記證字號：行政院新聞局局版臺業字〇七五五號
發行所：文史哲出版社
印刷者：文史哲出版社
台北市羅斯福路一段七十二巷四號
郵撥〇五一二八八一二彭正雄帳戶
電話：三五一一〇二八

精裝定價新臺幣八〇〇元
平裝定價新臺幣七〇〇元

中華民國八十年十月初版

ISBN 957-547-076-1（精裝）
ISBN 957-547-077-X（平裝）

序

漢代是中國歷史上一個光輝的時代，開疆拓土，國勢鼎盛，中國人每以大漢天威自豪。然而，漢代對後世中國影響最大的不是顯赫的武功和強盛的國勢，而是輝煌的文學成就和耀眼的思想光芒，因此，對漢代的研究應該以文學和思想爲兩大主軸。

臺灣地區自光復以來，文學界、史學界、哲學界對漢代研究似乎都未曾給予應有的重視，以致漢代研究的成果不及先秦、唐宋等時代豐富，造成中國人（尤其是臺灣地區的中國人）對漢代研究仍停留在空浮式、遠觀式的境地，這是値得大家警惕的事。

爲了提倡漢代研究，國立政治大學文理學院乃於本（七十九）年六月二日至三日假政大藝文中心舉辦「漢代文學與思想學術研討會」，希望通過對文學和思想兩個主軸的討論來提昇國內學術界對漢代研究的興趣。兩天的會期，共提出了二十六篇論文，經過熱烈的討論，讓我們深深感到我們的願望並沒有落空，而且證明了國內學者對漢代研究具有雄厚的潛力。

這次「漢代文學與思想學術研討會」的舉行，原由政大中文系所倡議，得到歷史系和哲學系的支持，共同策劃推動，會議的實際行政工作則全由中文系負責，我特別要感謝中文系主任簡宗梧教授，

由於簡主任的思慮縝密，使研討會一切進行順利；我最要感謝的是中文系的張雙英教授，張教授擔任這次研討會籌備會總幹事，認眞負責，處理事務條理分明，張教授應是這次研討會功勞最大的人。此外，中文系陳全得助教主動積極的辦事精神，也是這次研討會的大功臣，我願在此一併致謝。

當然，學術性研討會的成敗主要關鍵繫於論文報告人和參與討論者的態度，我要感謝二十六篇論文的作者和二十六位特約討論以及一百多位與會者，如果沒有精彩的論文和熱烈的討論，研討會是注定要失敗的。二十六篇論文出自國內各大學中文系、歷史系、哲學系教授之手，而應邀與會者均是各大學和中央研究院研究漢代文學、經學、史學、哲學的知名學者，由於出席者水準高，所以達成了這次研討會的目的。

我要感謝政大校長張京育博士的大力支持，教育部和行政院文化建設委員會的經費補助，才能使這次研討會順利舉行。我也要感謝文史哲出版社慨允出版這次研討會的論文集，使這次研討會的成果得以呈現給世人，不致因時間的流逝而消失。

王壽南　謹識

民國七十九年六月二十三日
於國立政治大學文理學院

政治大學張校長京育於開幕典禮中致詞

文建會王處長心均於開幕典禮中致詞

一

「來賓報到處」佈置清雅

「鷄尾酒會」嘉賓以酒會友

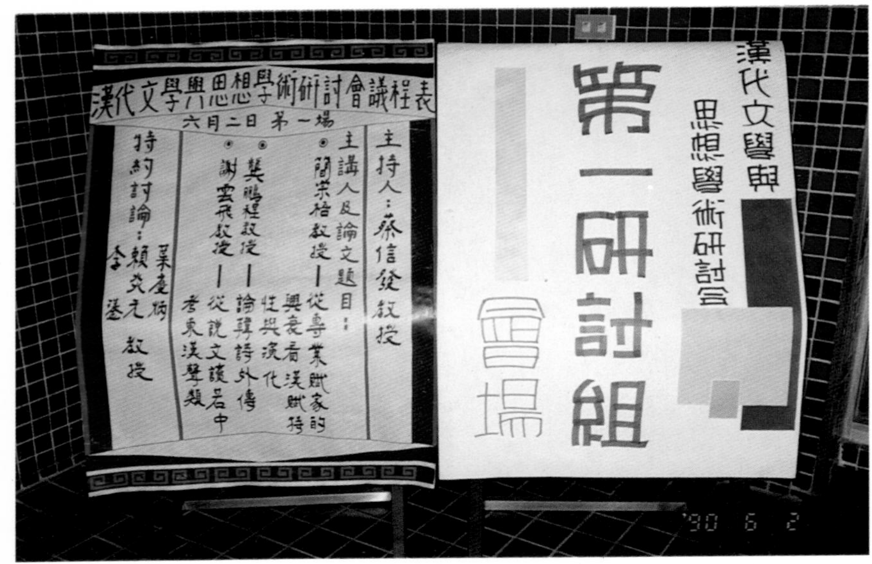

第一研討組佈告

第一研討組會場

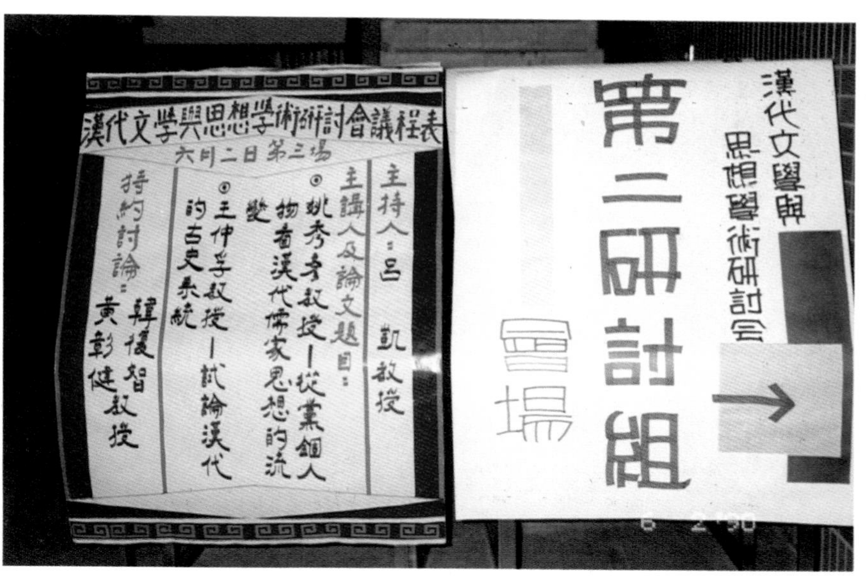

第二研討組佈告

第二研討組會場

第一研討組自由討論

第二研討組自由討論

會場內座無虛席

會場外佈置典麗

廣與樓會餐嘉賓盡興

政治大學中文所簡所長宗梧報告籌備經過

政治大學文理學院王院長壽南於閉幕典禮中致詞

文理學院王院長壽南與中文系負責籌備工作之老師、同學合影留念

國立政治大學中文系所主編

漢代文學與思想學術研討會論文集

文史哲出版社印行

國立中央圖書館出版品預行編目資料

漢代文學與思想學術研討會論文集／國立政治大學中文系所主編．--初版．--臺北市: 文史哲, 民 80

面;　　公分

ISBN 957-547-076-1（精裝）.--ISBN 957-547-077X（平裝）

1. 中國文學-漢（西元前 202-西元 220）-論文，講詞等　2. 哲學-中國-漢（西元前202-西元220）-論文，講詞等

112.2　　　　80003715

漢代文學與思想學術研討會論文集

主編者：國立政治大學中文系所

出版者：文史哲出版社

登記證字號：行政院新聞局局版臺業字〇七五五號

發行所：文史哲出版社

印刷者：文史哲出版社

台北市羅斯福路一段七十二巷四號

郵撥〇五一二八八一二彭正雄帳戶

電話：三五一一〇二八

精裝定價新臺幣五〇〇元

平裝定價新臺幣六〇〇元

中華民國八十年十月初版

ISBN 957-547-076-1（精裝）
ISBN 957-547-077-X（平裝）

序

漢代是中國歷史上一個光輝的時代，開疆拓土，國勢鼎盛，中國人每以大漢天威自豪。然而，漢代對後世中國影響最大的不是顯赫的武功和強盛的國勢，而是輝煌的文學成就和耀眼的思想光芒，因此，對漢代的研究應該以文學和思想爲兩大主軸。

臺灣地區自光復以來，文學界、史學界、哲學界對漢代研究似乎都未曾給予應有的重視，以致漢代研究的成果不及先秦、唐宋等時代豐富，造成中國人（尤其是臺灣地區的中國人）對漢代研究仍停留在空浮式、遠觀式的境地，這是值得大家警惕的事。

爲了提倡漢代研究，國立政治大學文理學院乃於本（七十九）年六月二日至三日假政大藝文中心舉辦「漢代文學與思想學術研討會」，希望通過對文學和思想兩個主軸的討論來提升國內學術界對漢代研究的興趣。兩天的會期，共提出了二十六篇論文，經過熱烈的討論，讓我們深深感到我們的願望並沒有落空，而且證明了國內學者對漢代研究具有雄厚的潛力。

這次「漢代文學與思想學術研討會」的舉行，原由政大中文系所倡議，得到歷史系和哲學系的支持，共同策劃推動，會議的實際行政工作則全由中文系負責，我特別要感謝中文系主任簡宗梧教授，

由於簡主任的思慮縝密，使研討會一切進行順利；我最要感謝的是中文系的張雙英教授，張教授擔任這次研討會籌備會總幹事，認眞負責，處理事務條理分明，張教授應是這次研討會功勞最大的人。此外，中文系陳全得助教主動積極的辦事精神，也是這次研討會的大功臣，我願在此一併致謝。

當然，學術性研討會的成敗主要關鍵繫於論文報告人和參與討論者的態度，我要感謝二十六篇論文的作者和二十六位特約討論以及一百多位與會者，如果沒有精彩的論文和熱烈的討論，研討會是註定要失敗的。二十六篇論文出自國內各大學中文系、歷史系、哲學系教授之手，而應邀與會者均是各大學和中央研究院研究漢代文學、經學、史學、哲學的知名學者，由於出席者水準高，所以達成了這次研討會的目的。

我要感謝政大校長張京育博士的大功支持，教育部和行政院文化建設委員會的經費補助，才能使這次研討會順利舉行。我也要感謝文史哲出版社慨允出版這次研討會的論文集，使這次研討會的成果得以呈現給世人，不致因時間的流逝而消失。

王壽南 謹識

民國七十九年六月二十三日
於國立政治大學文理學院

漢代文學與思想學術研討會論文集

目次

從專業賦家的興衰看漢賦特性與演化

簡宗梧

一 前 言

什麼人唱什麼歌，什麼樣的文人就寫什麼樣的篇章，所以有關文學作品的研究，常從作者入手。如果背景相同的作者羣，同爲某些讀者而創作，那麼他們的作品，將呈現某些共同的特性，這是可以預期的。所以，某些作品何以呈現共同特性，從作者羣的共同背景，常不難考察其原因。

漢賦被稱爲貴遊文學，昌盛於宮廷，是一種相當特殊的宮廷文學。御用的專業賦家，被稱之爲言語侍從，他們的職分，就是「朝夕論思，日月獻納」，這是班固《兩都賦序》所明言的。這些言語侍從之臣的背景是什麼？他們的前身是什麼？我們若加以探討，便不難了解他們的出身、學養與地位，從而探究他們的作品所呈現的共同特性，乃其來有自。甚至從其地位的起落，去探討漢賦特性變化的原因，似乎都可以得到相當合理的解釋。所以從專業賦家的興衰，去觀察漢賦，去推知漢賦，應不失爲一個可取的角度與有效的途徑。

本文即嘗試循此途徑，做一個新的開拓，以期對漢賦這大國①做不同的探索與認知，使漢賦的各

種特質與現象，能得到更合理的詮釋，並使漢賦對中國文學的影響，得到更具體的肯定。當然，這種嘗試與詮釋，應是前所未有的，草創發端，不免思慮欠周，尚祈　方家，有以教之。

二　專業賦家地位之起落與漢賦之盛衰

在中國古代的社會，能文之士除了得寵入仕之外，只有寄食於列侯或帝王，充當侯門清客文學侍從。早期漢賦，依附貴遊而興，因列侯帝王獎倡而盛。漢賦的盛衰與言語侍從之臣的地位起落，有密切的關係。

1. 梁王菟園爲宮廷專業賦家之搖籃

梁孝王武，是漢文帝的次子，與景帝同爲竇太后所生，乃深受寵愛。又因平七國之亂有功，所以「居天下膏腴之地」，「築東苑，方三百里，廣睢陽城七十里；大治宮室，爲複道，自宮連屬於平臺三十餘里。得賜天子旌旗，出從千乘萬騎，東西馳獵，擬於天子。出言蹕，入言警，招延四方豪傑，自山以東游說之士，莫不畢至」②，而這些游說之士，長於辭令，有行人應對之才。在戰國時代，則爲縱橫家，當其太平無事，長才不得施展，只好淪爲言語侍從，成爲漢代貴遊文學的先驅，而梁王的菟園，也就成爲日後宮廷專業賦家的搖籃了。

在《史記・梁孝王世家》提到的游說之士，有齊人羊勝、公孫詭、鄒陽之屬。依《西京雜記》所

載，羊勝作《屏風賦》，公孫詭作《文鹿賦》，鄒陽作《酒賦》、《几賦》，另外還有枚乘作《柳賦》，路喬如作《鶴賦》，公孫乘作《月賦》，都是在「梁孝王遊於忘憂之館，集諸遊士，各使爲賦」③的情況下寫作的。當然這些遊士，未必都是言語侍從，如《史記》就說公孫詭多奇邪計，官至中尉，號稱公孫將軍，還與羊勝使人刺殺袁盎及他議臣十餘人④，看來就不是言語侍從而已。不過，游說之士與言語侍從，原本就難分軒輊，《文心雕龍・時序》便說辭賦「暐燁之奇意，出乎縱橫之詭俗」。他們在梁王聽政餘暇，於忘憂館作賦取樂，罰酒賜帛，不免崇尚辭賦之道，於是梁王菟園就成爲培養賦家之搖籃了。

梁王菟園的賦家不止這些，西漢第一大賦家——司馬相如，也出身於梁王賓客，他的《子虛賦》和《美人賦》應作於他遊梁之時⑤。另外，在《漢書・藝文志》列有賦二十四篇的嚴忌，也是梁王的上客⑥，他的兒子嚴助後來也就成爲武帝的言語侍從，並立有事功⑦，足見梁王菟園孕育賦家之功。

當然，在漢初招致天下之娛游子弟，並不是始於梁王，也不限於菟園。正如《漢書・地理志下》所說：

> 漢興，高祖王兄子濞於吳，招致天下之娛游子弟，枚乘、鄒陽、嚴夫子之徒興於文、景之際。而淮南王安亦都壽春，招賓客著書。而吳有嚴助、朱買臣，貴顯漢朝，文辭並發，故世傳《楚辭》。

但吳王濞因其子被殺，稱疾不朝，圖謀作亂。枚乘、鄒陽、嚴忌諫言不被採納，隨即赴梁，都爲梁王

所吸收⑧。這些娛游子弟的大匯集，才成爲漢一代文學主流的發皇。至於淮南王劉安，雖也有賦八十二篇，其羣臣有賦四十四篇⑨，但這些賦作是不是早於武帝招致言語侍從之時，則不無疑問⑩。再說，他們與後來宮廷專業賦家，缺乏直接的淵源，所以論漢室專業賦家的搖籃，也就非梁王菟園莫屬了。

2. 西漢言語侍從鵲起與辭賦鼎盛於宮廷

梁王武薨於景帝中元六年（西元前一四四年）⑪，娛游子弟頓失了依恃，辭賦失去了良好的發展環境。言語侍從流離失散，他們不能再在一起切磋，或相互激盪。所幸，漢武帝適時收納了這些漸成專業的賦家，給予更優裕的發展空間，提供更豐富的諷詠題材。

《漢書・枚乘傳》說：「武帝自爲太子聞乘名，及即位，乘年老，乃以安車蒲輪徵乘，道死，詔問乘子，無能爲文者，後乃得其孽子皋。」可見武帝徵求能文之士，是如何的殷切。這位撰《七發》、《柳賦》、《梁王菟園賦》的枚乘⑫，沒有接受武帝恩寵的福分，可是他的庶子就成了武帝的言語侍從，「從行至甘泉、雍、河東，東巡狩，封泰山，塞決河宣房，游觀三輔離宮館，臨山澤，弋獵射馭狗馬蹵鞠刻鏤，上有所感，輒使賦之」，而留下可讀的賦一百二十篇，而尤嫚戲不可讀的賦數十篇⑬。司馬相如則借狗監楊得意獻《子虛賦》，獲得武帝的召見，並再獻《天子游獵賦》，而爲言語侍從，後來還拜中郎將，建節往使通西南夷。但他還是安於言語侍從之位，「其進仕宦，未嘗肯與公卿國家之事」⑭。依《漢書・藝文志》記載，他死後留下賦二十九篇。嚴忌的兒子嚴助⑮，也獲得

武帝的擢拔，而爲中大夫，在其左右，常「與大臣辯論，中外相應以義理之文，大臣數詘」，乃獲親幸。曾使南越，拜爲會稽太守，與淮南王安交私論議，可見他有縱橫家的本質。後來淮南王反，受到株連，武帝欲寬貸其罪，但廷尉張湯以爲他「出入禁門，腹心之臣，而外與諸侯交私如此，不誅，後不可治」⑯，而予以棄市。從所謂「出入禁門，腹心之臣」，就可知其受寵的程度了。

除了梁王菟園出身的司馬相如，及菟園賓客的下一代——枚皐和嚴助之外，武帝還網羅了其他的能文之士。嚴助推薦朱買臣，在召見時「說書秋，言楚詞」，於是爲武帝所悅，拜爲中大夫。後來擔任會稽太守及主爵都尉⑰，《漢書·藝文志》記其賦三篇。另外，還有吾丘壽王、東方朔、嚴葱奇，都是隨侍武帝左右的言語侍從⑱。《漢書·藝文志》列吾丘壽王賦十五篇，嚴葱奇賦十一篇。至於東方朔有《七諫》、《答客難》，都是辭賦之作。

《漢書·東方朔傳》說：「是時朝廷多賢材，上復問朔：『方今公孫丞相、兒大夫、董仲舒、夏侯始昌、司馬相如、吾丘壽王、主父偃、朱買臣、嚴助、汲黯、膠倉、終軍、嚴安、徐樂、司馬遷之倫，皆辯知閎達，溢于文辭，先生自視，何與比哉？』」可見當時能文之才士濟濟⑲。當然我們不能將這些能文之士，一律歸之爲言語侍從。因爲武帝好賦而自己也作賦⑳，風氣所及，那些公卿大臣及儒生也不乏能文善賦者。正如班固《兩都賦序》所謂：「言語侍從之臣」固然「朝夕論思，日月獻納」，「公卿大臣：御史大夫倪寬、太常孔臧、太中大夫董仲舒、宗正劉德、太子太傅蕭望之等，時時間作」。依據《漢書·藝文志》著錄，倪寬賦二篇，太常蓼侯孔臧賦二十篇，陽成侯劉德賦九篇，

司馬遷賦八篇，蕭望之賦四篇。至於董仲舒，《漢書・藝文志》雖然沒有著錄其賦作，卻在《藝文類聚》可以看到他的《士不遇賦》。

從這些公卿大臣都汲汲於作賦，就可知道當時宮廷辭賦之盛了。從司馬相如「其進仕宦，未嘗肯與公卿國家之事」，安於言語侍從之職，以及嚴助等言語侍從大多有事功，在皇帝左右備受優遇，出任官職，職位不低，就可以知道當時言語侍從地位之高了。

武帝之後，昭、宣、元、成，大體承此遺風，因此辭賦歷久不衰，尤其宣帝令王褒「與張子僑等並待詔，數從褒等放獵，所幸宮館，輒爲歌頌，第其高下，以差賜帛」㉑，完全是貴遊作風。當時待詔金馬門，還有劉向、華龍、柳褒等人，當「太子體不安，若忽忽善忘，不樂」，還「詔使褒等皆之太子宮虞侍太子，朝夕誦讀奇文及自所造作，疾平復，乃歸。」簡直以辭賦奇文爲藥石，太子確也「喜褒所爲《甘泉》及《洞簫頌》，令後宮貴人左右皆誦讀之。」㉒這位太子就是後來的元帝，其在位雅好辭賦，自在意料之中。

成帝也是辭賦的雅好者，從《漢書・揚雄傳》：「孝成帝時，客有薦雄文似相如者，上方郊祠甘泉泰時、汾陰后土，以求繼嗣，召雄待詔承明之庭」，爾後揚雄有《甘泉》《河東》《羽獵》《長楊》諸賦之作，便知此時言語侍從乃爲朝廷所必需，爲帝王所雅好，但貴遊的成分轉淡，歌頌盛德，稱述盛事，以備揚於後世的意味趨濃。賦既非帝王所熱心投入，對言語侍從不再恩寵有加，所以揚雄便有「頗似俳優淳于髡、優孟之徒，非法度所存，賢人君子詩賦之正」的感慨，造成「輟不復爲」的

反應㉓。

辭賦自武帝以來，既被如此獎倡，言語侍從得以侍帝之左右，於是風起雲湧，鼎盛於朝廷。班固《兩都賦序》說：「孝成之世，論而錄之，蓋奏御者千有餘篇」，《漢書・藝文志》列「詩賦百六家，千三百一十八篇」，扣去「歌詩二十八家，三百一十四篇」，以及「屈原賦二十五篇」、「唐勒賦四篇」、「宋玉賦十六篇」、「孫卿賦十篇」、「秦時雜賦九篇」等不是漢人的作品，西漢賦家凡七十三家，作品九百四十篇，其他未被著錄者，更不知凡幾。西漢就在帝王的獎倡下，言語侍從大展長才，給予辭賦廣大的發展空間，也提供強烈的創作動機，辭賦之盛於朝廷，乃其來有自。

3. 東漢言語侍從沒落與辭賦普及於朝野

言語侍從到東漢就沒落了，因爲帝室侯門對文學的興趣，已產生改變。王莽藉讖緯而篡漢㉔，光武亦據之而中興㉕，光武因此特重讖緯，一時公卿大夫莫不善於圖讖。非議圖讖，竟斥爲非聖非法，怒令處斬㉖。明帝、章帝也祖述圖緯，於是儒者爭學，兼復附以妖言㉗。那些著名的侯王自能詩賦者，也沒有招致言語侍從以遊戲筆墨爲能事㉘。章帝以後，都是母后臨朝，幼主卽位，權歸女主，這些女主無不「委事父兄，貪孩童以久其政，抑明賢以專其威」㉙，都沒有言語侍從專業賦家的生存空間。所以《後漢書》雖立有文苑傳，卻很難找到一個是充任言語侍從的專業賦家。雖然在靈帝時，有樂松、賈護之徒，招集淺陋的文人待制於鴻都門下㉚，略具言語侍從的規模，「但眞正有名望的作家

卻因世亂而散居各地。其時算得上結納文士的，先是荊州的劉表，然後於鄴下的曹操父子們。劉表以虛譽得官，頗爲一些文人所歸附，但到了曹氏父子得勢，而有名望的作家們又被網羅到鄴下去了。」㉛依曹丕的記述，他們「行則連輿，止則接席，何曾須臾相失。每至觴酌流行，絲竹並奏，酒酣耳熱，仰而賦詩」㉜，又見當年梁孝王於梁園、漢宣帝遊幸宮館的貴遊作風，但時屆東漢末葉，辭賦在言語侍從長久的沒落之後，已經產生質變與量變。

「東漢以下雖沒有職業的貴遊文學家，而貴遊文學的作風不但沿襲未改而且擴大普及了。」這是王夢鷗先生所強調的，他還說：「當時名人如班固、傅毅、崔駰、張衡之倫，都是雅擅辭賦的；尤其可觀的是在民間以文學傳授者，幾乎無遠弗屆，而且他們的徒衆，動輒以百千數。」因爲：

> 《後漢書》別立《文苑傳》，其中被劉勰說到，僅有杜篤、傅毅二人，其餘或自有傳，或則僅見於此者，所為詩賦，數目不少。此外被列入《儒林傳》的，如衞宏、趙壹、張升、王延壽、邊讓、酈炎、張超、侯瑾等人，也都有賦頌之類作品。尤其是這夥儒林人物，他們所擁的門徒多至萬人者有張興、牟長、蔡玄、樓望；三千人以上者有張超、曹曾、朱登、魏應；其餘，數百至千餘人者，更是隨在可見。這些教師能名見史傳，當屬衆中佼佼者，等而下之，不見史傳的人師當然更多。儘管他們教學的內容以經術為重，但寫作辭賦亦自是必修的課程。㉝

由於辭賦擅場於儒家定於一尊的武帝之世，言語侍從得意於漢帝國鼎盛之時，於是專業賦家依附儒家以求發展，儒者亦運用辭賦以曲達其旨㉞，以致辭賦已非言語侍從之專能。在言語侍從失勢之

時，辭賦並不因此而銷聲匿跡。這種「暇豫事君」的文學㉟，到了不能「暇豫事君」的時候，仍有其自娛娛人的功能，所以仍有廣大的愛好者。職是之故，在東漢已缺乏言語侍從之臣的生存空間，辭賦仍有大肆發展的餘地。只惜《後漢書》沒有藝文志，我們不能據以了解東漢辭賦的盛況，但王夢鷗先生的引證，已足以見其端倪。其實以今可考見的賦家賦作，亦可見其一斑。

何沛雄依嚴可均《全上古三代秦漢三國六朝文》，列《現存漢魏六朝賦作者及篇目》，西漢得二十家四十九篇，東漢則有五十家一百九十篇㊱。曹淑娟《兩漢辭賦總目》，則列西漢二十四家七十九篇（含佚名四篇），東漢四十三家一百二十九篇㊲。由於二家對賦的界定不同，所以數量不一，曹氏包括七類與騷類，何氏除《七發》外，七類全被排除，所以西漢部分，何氏少於曹氏所計。可是曹氏總目不含括名列《三國志》的建安七子及楊修、張紘、潘勖、繁欽、丁儀、丁廙、崔琰等人，因此所列東漢賦家及作品就少於何氏。其實，建安七子及楊修等，皆死於東漢建安年間，都該列入東漢。其他，如曹操父子三人八十五篇，何、曹二氏皆未計入，他們的賦大多作於東漢末亡之時，所以東漢賦家及作品，今可考見者，當不止此數。

由這些統計數字，我們已不難看出：東漢雖然缺乏言語侍從這種專業賦家，但賦的作家和作品，卻比言語侍從得意的西漢多得多。東漢朝廷雖然缺乏言語侍從的生存條件，但公卿大臣時有製作，班固、張衡的京都大賦，就傳承了原有特質，不能騁才於朝廷的能文之士，當然不肯埋沒他們的專能，仍用力於體物寫志之作，於是辭賦普及於民間。由於施展的空間不同，服務的讀者不同，不但造成量

的擴充，作品的特質也必然產生變異。因時代不同，環境有別，爲迎合時勢需要，辭賦到東漢不論形式或內容都有所不同，是可以理解的。

三　從西漢專業賦家地位看西漢賦的特色

在西漢之世，不論言語侍從或公卿大臣，作賦爲的是：「或以抒下情而通諷諭，或以宣上德而盡忠孝，雍容揄揚，著於後嗣」㊳，是以帝王爲作品主要的讀者，以朝廷爲作品流通的場所，於是形成以下的特色：

1. 呈現口誦的特色

《漢書・藝文志》說：「傳曰：『不歌而誦謂之賦，登高能賦可以爲大夫。』」所以賦雖非口傳的文學，但它的表現卻是採用口誦的方式。換句話說：賦雖是書面寫作而成，欣賞者卻是用聽覺來領受。至少在西漢的帝室侯門是如此。《漢書・王褒傳》說王褒到太子宮娛侍太子，「朝夕誦讀奇文及所自造作」，太子病瘉後，「喜褒所爲《甘泉》及《洞簫頌》，令後宮貴人左右皆誦讀之。」卽可知其端倪。

由於西漢的賦篇奏獻於朝廷，不以目讀而以口誦，所以賦中大量採用基於口語別義需要而衍生的複音詞；爲增強口誦的音樂效果，大量使用雙聲或疊韻的聯緜詞；爲使口語傳誦生動，不免挖空心思

提煉口語中傳神的聲貌形容詞。這些語彙，平時騰之於口舌，自然而流利，生動而貼切，但取之入賦，寫成書面，原無定字，各憑其聲，或假借用之，或再疊加形旁以造新字，於是瑰怪的瑋字就層出不窮了。西漢賦篇瑋字聯邊疊綴，正是口語文學的特色。㊴

由於賦是諷誦的文辭，西漢帝王不以目治而以耳聞，所以賦叶韻以求美，不同於一般的文；而且通常採對話的方式，以便誦讀時增添戲劇效果。這些爲尋求口誦美感而採取的形式特色，就成了西漢辭賦所專有或永恆不變的特色。至於提煉自口語的聲貌形容詞，則在辭賦完全淪爲書面文學之後，就不得不沒落了。

2. 刻意於語文加工

論者都強調辭賦之興，致使文章與學術分途㊵，那是因爲言語侍從的辭賦，是講求文辭的華麗壯闊、反正開闔，翻空易奇，以聳人耳目；或以詼詭之筆，寫牢騷之情，表諷諫之旨。不同於學術文字，探求事實之眞，或思想的表達。他們「不以立說爲宗，但以能文爲本」㊶，這是本於言語侍從的職能。其所以如此，當然是有原因的。

《文心雕龍・詮賦》說：「原夫登高之旨，蓋覩物興情。情以物興，故義必明雅；物以情觀，故詞必巧麗。麗詞雅義，符采相勝，如組織之品朱紫，畫繪之著玄黃，文雖新而有質，色雖糅而有本，此立賦之大體也。」賦原本就有文辭巧麗的要求，加以這些言語侍從，原先就因能文而邀寵，其所以

能侍帝左右，即在於爲文奇巧。所以他們要見重於主上，必須刻意於語文的加工；他們「言務纖密」，所以「寫物圖貌，蔚似雕畫」。及其末流，因競相加工，造成「繁華損枝，膏腴害骨」㊷的現象，也就勢所難免。

語言加工是言語侍從脫穎而出的主要手段，文辭巧麗也就成爲專業賦家的專能。其加工求巧，一方面努力鑄造瑋詞，其構辭造語的方法，對後世自有啓示的作用；一方面求音節的和諧與頓挫，而走駢儷之路，爲中國文學開導一派主流，影響不可謂不大。同時，語言藝術的講求，使文章與學術分途，純文學獨立於學術之外，於是文學觀念逐漸明晰，文學理論次第建立。從另方面來說，語言藝術講求的結果，使文章成爲士大夫的專利品，也產生一些專以寫文章爲能事的士大夫，這些在中國文學史上都是不可忽視的大事。㊸

3. 肆其內容的誇張

「暇豫事君」的言語侍從，在漢帝國鼎盛的武、昭、宣、元之世，自然需要謳歌各種享用及禮儀的作品，以宣揚君王的威德，也需要鋪張揚厲的描述，以滿足帝王驕縱狂放的情感。更何況如王充《論衡・藝增》所說的：「俗人好奇，不奇，言不用也。故譽人不增其美，則聞者不快其意；毀人不益其惡，則聽者不愜於心。」㊹所以「自天地以降，豫入聲貌，文辭所被，夸飾恆存」㊺。辭賦的誇大描述，也就其來有自了。

《文心雕龍・夸飾》對賦的誇誕有所批評：

> 自宋玉景差，夸飾始盛，相如憑風，詭濫愈甚。故《上林》之館，奔星與宛虹入軒；從禽之盛，飛廉與鷦鷯俱獲。及揚雄《甘泉》，酌其餘波，語瓌奇則假珍於玉樹，言峻極則顛墜於鬼神。至《東都》之比目，《西京》之海若，驗理則理無不驗，窮飾則飾猶未窮矣。又子雲《羽獵》，鞭宓妃以饟屈原；張衡《羽獵》，困玄冥於朔野。孌彼洛神，既非罔兩；惟此水師，亦非魑魅；而虛用濫形，不亦疎乎！

當然這些作品，並非全屬西漢；這些作者，也不全是言語侍從，但有一個共同點：這些都爲帝王而作。班固《兩都賦》是諫和帝不可去洛陽而就長安；張衡《二京賦》是諫天下王侯之踰侈，都是貴遊的傳統。這些作品，當初帝王何以對其詭濫夸飾沒有任何的疑惑或批評？道理很簡單：內心充溢驕奢之情的帝王，要求臣下所奏御的賦，就好像對自己形貌有自憐傾向的人，對專屬攝影師所拍攝的，要求的不是眞，而是美[46]。言語侍從的辭賦之作，不論場面的描述，或盛德的形容，如果不誇大增美，如何能快主上之意？又如何能愜君王之心？所以肆其內容的誇張，是辭賦的作者——言語侍臣，爲討好讀者——帝王，所不得不講求的特色，也就難怪「誇張聲貌，則漢初已極，自玆厥後，循環相因」了。[47]

4. 寓諷於頌的講求

基於專業賦家的職分，以及西漢評析詩騷充斥諷諭的影響，奏御之賦，無不帶有諷諭的意味㊽。不論其諷諭是出於賦家的自覺，或是貴遊文學用以掩護外來攻訐的幌子，每篇奏賦有諷諭的存在，是無法抹殺的事實。不過，俗云：「伴君如伴虎」，言語侍從之臣如不講求諷諭技巧，批逆鱗而觸人主之怒，恐怕就會招致殺身之禍。所以「先出以勸，以中帝欲，待其樂聽，而後徐加諷諭」㊾，或寓諷於頌的講求，也就成爲言語侍從作品的共同特色。

司馬相如的《上林賦》，在極聲貌以鋪敍天子狩獵之後，爲天子狩獵找到最好的理由，所謂「以覽聽餘閒，無事棄日，順天道以殺伐」，但話鋒一轉，恐「後世靡麗，遂往而不反，非所以爲繼嗣創業垂統也。」㊿於是行孟子所謂「與民同樂」之仁政，提出一套漢儒的政治理想。完全藉天子的自覺而命有司興革政事，以透露諷諭之微意。

相如《哀二世賦》，指秦二世持身不謹、信讒不寤，其亡國失勢、宗廟滅絕，可爲殷鑒。這是「指着禿子說和尚」的譎諫手法。《大人賦》稱中州大人訪仙，其威儀顯赫、氣勢逼人，而神仙之最——西王母，卻「皬然白首，戴勝而穴處兮，亦幸有三足烏爲之使，必長生若此而不死兮，雖濟萬世不足以喜」51，諫武帝不必求仙的諷諭暗示，也十分強烈。以賦體來寫的《難蜀父老》，雖宣明通西南夷之旨，爲武帝覓求正大道理，但藉父老之口，論通西南夷之不當，並再三言百姓之勞，正如譚復堂所說：「力爭上游，言之鑿鑿，終是頌不忘規。」

又如揚雄《甘泉賦》，「聊盛言車騎之衆，參麗之駕，非所以感動天地，逆釐三神；又言『屏玉

女，卻虙妃』，以微戒齊肅之事」[52]，《河東賦》則因成帝遊古蹟，思唐虞之風，揚雄「以爲臨川羨魚不如歸而結罔」[53]，於是藉頌漢德，指陳自興至治之道，正如姚氏所說：「《上林》之末，有游乎六藝之囿，及翱翔《書》圃之語。此文法之，借行游爲喻，言天道爲車馬，以六經爲容，行乎帝王之途，何必巡歷山川以爲觀覽乎？」[54]則取《上林》的諷諭手法。其《羽獵賦》，自謂「羽獵田車戎馬器械儲偫禁禦所營，尚泰奢麗誇詡，非堯舜成湯文王三驅之意也。又恐後世復修前好，不折中以泉臺，故聊因校獵以風。」[55]在此賦中又言「鞭洛水之宓妃，餉屈原與彭胥」，蓋針對當時趙昭儀之得寵，諫成帝遠女色重賢臣，不敢以古代亡國禍水相擬，而以神女宓妃喻之，庶無譖謗之罪，而收諷諫之效，所以楊愼說：「戰國諷諫之妙，惟司馬相如得之；司馬《上林》之旨，惟揚子《校獵》得之」[56]。至於《長楊賦》是因爲要誇示胡人，命民入山，生擒禽獸輸長楊宮，令胡人搏之，揚雄以爲有違農時，藉翰林主人與子墨客卿對談，客卿義正詞嚴，爲民請命，主人爲人主文過飾非，陽咏漢德之盛，陰寓譏時之旨，賦文表面是客卿服主人之論，但正如何焯《義門讀書記》所云：「客卿之談，正論也；主人之言，微辭也。正論多忤，微辭易入，所以爲諷。借客卿口中入正論，此正妙於諷諫處。」

言語侍從之臣既然需要「以抒下情而通諷諭，或以宣上德而盡忠孝」[57]，帝王也以爲「辭賦大者與古詩同義，小者辯麗可喜」，「有仁義風諭、鳥獸草木多聞之觀」[58]，諷諭乃成爲言語侍從奏賦之所必需，然而要達到「言之者無罪，聞之者足戒」的境地，寓諷於頌就成爲他們所講求的技巧，也成

爲暇豫文學之共同特色。

5. 披加儒家的外衣

司馬相如《上林賦》，藉天子的自覺以行諷諭，寫天子命有司：「地可墾辟，悉爲農郊，以贍萌隸，隤牆塡壍，使山澤之民得至焉」，卽是孟子諫齊宣王「獨樂樂不如衆樂樂」之遺意；其所謂「出德號，省刑罰，改制度，易服色，革正朔，與天下爲始」，正是受「五德終始說」影響的漢儒主張。接着又說：

> 於是歷吉日以齊戒，襲朝服，乘法駕，建華旗，鳴玉鸞，游乎六藝之囿，馳騖乎仁義之塗，覽觀春秋之林，射貍首，兼騶虞，弋玄鶴，舞干戚，載雲罕，揜羣雅，悲伐檀，樂樂胥，修容乎禮園，翱翔乎書圃，述易道，放怪獸，登明堂，坐清廟，恣羣臣，奏得失，四海之內，靡不受獲。

藉雙關語，字面言射獵，而實指文教禮樂，將六藝儒家經典——《春秋》、《詩》（雅）、《樂》、《禮》、《書》、《易》，逐一嵌入；更將《詩》的篇名《騶虞》、《伐檀》、《貍首》（後一篇爲佚詩）等鑲進其中。也把「仁義」等儒家主張，巧妙融入。全篇以儒家思想爲中心，似是儒者的進言書。其實司馬相如是文士，不是經生，更不是思想家，其作品之所以倡言儒術，完全是披加儒家的外衣，以妥合當時之所需，或做爲保護色。

早在秦始皇在位第三十四年，批准了李斯的建議，而有焚書和學術思想的禁制59，結束了百家爭鳴的時代，此後學術思想幾乎被收攏在統治者的意志之下。文景時代，統治者好黃老之術，則所有學術思想便依附在黃老的名義下求生存，帝王喜愛老子，文士言論必引老子以自重。到漢武帝罷黜百家，獨尊儒術，於是陰陽雜家之說，也都以孔子爲其護身符。漢賦極盛於武帝定儒術於一尊之後，言語侍從之臣奏御賦篇，自然披加儒家的衣冠，並攀附儒家解析古詩所強調的價値，大行其美刺。言語侍從的身分未改，其專屬的讀者不變，其學術思想的壟斷依舊，那麼其賦作，這方面的特色就難有變革，所以披加儒家外衣就成爲西漢專業賦家奏御之賦的共同特色。

四　從東漢專業賦家沒落看東漢賦的變化

到了東漢，言語侍從在朝廷缺乏生存空間，已如前述，作品由於作者身分不同，讀者有所改變，其特色自然有所不同：

1. 漸呈用典的傾向

當專業賦家逞才於朝廷，賦篇以口誦呈現，不以目治閱覽，他們自然刻意於傳神的聲貌描述，以及新語彙的變造。60馳騁其想像，鋪張揚厲，以快人耳。口誦的文采，要求音節的抑揚變化，以及巧爲形似之言，以求意象的直接顯現。但到了專業賦家失去了他們的天地，帝王不再是他們的知音，賦

篇雖可以逞才，卻不能向帝王邀寵，於是漸成爲發抒感慨或自娛娛人的工具。作品的讀者，不再是驕奢的帝王，而是同受語文訓練的文人墨客，同是飽讀經典的士子才人，他們欣賞賦篇，兼以自治，因此他們大可「以多識前言往行，亦有包於文」㊉的方式，以增加美感的「密度」㊁，以顯示學博才高。《文心雕龍・時序》說：「中興之後，羣才稍改前轍，華實所附，斟酌經辭，蓋歷政講聚，故漸靡儒風者也。」而在《文心雕龍・事類》更確切指出：「至於崔、班、張、蔡，遂捃摭經史，華實布濩，因書立功，皆後人之範式也。」其實「巧爲形似之言」也好，「捃摭經史」也好，都是走語文加工的路子。只是口誦之賦與目治之賦，有兩種不同的講求，形成不同的特色。其特色的演化的肇因，言語侍從的起落，卻是其中重要的原因。

當然，這種修辭方式的改變，也是愛奇好異的心理使然，正如蕭子顯《南齊書・文學傳》所說：「習玩爲理，事久則黷，在乎文章，彌患凡舊，若無新變，不能代雄。」到了魏晉以後，字有常檢，作家已不能再任意假借形聲製造新字，以求新奇，「便應用換喻或隱喻的修辭法來增益其文辭的刺激力，如果遇到簡單的詞彙，其隱喻性不足以擔負其刻畫的任務時，就要擴充到那隱喻的材料，使其能作更進一步的形容。一個故事的內容比單詞的涵義要複雜得多，而涵蓋面也較廣，所以使用一個故事，縱使內容之某一部分不切合於對象的性態，但仍有其他部分可與相通」㊂，但這些隱喻材料的使用，其所以能成爲溝通的媒介，是建立在對這些材料有共同認知的基礎上，而能有這種認知，是以飽覽經典爲其先決條件。在言語侍從奏御辭賦的時代，欣賞他們作品的讀者（實際上是聽衆）——帝

王，實際上並不像士子那樣終日與詩文爲伍，作者與讀者之間，缺乏共同的認知基礎，做爲御用文人也就不敢賣弄這方面材料而肆其發揮了。到了言語侍從沒落之後，賦的作者與讀者，同是長期濡染於語文訓練的讀書人，於是逐漸從「巧爲形似之言」的講求，轉到把語意隱藏在典故之下，以求新奇的道路之上。到後來不但着重底層的隱喩，也在表層施展文字抽換和壓縮的花招[64]，那大體是魏晉以後的事了。但推求其轉變的根由，言語侍從的沒落應是重要的契機。

2. 辭賦影響的普及

江河壅塞，水必泛濫；蟻徑被阻，蟻羣必漫衍擴散。奏賦的利祿之途既開，趨湧者衆，而公卿大臣也運用它以達諷諭之旨，於是辭賦從原本是少數文士的專能，漸成爲士子普遍濡習的項目。後來，奏賦的利祿之途逐漸封閉，言語侍從之臣失去了徜徉的天地，爲了生計，不得不另謀出路。而他們所到之處，總不免施展其看家本領。於是辭賦反而因此更爲普及，作品數量也多於前漢。這一點前已述及，在此不贅。

至於賦家施展看家本領，影響其他的文類，則早見於西漢時期。東方朔的《答客難》、《非有先生論》，司馬相如的《難蜀父老》、《封禪文》，王褒的《四子講德論》，揚雄的《解嘲》、《解難》、《劇秦美新》，都是賦體浸濡於其他文類的明證[65]。風氣所被，東漢時期影響更深。

晉初摯虞《文章流別論》，論賦時說：「夫假象過大，則與類相遠；逸辭過壯，則與事相違；辯

言過理，則與義相失；麗靡過美，則與情相悖。」⑯王夢鷗先生說：「前引其論賦之言，雖說的是『賦』，但魏晉以下各種文章大略從同，文人不僅使用這方法作賦，同時也用這方法寫作公文書牘以及哀誄碑銘。倘依劉知幾在其《史通・載文篇》的說法，則連史傳的記載也已辭賦化了。從這觀點說來，可知魏晉六朝文體的形成，只是一個『文章辭賦化』的現象。而且這種現象在這一時期，不特先進的辭賦作家，自屈原至於司馬相如、揚雄無不受到當時文人名士之無窮的企慕，而辭賦的寫作也幾乎變作士流必須用力的一端。他們長期受這風氣的薰陶，辭賦的體式便成爲寫作文章的公式；上以對朝廷，下以應酬朋友，使得公文書牘莫不帶有辭賦的色彩。」⑰東漢時期，便是辭賦色彩普遍滲透其他文類的時代，正如臺靜農先生所說，他們「善於軍國書檄之文，這一類體製，最盛行於時代動盪之際，如光武初年、東漢末年，便有許多名文，應時而生；大都反正開闔，翻空易奇，既華麗亦復壯大。」⑱華麗壯大是賦的特徵，也是東漢文士文的特徵，盛行於東漢的碑傳文⑲，更是被賦濡染的文士文最主要的代表。其「體製同史傳文的血緣」，是「顯而易見的，尤在其敍事處，如碑主的家世，官階的陞黜，以及死後哀榮，皆是史傳文的作法」，但這類文章，「純以抽象的句子，鋪張碑主的盛德，至如聖賢一般的人物，這與史傳文以眞實爲準則，大不相同；而兩者的分野在此，兩者的蛻變之跡亦在此。」⑳因此我們似乎可以說：盛行於東漢的碑傳文，與史傳文的分野，在於前者受到辭賦的濡染，它是以賦筆寫史傳文的傑作。辭賦影響廣大而普及，也就由此可見。

3. 題材擴大篇幅縮小

劉大杰分析魏晉賦之特色有四，其中有「篇幅短小」和「題材擴大」兩項，稱「短賦在漢代張衡、王逸、蔡邕諸人的集子裏，雖然有了，但究竟不是普遍的形式，到了魏晉，短賦成爲主體了。」又說：「漢賦的題材，大都以宮殿遊獵山川京城爲主體，東漢以後，雖稍有轉變，然其範圍亦極狹小。到了魏晉，隨着詩歌的廣大範圍，賦也跟着擴展了。」㉑其中謂賦隨着詩歌而擴展範圍，當然不無可議。因爲究竟是詩影響賦，或賦影響詩，仍有商榷的餘地。至於劉氏所談兩項特徵，則無不肇始於東漢。

其實，西漢賦已不乏短篇。《西京雜記》所見梁園賓客的賦作，其眞僞或不無可疑，我們就暫且不談它。司馬相如的《哀二世賦》不及二百字㉒，其《美人賦》及揚雄《河東賦》、《太玄賦》、《逐貧賦》、《解難》，都是不及五百字的短篇㉓。當然，就西漢而言，今所見者，長篇鉅作多於短小精練者。因奏御之賦，非鋪張揚厲不足以滿足帝王的驕奢情感，而且言語侍從奉命奏賦，繳交短篇，不免有敷衍之嫌。若是抒情之作，或暇豫卽興之作，便無此顧忌，所以在東漢言語侍從沒落之後，短賦就相對多了起來。以張衡爲例，其《二京賦》、《南都賦》、《思玄賦》固然是長篇，其《歸田賦》、《髑髏賦》、《冢賦》、《溫泉賦》，都是不及兩百五十字的短篇。

篇幅之大小，也與題材有關，寫宮殿遊獵山川京都，非長篇鉅製不足以描述；登臨、悼亡、遊

仙、述懷、詠物，就不必鋪陳事物，篇幅自然趨於短小。論者或以此爲魏晉賦之特色，其實只是承東漢之餘緒，更爲顯著而已。蓋東漢在言語侍從沒落之後，少有奏御之賦，而多感懷之作，卽或「傲雅觴豆之前，雍容衽席之上，灑筆以成酣歌，和墨以藉談笑」[74]含貴遊性質的作品，也在「觴酌流行，絲竹並奏，酒酣耳熱」之時，完成作品，是不可能寫長篇鉅作的。

職是之故，東漢之際，賦的題材逐漸擴大，篇章則逐漸縮小，也就不難理解了。

4. 漸趨情感化個性化

由於賦家本身的職能，以及漢代評析詩騷充斥諷諭的影響[75]，漢人作賦幾乎都有所興寄或諷諭。但西漢言語侍從之臣的諷諫，無不披儒家外衣，依附聖人以自重，或扳起面孔說聖賢之道，或寓諷於頌述仁人之心，莫不折衷法度，標舉禮義。但在言語侍從沒落之後，賦家寫賦不再專爲帝王而作，於是他們可以不再披儒家外衣，而表現個人感情，劉大杰描述魏晉賦的個性化和情感化：「大家都會感到在那些文字裏，作家的個性非常分明，情感也極其眞實，他們或是表現人生的理想，或是反映現實的生活，或是歌誦道家的哲學，或是描寫自己的命運，或是敍述田園山水的樂趣，無論怎樣，他們是在抒寫自己的胸懷，發洩着自己的情感，分明地表現着作者的個性。」[76]其實在西漢也有寫個人感情的作品，或悲屈原之不遇，如賈誼之《惜誓》、《弔屈原賦》，嚴忌《哀時命》，東方朔《七諫》，王褒《九懷》，劉向《九歎》，揚雄《反離騷》，率多悼屈原以自傷；也有反映自身之不遇的，如賈

誼《鵩鳥賦》，董仲舒《士不遇賦》，司馬遷《悲士不遇賦》，東方朔《答客難》，揚雄《解嘲》、《解難》。到了東漢，反映個人情志或遭遇的賦，就更多了。如馮衍《顯志賦》，班固《幽通賦》，張衡《思玄賦》、《歸田賦》、《髑髏賦》，蔡邕《述行賦》，趙壹《刺世疾邪賦》，禰衡《鸚鵡賦》，王粲《登樓賦》等幾篇的賦篇，似乎就具備了劉氏所說魏晉賦內容的項目。

漢人作賦，或直陳、或譎諫、或託諷、或隱喻，由於作者身分不同，面對不同層次的讀者，便用了不同的手法，不同的人生態度，去處理作品素材，寄寓其深意。身爲言語侍從，基於本身的職分，以及「賦者古詩之流也」的體認，以爲諷諫是賦所必需的；而非言語侍從，寫賦以抒其感慨，仍將施其故技，在賦的底層有所寄寓或宣洩。只是言語侍從之臣面對帝王，乃訴諸理性，寓諷於頌，遂其嚴肅的諷諫使命；非言語侍從面對同好，則訴諸感性，遂其感情的發抒。動機有異，作品的內容、表現的情感，自然有所不同。所以東漢言語侍從沒落之後，賦篇的個性化與情感化，就逐漸顯現了。

5. 浮現道家出世思想

言語侍從之臣奏御之賦，一方面因爲朝廷獨尊儒術，他們也就依附聖賢之說以自重，披加儒家之外衣；另方面也因諷諫帝王，自然是諫其勤政愛民，積極入世，因此充滿了儒家的色彩。公卿大臣獻賦，自是基於諷諫的需要。所以言語侍從鵲起之後，西漢之賦多爲傳揚儒家學說的工具，揚雄在不得志之時，《解嘲》抒憤懣之氣，《太玄賦》倡言「疾身歿而名滅，豈若師由聃兮，執玄靜于中谷」，

雖皆不失儒家立場，但已開思想轉變之端緒⑰。

言語侍從沒落之後，文人之不遇，更甚於往昔，加以他們不必披借儒家的外衣，也不擔負諷諫帝王之使命，在進不能淑世致用之時，不免退而求通透達觀以自解，於是「老聃貴玄，孔子知命，彭祖養壽，以及莊子之眞人、至人之境，皆是賦家立爲嚮慕之典型」⑱，如馮衍《顯志賦》：「嘉孔丘之知命兮，大老聃之貴玄……夫莊周之釣魚兮，辭卿相之顯位，於陵子之灌園兮，似至人之髣髴，蓋隱約而得道兮，羌窮悟而入術」便是。再如崔篆《慰志賦》：「恨遭閉而不隱兮，違石門之高蹤，揚蛾眉于復關兮，犯孔戒之冶容……聊優游以永日兮，守性命以盡齒，貴啓體之全歸兮，庶不忝乎先子。」⑲雖非不能爲時用，也出現相似的出世之想。

張衡在不順意時，也呈現出世之想，《歸田賦》在寫其盤遊至樂之後，說他「感老氏之遺誡，將廻駕乎蓬廬。彈五絃之妙指，詠周孔之圖書……苟縱心於物外，安知榮辱之所知。」他甚至將《莊子‧至樂》見空髑髏的寓言，改寫成爲《髑髏賦》，以見莊子之髑髏，闡發其出世理念：「死爲休息，生爲役勞。多水之凝，何如春冰之消？榮位在身，不亦輕于塵毛？飛風曜景，秉尺持刀，巢許所恥，伯成所逃。況我已化，與道逍遙……堯舜不能賞，桀紂不能刑，虎豹不能害，劍戟不能傷。與陰陽同其流，與元氣合其樸。以造化爲父母，以天墬（地）爲牀褥。以雷電爲鼓扇，以日月爲燈燭。以雲漢爲川池，以星宿爲珠玉。合體自然，無情無欲。」⑳這些都不是言語侍從奏御之賦所能言。作者身分與讀者對象有所不同，於是有了不同的人生態度，運用不同的表現手法，造成作品的不同特色，

由此可見一斑。

五　結　語

漢賦一向被認爲是貴遊文學的代表，是一批「暇豫事君」的言語侍從之臣，在宮廷「朝夕論思，日月獻納」的產物。其實，漢賦貴遊作風雖綿延久遠，但言語侍從早在東漢就失去了他們可以依附的生存空間。本文乃探討其鵲起與沒落的現象及原因，藉以觀察兩漢辭賦的種種特色，以及演化的現象。於是：漢賦何以有那麼多瑰怪的瑋字？賦家何以刻意於語文的加工？賦描述的場景何以如此夸誕？何以都十分講求寓諷於頌的技巧？何以皆披加儒家的外衣以諷諫？後來又何以漸呈用典傾向？東漢以後的賦何以題材擴大、篇幅變小？何以有情感化個性化的趨勢？何以逐漸浮現道家出世之想？這些問題竟都可以從言語侍從之臣的興衰，得到相當合理的解釋，所以相信這該是一個值得提出的觀察角度。從這個角度加以剖析，可使我們很合理地詮釋漢賦的某些現象與特質，以尋求客觀評估其影響與價值的途徑。

當然，本文所做的觀察與詮釋，並未臻於圓融。任何單一角度的觀察，不論就理論而言，或就事實來說，都是難以面面俱到，有所見也會有所蔽。同時，某種現象的產生，原因都可能是多方面的。不過有關文學史的研究，一個新角度的提出，只要對當時文學生態的了解有所助益，就有它的價值。所以不揣鄙陋，做拋磚引玉的工作，希望引起更多的回響與探討，以期揭開漢賦的僵硬外殼，去體察

那段燦爛的生命歷程。

【附　註】

① 《文心雕龍・詮賦》：「荀況《禮》《智》，宋玉《風》《釣》，爰錫名號，與詩畫境，六義附庸，蔚成大國。」

② 見《史記・梁孝王世家》。

③ 見《西京雜記》卷三。各家賦作亦見於唐人類書，如《屏風賦》亦見於《初學記》卷二十五，《酒賦》亦見於《初學記》卷十及卷二十六，《柳賦》見於《初學記》卷二十八，《月賦》見於《初學記》卷一。各賦亦爲《文選注》所徵引。

④ 同注②。

⑤ 司馬相如遊梁，見於《史記》及《漢書》本傳，《子虛賦》之寫作年代，史傳已明言，至於是否爲今所見之文，請見拙作《子虛上林賦研究》（《中華學苑》十九期，民國六十六年國立政治大學中國文學研究所出版）；《美人賦》之作者原本多有爭議，有關考證請見拙作《美人賦辨證》（《大陸雜誌》四十六卷一期，民國六十二年出版）。

⑥ 嚴忌游梁，見《史記・司馬相如傳》及《漢書，鄒陽傳》。

⑦ 嚴助見《漢書・嚴朱吾丘主父徐嚴終王賈傳》，《漢書・藝文志》列其賦三十五篇，已堪稱專業賦家。

⑧ 見《漢書・鄒陽傳》及《漢書・枚乘傳》。

⑨ 見《漢書・藝文志》。

⑩ 依《史記・淮南衡山列傳》，劉安受封於文帝十六年（西元前一六四年），下獄自殺於武帝元狩元年（西元前一二二年）。

⑪ 見於《史記・漢興以來諸侯年表》。其世家亦云卒於梁王三十五年（卽中元六年）。

⑫ 依《漢書・藝文志》枚乘賦九篇。

⑬ 見《漢書・賈鄒枚路傳》。枚皋之賦，今已不存。

⑭ 見《史記・司馬相如傳》，亦見於《漢書・司馬相如傳》。

⑮ 《漢書》有傳，一說爲其族子。

⑯ 見《漢書・嚴助傳》。

⑰ 見《漢書・朱買臣傳》。

⑱ 《漢書・嚴助傳》：「武帝善助對，繇是獨擢助爲中大夫。後得朱買臣、吾丘壽王、司馬相如、主父偃、徐樂、嚴安、東方朔、枚皋、膠倉、終軍、嚴葱奇，並在左右……上令助等與大臣辯論，中外相應以義理之文，大臣數詘。尤親幸者，東方朔、嚴助、吾丘壽王、司馬相如。相如常稱疾避事。朔、皋不根持論，上頗俳優畜之。惟助與壽王見用，而助最先進。」大體將十一人同列爲言語侍從之列。《兩都賦序》所列言語侍從。《漢書》除司馬相如、東方朔各有傳，劉向入《楚元王傳》外，都同列於卷六十四此傳。可見主父偃、徐樂、嚴安、膠倉、終軍，同爲武帝言語侍從，惟數人於《漢書・藝文志》未列入賦家，故在此暫且不論。

⑲ 《漢書・東方朔傳》所列人物，與《漢書》卷六十四所列之人物相合，惟王褒和賈捐之不是武帝時人，所以

不在其中。因此其中雖有徐樂、嚴安、終軍，於《漢書・藝文志》中未著錄其賦，但皆爲言語侍從之流，殆無可疑。

⑳ 今見武帝有《李夫人賦》（見於《漢書・外戚傳》）及《秋風辭》（見於《文選》），《漢書・藝文志》有「上所自造賦二篇。」顏師古注曰：「武帝也。」

㉑ 見《漢書・王褒傳》。

㉒ 同註㉑。據《漢書・藝文志》劉向賦三十三篇，張子僑賦三篇，華龍賦二篇，王褒賦十六篇。

㉓ 見《漢書・揚雄傳》。言詩侍從頗似俳優，乃其來有自，如武帝時便有此現象，《漢書・嚴助傳》所謂：「朔、皋不根持論，上頗俳優畜之。」但那是東方朔、枚皋的滑稽作爲使然，於嚴助、吾丘壽王、司馬相如皆不是如此，揚雄是經生，竟以辭賦侍左右，而所諫未被見重，乃有此感慨。

㉔ 王莽於未篡之時，因欲達目的而喜符命，既篡之後，因已達目的而厭符命，故先獻者皆得封侯，後獻者或遭誅戮，詳見《漢書・王莽傳》。

㉕ 光武得赤伏符，群臣卽勸其應天，見《後漢書・光武紀》。他也以西狩獲麟讖折服公孫述，見《後漢書・公孫述傳》。

㉖ 見《後漢書・桓譚傳》。

㉗ 呂凱《鄭玄之讖緯學》，政大中文研究所博士論文（民國六十三年七月）頁四八。

㉘ 如光武之子東平憲王劉蒼，作有《光武受命中興頌》，死後留有賦頌。見《後漢書・東平憲王蒼傳》。

㉙ 《後漢書・后紀》：「東京皇統屢絕，權歸女主，外立者四帝，臨朝者六后，莫不定策帷帟，委事父兄，貪

孩童以久其政，抑明賢而專其威。」外立者，安、質、桓、靈四帝；臨朝者，章帝竇皇后、和帝鄧皇后、安帝閻皇后、順帝梁皇后、桓帝竇皇后、靈帝何皇后。章帝崩後，和帝即位年方十歲；殤帝繼和帝誕育方百餘日；安帝繼殤帝立，年十三；北鄉侯懿繼安帝立，誕育方百餘日，立二百餘日，不及改元而薨；順帝立，年十一；沖帝繼順帝立，年僅二歲；質帝繼沖帝立，年僅八歲；植帝繼質帝立，年十五；靈帝繼植帝立，年十二；皇子辯繼靈帝立，年十七，皆太后臨朝。

㉚ 《後漢書・蔡邕傳》：「初帝好學，自造《皇羲篇》五十章，因引諸生能爲文賦者，本頗以經學相招，後諸爲尺牘及工書鳥篆者，皆加引召，遂至數十人。侍中祭酒樂松、賈護多引無行趣勢之徒，並待制鴻都門下，憙陳閭里小事，帝甚悅之，待以不次之位。」

㉛ 見王師夢鷗《漢魏六朝文體變遷之一考察》（見《中央研究院歷史語言研究所集刊》第五十本第二分）頁三九三。

㉜ 見《文選・魏文帝與吳質書》。

㉝ 以上同註㉛頁三九二至三九三。

㉞ 詳見拙作《漢代賦家與儒家之淵源》，刊載於《孔孟學報》卅九期（民國六十九年四月出版），亦收入《漢賦源流與價值之商榷》（民國六十九年十二月出版）。

㉟ 《文心雕龍・雜文》稱宋玉《對問》、枚乘《七發》、揚雄《連珠》爲「暇豫之末造」。「暇豫」出於《國語・晉語二》，優施自謂「暇豫事君」。

㊱ 見何沛雄《漢魏六朝賦家論略》（學生書局，民國七十五年六月初版）頁七三至七九。

㊲見曹淑娟《漢賦之寫物言志傳統》（文津出版社，民國七十六年八月出版）頁二三至三六。

㊳班固《兩都賦序》。

㊴此項見解，本人已多所陳述，而於《漢賦瑋字源流考》（刊於《國立政治大學學報》三十六期，民國六十七年十二月出版，亦收入《漢賦源流與價值之商榷》），考證最詳。

㊵如王師夢鷗《從士大夫文學到貴遊文學》（刊於《文季》第一期，民國六十二年八月出版）頁十，即列此爲貴遊文學之影響。

㊶蕭統《文選序》說明他選文時，說：「老莊之作，管孟之流，以立意爲宗，不以能文爲本」，所以就略而不選，卽嚴分文章與學術。

㊷本段以上引號內之文字，皆出於《文心雕龍・詮賦》。

㊸同註㊵。

㊹見《新編諸子集成》第七册（民國六十七年七月世界書局出版）《論衡》頁八三。

㊺見劉勰《文心雕龍・夸飾》。

㊻這或許該說是人的通病，無關於驕奢之情與自憐傾向。拍照的人把自己照得好看，就說照得好；照得很清楚而不好看，就一定不喜歡那照片，實爲人之常情。帝王何不然？

㊼見《文心雕龍・通變》。

㊽詳見拙作《漢賦文學思想源流》（刊於《國立政治大學學報》卅七、卅八期，民國六十七年十二月出版，亦收入《漢賦源流與價值之商榷》）。

㊾ 程大昌《雍錄》，論《上林賦》之所作。

㊿ 皆見《上林賦》。

51 見《大人賦》。

52 見《漢書・揚雄傳》。

53 同註52。

54 見姚鼐《古文辭類纂・辭賦類七》。

55 同註52。

56 見《丹鉛雜錄》卷八。

57 班固《兩都賦・序》。

58 漢宣帝之言，見《漢書・王褒傳》。

59 見《史記・秦始皇本紀》。

60 其例請見拙作《漢賦瑋字源流考》。

61 見《文心雕龍・事類》。

62 此取余光中先生的語彙。余先生在《剪掉散文的辮子》，提到「密度」，謂「在一定的篇幅中（或一定的字數內）滿足讀者對於美感要求的份量。份量越重，密度越大。」見《逍遙遊》（民國七十三年三月，時報出版公司出版）頁三九。

63 同註31頁四一三至四一四。

㉄ 其例詳見王師夢鷗的《漢魏六朝文體變遷之一考察》，同註㉛頁四〇四至四一二。

㉅ 以上所列，《文選》歸於「設論」、「論」、「檄」、「符命」各類，《古文辭類纂》則多歸於「辭賦類」。本文稱賦體，大體就文章形式特色而言，如「永明體」之類；稱文類，多就內容而分，如「哀祭類」之類。歷來討論文體，頗多糾結。徐復觀則以 literary genre 爲文類，以文體爲風格。

㉆ 見《藝文類聚》卷五十六。

㉇ 見王師鷗《貴遊文學與六朝文體的演變》，收入《古典文學論探索》（民國七十三年，正中書局出版）頁一一八。

㉈ 見其《論兩漢散文的演變》（刊於《大陸雜誌》五卷六期，民國四十一年九月出版）。

㉉ 葉昌熾《語石》卷一云：「東漢以後，門生故吏，爲其府主，伐石頌德，徧於鄉邑。」《文心雕龍・誄碑》云：「自後漢以來，碑碣雲起。」

㉊ 同註㉈。

㉋ 以上兩段文字，見《中國文學發展史》頁一五五及一五六（華正書局，民國六十六年五月版）。

㉌ 依《史記》爲一百五十八字，依《漢書》爲一百二十三字。

㉍ 其《溫泉賦》僅一百一十一字，其他《羽獵賦》、《定情賦》、《舞賦》、《扇賦》、《鴻賦》皆已殘，以今所見，率爲短篇。

㉎ 《文心雕龍・時序》。

㉏ 同註㊽頁十二至十八。

⑯同註⑰頁一五六至一五七。

⑰拙作《司馬相如揚雄及其賦之研究》（自刊本，民國六十四年十二月出版）頁二七〇至二七一，及二八八，已有所評述。

⑱同註㊲頁九六。

⑲崔篆於王莽時，以郡文學舉步兵校尉，投刻歸，後爲建新大尹，到官稱疾去。建武初，舉賢良，辭歸不仕。此賦作於建武年間，並非不遇，但亦見同類思想。

⑳依嚴可均所輯《全上古三代秦漢三國六朝文》，「飛風曜景，秉尺持刀」二句，從《文選．郭泰機贈傅咸詩．注》補。

論《韓詩外傳》

龔鵬程

一、重論韓氏詩學

《漢書・儒林傳》云：「韓嬰，燕人也。孝文時爲博士，景帝時至常山太傅。嬰推詩人之意而作內外傳數萬言」，這便是今傳的《韓詩外傳》等。

據唐晏《兩漢三國學案》說，魯詩行於西漢，而韓詩行於東漢①。考漢之薛漢，世習韓詩，父子皆以章句著名；杜撫又受業於薛漢，定韓詩章句，且爲注，名《詩題約義通》；杜瓊亦嘗著韓詩章句十餘萬言。韓詩可爲章句，則所謂韓詩，必不只有今傳的內外傳而已。依今傳韓詩內外傳來看，無法章句，亦不須章句。蓋漢人所謂章句，乃是繁辭博辯、逐句闡釋、分章講論的。《漢書・藝文志》於《詩》下錄有《韓詩經》二十八卷、《韓故》三十六卷。故，即訓詁。薛漢杜撫等人的章句，應該就是據此而爲之。杜撫依韓詩作《詩題約義通》，應該也是據此而作。倘據《韓詩外傳》，則詩傳根本不列詩題。如何作注？另外，《唐書・藝文志》有韓詩卜商序韓嬰注廿二卷，殆卽《隋書・經籍志》所謂韓傳廿二卷，薛氏章句者也。是故徐復觀謂韓嬰所著，僅有內外傳；《韓故》《韓說》爲其孫韓

商爲博士時所集錄②。我認爲是不對的。且〈儒林傳〉只說：「其後孫商爲博士」，亦無證據證明他曾集錄韓嬰語而成《韓故》。

換言之，我認爲《韓故》《韓說》《韓詩傳》是聯結成一體的，整體構成韓詩這一派之學。《韓故》是對詩的訓詁，《韓說》是對詩意的解說，內外傳則是「推詩人之意而作」，屬於詩旨的引申、推類及起興。並非韓嬰論詩，皆以興發引申爲之。

其次，韓嬰亦嘗「以《易》授人，推《易》意而爲之傳」。孝宣時涿郡韓生，以《易》徵，自稱：「嘗受韓《詩》，不如韓氏《易》深」。後來「司隸校尉蓋寬饒，本受《易》於孟喜，見涿郡韓生說《易》而好之，卽更從受焉」。可見韓氏《易》學確實是不錯的。但韓氏《易》學今已不傳，僅於《韓詩外傳》中引述《易經》，發揮易理時，略可見其彷彿而已。徐復觀曾推測：「韓氏所言《易》義，皆與《易傳》相附合，毫無以象數卦氣言易的痕跡，由此可以窺見漢初《易》學的本來面貌」，又說：「《韓氏易傳》之深，乃在於易傳中發揮了戰國末期盛行於儒家中的天下爲公思想。其《易傳》之所以傳習者少的眞正原因在此」。

這兩點推斷，恐怕也未必然。薛漢家世習韓詩，父子皆以章句著名，但他就「尤善說災異讖緯」；郅惲治韓詩，明天文曆數；唐檀習韓詩，亦「尤好災異星占」；廖扶習韓詩，「尤明天文讖緯風角推步之術」；何隨治韓詩歐陽尚書，亦「研精文緯，通星曆」。這些人，固然是生長於災異讖緯之世，濡染風氣；但他們所通習的學問，難道對他們就毫無影響嗎？《韓詩外傳》卷八說：「陰陽不合，四

時不節，星辰失度，災變異常，則責之司馬」，卷三又引宋君云：「寡人不仁，齋戒不修，使民不時，天加以災」，可見災異在韓詩傳中是個重要的觀念，只不過韓詩對於如何面對災變、處理災異，採取儒家「過而改之」的辦法，不講祈禳罷了（詳後文）。韓氏言《詩》如此，其言《易》未必就不以象數推陰陽災異③。此其一。

二、韓嬰之《易》學，傳至蓋寬饒，蓋氏引用《韓氏易傳》「表達了天下爲公的理念」（徐先生語），是否即能因此推斷韓《易》失傳的原因？在方法上，這只能說是有此可能，難以斷言。舉個反證：眭弘於昭帝時推《春秋》之意，以爲當有匹夫爲天子者，上書要皇帝退位禪讓。結果霍光把他殺了。眭弘是講公羊學的，他提倡天下爲公的理念，證明公羊家所謂非常奇怪之論，正是儒家不專天下的舊義。但公羊家學在漢代何嘗傳習者少？何況，韓嬰論君，起碼從《外傳》中看不出有明顯提倡天下爲公之義者，反而在卷七曾引老子「魚不可脫於淵，國之利器不可以示人」，要國君不能放棄權柄；又宣傳「忠士」的道德，說忠士能「殺身以捷君，又令衞之宗廟復主，祭祀不絕，可謂有大功矣」；卷三且云：「善則稱君，過則稱己，臣下之義也」；卷六又批評比干「殺身以彰君之惡，不忠也」……他論君臣、論忠，顯然都是爲著鞏固君君臣臣的關係，著眼點只在於君應如何才像個君，臣應如何才像個臣。

這種思考格局，不是從「公天下」之義著眼的。它仍屬於「小康世」，亦即在君臣既定的架構裏，講如何人盡其職，達到完善的政治效果。若君不似君，則應該去位，或會被國人逐而去位。這當

然含有革命論的意味，但與公天下相去仍然很遠。至於《漢書・蓋寬饒傳》引韓氏《易傳》云：「五帝官天下，三王家天下。家以傳子，官以傳賢。若四時之運，功成者去。不得其人，不居其位」，則比較複雜，不能隨意引來作證。因爲這段話裏包含了老子「功成不居」的思想，也有韓嬰一貫的對「時」的體認，此外，更涉及了《易經》論「位」的問題。——清惠棟《易例》云：「伏羲作易，分布六爻，以五爲君位。陰爲虛位，陽爲實。故用九之義，乾之九二，當升坤五。以坤虛無君，九二有君德，故升坤五。坤爲田，五爲大人。經云：『見龍在田，利見大人』，二中而不正，升中正之位。故〈文言〉曰：『龍德而正中者也，不得其人，不居其位』，謂六居五，失位當降也。此論易爻升降之理如是，非三代之法」。認爲這應是指爻位而非爵位。但此亦偏說，《易》之論位，有爵位、有爻位。有有德而有位者，有有德而無位者，故蓋寬饒主張德應與位相配合，「不得其人，不居其位」。惠棟據爻位來駁斥蓋氏說，其實只是不同意把這段話引申爲禪讓公天下而已，他依易例，言「古有聖人之德，然後居天子之位」，立場與蓋寬饒其實是一致的。這其中曲折甚多，未宜忽略。

這也就是說，對《韓詩外傳》的思想內容，我們應重新理解。過去，在這方面最值得參考的著作，便是徐復觀《兩漢思想史》卷三的〈韓詩外傳的研究〉。但該文只討論了《韓詩傳》中有關士節、養親與君親間的矛盾、婦女地位等問題，似乎並未抓住重點，而且可能如上文所述，其理解也值得商榷。故特爲之補正如次④。

二、「學」的性質

韓嬰是強調「學」的。卷八引述孔子與子貢的問答，說君子之爲學，應該「學而不已。闔棺乃止」，又引魯哀公與冉有的問答，確定「士必學問，然後成君子」。這些都是強調人不能不學，學亦無止境。

但學什麼，又如何學呢？韓嬰在此，論述甚爲模糊，不過他曾說：「必學，然後可以安國保民」（卷五）「玉不琢不成器，人不學，不成行。君子謀之，則爲國用，故動則安百姓，議則延民命」（卷二）。學的目的，似在保民安國；其術，則他引《詩・大雅・假樂》云：「不愆不忘，率由舊章」，卽學於師，學於聖王。

重師，故云：「無師，安知禮之是耶？……情安禮，知若師，則是君子之道。言中倫，行中理，天下順矣。詩曰：不識不知，順帝之則」（卷五）。這是一種無自主性或非自主性的學習。所以他雖曾引孟子說：「學問之道無他，求其放心而已」（卷四），但其義理結構實與孟子相去甚遠。孟子之學是依心善卽性善的理解，求其放心，以盡性踐仁知天。韓嬰則以求放心爲安於禮，也就是以禮來節制人的情欲，使人安於禮的規範，心卽可不再放失⑤。而人爲何能安於禮之規範呢？禮義的根據，依韓嬰說，只能由聖王及師來。聖王及先師用禮義，得到了保國安民天下康治的結果，所以我們也要也必須用此禮義，學之，以保國安民。韓嬰並未思考到禮義的根據及學的本身所具有的意義，他所提倡

的，只是「順」的倫理。

所謂不識不知，順帝之則。所順之「則」分兩種，一是卷六所說：「天之所生，皆有仁義禮智順善之心。不知天之所以命生，則無仁義禮智順善之心。無仁義禮智順善之心，謂之小人。……大雅曰：『天生蒸民，有物有則，民之秉彝，好是懿德』，言民之秉德以則天也。不知所以則天，又焉得為君子乎？」這是說人皆應有順善之心，君子應該則天。

此亦與孟子性善說相去甚遠。天之所命者，在於人有順善之心；君子應體會此天命，保住這仁義順善之心。順善，是說此心乃順之而善者，韓嬰卽以此言性善。但這並非指性本是善，只是說性可以善、應該善。能不能成就善，那就得靠學了。如何學？卷五說：「卵之性為雛，不得良雞覆伏孚育，積日累久，則不成為雛。夫人性善，非得明王聖主扶攜，納之以道，則不成為君子。詩曰：『天生蒸民，其命匪諶。靡不有初，鮮克有終』，言惟明王聖主然後使之然也」。性善，猶如卵之性可以為雛，但須經聖王敎化方能成就為善。這便是第二個「則」，要人順聖王之則。故卷五接著說：

如歲之旱，草不潰茂，然天勃然興雲，沛然下雨，則萬物無不興起者。民非無仁義根於心者也。王政怵迫而不得見，憂鬱而不得出。聖王在，彼曬鳥，視不出閤，動而天下隨，倡而天下和。何如在此，有以應哉！詩曰：「如彼歲旱，草不潰茂」。

仁義根於心，但須待聖王出，方能使之發露成長。民之待聖人，正如草木之待膏雨。他說：「至精而妙乎天地之間者，德也。微聖人，其孰能與於此矣？詩曰：『德輶如毛，民鮮克舉之』」，德行雖不

難修養，人民卻罕能成德，聖人與聖王就是來幫助大家成德的。

這兩種「則」，使得韓嬰論人之爲學時，基本上分成兩類：君子可以則天，守天命，順之成善。此即可成就爲聖人。卷五所謂：「聖人養一性而御夫氣，持一命而節滋味，奄治天下，不遺其小，存其精神，以補其中。」殆指此等。一般人無法依自己的力量成德，便只能仰賴聖主明王的幫助，方能成爲君子。

但是，雖然前者能養性御氣、持命節欲，成就爲君子，仍不能說它就是自主地成德。因爲君子之能節欲正身，依韓嬰說，必須靠禮，「無禮，何以正身」？故他要求人要「情安於禮」。什麼是情安於禮呢？就是「禮然而然」。能安於禮，則言中倫，行中理，天下順矣。這時，禮全然是外在的，做爲節制人嗜欲的禮，缺乏心性論上的依據，人本身不可能有此節制的力量，勢不能不仰賴聖王成法及師。此所以卷二云：「凡治氣養心之術，莫徑由禮，莫優得師」。這近似荀子的話。但依荀子說，節嗜欲及化性起僞的力量來自「心」，虛一而靜的心可以知道，是心以禮義治性。故其所謂禮，不只屬外在的規範⑥。韓嬰對心與性的問題並無討論，反之，是以禮治心，以順善言性。這便使他的學缺乏自主性，只能倚賴於聖王；而對道德實踐之理論問題，他亦欠反省，僅模糊地從功效（保民安國）上論學。這都是不通透的。徐復觀稱贊他承性善之說，且能融合儒門孟荀兩派以上合孔子，實在是過譽了⑦。臧琳《經義雜記》說：「韓嬰曰：『子曰：不知命，無以爲君子。言天之所生皆有仁義禮智順善之心。不知天之所以命生，則無仁義禮智順善之心。無仁義禮智順善之心，謂之小人。故曰不知

命，無以爲君子。小雅曰：天保定爾，亦孔之固。言天之所以仁義禮智保定人之甚固也。大雅曰：天生蒸民，有物有則，民之秉彝，好是懿德。言民之秉德，以則天也。不知所以則天，又焉得爲君子乎？』斯言也卽孟子性善之說也。秦漢以來，如毛公董生，皆可爲見道之醇儒矣。而性善之說，則俱未能言也。琳謂孟子之後，程朱以前，知性善者，韓君一人而已。」卽徐先生此說之先驅，但這種論斷顯然錯了。

三、「傳」的意義

一切學習理論與教育學說，都必涉及提出此項主張者對於「人應該是什麼」、以及「世界應該如何」的看法。

所謂人應該是什麼，是指我們對人生有一基本看法與態度，覺得要過什麼樣的生活，才像個人。一般人，當然會覺得富貴壽考便是人生所追求的，但韓嬰卻說：「以從俗爲善，以貨財爲寶，以養生爲己爲道，是民德也，未及於士也」。也就是說人不應該只是這樣的俗人，而起碼應該超越於此世俗考慮之上，成爲一個士。

這便構成「學」的問題：它對人生顯示了一個價值的追求；而其所謂學，也不落在技術、知識、生存需要而說，乃是以成就德行、成就爲士，爲求學之蘄向的。

但只成爲士，還不夠。他說：「行法而志堅，不以私欲害其所聞，是勁士也，未及於君子也。行

法而志堅，好修其所聞，以矯其情；言多而當，未安諭也。知多而當，未周密也。上則能大其所隆也，下則能開導不若己者，是篤厚君子」。成爲士之後，還要再想辦法使自己成爲君子。然而，到君子境界仍非極至；人應該以「成就爲一聖人」來做爲人生的目標。所以他說：「百王之法，若別黑白；應當世之變，若數三綱；行禮節要，若運四支；因化之功，若推四時，天下得序，羣物安居，是聖人也」（卷三）。

可見聖人不但是人格的最高標準，同時也是構成一理想世界，使天下得序、羣物安居的主要憑藉。韓嬰論學之言論，皆立基於這一信念。

卷五說：「朝廷之士爲祿，故入而不出；山林之士爲名，故往而不返。入而亦能出，往而亦能返，通移有常，聖也。詩曰：『不競不絿，不剛不柔』，言得中也」。「聖」即代表行爲最通達圓滿的境界，代表合乎中道的理想⑧。然而，值得注意的是：此一境界，韓嬰認爲一般人極難達到，故引《詩》曰：「德輶如毛，民鮮克舉之」。

既然如此，一般人便只能仰望聖人，只能聽從聖人。卷三云：「孔子賢乎英傑，而聖德備。弟子被光景而德彰。詩云：『日就月將』」。孔子是聖人，境界高於英傑，弟子們受其敎誨乃能彰明德行。而英傑賢人與聖人之間，差距極遠。卷八說：

齊景公問子貢曰：「先生何師？」對曰：「魯仲尼。」曰：「仲尼賢乎？」曰：「聖人也，豈直賢哉！」景公嘻然而笑曰：「其聖何如？」子貢曰：「不知也。」景公悖然作色曰：「始言

> 聖人，今言不知，何也？」子貢曰：「臣終身戴天，不知天之高也；終身踐地，不知地之厚也。若臣之事仲尼，譬猶渴操壺杓，就江海而飲之，腹滿而去，又安知江海之深乎？」景公曰：「先生之譽，得無太甚乎！子貢曰：「臣賜何敢甚言，尚慮不及耳！臣譽仲尼，譬猶兩手捧土而附泰山，其無益亦明矣；使臣不譽仲尼，譬猶兩手杷泰山，無損亦明矣。」景公曰：「善豈其然！善豈其然！」詩曰：「綿綿翼翼，不測不克。」

聖人是不能測度也無法超越的，故世人應安心地接受聖人的指導。而且，我們學習聖人所遺留的法度規範，也不必追究或不能追察聖人立此規範法度之用意，他巧妙地引用了《莊子》輪扁斲輪的故事，說：「凡所傳，眞糟粕耳。故唐虞之法，可得而考也；其喩人心，不可及矣。詩曰：『上天之載，無聲無臭』，其孰能及之？」[9]他一再用天來譬說聖人及聖王是德合於天，不可企及的，人只應不識不知，順帝之則。反之，聖人及聖王，則有教民的責任，卷五曰：「聖王之教其民也，義簡而備，禮易而法」「夫人性善，非得明王聖主扶攜，內之以道，則不成爲君子」，都說得極爲清楚。

韓嬰似乎並未察覺此一說法在政治上的危險性，反而以聖不可學論來構建他的道德理想主義。這是什麼緣故？

一般都以爲韓嬰引用荀子言論最多（五十四次），其勸學主禮，也與荀子相近。其實韓嬰與荀子純然不同。荀子說得好：「學者，固學爲聖人也」（禮論篇）「學惡乎始？惡乎終？其義則始乎爲士，終乎爲聖人」（勸學篇）。荀子認爲學的目的，在於成爲聖人，所以說：「學至於行之而止矣。

行之，明也，明之爲聖人」（儒效篇）。韓嬰之論學，則不說學爲聖人，只說學聖人。他在卷五曾引錄了荀子〈修身篇〉一段文字，論禮與師法之問題。《荀子》原文是：

> 無禮，吾何以正身？無師，吾安知禮之為是？禮然而然，是情安禮也。師云而云，是知若師也。情安禮，知若師，則是聖人也。

韓嬰引文，把它改成：「情安禮，知若師，則是君子之道」。荀子認爲學者能達到情安禮、知若師的地步，即能成爲聖；韓嬰則從不說學者能成爲聖人。一主張學爲聖，一主張學聖人，其差異至爲明顯。

此「學聖人」，且「聖不可及」論，事實上正是戰國末期到西漢儒家發展的主要線索之一。因爲儒家以孔子爲宗師，且推尊孔子於不可企及的聖人境地，逐步形成了這一套聖凡區分，並塑造了漢代儒學的基本性格。

蓋儒家從孔子以來，即存在著一個神聖性作者觀，認爲「作者之謂聖，述者之謂明」，所以連孔子都不敢自居於聖者，說：「若聖與仁，則吾豈敢？」「述而不作，信而好古，竊比我於老彭」。孔子自居於述者之地位；孔子之後學，則又把孔子視爲聖人，自居於述聖之角色。故孔子說：「余欲無言」時，子貢立刻恐慌了，說：「子如不言，則小子何述焉？」此一述者身份的認定，構成了儒家的基本性格。「仲尼祖述堯舜，憲章文武」（中庸），後來的儒家，則「祖述堯舜，憲章文武，宗師仲尼」（漢書・藝文志）⑩。

不過，這種性格，雖起於孔子及其門弟子後學，畢竟仍未止於學聖，而是要學聖人那樣，自己成爲聖人。具體的聖人，只是一個榜樣，是人能夠成爲聖人的見證。所以孟子雖說：「乃所願則學孔子」（公孫丑上），卻主張人皆可爲堯舜。荀子亦云塗之人皆可爲禹。韓嬰的理論，則代表了儒學的一大轉折。儒者之論學，正式由「學爲聖人」，轉入「學聖人」的型態。《禮記・樂記》《漢書・禮樂志》《風俗通・聲音》都提到「作者之謂聖」。這時許多儒者都自居於述者的地位，而韓嬰無疑是其中較重要的一個例子。他作《韓詩內傳》與《外傳》，傳就是傳述的意思。

所謂傳述，乃是依聖人舊章，申述其旨趣、發揚其義理。由形式上說，固然接近春秋時期士大夫之「賦詩斷章」，然其所以如此傳述，以及傳述之型態，實與春秋盟會時「賦詩斷章，唯取所用」迥異；與孔子論詩時，所謂「興於詩」也有根本的差別。興於詩，是指讀詩者、誦詩者因詩而有所興發、有所啓悟。韓嬰之傳述詩句，則非欲藉此興發，乃是以之做爲教訓的證言，視爲格言法語，供人效習。依「學」的兩種涵義來說，一是「學之爲言覺也」（白虎通・辟雍）「學，覺悟也」（說文），是學爲聖人一路；一是「學，效也」（書大傳及廣雅釋詁三），是學聖人一路。這是傳述者型態的儒家，也是漢代儒學的基本性格。無怪乎後來《論衡》替儒生下定義時要說：「能說一經者爲儒生」（超奇篇）「儒生籀經，窮竟聖意」（程材篇）。韓嬰對詩的傳述，卽是窮竟聖意的方式之一⑪。

四、「順」的倫理

人如果應該效法聖人，聽從聖人的教示，順帝之則。事實上也顯示了韓嬰認為整個世界應該是「有物有則」的，人應該順著這個則。所謂：「言中倫、行中理，天下順矣，詩曰：不識不知，順帝之則」。

這種有物有則的世界，乃是韓嬰的理想國圖象，猶如聖人是韓嬰腦中理想的人格形象。用韓嬰的術語說，這就是太平。卷三載：

傳曰：太平之時，無痔、瀧、跛、眇、尪蹇、侏儒、折短，父不哭子、兄不哭弟，道無襁負之遺育，然各以序終者，賢醫之用也。故安止平正除疾之道，無他焉，用賢而已⑫。

太平世，每個人都能依長幼之序終其天年，且無一切不正常的人物。這便是個合乎秩序與規則的世界。人在這樣的世界中，唯一該做的事，便是勿任意興做。應該順天地之規序，以成全天地之大順。故聖王之文，是「告之以大道，教之以至順」（卷四）；三王之道，是「調和陰陽，順萬物之宜也」（卷五）。居上位者，若「上不知順孝，則民不知反本」；君子倘能「言中倫、行中理，天下順矣」，「能以禮扶身，則貴名自揚，天下順焉」（同上）；「正直者，順道而行，順理而言」（卷七）……。就人世而言，「禮」便是人羣中的法則，應該遵守；就禮之本而言，它又象徵著天地陰陽之序，亦當順之，以使天下順：

傳曰：善為政者，循情性之宜，順陰陽之序，通本末之理，合天人之際，如是，則天地奉養，而生物豐美矣。不知為政者，使情厭性，使陰乘陽，使末逆本，使人詭天氣，鞠而不信，鬱而不宣，如則災害生，怪異起，羣生皆傷，而年穀不熟，是以其動傷德，其靜無救，故緩者事之，急者弗知，日反理而欲以為治。詩曰：「廢為殘賊，莫知其尤」。

禮，即是情性之宜、陰陽之序、本末之理。人應順此理序，不可冒然興作。由這裏，韓嬰遂接上了老子「無爲」的觀念。卷二說：「霜雪雨露，殺生萬物者也，天無事也，猶之貴天也。執法厭文，治官治民者，有司也，君無事焉，猶之尊君也」，卷三說：「大道多容，大德多下，聖人寡爲，故用物常壯也。傳曰：易簡而天下之理得矣」，卷四說：「詩曰：『維南有箕，不可以簸揚；維北有斗，不可以挹酒漿』，言有位無其事也」，卷七說：「進賢使能，各任其事，於是君綏於上，臣和於下，垂拱無爲，動作中道，從容得禮」⑬。這些觀念，並不只來自儒家，而更是來自道家，如卷五云：「福生於無爲，而患生於多欲」，卷九更曾引老子曰：「罪莫大於多欲，禍莫大於不知足」。此可見韓嬰對人生，是主張採取損道的。無爲、知足、能下、多容，都提示了人應少更張少興作少嗜欲，故卷三載：

△衣成則必缺袵，宮成則必缺隅，屋成則必加拙，示不成者天道然也。《易》曰：謙亨，君子有終吉。

△子路曰：「敢問持滿有道乎？」孔子曰：「持滿之道，抑而損之。」子路曰：「損之，有道

乎？」孔子曰：「德行寬裕者，守之以恭；土地廣大者，守之以儉；祿位尊盛者，守之以卑；人衆兵强者，守之以畏；聰明睿智者，守之以愚；博聞强記者，守之以淺。夫是之謂抑而損之。」

接著他又補充說：這些守之以恭、儉、卑、畏、愚、淺者，都是「謙」德。人道惡盈而好謙，天道虧盈而益謙，地道變盈而流謙，鬼神也害盈而福謙。總之，天地興衰、人事禍福之理，即在於謙、損、順。所謂：「抑而損之，此謙德之行也，順之者吉，逆之者凶」。在卷八，他又把這一大段話重覆了一次。《詩經・商頌・長發》那一句「湯降不遲，聖敬日躋」，稱贊湯能謙遜的話，也一提再提。

這不是如徐復觀所說「在處世哲學上受到道家若干影響」，而是韓嬰整個世界觀人生觀的問題。他所說的禮，即是要成就此一天地之理之序；他所說要用賢，也是依著謙抑寡爲的原則。通過人事上的合理合順，人即可以上通於天地，故曰：「人事倫，則順於鬼神；順於鬼神，則降福孔皆。詩曰：『以享以祀，以介景福』」（卷三）。

如此，一個惡盈而好謙的宇宙，一個人事皆有倫序的社會，一個賢智皆有其位用、鬼神俱得享祀的世界，即是太平世。是個具有穩定秩序、條理分明，不須刻意與爲造作的理想國。在這個理想國中，一切皆符合順從理序。順的倫理，遂貫串洋溢於天地人之間。這順的倫理，是否即是恭順倫理（filial piety）？

韋伯在"Economy and Society"一書中，把儒家倫理觀界定爲恭順倫理。意謂以子對父的恭

順，作爲一切人倫關係的母題（matif），各種君臣、夫婦、兄弟長幼間特殊的人倫關係，皆與父子關係類別等同[14]。此一講法，起碼與《韓詩傳》是不相應的。韓嬰教人要順，乃是順大道，故「道」才是首出的觀念。所謂道，卽萬事萬物依循的法則，爲天地之常經。在此一常經之外，他不否認亦有「天地之變，陰陽之化，物之罕至者」（卷二），但宇宙乃依常道來運作，而非據變道來構成。這種穩定而有秩序、有常道可說的世界觀，方能導出順的倫理[15]。正因爲順的倫理是由天道觀念中導出的，所以他論順，特重「時」。

五、「時」的體認

天之運行，構成陰陽四時之變；人在此天地四時中占據的位置，卽構成命。這個時與命，形成了人具體的存在處境，一切倫理關係都得在這個時命場中得到安頓與實踐，此所以時義貫穿《韓詩傳》全書也。

首先，韓嬰認爲：天地陰陽變化有時，得時則治，反時則凶。卷一：「傳曰：天地有合，則生氣有精矣；陰陽消息，則變化有時矣。時得則治，時失則亂」，卷五：「五色雖明，有時而渝；豐交之木，有時而落，物有成衰，不得自若。故三王之道，周而復始。……調和陰陽，順萬物之宜也」，言爲政者當法天時。同卷：「材行反時者，死之無赦，謂之天誅。是王者之政也」，言爲政者不法天時則凶。據此，乃有災異之說，卷一：「夫大者天地，其次君臣，所以爲順也。今殺其君，所以反天地，

逆人道也，天必加災焉」，卷二：「傳曰國無道，則飄風厲疾，暴雨折木，陰陽錯氛，夏寒冬溫，春熱秋榮，日月無光，星辰錯行，民多疾病，國多不祥，羣生不壽，而五穀不登」，卷三：「天之道見妖，是以罰有罪也」「齋戒不修，使民不時，天加以災」，卷七：「不知爲政者，使情厭性，使陰乘陽，……如是則災害生，怪異起，羣生皆傷」，卷八：「陰陽不和，四時不節，星辰失度，災變異常，則責之司馬」。

這裏顯示了一種敬天、法道、尊時的態度，天道人道統合爲一，故卷五說：「禘祭不敬，山川失時，則民無畏矣」「詩曰：『蒸畀祖妣，以洽百禮』，百禮洽則百意逐，百意逐則陰陽調，陰陽調則寒暑均，寒暑均則三光清，三光清則風雨時，風雨時則羣生寧，如是，則天道得矣。是以不出戶而知天下，不窺牖而知天道」。人之所以能不出戶而知天道，端在於能「遵養時晦」⑯。

循此，他認爲：「大有四時：春夏秋冬、風雨霜露，無非敎也。清明在躬，氣志如神，嗜欲將至，有開必先。天降時雨，山川出雲」（卷五），君王是順此四時之敎來敎化百姓的。能順之，便能致太平。卷三說：

> 太平之時，民行役者不踰時，男女不失時以偶，孝子不失時以養；外無曠夫，內無怨女；上無不慈之父，下無不孝之子；父子相成，夫婦相保；天下和平，國家安寧；人事備乎下，天道應乎上。故天不變經，地不易形，日明昭明，列宿有常；天施地化，陰陽和合；動以雷電，潤以風雨，節以山川，均其寒暑，萬民育生，各心其所，而制國用。故國有所安，地有所主，聖人

剡木為舟，剡木為檝，以通四方之物，使澤人足乎水，山人足乎魚，餘衍之財有所流。故豐膏不獨樂，磽确不獨苦，雖遭凶年飢歲，禹湯之水旱，而民無凍餓之色。故生不乏用，死不轉尸，夫是之謂樂。詩曰：「於鑠王師，遵養時晦。」

王者役民不可失時，卷八：「不奪民力，役不踰時。……雖文不弼於肆，斧斤以時入山林。……以是知太平無飄風暴雨明矣」。反之，賢者之進用也須得時，卷七引了孔子、比干、伍子胥、介子推等人的故事，說：「桀殺關龍逢、紂殺王子比干，當此之時，豈關龍逢無知，而王子比干不慧哉？此皆不遇時也。故君子務學修身端行而須其時者也」，卷九又藉伯牙鍾子期知音的故事，說：「苟非其時，則賢者將奚由得遂其功哉？」⑰

國政層面之重「時」也如此。在家庭方面，韓嬰非常強調養親亦須及時，所謂：「孝子不失時以養」，卷七云：「往而不可還者，親也，至而不可加者，年也。是故孝子欲養親而不待，木欲直而時不待也」，卷九也說：「樹欲靜而風不止，子欲養而親不待也。往而不可追者，年也；去而不可得見者，親也」。

驚覺到年時之流逝不待，往而不可追，必然會與起對生命有限性的哀懼，卷一：「其所受天命之度，適至是而亡，弗能改也，雖枯槁弗捨也。詩云：亦已焉哉！天實爲之，謂之何哉？」卷五也感嘆人生：「登高臨深，遠見之樂，臺榭不如丘山所見高也。平原廣望，博觀之樂，沼池不如川澤所見博也。勞心苦思，從欲極好，靡對傷情，毀名損壽，悲夫傷哉！」由前者說，生命短淺，其中且存在著

不可跨越不可掌握的限制，故人不能不畏天命，無可奈何，所謂：「人之命在天」（卷一）。由後者說，生命已然如此短促，豈能不知愛惜，不愼所保養？韓嬰就是由這種生命的憂惕感中，發展出一套「養」的哲學。

六、「養」的哲學

生命的憂惕感，使韓嬰對生命極爲珍惜，欲愼其所有，卷八云：「昨日何生？今日何成？必念歸厚，必念治生；日愼一日，完如金城。詩曰：『我日斯邁，而月斯征。夙興夜寐，無忝爾所生』」，正是對生命極爲矜惜的莊嚴告白。但生命的具體存在，即在於我們的身軀，所以韓嬰說：

> 人之所以好富貴安樂，為人所稱譽者，為身也；惡貧賤危辱，為人所謗毀者，亦為身也。然身何貴也？莫貴於氣；人得氣則生，失氣則死；其氣非金帛珠玉也，不可求於人也；非繒布五穀也，可糴買而得也；在吾身耳，不可不慎也。詩曰：「既明且哲，以保其身。」

這裏便提出了愼其所有、明哲保身的主張。這個主張，具體說來，包括養生貴生的思想和養氣的方法。所謂：「君子……以治氣養生，則身後彭祖；修身自強，則名配堯舜」（卷一）⑱。所談不只是道德修養面的問題，而是綜攝養形與養德兩方面立說。

如何才能達到這種兼養的目的呢？他主張無爲。卷一：「詩云：『何其處也？必有與也。何其久也？必有以也』，故惟其無爲，能長生久視，而無累於物」。無爲，是指隨順天地自然的規律，勿與

爲造作：

傳曰：天地有合，則生氣有精矣；陰陽消息，則變化有時矣；時得則治，時失則亂。故人生而不具者五：目無見，不能行，不能言，不能施化。三月微的，而後能見；七月而生齒，而後能食；期年髑就，而後能行；三年腦合，而後能言；十六精通，而後能施化。陰陽相反，陰以陽變，陽以陰變。故男，八月生齒，八歲而齠齒，十六而精化小通。女，七月生齒，七歲而齔齒，十四而精化小通。是故陽以陰變，陰以陽變。故不肖者、精化始具，而生氣感動，觸情縱欲，反施化，是以年壽亟夭，而性不長也。詩曰：「乃如之人兮，懷婚姻也，太無信也，不知命也。」賢者不然，精氣闐溢，而後傷時不可過也。

逆反天地自然之施化，違背了人體生理自然的規律，自將傷身害命。這便是不知時義，觸情縱欲了。人不可以放縱情欲，故須主禮，以禮來節制、調理情欲，卷二說：「原天命、治心術、理好惡、節性情，而治道畢矣。……適情性則不過欲，不過欲則養性知足」「禮者，因人情爲文」「凡治氣養心之術，莫徑由禮」，卷一也說：「以治氣養生，則身後彭祖……凡用心之術，由禮則理達，不由禮則悖亂。飲食衣服，動靜居處，由禮則知節，不由禮則墊陷生疾」。他對禮的重視，最根本的，顯然並不出於奠定大一統天下於長治久安的實際要求，而是爲著節制嗜欲，治氣養心的需要。

據此，韓嬰才會談到知足的人生觀。禮是外存的節制，知足是內在的修養，他引老子曰：「名與身孰親？身與貨孰多？得與亡孰病？是以甚愛必大費，多藏必厚亡。知足不辱，知止不殆，可以長

久。大成者缺，其用不敝；大盈若沖，其用不窮。大直若詘、大辯若訥、大巧若拙，其用不屈。罪莫大於多欲，禍莫大於不知足」（卷九）⑲。

這種無爲知足且有節制的人生，是每個人自養之道。推而廣之，人除了自養之外，還得養父母，所謂養親不可失時。再推而遠之，則爲政者，職在養民、養天地。

卷三說：「能制天下，必能養其民也。能養其民者，爲自養也。飲食適乎藏，滋味適乎氣，勞佚適乎筋骨，寒暖適乎肌膚，然後氣臟平，心術治，思慮得，喜怒時，起居而遊樂，事時而用足，夫是之謂能自養者也。……故用不靡財，足以養其生，而天下稱其仁也；養不害性，足以成敎，而天下稱其義也。……詩曰：『於鑠王師，遵養時晦』，言相養以至於晦也」。此用晦之道，既是自養，又不濫用民力、不輕使萬物，所以也就是能養其民了。卷五說得更清楚：「善養生者，故人尊之。……夫省工商、衆農人、謹盜賊、除姦邪，是所以生養之也」。卷七也說：「善爲政者，循情性之宜，順陰陽之序，通本末之理，合天人之際。如是，則天地奉養，而生物豐美矣」。自養、養民、養天地，是三位一體的。

這不是一般所理解的「修己而後治人」，而是以對生命本身的憂惕展開對世界存在的體認。人在憂惕之中，感到茫然若失其所在，宇宙性的悲感，瀰漫心頭，對於生命本身、存在的本質發生了疑惑。特別是歲月流失，人生便顯得飄忽短暫。年光既盡，生命豈非也無所謂本質，存在豈不又如同飄風？凡人感念及此，自覺得世界蒼茫，湧到身前，嚴重的壓力，威脅著人的存在，所以人才會重新來

審視自身存在的問題。韓嬰所謂「時」，便是在前不見古人後不見來者的當兒，放棄愴然而泣下的詩人之感，重新體會到人在「此世」的存在。故時，即是歷史中人存在的「此在」問題。

卷十載齊景公遊於牛山之上，北望齊，曰：「美哉國乎！鬱鬱太山，使古無死者，則寡人將去此而何之？」俯而泣沾襟。結果被晏子教訓了一番，說景公是「怯君」。如何才是不怯呢？韓嬰說，要在歲月的流轉中，不斷想到生命係父母所賜予，人必須「夙興夜寐，無忝爾所生」。生命的歷史性，便是它值得尊重的根源，故「昨日何生？今日何成？必念歸厚，必念治生，日愼一日，完如金城」。這其中便含有儒家積極剛健的精神。

治生，除了對歷史的尊重之外，更是對天的尊重。卷六：「不知命，無以爲君子。小雅曰：『天保定爾，亦孔之固』，言天之所以仁義禮智保定人之甚固也」，命，就是指天之所以命生。天則是生命與存在的依據。經由知命與念親，韓嬰重新貞定了人存在的本質，認爲人應歸厚、應順善。而且因爲他所討論的就是人的具體存在問題，故治生之生，是指人的整個存在，兼攝體魄精神等，所以並不像早期儒家只偏重於道德面，少談形體的愼治。再者，由於從存在的本質說，個體生命與其他生命，實具一體性，所以養身、養民、養天地三者又是聯貫爲一的。

因此，我們可以說，韓嬰養的哲學，乃是緊扣人之存在問題而展開的。但因他從人之具體存有出發，所以他構成了一種順情以導情的理論結構。

他承認人的具體存在就是生命本身，故這個命不是超越純善的，它只能順善、只能歸厚，從存在

的具體現實上講，生命便有需求：「人有六情：目欲視好色、耳欲聽宮商、鼻欲嗅芬香、口欲嗜甘旨、其身體四肢欲安而不作、衣欲被文繡而輕煖，此六者，民之六情也」。這些生命具體的需求，必須予以滿足，「失之則亂，從之則穆」。然而，生命的需求，可能反過來宰制了人，可能讓人觸情縱欲，往而不反，故不能不有所節制。節制，非禁遏之也，「必因其情而節之以禮，必從其欲而制之以義。義簡而備，禮易而法，去情不遠，故民之從命也速」（卷五）。這顯然是順情以理情的路子，非撥亂反正，更不是窮理盡性以至於命的方式了。

七、思想史的研究

因爲順情以導情，民之情亦爲天之所命，所以教民的聖人，被認爲即是養民之情以合天。放在政治面上說，便是「王者以百姓爲天。百姓與之則安，輔之則強，非之則危，倍之則亡」（卷四）「無使吾君得罪於羣臣百姓」（卷十）。

韓嬰是主張君王爲民之父母的，認爲民只能聽從王者之教化，強調君臣及世界穩固不可改易的關係，教人要順從，但他也提到了這類君以民爲天的說法。對這樣一位儒者，該怎麼理解呢？

徐復觀的研究，主要是從「時代的要求」這一面來把握他。但徐先生所謂時代的要求，其實又只偏重政治面的解釋，認爲荀子時，政局大亂，故重禮，以重新賦予人生社會之方向；重學，以應付封建解體後平民進入士大夫階層之需要。漢初承此方向，韓嬰之學亦即爲荀學的發展，重視禮及法度重

建之問題，並站在人民立場來規勸並批評統治階級之暴虐，發揮儒家仁民愛物、知人納諫的政治思想⑳。

此一研究路向，使他只注意到韓嬰君以民爲天的說法，而未發覺韓嬰學說中對鞏固君位與君權的部份。這並不是照顧面不夠廣，乃是研究方法根本上出了問題。一般做思想史研究時，多是把思想家放在一個既定的、簡化的所謂歷史環境中，然後再倒過來，用時代背景、環境需要來詮釋思想家的思想內容。這很難擺脫循環論證的困境。每個人對歷史發展及社會結構的預想和立場不同，對思想家的詮釋與評價便不一致，結果往往是選用思想家的各段文字，來證明了我們對那個時代的看法，並顯示了我們自己的政治立場㉑。其次，縱使我們相信環境如此，思想家及思想史上的問題，也常是與時代不盡相干的。或者說每位思想家對應時代的方式各不相同。政治上尚有隱士，思想領域裏當然更可能有超越時代的思想。換句話說，思想史的研究，不是順著思想與時代的關係來思考的；是反過來，就思想家之思考內容，來界定這個時代的基本問題與需要的。

因此，對於思想家之所思，我們先要進行思想內部論理結構的梳理，尋找他理論及思維的起點、結構，仔細探查他每一步思索的習慣及對每一環節的處理。這樣才能分辨出他與其他思想家有何不同，如何傳承如何發展，其破綻及發展的可能性何在。這是重建其理論深度的工作，與前述那種平面化簡單化的描述截然不同。必須經過這樣的處理，我們方能見到一個時代的問題，並了解每一位思想家對這個問題如何處理，其理論內部複雜曲折的關係也才得以豁顯。

像韓嬰之論學，表面上看，談的是士如何由學以知修己治人之道，實際上關聯著他對人性的看法，也關聯著聖人的概念、世界的理想狀態、養生養民的想法等，這些觀念不是孤立自存的，某甲應時代之某需要而生，某乙又應另一需要而生，而是整個聯結成一完整的思維系統。不就這些觀念的整體聯結來看，根本無法覺察韓嬰如何接受並轉化孟子、荀子、老子、莊子的學說，只能看到他在「引用」文獻。反之，則能發現如韓嬰這樣的西漢初年思想家，是如何以五經爲骨幹來消化諸子之學。而其消化，又無形中顯現了儒家成德成聖之學，已經逐漸轉變成一種學聖人之學。原始儒家所謂盡性知天、畏天命的學說，也出現一種順陰陽、合天地、重災異的新貌。且其論養生治民，又採取順情以導情的方式。這種方式，乃《呂氏春秋》以來諸家所常採用的思路，韓嬰的講法，便可顯示一種時代思潮的意義。但韓嬰與《呂氏春秋》《淮南子》在這一問題上的處理並不相同。猶如他論天人合一與災異，跟董仲舒也不會是一樣的㉒。順著這一思潮發展，教化的聖王權威亦可能由思想內部形成，不全是儒學在君主專制下扭曲的結果。

更進一步看。由於韓嬰的理論，是從存在的現實上說。它與宋學便有一基本差異。例如《韓詩傳》中一再談及因養父母與忠君所帶出的仕祿和孝的衝突問題。此一問題不僅是理論上生出的，更是現實存在上的。如卷二云楚昭王時石奢任法官，其父殺人，被石奢捕獲，石奢覺得若處罰父親，是維護了法令，但失了孝道；若不行君法，則非忠。只好自己刎頸而死。卷六也提到田常弒君時，要他參與盟誓；他說：「舍君以全親，非忠也；捨親以死君之事，非孝也」，只好參與盟會，然後自殺。卷

十又敍述了申鳴的故事，說：「受君之祿，避君之難，非忠臣也。正君之法，以殺其父，又非孝子也」，自刎而死。可見韓嬰對此極爲注意。這是道德上兩難的困境。人在理論上固然可以完成一切道德，落在具體實踐行爲上卻常出現道德與道德之間的衝突㉓。韓嬰是注意這一問題的，但宋儒呂祖謙《東萊博議》中對此卻有完全不同的處理。

《東萊博議》卷三，有人問君與父、忠與孝若產生衝突，「全彼則害此，全此則害彼，豈非天下之至難處，而君子所當先講乎？」呂祖謙答：「是不必講也。有是事則有是理，無是事則無是理。若雍糾棄疾之事，君子之所必不遇也。伐國不問仁人，對孝子而公言將殺其親，世之所無也。……告者殺夫，不告者殺父，左右皆坑谷也。果君子則必不至聞此言，果聞此言者則必非君子」。他根本取消了這個問題，認爲不可能發生。認爲重要的是如何使自己成爲君子，成爲君子自然不會遇上這一問題，「今緩於爲君子，而急於講二人之得失，不欲消此變而欲當此變，抑末矣。故曰：雍糾棄疾之事，非君子所當講也」。

呂祖謙是站在「理」的地位看問題，只問理之是非，應不應當。若不當理，便謂此事乃理之所無；既不合正理，故君子不當講。而且更進一步以理之所不當者爲事之所必無，以應然抹煞了實然。但這個問題眞是君子所必不遇者乎？姑不論君子的定義爲何，人在道德實踐的存在處境中，這類問題確實是具體而眞實的，韓嬰對此問題之高度關切，正可顯示其哲學性格。

這種哲學，亦剛好可以說明所謂文景之治時期的思想狀態。韓嬰是文帝時的博士，在他之前，如

陸賈論政，便有許多地方與他相似，主張緒人倫、無爲、用賢。文帝時賈誼也論道虛、講中道、重敎民。而韓嬰那種無爲、節欲、謙、抑、損、順、晦、尊重生命之具體存在、融滙老子學、認可隱居不仕之價值……等態度，更可以做爲文帝時政治社會環境的一種內在說明。以免談到文景之治，大家便只想到大亂之後與民休息及皇帝皇后們愛好黃老之學，而未注意到韓嬰等人所代表的漢代思想傾向。所謂漢代的思想傾向，意謂韓嬰這類主張亦不能以「文景之治」侷限之。在文景之際，西漢初期所表現的這思想狀況，其實也強烈影響著整個漢代的思潮。

舉例言之，如韓嬰認爲主政者，職在養民。自養—養民—奉養天地，是一體的結構。在此結構下，君民關係便非一統治關係，而是一責任關係及依存的對待關係，所謂：「有社稷者，不能愛其民，而求民親己愛己，不可得也」（卷五）「善養生者，故人尊之；善辯治人者，故人安之；善顯設人者，故人親之；善粉飾人者，故人樂之。四統者具，天下往之。四統無一，而天下去之」（同上）。王者的地位，是由其能善盡職責來的。亦卽統治之正當性，建立在民之安樂親愛上。——「王者何貴？貴天。所謂天，非蒼莽之天也。王者以百姓爲天。百姓與之則安，輔之則強，非之則危，背之則亡」（卷四）。從統治關係上說，民統於君，君爲民之父母。但從其統治之得以成立上看，君之地位係由民所決定，故韓嬰特別強調：「無使吾君得罪於羣臣百姓」（卷十）。依此邏輯，得罪於羣臣百姓、不能養民的國君，當然是要滅亡的，老百姓必會背離他推翻他。這便是儒家革命論的理路了。但在韓嬰當時，講革命甚爲危險，景帝公然說過：「食肉不食馬肝，不爲不知味；論道不及湯武，不爲

不知道」，禁止大家談湯武革命。講齊詩、強調革命大義的轅固生，不僅差點在豬圈中被野豬觸死，後來更受諸儒排擠，只好苦勸公孫弘曰：「公孫子務正學以言，無曲學以阿世」（漢書・儒林傳）。韓嬰講養民，講至此，理路已明，故卽不再申述革命之義。然他畢竟非曲學阿世者，其後儒士申明正學者也不在少數，董仲舒《春秋繁露》便是其中之一。《繁露》中〈堯舜不擅移湯武不專殺〉〈竹林〉〈仁義法〉諸篇，皆力辨湯武革命之是。此卽可以看出儒者正學之發展。

又如韓嬰論養生，參用道家言。《春秋繁露》也有這樣的主張。〈循天之道篇〉曰：「循天之道以養其身，謂之道」云云，凡數千言，康有為《春秋董氏學》說此篇宗旨：「生本於氣，養生莫精於氣，氣莫善於中和。……可賅道家之學」，又說：「養生為孔門一學」（卷六）。其實在先秦，儒者並無此說。韓嬰所提出養生治氣、中和中道的理論，正表示漢代學術發展中一重要傾向。養生學在漢代之蔚為大流，影響到道教的形成，實不能不注意此一脈絡。

另外，近人喜言漢代末期學風的轉變，如余英時《中國知識階層史論・漢晉之際士的新自覺與新思潮》，卽認為漢末新思潮，起於士之自我覺醒。而士之內心自覺方面，可以從幾個方面看到，一是對個體生命與精神之珍視，像《後漢書・馬融傳》說：「古人有言，左手據天下之圖，右手刎其喉，愚夫不為。所以然者，生貴於天下也」；二是如仲長統〈樂志論〉所顯示的避世思想、養生、山水怡情、老莊思想等。再從當時的士風來看，則余先生也認為：「個體自覺又可徵之於其時之人物評論。與人物評論密切相關而亦可說明士大夫之個體自覺者，尚有二事，卽重容貌與談論是已」㉔。這些，

能不能說明漢末學風已有了一種新變？

我以爲恰好相反，這正可以顯示漢代思想有一基本方向，自漢初一直持續穩定地在發展著。因爲對自我個體生命之珍視，有貴生養生之說，或用老莊、尊隱，無一不是漢初即已興起的學風，《韓詩外傳》便是很好的證明。士大夫之怡情山水，其思想亦導源於此。《韓詩外傳》卷三曾引《詩經・魯頌》兩段詩「思樂泮水，薄采其茆。魯侯戾止，在泮飲酒」「太山巖巖，魯邦所瞻」，來說明仁者何以愛山、知者何以樂水。董仲舒《春秋繁露》亦有〈山水頌〉一篇。這並不只是道德意義的法象山水，而更是對大自然之美的發現與贊頌。

同樣的，對人物的判斷，他們也常從審美角度來觀察。如《韓詩外傳》卷二載，孔子以「野以蔓草，零露漙兮，有美一人，清揚婉兮。邂逅相遇，適我願兮」，敍述他與齊程本子相會。又、同卷描述君子，也說：「美如玉，美如玉，殊異乎公族」。這尚可辯說只是一種譬況，但底下這兩則文字就更清楚了：⑴、「貌美好者，不以統朝蒞民，而反以蠱女從欲。此……所謂士失其美質者也。詩曰：溫其如玉，在其板屋，亂我心曲」。美貌，被認爲是士之美質。而且他引詩的方式，也可證明所謂「美如玉」並不只是對道德的譬喻。⑵、「上之人所遇，色爲先，聲音次之，事行爲後。故望而宜爲人君者，容也。近而可信者，色也。發而安中者，言也。久而可觀者，行也。故君子容色，天下儀象而望之，不假言而知爲人君者。詩曰：顏如渥丹，其君也哉！」容貌之美，依他看，乃是臨朝蒞民的必要條件，且比做事更爲重要。然則重容貌者，豈漢末士大夫之新自覺乎？同理，《韓詩外傳》中對

言文的強調，也是觀察漢代談論傳統的重要思想脈絡。忽略了這些材料，對漢代思想的掌握，當然就不易準確了。

【附　註】

① 《兩漢三國學案》卷六，民七六，臺北華世出版社。

② 見徐復觀《兩漢思想史》卷三〈韓詩外傳的研究〉，民六八，臺北學生書局。徐先生認爲今傳《韓詩外傳》就是《漢書・藝文志》上說的《韓詩內傳》四卷與《外傳》六卷之合併本。此採楊樹達說。但據各家輯佚及《詩三家義集疏》所考之《內傳》文字與《今傳》並不重複，故此一論斷仍值得商榷。只不過今存僅《外傳》爲完帙，是以論韓嬰思想仍以《外傳》爲主，《韓詩說》《韓詩故》僅供參考而已。

③ 言陰陽災異是一回事，如何言陰陽災異又是一回事。漢代諸思想很少不論陰陽災異者，只是論法各不相同。以象數卦氣言災異僅其中一支耳。漢儒以卦氣論《易》之風，始於孟喜，故《漢書・儒林傳》云：「孟喜得家候陰陽災變書，詐之於田王孫之眞傳」。時代在韓嬰之後，韓嬰當不可能言卦氣。但韓氏之學與孟喜之說，自有接近的地方，故「蓋寬饒本受於孟喜，見涿郡韓生說《易》而好之」。其後治韓詩者，亦往往兼習孟喜京房易。如夏恭，習韓詩、孟氏易；唐檀，少游太學，習京氏易、韓詩；湖碩，治孟氏易、韓氏詩；田君，修韓詩、京氏易；張紘，治京氏易，又受韓詩。此中曲折甚多，徐說並未顧及。

④ 我們學界有些人主張：若不同意某人之說，不必直接批評，只要把自己的看法另寫一文即可。此眞鄉愿之風也。學術研究，本是繩繩相繼，不斷推陳出新，所謂「前修未密，後出轉精」的。任何研究，勢必立足於前

人的基礎上方能展開。不提前人的研究，貌似忠厚，實乃抹煞其績業；而且也未將自己的研究納入一個學術研究的傳統之中。

⑤ 韓嬰引用孟子的言論，只有這一條涉及心與學的問題。其他如卷六「孟子說齊宣王而不悅」一段，是感慨不用賢故世亂；卷三論伯夷叔齊柳下惠及孔子諸聖人，是談中庸時中之道；卷二「高子問於孟子」一段也是講守經通權的中道。

⑥ 《荀子・天論篇》：「心居中虛，以治五官，夫是之謂天君」、〈解蔽篇〉：「治之要在於知道。人何以知道？曰心。心何以知？曰：虛壹而靜」。荀子認爲心能知道能治欲、能積善，故爲學的工夫在於養心，使心結於一。養心以誠，〈不苟〉：「君子養心莫善於誠。致誠則無他事矣，唯仁之守，唯義之行」，〈樂論篇〉又曰：「著誠去僞，禮之經也」。可見禮之本仍在於誠，仍在於心之工夫。所以禮不全屬外在的客觀規範。

⑦ 韓嬰的人性論與孟子荀子都不一樣，所以他論禮論師法，表面上承襲於荀卿，其實有根本的差異。特別是「師」的問題，在其理論中無法安頓。荀子論師法，是因爲他認爲人有情欲，順情欲而發展，必至於惡，故需要師法予以導正。〈儒效篇〉：「人無師法而知則必爲盜、勇則必爲賊」，因爲「性不足以獨立而治」，師法乃道德實踐所必須者。韓嬰則不然。他不反情治情，他乃是順情以導情的，所以他只說要用禮義來節制情的發展與流蕩，而且他認爲順情是可善或應該善的。如此，有禮以節嗜欲卽可，師之重要性並不高。但他套著荀子的話講，卻又把師推得極高，說卽使是聖人，沒有師也不能成就爲聖人（見卷五）。這就把一切自主性的成德成學之路全部切斷了。師的意義，只在於證明人不能獨立而善。這與荀子所云：「塗之人百姓，

積善全盡，謂之聖人」(儒效)，實有根本的差異。

⑧ 韓嬰甚重中道，故卷五又說賢君應「通中正而致隱居之士」。

⑨ 這個故事同時載在《淮南子・道應篇》中，可見在西漢流傳甚廣。韓嬰一定讀過莊子書。他在卷五稱贊孔子：「抱聖人之心，彷徨乎道德之域，逍遙乎無形之鄉」，顯然是深受莊子〈逍遙遊〉的影響。

⑩ 詳龔鵬程〈作者與述者：論孔子之地位及其相關問題〉，一九八九・北京・孔子誕辰二五四〇周年學術研討會論文。

⑪ 徐復觀論《韓詩傳》即從賦詩斷章及孔門論詩，言韓嬰以象徵方式說詩。這是不對的。辯如上文。但韓嬰確曾主張一種特殊的表達方式，這種方式，他名爲「微言」。卷四曾擧周公的故事，說：「客善以不言之說，周公善聽不言之說。若周公可謂能聽微言矣。故君子之告人也微，其救人之急也婉」。微言，是言在此而意在彼，是不言之說，例如卷八提到有人得罪齊景公，景公準備將他肢解，晏子右手磨刀，抬頭問景公：「古者明王聖主其肢解人，不審從何肢解始也？」景公大悟，立刻認錯。卷十又連續擧了幾個晏子善諫的故事，也都是如此。提倡這種表達方式，與韓嬰對言辭的重視是相關的。卷說：「公子目夷以辭得國，今要離以辭得身，言不可不文，猶若此乎！詩曰：辭之懌矣，民之莫矣」「使者必矜文辭、喻誠信、明氣志、解結申屈，然後可使也。詩曰：辭之懌矣」。微言，應該是言文的一種吧！

⑫ 反過來說，不用賢，國家就會生病。卷三曾用十二種病(痿、蹶、逆、脹、滿、支、膈、盲、煠、喘、痺、風)來形容人主之疾。

⑬ 這裡採用的是一套進賢使能各任其事的講法，而非法家的「君佚臣勞」無爲說。在韓嬰的理論中，君臣是有

名分、有分際但很現實的關係。卷五：「朝廷之士爲祿」、卷六：「吾聞之：布衣之士不欲富貴，不輕身於萬乘之君；萬乘之君不好禮義，不輕身於布衣之士」。君臣關係建立在非常現實的交換關係上：士出仕，是爲了祿；周用臣，是爲了行禮義治國家。然君臣關係既定之後，便不能改變，故卷五云：「君臣之義定矣」。但這是什麼義呢？事實上等於是一種職業道德，所以「殺身以彰君之惡，不忠也」（卷六）「善則稱君，過則稱己，臣下之義也」（卷三）「以道覆君而化之，是謂大忠也。以德調君而輔之，是調次忠也。以諫非君而怨之，是謂下忠也。不恤乎公道之達義，偷合苟同，以持祿養者，是謂國賊也」（卷四）。食君之祿，卽須忠，但須忠於事、忠於義。反之，君用臣，旨在治國，故須用賢使能，使各任其事，而不應自己亂搞。

⑭ 見 Max Weber, Economy and Society, Tr by G. Roth and C. Wittich (Berkeley: University of California Press, 1987) 頁一〇五〇。

⑮ 對於變，韓嬰認爲可怪而不可畏。如何處變？他主張：⑴卷二：「常之謂經，變之謂權。懷其常道，而挾其變權，乃得爲賢」。⑵不相信「窮則變，變則通」，而要：「窮則反本，非務變而已」（卷五）。

⑯ 這段話的重點不在「禮」。徐復觀認爲這是韓嬰以老子所非薄的禮來爲老子之言找出如何可能的根據。非是。

⑰ 韓嬰主張仕要應時，其實也就是說：倘若時不對，士可以不仕。對不仕者的尊重，是《韓詩傳》的特色之一。卷七云齊之隱士東郭先生、梁石君，「世之賢也，隱於深山，終不詘身下志以求仕」。卷九又說曾子云君子有三樂，有君可事、有親可畏、有子可遺是一樂；有親可諫、有君可去、有子可怒也是一樂；另一樂則是有君可喩、有友可助。君是可事也可去的。故士要「能入亦能出，往而亦能返」（卷五），才算得上是不

竟不紲，合乎中道。反之，君王對這些隱者、不仕之臣，則應降貴紆尊，所謂：「既見君子，我心則降」，儘量羅致此類隱居的賢者來治國。

⑱ 這一段出自《荀子・修身篇》。但荀子的養，是指積善，所謂：「善在身，介然，必以自好也。不善在身，菑然，必以自惡也」，依此而言修身，並無貴生養生的想法。

⑲ 韓嬰對老子思想的吸收是多方面的，卷五云：「福生於無爲，而患生於多欲」則爲其總綱。

⑳ 徐先生文中其實是分兩路來論韓嬰的，一爲政治思想史、一是學術史。有關學術史方面的討論，本文並未處理。

㉑ 例如徐先生說秦漢是處在封建體制崩潰之後，大一統專制王權正在建立的歷史過程中；中共某些史家說秦漢是封建制的新發展，形成封建專制主義國家。於是徐先生就花大力量去描述士如何在專制統一王權之形成中掙扎衝突反抗。中共的一些史家則努力去證明漢初儒家如何強化封建統治秩序。

㉒ 詳龔鵬程《文學批評的視野》，民七九・臺北大安出版社，頁四七—八四〈從呂氏春秋到文心雕龍——自然氣感與抒情自我〉。

㉓ 徐復觀對韓嬰論忠與孝衝突的問題，未能理解至此。他說韓嬰主張親重於身、身重於君，而其所以主張如此，則係生活貧窮之現實背景使然。故此一問題便被看成是「士由生活的窮困所引起的嚴重問題」。這種理解是不相應的。他未能注意此一問題在儒家理論內部之重要性。儒家是講道德實踐的，但落在具體實活動中，必然時常要面臨「道德理分的衝突」，時常要做道德的抉擇，進入一個「詩曰：「進退維谷」的情境。這便是人生的有限性之一。韓嬰承認此一有限性，而且也認爲並無辦法超越此一有限性，只能安之，「君

子哉！安之，命矣」（卷六）；或當之，無從逃避，死而後已，這就是「義」（見卷一）。

㉔ 詳見余英時《中國知識階層史論・古代篇》，民六九・聯經。但這是個流行的觀點，李澤厚《美的歷程》也以「人的覺醒」來界定魏晉風度。

《白虎通德論》之思想體系及其倫理價值觀

張永儁

一、緒論

漢代有兩個很重要的御前學術會議，在中國學術史上具有相當顯著的地位。也深刻的反映了兩漢宗教、道德、政治等文化思想的發展。一是漢宣帝甘露二年（西元前五二年）所召開的「石渠閣」會議，一是東漢章帝建初四年（西元後七九年）所召開的「白虎觀」會議。這兩個會議都是會集了當時的鴻儒碩學，由皇帝「親臨制決」在殿前隆重舉行的。①

這兩個會議雖相隔一百三十一年，但是在形式上有一個相同點——以儒家思想之理論與實踐爲主題討論所謂「五經同異」的問題。

儒家思想的理論與實踐，自從漢武帝接受了董仲舒《賢良三策》的建議，而「罷黜百家、獨尊儒術」之後，已成爲兩漢以來朝野共尊的文化政策與行動方向，充分反映了漢代「大一統」政府的政治要求。於是，儒家的「五經」就成爲漢代學術、政治與社會的宏謨要典之「大憲章」，一切典章制度皆需依循此「大憲章」而不可稍有違越。但是「五經」詮釋的範圍相當寬汎，有不同的「家法」與

「師法」，而且也有今古文之分。爲了配合政治與社會實踐的需要，於是在五經大義上，必須調和折衷，規定出可以共同接受的詮釋範圍，作爲行動的綱領。這兩個重要的御前學術會議，便是在這個背境下召開的。所謂「五經同異」，並不是批評性的論述不同家派的所同與所異，而是折衷性的調和所異而取其所同。所以這兩個會議的「政策性」遠爲超過「學術性」。這是我們在討論《白虎通德論》之前要先瞭解的一點。

此外，自戰國中葉以後，陰陽家之思想逐漸流行。一方面從自然哲學的觀點來說，陰陽氣化流行的觀念，業已爲道家、兵家、醫家所接受。另方面這種思想也和中國原始宗教如至上神論、汎靈論等深相結合起來，形成種種宗教圖讖與天人感應的神學世界觀。到了戰國晚期及秦漢之際，這兩種思想瀰漫於整個思想界中，成爲廣汎流布的思想潮流，同時也深深的滲透了儒家哲學思想之中。從合理的方向來說，在後期原始儒家如《易傳》、《中庸》、《禮記》等，將整個宇宙視爲具有先驗目的性的生機創造過程，陰陽大化流行而生生不已，宇宙內在的本質彰顯在人性的自我實現之中，成爲天人合一的「三極之道」；另一方面，又從世界普遍歷史的層面，構成「五德終始」、「三統說」等歷史周期論，用以解釋孔子《春秋》——尤其是漢初的春秋公羊家，最爲倡導此說。②

但是，從信仰的方向來說，則強調天人感應與宗教圖讖，把自然哲學中的陰陽五行都賦予人格的解釋：陰陽猶如天地的性情，陽是屬於明達而理性的一面，陰屬於暗昧而情緒的一面，陽德陰刑，陽善陰惡，宇宙人生充滿了陰陽的矛盾，整個宇宙人生也充份反映了這種陰陽消長的錯綜複雜的關係。

而五行的相生相尅，則爲這種關係做了進一步的機體作用的說明。於是自然界、歷史界、人生價值界，皆籠罩在陰陽五行消長迭運的天羅地網中，旣是彼此互相感應、一切相關的宇宙機體結構，同時也是唯物的定命的機械組織。但是，上天有生生之仁，助陽而抑陰，從循環反復的宇宙演化歷程中來黜惡揚善，成福而消災，以體現上天好生之德。因此，宇宙中的一切自然現象與人文現象都有了人格的、神學的色彩，它是祥瑞、是災異，皆是體現上天褒善懲惡的人格意志。

這樣具有宗敎信仰性質的世界觀，無以名之，姑且稱之爲「神學自然觀」。

「神學自然觀」在漢代儒學或兩漢經學中佔有非常重要的地位，尤其今文經中的春秋與周易，此外如詩、書、禮、孝經、論語都充滿了這種神學的解釋，也就是著名的「讖緯之學」。「石渠閣議奏」與「白虎觀議奏」，強調「扶微言」、要集體討論「五經異同」③，有一個重要的目標，就是要在什麼程度之下來容納這種神學的、讖緯的、庸俗化而且政治化了的經義，使它合法的併入正統儒學的系統中，成爲「國憲」，而不致於「五經剖判，玄聖彌遠，章句遺辭，乖疑難正。」從而「重稽古，求道眞」、「扶微學、廣異義。」④這是須要瞭解的第二點。

概略言之，兩漢經學有「魯學」與「齊學」的異同，日後演變成今古文經學的爭論。這些異同爭論由來已久。大致說來，「石渠閣議奏」開其端，因爲西漢孝宣帝愛好《穀梁春秋》，特設「穀梁春秋博士」。但是孝宣帝所處的時代是今文經學——尤其是《公羊春秋》得勢盛行的時代。爲了表示對今文經學的兼容並采，又立了大小夏侯尚書與施孟梁丘易的博士，但是從此揭開了今古文經學爭論的

序幕。而「白虎觀奏議」則收此異同諍論的尾閭。因爲經過一百多年的發展，這種「神學自然觀」已經深入人心不可拔除，而漢光武帝又特別「好讖」，「讖緯之學」已然成爲東漢皇帝的「廟謨祖制」，毋容置疑。東漢章帝是中國歷史上最尊崇儒學的皇帝，但是他所尊崇的儒學，從《白虎通德》這一部書來看，已深深透示出濃重的時代色彩。與原來的五經大義、孔孟微言，頗有出入了。

換言之，《白虎通德論》是中國文化史最能反映時代特質的書。從它十二卷的篇章結構來看，它對宇宙人生的自然、歷史與文化的各層面皆包羅無遺，舉凡天地自然、歷史演變、宗教信仰、道德規範、政教制度、乃至風俗人情等，皆有極詳盡的規劃，皆有極周密的陳述，皆賦予種種哲學性的解釋。雖然這些解釋是建立在「神學自然觀」的預設基礎上，藉以「通經致用」，在「五經大義」的理論與實踐上強調其合理的規範與必然的關係，用以滿足政治上的策略與目標——「大一統」、「通天下於一統」。

因此，要瞭解兩漢哲學，《白虎通德論》是不容忽視的一本典籍，以下爲省略篇幅，且從自然哲學、人性論的觀點，導論出倫理價值的思想——尤其是近二千年來深刻影響了中國社會的「三綱五常」的倫理價值觀。

二、本　論

《白虎觀奏議》由班固撰集其事，作《白虎通德論》十二卷，又稱《白虎通義》，《隋書經籍

志》稱之爲《白虎通》。參加「白虎觀」會議的人甚多，除由漢章帝「臨制稱決」，五官中郎將魏應「承制問」，侍中淳于恭上奏之外，著名的當代大儒尚有馬融、賈逵、班固、李育等。賈、馬學宗左氏春秋，爲古文經學大家。而李育則治《公羊春秋》，爲當時今文經學泰斗。雙方很顯然的在「白虎觀」中當有激烈的辯論。據《後漢書、儒林傳》七十九卷所載：

李育字之春，扶風漆人也，少習公羊春秋，沈思專精，博覽書傳，深為同郡班固所重。……建元四年，詔與羣儒論五經於白虎觀。育以公羊義難賈逵，往返皆有理證，最為通儒。⑤

今從《白虎通德論》的義理內容來看，李育所領導的今文經學派顯然獲得極大的優勝地位。因爲無論是思想體制以及所引述的文章義理，皆學宗春秋公羊學，與董仲舒的《春秋繁露》一脈相承。而李育是漢末今文經學大儒何休的老師，何休所著的《春秋公羊傳解詁》則爲綜結兩漢今文經學的尾閭，爲碩林僅存的春秋大宗。因此，《春秋繁露》《白虎通德論》《公羊傳解詁》，三者環扣密連，陳陳相因，就此三書，可以窺西兩漢今文經學的義理發展。

今且《公羊傳》暫置勿論，單從《白虎通德論》來說，與《春秋繁露》主要的差異，在於更進一步的大量引用了西漢以來所出現的緯書和圖讖之說，如《援神契》、《春秋含文嘉》、《中侯》、《鉤命訣》、《周易乾鑿度》等等…。由於這些緯書皆具有十分濃厚的宗教神秘色彩，更系統的表達了所謂《神學自然觀》。於是，就拿這種「神學自然觀」作爲宇宙論的預設前提，在「應天順化」、「法天承命」的主觀要求下，推衍開來，產生理論的實踐，即所謂「通經致用」，廣泛的實施到一切

倫理規範與政教制度之中。

首先，吾人檢討一下《白虎通德論》的宇宙觀，卽所謂「神學自然觀》的思想內容，具何特色？大要言之有：

甲、神秘主義的唯心論之宇宙起源說：

天地者元氣之所生，萬物之主也。

天之為言鎮也。……地者易也，萬物懷任，交易變化。⑥

始起先有太初，然後有太始。形兆既成，名曰太素。混沌相連，視之不見，聽之不聞，然後判。清濁既分，精曜出布，庶物施生。精者為三光、為五行，五行生情性，情性生汁中，汁中生神明，神明生道德，道德生文章。⑦

簡言之，「天」爲創造主，居高理下爲人之主宰。天倡地和，天施地化。「地」爲懷姙養生萬物者，一切宇宙之交易變化之現象由之發生。所謂「太初」、「太始」、「太素」，皆是從精神轉化爲物質的神秘原因。天有「三光」顯曜，地有「五行」順布，層層迭顯，實現爲萬物乃至人類的「性情」、「神明」、「道德」、「文章」。這種思想與《周易乾鑿度》略同而尤有進之，也是《白虎通德論》之「人性論」與「倫理價値論」之宇宙論論據之基本前提。

乙、擬人的泛倫理化的宇宙說：

> 五行者何謂也？謂金木水火土也。言行者，欲言為天行氣之義也。地之承天猶妻之事夫，臣之事君也。其位卑，卑者親視事，故自同於一，行尊於天也。木生火，火生土、土生金，金生水，水生木。……火陽君之象也，水陰臣之象也。臣所以勝其君何？此謂無道之君，故為衆陰所害，猶紂王也。⑧天子所以內明而外昧，人所以外明而內昧，明天人欲相嚮而治也。……父死子繼何法？法木終火王也。……子順父，妻順夫何法？法地順天也。男不離父母何法？法火不離木也。女離父母何法？法水流去金也。……」⑨

《白虎通德論》中論述五行者甚多，此處不煩多舉。一言以概之，天以金木水火土五氣流行，化成萬物。在自然現象上可以稱爲五行，在人文現象上則宜稱爲五事。此外五常、五性、五德終始，以此類推。五行的錯綜感應，生尅變化，形成整體宇宙的生機結構。這種結構的陳述，可以類比的成爲君臣、父子、夫婦間的倫理關係，猶如宋儒張橫渠《西銘》中的乾父坤母、民胞物與。一切宇宙人生的種種事象，皆可化爲倫理關係的事象，應然的價值現象與必然的自然現象，二者渾然不可分別；倫理的法則與自然的法則可以相互引證，彼此詮明。於是人類社會的「應天」、「法天」、「順天」，則屬當然而必然之事了。

丙、天人感應的神學目的論：

「天」是有意志的、能主宰的，爲道德價值的超越絕對標準，能「命有德」、「革無道」，獎善懲惡，好生而行仁。故而有「災異」、「有祥瑞」、有「譴告」。⑩宇宙中的若干自然現象，如地震、洪水、日月之蝕等等，皆可解釋爲此宇宙之絕對權力的精神意志之特殊反映，如「天人感應」、「天命有德」等等……。一方面與中國原始宗教有關。另方面，自戰國中葉以來，齊燕之士多有瑰瑋怪異之說，陰陽家如鄒衍、騶奭等綜理之而成一家之言。這種思想在秦漢之際如《呂氏春秋》、《禮記、月令》、陸賈《新語》等皆宗此說，逐漸蔚爲風氣，至於董仲舒之《天人三策》與《春秋繁露》則正式容納入儒家思想系統以詮釋「春秋大一統」之微言大義，旁通引申至於其他哲學範疇如人性論、倫理學等，成爲一種涵容周遍的思想。

※　※　※　※

這種「神學自然觀」的宇宙論論證，推衍到歷史哲學上，就形成了「普遍歷史」或「唯心論的歷史型態說」，是繼承董仲舒《春秋繁露》之「文質說」、「三統說」。而《白虎通德論》創立新見，發揮成「三教說」。並且藉此「三教說」的歷史哲學論證，推論出「春秋質家」、「春秋主夏政」，也就是孔子作春秋是順應「夏人尚忠」的歷史循環周期，因此《春秋》也以「忠」作爲其道德中心德目，並婉轉推論出「漢人尚忠」的時代道德精神特質。

要瞭解所謂「三教說」，須先扼要說明「文質說」與「三統說」的大意。先從「文質」來說：「質」就是先天的、元始的，無爲而自然的天道的本質；「文」則爲有意的制作的後天的現象。譬如自然界中的「三光」的含光吐耀是無爲而自然的，屬於「質」；「五行」之相生相勝所形成的種種事象，屬於「文」。人類懷五常之性，有孝弟之思、具忠悃之誠，是「質」；建立了種種文明制度則稱爲「文」。自然之天道，客觀體現它自己，當然是「化質爲文」；天人之際，文采交勝，一切事象，遷流變化，無有恆性，復歸於自然無物，此之謂「返本歸質」。文質相因循環，爲歷史之通性。《白虎通德論》說：「質者法三光，文者法五行。」⑪所謂「法三光」就是「通三統」，「法五行」就是主張「五德終始」。

春秋公羊家自稱爲「質家」，是「尚質」的，因此主張「通三統」。⑫所謂「三統」，又稱「三正」。就是指自古以來，各朝代輪流採用三個不同的「正月」。譬如夏人建寅以每年的一月爲「正月」，商人建丑以十二月爲「正月」，周人建子以十一月爲「正月」。各朝代又輪流採用黑、白、赤不同的顏色來製作服飾、旗幟與徽號。這是自董仲舒以來把夏商周三代天文曆法的改變，做了神學的也是歷史哲學的解釋。於是人類的歷史就在神意的鑒臨下，「再而復」，「三而復」，循環反覆的發展着。⑬《白虎通德論》因襲了董仲舒的「三統說」。認爲漢王朝是「王者承天」，要「通三統歸於一統」——所謂「大一統」，所以要「法春秋、用夏政」。折衷了「文質」與「三統」之說，用不同的人文精神與道德特質，來說明社會演化與歷史周期發展的原因，此卽有名的「三教說」：

王者設三教何？承衰救弊，欲民反正道也。三王之有失，故立三教以相指受。夏人之王教以忠，其失野，救野莫如敬。殷人之王教以敬，其失鬼，救鬼之失莫如文。周人之王教以文，其失薄，救薄之失，莫如忠。繼周尚黑，制與夏同。三者如順連環，周而復始，窮則反本。⑭

又曰：

教所以三何？法天地人，內忠外敬文飾之，故三而備也。⑮忠形於悃忱，故失野；敬形於祭祀，故失鬼；文形於飾貌，故失薄。⑯

這就是認爲從人類社會演進的過程來看，一是原始淳樸的社會，人情率眞厚實，其優點爲「忠」，其缺點爲「野」。漸漸演進爲宗教神權的社會，其優點爲篤於信仰爲「敬」，其失爲「鬼」（迷信）；再次演進爲理性文明的社會，其優點爲「文」，其缺點爲「薄」（人情疏離而寡薄）。人類要挽救各時代的缺失，必須產生時代的自覺——救「野」以「敬」，救「鬼」以「文」，救「薄」以「忠」。三者循環相救。譬如一個新的野蠻時代出現了（像是今天人類的處境），必須重新喚起一個宗教神聖信仰，以虔敬之心挽救時代的缺失。同樣的，人類清明理性之自覺，充份自我肯定，以建立合理的制度文明，亦可彌補宗教迷信的錯失；人情的疏離寡薄，也必須仰賴於人性本有的質樸與忠悃。

漢人「法春秋，用夏政。」自稱是「尚質」的社會，因此原則上是「尚忠」的文化。董仲舒在《舉賢良對策》上說：「繼治世者其道同，繼亂世者其道變。今漢繼大亂之後，若宜少損周之文致，用夏之忠者。」三教循環，補偏救弊，但是十分弔詭的，人類社會依然不免於有偏有弊，很可能既

「忠」又「鬼」且「薄」。於是，《白虎通德論》有一個卓越而廣溥的見解，即是三教並立——「法天地人」，通三爲一。大一統的社會教育宗旨，要人既有理性、有摯情，也有虔誠，宗教、道德與文明形式，三者不可偏廢，即所謂「內忠外敬文飾之，故三而備也。」⑰「三教篇」指出：

三教所以先忠何？行之本也。三教一體而分，不可單行，故王者行之有先後。何以言三教並施不可單行也？以忠、敬、文無可去者也。⑱

※　※　※　※

像這樣所建立的「內忠、外敬、文飾之，故三而備也。」的大一統社會的心理根據在那裏呢？在人天賦的性情。《白虎通德論》曰：

性情者何謂也？性者陽之施，情者陰之化。人稟陰陽氣而生，故內懷五性六情。⑲五性者何？仁義禮智信也。……六情者何？喜怒哀樂愛惡謂之六情，所以扶成五性也。⑳《鉤命決》曰：情生於陰，欲以時念也；性生於陽，以理也。陽氣者仁，陰氣者貪，故情有利欲，性有仁也。㉑

人類所以能夠建立禮樂敎化的社會，其主觀依據在於「樂以象天，禮以法地。人無不含天地之氣，有五常之性。故樂所以蕩滌，反其邪惡也；禮所以防淫佚，節其侈靡也。」漢代自董仲舒以來，認爲「天有陰陽之禁，人有貪仁之性。」㉒成爲漢代人性論的一般見解，即所謂「善惡渾」的人性論。但是《白虎通德論》以人性的內在結構，以「五常之性」爲本，「六情」是扶成「五性」的，這就幾

乎返回性善論，用以解釋道德價值的先驗基礎，在理論上較爲圓熟。人既有天賦的五常之善性，但「六情」之淫侈與邪僻乃惡之所由生，必須以禮樂「蕩滌之」、「防制之」。禮樂之興乃聖王法象天地而所建制，是後天的道德規範，是人爲的律法。這種思想則接近於荀子。因此以性絜情，以理制欲。《白虎通德論》曰：

> 學之為言覺也，悟所以不知也。故學以治性，慮以變情。故玉不琢，不成器；人不學，不知道。㉓

又曰：

> 經所以有五者何？經，常也，有五常之道故曰五經。樂仁，書義，禮禮，易智，詩信也。人情有五性，懷五常，不能自成，是以聖人象天，五常之道而明之，以教人成德也。㉔

通經致用，以養五常之德，以成聖人之教，是學而知之，慮而得之。用以涵養五性，變化六情。人性的結構與功能猶如陰陽五行之相輔相成，相生相勝。於是聖人法天效地，建立人類社會的倫理綱紀。《白虎通德論》繼承董仲舒「三綱五常」之說，而說「三綱六紀」。

> 何謂綱紀？綱者張也，紀者理也。……所以張理上下，整齊人道也。人皆懷五常之性，有親愛之心，是以綱紀為化，若綱羅之有紀綱而萬目張也。㉕
>
> 三綱者何謂也？謂君臣、父子、夫婦也；六紀者謂諸父、兄弟、族人、諸舅、師長、朋友也。㉖

君為臣綱、父為子綱、夫為妻綱。……敬諸父兄，六紀道行。諸舅有義，族人有序，昆弟有親，師長有尊，朋友有信。㉗

三綱法天地人，六紀法六合。君臣法天，取象日月屈伸歸功天也。父子法地，取象五行轉相生也。夫婦法人，取象人合陰陽有施化端也。㉘

六紀者，為三綱之紀者也。師長，君臣之紀也，以其皆成己也；諸父兄弟，父子之紀也，以其有親恩連也；諸舅朋友，夫婦之紀也，以其皆有同志為己助也。㉙

從上所述，《白虎通德論》的「三綱六紀」說有以下幾點要義：

(1)「三綱六紀」，其形上學的根據是藉着「神學目的論」，所謂「天施、地化、人行之。」在這樣的宇宙演化程序下，不僅是適用於自然界，而且適用於人類社會的人文秩序。同時，聖人法天象地，比附於三光六合、陰陽五行，用以論證倫理價值的根源、倫理規範的成立。於是人間的倫理秩序，尊卑、貴賤、親疏等關係，效法於天地之常道，誠如董仲舒《賢良對策》所說：「道之大原出於天，天不變，道亦不變。」這種充任約化了的倫理規範，成爲天經地義的絕對道德律則。這當然是庸俗化的道德哲學，剛性的決定義的倫理教條。

(2)「三綱六紀」，其人性論的根據，是人類天賦的自然性情。人有「五常之性」，天賦有親愛之心、析物之理，因而能成己成物，推己及人。一方面理義相及，一方面恩情相連。而君臣、父子、夫婦之關係，爲人倫之不可或缺者，誠如莊子《人間世》所謂「無所逃於天地之間」。推而廣之，擴及

於諸父、兄弟、族人、諸舅、師友、朋友之交，可以涵蓋一切人際間之關係，亦莫不有此理義相及，恩情相連，如陰陽五行之交感變化，轉迭相生也。因此，「三綱六紀」在形式上是剛性的決定性的教條，但在實質上卻可以斟酌情理，因事之宜而輾轉相生，活用其法。決不可以辭害義而傷害情理。

⑶「三綱六紀」之「君爲臣綱、父爲子綱、夫爲妻綱。」在其倫理實踐的歷史過程中，對中國社會的政治結構、社會結構、家庭結構，產大莫大之影響。從正面來看，這種「父權社會」的特質，凝聚了全社會的力量，無論是宗教祭祀的禮儀、政治權力的分配與運用、社會交往的賓主關係、男女婚姻與家庭職務的分工、事業與財產的繼承……。皆以男性爲中心，形成了固定不移的社會秩序，在社會的發展、文明的發展上，有其一定的價值，在廿世紀之前，在此矩矱下，中國人的社會行爲，有常理可遵，有舊法可守，形成了倫理規範中所謂的「自然法」、「習慣法」。但從負面來看，在西方文化價值觀的對照之下，在「民主」與「人權」方面，則不免相形見絀了，在新時代精神的衝擊之下，「三綱六紀」之說，則不免於僵化的、封閉的、收斂的種種疵病。

三、結　論

綜結前言，《白虎通德論》有以下幾個特色：

⑴從篇章結構上而言，它是類如「大憲章」似的一本「政書」，又如百科全書似的一本「類書」。從分類項目來看，它涵蓋了自然、物理、宗教、社會、政治、道德……等各層面。從哲學思想內容來

看，它是與《春秋繁露》、《春秋公羊傳解詁》乃至若干讖緯之說，深相連結的一部撰著，是研究漢代今文經學不可或缺的典籍。

⑵這部書是以「神學自然觀」或「宗教目的論」爲主要的宇宙論前提所推衍而成的。無論歷史、政治或道德之層面都具有濃厚的宗教內涵。任何一個文化的事象都賦予神秘的、唯心的神學的理由。

⑶這部書是在「通經致用」的政治與道德實踐的宗旨上所撰成的，認爲宗教的、道德的、政治的理想是一致的，同時任何這類理想必然會體現到現實生活中來，因此它常常以敎條式的誡令代替了哲學的論證，強力涉入社會生活的各層面而鉅細靡遺，一方面積極表示了政治上「六合同風、九州共貫」的「大一統」精神，另方面也強烈提示了中國宗法社會的父權支配風格，在中國歷史過程中，對社會倫理結構影響深遠。

⑷它雖然不算是一部純正的儒家典籍，但是仍具有強烈的道德理想的要求，充滿了「天人合德」的使命感，雖然有相當多的政治動機的政策傾向，但是依然力求道德價值的具體實現，具有道德敎育的政治理想，不失儒家德術合一、政敎合一的傳統。

⑸它的「三綱六紀」或「三綱五常」的倫理價值觀，支配了中國人的倫理生活近二千年，對民族文化的凝聚力，提供了很大的助益，但對民族文化的創造力則有所牽掣與羈絆。在近代西方思潮的衝擊之下，飽受批評。但是在今日急功好利、道義不彰，人欲橫流的生活趨向中，它依然不失爲貞一堅凝的古典理性的典型，可以供未來的參考，可以發思古之幽情。

【附　註】

① 見《漢書》宣帝本紀第八甘露三年春正月：「詔諸儒講五經同異，太子太傅蕭望之等平奏其議，上親臨稱制臨決焉。乃立梁丘易、大小夏侯尚書、穀梁春秋博士。」又見《後漢書》肅宗孝章本紀第三建初四年十一月壬戌：「於是下太常……及諸生諸儒會白虎觀，講議五經同異……帝親稱制臨決，如宣甘露石渠故事，作《白虎奏議》。」

② 見《春秋繁露》「三代改制質文篇」及《春秋公羊傳》卷首徐彥疏。

③ 見《後漢書》孝章帝紀建初八年詔：「五經剖判，去聖彌遠，章句遺辭，乖違難正。恐先師微言遂將廢絕，非所重稽古，求道眞也。其令群儒選高才生，受業……以扶微學、廣異義焉。」

④ 見註③

⑤ 見《後漢書》卷七十九下「儒林傳」李育條。

⑥ 見《白虎通義》卷九「釋天地之名」。

⑦ 見《白虎通義》卷九「論天地之始」。

⑧ 見《白虎通義》卷四「總論五行」、「五行更王相生相勝變化之義」諸條。

⑨

⑩ 見《白虎通義》卷六「災變譴告之義」、「災異妖孽之名」、「霜雹」諸條。

⑪ 見《白虎通義》第八卷「三正」項下「文質」、「改文不隨文質」諸條。

⑫ 見顧頡剛《古史辨》第三卷。

⑬ 見董仲舒《春秋繁露》「三代改制質文篇」及何休《公羊傳解詁》卷首徐彥疏。

⑭ 見《白虎通義》卷八「三教」項下「聖王設三教之義」條。

⑮ 見《白虎通義》卷八「三教所法」條。

⑯ 同上卷「三教之失」條。

⑰ 同上卷「總論教」條。

⑱ 同前。

⑲⑳ 見《白虎通義》卷八「五性六情」條。

㉑ 同前。

㉒ 見董仲舒《春秋繁露》「深察名號」篇。

㉓ 見《白虎通義》卷十「辟雍」條。

㉔ 見《白虎通義》卷十一「五經」條。

㉕ 見《白虎通義》卷八「三綱六紀」項下「三綱之義」與「六紀之義」諸條。

㉖㉗ 同上卷「綱紀所法」條。

㉘㉙ 同上卷「三綱之義」、「六紀之義」諸條。

漢代宇宙論之興起與發展及其在哲學上的意義

鄔昆如

Kun-yu Woo, The Onigin and the Development of Cosmology in Han-dynasty and Its Philosophical Meaning

緒論

一、宇宙論的「物質」考察，使其必需負起「科學檢證」的挑戰；而科學的發展，多爲推翻過去而肯定當前。因而，在中國哲學發展史中，漢代的「宇宙」探討，常因科學的發展，而遭受攻擊和否定。

二、中國哲學在漢代的宇宙論無法用科學來檢證時，適時的佛學傳入，後者並未重視當時學術潮流中的宇宙論課題，反而以融通儒、道的人生哲學，作爲素材，而開展了儒、釋、道思想合一的局面。隋唐佛學的興盛，幾乎完全放棄了「宇宙論」的研究。

三、宋明儒的努力，回歸先秦，並暗地裏用了佛教的心法，在人生哲學的定位上，除了易經的宇

宙架構外，亦並沒有肯定漢代「外在世界」的定位。

四、當代中國哲學的發展，又廣受西洋科學的衝擊，在全心貫注到「內在心性」之外，又接受了康德哲學的內容，以道德哲學來詮釋傳統儒家；因而一方面站在科學立場，貶斥漢代的宇宙哲學爲迷信；另一方面站在道德哲學立場，以漢代的宇宙哲學爲「外馳」，失去了哲學的內在本質。

本文試就以哲學的全面意義「定位宇宙」，然後在宇宙之中「安排人生」的方式，重新檢討漢代宇宙論體系，希圖找出其哲學意義。在文字的進程上，用「歷史發展」，「內在涵義」，「當代意義」三個面向來探究。

壹　漢代宇宙論的歷史發展

一、漢代宇宙論的興起，可以追溯到紀元前三世紀戰國時代的陰陽家騶衍（Ca. 305-240 B.C.）的「五德終始說」以及由之而回溯的「陰陽」學說。「五德終始」說明人事的「歷史運行」；而「陰陽二氣」則闡明宇宙的「天道運行」的法則。這學說就其內涵而言，的確涵蓋了「定位宇宙」，以及在宇宙中「安排人生」的哲學意義。

在此以前，「五行」是書經洪範篇說明構成宇宙之五種元素，並指出這五種作爲「實體」的元素，有其特性；而且極似於物的「初性」以及「次性」。①「陰陽」則是周易思想中，說明構成宇宙的相輔相成的對立元素，同時是宇宙生成變化的最早淵源。②這二種本來俱富「宇宙」問題的課題，

首由騶衍用來作爲「宇宙」和「人生」二者共同的淵源。中國哲學原始時，宇宙離不開人生，人生離不開宇宙；因而，在宇宙論的課題上，與人生論幾成一體之兩面。

司馬遷史記所載，騶衍在孟子之後，而且「深觀陰陽消息」，上至天文，下至地理，無所不通；「著終始，大聖之篇十餘萬言。」③可惜的是，騶衍的著作不傳，而其學說則在呂氏春秋中有片段的記載。

二、呂氏春秋：爲秦相呂不韋集其賓客所作而成。全書分成八覽、六論、十二紀。其成書的宗旨是：

> 蓋聞古之清世，是法天地，凡十二紀者，所以紀治亂存亡也，所以知壽夭吉凶也；上揆之天，下驗之地，中審之人；若此，則是非可不可，無所遁矣。④

從其成書宗旨上看，可窺探出其對天、地、人的關懷；而從其內容看，則是涵蘊了濃厚的「天人相應」的思想。而在天人相應的預備工作上，則是先「定位宇宙」，說明宇宙生成的原理：

> 一曰天地有始，天微以成，地塞以形；天地合和，生生大經也。以寒暑日月晝夜知之，以殊形殊能異宜說之。夫物合而成，離而生；知合、知成、知離、知生，則天下平矣。⑤

「合而成」以及「離而生」⑥的宇宙起源論，涵蓋了物質以及生命的二層次，同時在定位宇宙以及安排人生的意義中，作了原始的舖路工作。

「合」與「離」的動作，其主體則是陰、陽之氣。在十二紀中，陰陽二氣週遊於天地，週而復

始，循環不息，而形成四季和十二個月令。這是「時」的定位。陰陽所催生的時間，再與五行相配，就化生成萬物；而萬物的存在都在時空中。於是，宇宙的定位，也就在時間與空間之中。再則，陰陽之氣在宇宙中的運行，與五行相配時，不但催生了時間和空間，而且亦創生了人類。也就因此，人的五行之氣，與宇宙的五行之氣相通，這就成了「天人感應」的哲學基礎。

從「天人感應」的學說，推演出人事中祥端和災異的天象和人生禍福，以及行爲善惡相互間的因果關係，這也就是漢代從宇宙論走向人事論，再走向神秘主義的哲學思想進程。也卽是說，天人感應不但是天地間同類「氣」的感應，同時也是人事和天意的感應。

三、淮南子：淮南王劉安（179–122 B.C.）所集成，內容爲其賓客所作。作書宗旨是：

夫作爲書論者，所以紀綱道德，經緯人事，上考之天，下揆之地，中通諸理……誠通乎二十篇之論，睹凡得要，以通九野，徑十門，外天地，捭山川，其於逍遙一世之間，宰匠萬物之形，亦優遊矣。⑦

這宗旨前段有儒家精神，後段則是道家的生命情調。前面的呂氏春秋，思想博雜，儒、道、墨、法各家都有涉及，也許法家的思想較多；同樣，淮南子內容也博雜，但黃老思想最多，因而可代表道家在漢代的思想。

淮南子的宇宙論，內容多在原道訓、繆稱訓、天文訓各篇。原道訓曰：

夫道者，覆天載地，廓四方，拆八極，橫四維而含陰陽，紘宇宙而章三光。神託於秋毫之末，

而大於宇宙之總。夫無形者物之大祖也，無音者聲之大宗也；其子為光，其孫為水，皆生於無形乎。道者，一立而萬物生矣。⑧

這是道家「道生萬物」的學說，而且具有「道生於無」的傾向。

天文訓描繪得更加仔細：

天地未形，馮馮翼翼，洞洞灟灟，故曰太始。道始於虛廓，虛廓生宇宙，宇宙生氣；氣有涯垠，清陽者薄靡而為天，重濁者凝滯而為地；清妙之合專易，重濁之凝竭難，故天先成，地後定。天地之襲精為陰陽，陰陽之專精為四時，四時之散精為萬物；積陽之熱氣生火，火氣之精者為日；積陰之寒氣生水，水氣之精者為月，日月之淫氣精者為星辰；天受日月星辰，地受水潦塵埃。⑨

從上面的描繪來看，淮南子的宇宙發生次序是：道→宇宙→氣→天地→陰陽→四時→萬物。

羅光教授在其中國哲學思想史中，把淮南子書中各篇描繪宇宙起源的學說，與道家老子、莊子、列子篇章作一詳細的編列對比，發現淮南子的思想，是綜合了道家的學說而成。⑩

原道訓與天文訓的重點多放在宇宙的生成複雜學說中，至精神訓，則開始從定位宇宙，走向安排人生。其描繪是：道→陰陽→萬物→人。因而，「人」在宇宙萬物中，其淵源與萬物一樣，都源自「道」。「剛柔相成，萬物乃形，煩氣爲蟲，精氣爲人。是故精神天之有也，而骨骸地之有也。精神入其門，而骨骸反其根。」⑪

從這裏開始，淮南子一步步地深入解釋「人」與宇宙時空合一的描述，以之作爲人與自然合一的哲學基礎。而最後歸結出「合於道的人」才是「眞人」⑫；進一步，道的無爲性格，亦是人生無爲的楷模。不過，淮南子因爲其著書的目的一方面是政治考量，因而其「無爲」的解釋，不完全是道家的，亦滲進了儒家「有爲」的因素。其「人主之術，處無爲之事，而行不言之敎」⑬這種把「處事」來處理「無爲」，以「行敎」來取代「不言」，也正是淮南子承傳了「垂衣裳而天下治」的原則，叫人君無爲，而宰臣卻要任法有爲。⑭

不過，泰族訓揉合了儒家有爲的思想，主術訓則又滲進了法家的思想；二者都可以成爲道家天文訓的落實，亦都是往「天人感應」的結論進行。

四、董仲舒（179–104 B.C.）：其「罷黜百家，獨尊儒術」的提案和實踐，使其成爲漢代儒家的代表人物。其代表作春秋繁露中的「天人感應」思想，更是漢代學術思想的主流。「天人感應」主要的是：由人事推天道，以天道驗人事。董仲舒說：

> 唯聖人能屬萬物於一，而繫之元也。……是以春秋變一，謂之元，元猶原也，其義以隨天地終始也。……故元為萬物之本，而人之元在焉。安在乎？在乎天地之前。⑮
>
> 春秋何貴手元而言之，元者始也，言本正也。⑯
>
> 謂一，元者，大始也；知元年志者，大人之所重，小人之所輕。⑰
>
> 天地者萬物之本，先祖之所出也，廣大無極，其德炤明，歷年衆多，永永無疆。⑱

因此，可知其宇宙起源於「元」，而這元生天地萬物，以及人類。至於「元」是什麼，似乎是「氣」。董仲舒說：

天地之氣，合而為一，分為陰陽，判為四時，列為五行。⑲

至此，董仲舒的宇宙體系也就有了完整的想法，那就是把天、地、人、五行、陰陽合成十端。他說：

天有十端……天為一端，地為一端，陰為一端，陽為一端，火為一端，金為一端，木為一端，水為一端，土為一端，人為一端。⑳

當然，這十端相互的關係非常複雜；而其中最重要的是人與天的關係。董仲舒說：

人之形體化天數而成，人之血氣化天志而仁，人之德行化天理而義。㉑

這就說明人與天的關係，而且，不但人本身的形體、血氣、德行，都源自天，就連時空中的各別事件，也與天發生關係。他說：

聖人承天之志以為治，春修仁，秋修義，冬修刑，夏修德；人有喜怒哀樂，猶天之有春夏秋冬。㉒

此外尚有許許多多的天象與人事的對比和融通，藉以說明天人感應。

董仲舒的天人感應說，到最後的結論是：

天人一也。㉓

這「天人一也」不但讓董仲舒在定位宇宙之中，安排人生；而且也能用其儒家人文思想，去定位宇宙。這種從天到人，以及從人到天的雙向的思想進路，使其宇宙論充滿了人文氣息，同時，在人性論中，亦充滿了神秘氣氛。

就在人文氣息的宇宙論中，把自然景象的發生，也看成是道德世界的表徵，就如：以爲惡行會引起災異，善行會引發祥瑞。㉔

五、班固的白虎通（79 A.D.）：後漢章帝紀記載，建初四年（西元七九年），聚羣臣於虎觀，討論五經同異，紀錄成「白虎通德論」，並命班固編輯成書。此書的「五行」篇，也就是宇宙論的體裁：

> 五行者，何謂也，謂金木水火土。言行者，欲言為天行氣之義也。㉕

因此，五行就是天行氣的五種變化；而氣就是陰陽之氣，其推動陰陽、五行，結合成宇宙萬物。

而且，五行相互間則是「相生相克」。五行篇說：

> 五行所以更五何？以其轉相生，故有終始也。本生火，火生土，土生金，金生水，水生王……
>
> 五行所以相害者，大地之性，衆勝寡，故水勝火也；精勝輕，故火勝金；剛勝柔，故金勝木，專勝散，故木勝土，實勝虛，故土勝水也。㉖

五行的相生相克，落實到人生層面，也就是人際的各種關係；於是，萬事萬物，都由五行相互間的關係來解釋，這也就成了「天」和「人」相應的哲學基礎。更進一層，白虎通更把人身的各種器

官，都與五行配合；進而把人的性情，喜怒哀樂，亦由五行來解釋。㉗這種說法，從漢代開始，對醫學的用藥，亦具特殊的影響。

六、楊雄（53B.C.-18.A.D.）的「太玄」一書，結構仿易經，思想內容則仿老子道德經，其中宇宙的生成變化，以三元論代表易經的二元論，以四重代表六爻，以八十一首代替六十四卦，以七百二十九贊代替三百八十四爻。這些變數都在意味着事物的變化，以及事物相互間的關係。㉘

楊雄認爲，玄就是宇宙的根本，它與道原是一體，亦是無形無像；玄發佈陰陽二氣，二氣相互聚散，而形成了天地萬物。同時，玄亦是天地萬物變化的法則，順着衝突與調和兩個面向運作。這種思想源自道家的宇宙論。不過，在玄攡篇中，玄除了老莊的道的意義外，也滲雜了儒家的仁概念。這和楊雄另一部著作法言，仿效論語的內容，是儒家思想進路，有相同的取向。

太玄除了界定玄爲宇宙太始之外，經陰陽二氣的變化，而催生天地萬物；還落實到月令的時間定位（玄瑩篇），男女、夫婦、君臣、父子等的人際關係（玄圖篇）；甚至亦觸及到天人相通，神人相通的規則（玄○篇），最後，把人生的凶吉禍福，亦都用宇宙的定位來界定（玄圖篇）。

七、桓譚（23B.C.-56A.D.）：依後漢書記載：氏「博學多通，遍習五經，皆詁訓大義，不爲章句；能文章，尤好古學，數從劉歆、楊雄辯析疑異……而意外毀俗儒，由是多見排抵。」㉙桓譚的代表作新論，共二十九篇，內容是「言當世行事」㉚。其學說最突出處，是敢於面對光武帝，提出「反讖」的見解，幾乎喪命。㉛

漢代皇帝因俗儒的「天人相應」的學說，多與民間共同相信讖緯，祥瑞災異，以爲天象與人事間有某種因果關係。本文前面列舉的騶衍、呂氏春秋、淮南子、董仲舒、班固、楊雄等人，對宇宙和人生的因果相連，都有哲學性的探討和某種程度的肯定。這些肯定雖然未必直接推演出讖緯，災異、祥瑞，但是，至少是支持了後者成立的機緣。桓譚站在儒家立場，認爲人生如果要避災就吉，斷不可以用迷信的方法，畫符或練丹，而應該用「修德」、「行善」來完成人性、來美化人生。

當時所用的緯書和圖讖，是假借河圖洛書；而後者在易經繫辭裏提到；而且，俗稱繫辭爲孔子所作。於是讖緯便成了儒家的東西。桓譚從根本上拔除這種思想的推演。他首先不信孔子作繫辭，甚至稍有走極端，而不稱孔子爲聖人。他說：

讖出河圖洛書，但有朕兆而不可知。後人妄復加增依託，稱是孔丘，誤之甚也。㉜

災異變怪者，天下所常有，無世而不然；逢明主賢臣智士仁人，則修德、善政、省職、愼引以應之，故咎殃消亡而禍轉爲福焉。……故周書曰：天子見怪則修德，諸侯見怪則修政，大夫見怪則修職，士庶見怪則修身；神不能傷道，妖亦不能害德。及衰世薄俗……惑於佞愚而以自詿誤，而令患禍得就，皆違天逆道者也。㉝

在桓譚的思想中，儒家是以「修德」「修政」「修身」爲主，而不是在就吉避凶方面努力；因而對讖緯，仙道，長生不老等道術，都極力反對。㉞

桓譚學說中，最突出的一點是「神滅論」，主張人死如煙滅，形體死了壞了，靈魂亦向歸死滅。

他說：

精神居形體，猶火之燃燭；如善扶持，隨火而側之，可毋滅而竟燭。燭無，火亦不能獨行於虛空，又不能復燃其它。它如人之者老，齒隨髮白，肌肉枯臘，而精神弗為之能潤澤。內外周遍，則氣索而死，如火燭之俱盡矣。㉟

桓譚以神滅論來反對神仙鬼神之說，進而反對讖緯，更進而反對天人感應。甚至，更進一步，徹底地反對傳統，他說：

諸儒視春秋之文，錄政治之得失，以為聖人復起，當復作春秋也。余謂則否。何則？前聖後聖未必相襲也。㊱

桓譚的批判性格，以及其否定的論據，到王充則已集大成。

八、王充（27-96AD.）著論衡八十五篇，二十餘萬言，內容是「釋物類同異，正時俗嫌疑」㊲。其學說重點在繼桓譚之後，發揮更詳盡的批判精神。著作中隨處可見其對桓譚之讚揚㊳，接着亦肯定自己的作法。他說：

詩三百，一言以蔽之，曰：「思無邪」。論衡篇以十數，亦一言也，曰：「疾虛妄」。㊴

甲「疾虛妄」三字作爲其論著論衡思想的濃縮，可見其對當時邪說橫行所採取的批判用心。

王充反對當時的讖緯，災異，祥端，亦卽反對天人感應；認爲當時的宇宙論大有源自古代神話之嫌，於是，先從反對神話開始。他先提出堯皇射太陽的神話：

天之去人以萬里數，堯上射之，安能得日？㊵

繼則對女媧補天之說：

且夫天者，氣邪體耶？如氣乎，雲煙無異，安得柱而折之？女媧以石補之，是體也。如審然，天乃玉石之類也。㊶

再來尤是指出「天」不是有意志的，而祇是物質的形氣，而且不是五行之氣，而是一行之氣：

或曰：五行之氣，天生萬物，以萬物含五行之氣，五行之氣，更相賊害。曰：天曾以一行之氣生萬物，令之相親相愛，不當令五行之氣，反使將賊害也。㊷

王充雖然反對讖緯，天人感應，但是都相信「氣」是天地萬物的元素，而「氣」在人的命運上亦有決定的作用；氣不同，命也就不同。他說：

類同氣鈞，性體法相，固有相似，異氣殊類，亦兩相遇。㊸

人之善惡，同一元氣；氣有多少，故性有賢愚。㊹

雖然，宇宙與人的關係在於「氣」，但是，王充還是追隨桓譚，主張神滅論，不相信鬼神的存在。㊺因此，主張一切都是自然的，機械式的變化，從唯物的宇宙，無法導引出道德的世界。這點實屬王充走離了儒家，而進入道家的自然主義之中；追而認爲天地是塊然之物，沒有性情，因而無法與人溝通，因而否定天人感應，也反對從天人感應導引出來的災異祥端。論衡書中、書虛、變虛、異虛、感虛、福虛、禍虛、談天、說白、順鼓、商蟲、亂龍、遭虎、講瑞、指瑞、是應、感歎等篇，都

是在「破」除「虛妄」，反對天人感應之說。㊻

上面列舉了六位正面肯定「定位宇宙」，然後在宇宙之中「安排人生」的漢代思想家，同時亦舉出兩位否定「定位宇宙」與「安排人生」有關連的人物，作爲漢代在宇宙定位方面的歷史發展的思想脈絡，這是本文「縱」的部份。接着就要在「橫」截面上探討「內在涵義」，作爲漢代宇宙編的內容部份。

貳　漢代宇宙論的內在涵義

從上面的「歷史發展」看來，漢代的宇宙論體系，無論儒家、道家的著作，基本上是同意「宇宙有始」的意見；這「有始」究竟是「道」，或是「元」，則有不同的見解；從原始太初的演變看來，則步調相當一致地認爲是「氣」的變化，而生成天地萬物；這「氣」是陰陽之氣，或是五行之氣，則亦有見仁見智的說法。但是，承認宇宙的生成變化循一定的規律，則似乎又是共識。其中從理論哲學到實踐哲學的最大共識，則是「天人感應」，意爲天理與人事是可溝通的，而且是「天象顯人事，人事通天象」，人間世的一切與天象的表現息息相關。這樣，自然世界與人文世界的融合，也就順理成章地完成。漢代的哲學，雖然把箭頭指向了宇宙論，而多少忽略了人事論的深度研究，但是，實踐取向的哲學進路，從先秦以來，基本的內涵，還是沒有改變。就漢代的宇宙體系，無論其起源或發展，到最後都能從宇宙的演變，演生出人類，而指出人的結構基本上和宇宙的結構，有共通之處，因而「

天人」是「相應」的。當然，漢代走火入魔的哲學思想，並不在於到此爲止的「天人感應」，而是在宇宙現象中的「災異」或「祥瑞」，與人間世的「禍福」相連；更有甚者，認爲「避凶就吉」的方法，不必要走道德進路，而是用讖緯的方式可以解決。也就在讖緯一事上，中國哲學傳統的道德進路，被蒙上了神秘的色彩，終至導引出畫符、練丹的民間信仰，而把「求仙」取代了傳統的「求聖」和「求賢」。

而桓譚和王充等人所反對的，基本上是要恢復道德進路的傳統，但在形而上的探討中，也把宇宙和人生的關係割斷；這又是另一極端，唯物的思想同樣無法取代神秘哲學的部份，否定了天人關係，也同樣無法肯定人生的獨立意義。

就嚴格的哲學探討來說，漢代的宇宙論研究，自有其哲學意義，雖然其宇宙太初與發展的描述，未必盡符合當時自然科學的見解。從今天的現代科學知識來看，漢代的宇宙探討當然非常幼稚；但就其哲學對宇宙起源問題，對宇宙變化問題，以及人性如何從物性中派生出來的問題而言，則是應受到肯定的。

我們且分兩方面來討論漢代宇宙問題：一方面是宇宙起源問題，另方面則是宇宙變化問題；後者還包含了從宇宙變化過程中，產生了人；因而從宇宙問題轉化爲人生問題。漢儒對人生問題的探討，因爲無法跳出宇宙問題，回到先秦儒家的原始看法，也許就是後來落入被貶的命運。也就是說，先秦儒在人生問題上採取了道德進路，而漢儒的宇宙論，開展不出道德哲學，反而走向了神秘，而派生了

迷信。這也就是桓譚在反對讖緯所利用的學理，而王充更認爲宇宙問題，根本無法導引出人生問題。此二人的批判精神，畢竟沒有開展出漢代宇宙論當走的路線。因爲，無論如何，宇宙和人生的「實然」存在，原是不可置疑的，哲學提出這存在的原始，原是件合理的問題；而且，站在宇宙哲學觀點上看，亦是必需的課題。

我們現就以宇宙起源以及宇宙變化二課題，來探討漢代在想家在這方面見解的內涵：

一、宇宙起源問題：漢代宇宙論的興起，淵源於問及宇宙起源的課題。淮南子繼承了道家的說法，以爲「道」是天地萬物的原初；其說法有點「汎宇宙論」的味道，因爲「道」是覆天載地的，是內存於萬物的；道的自動自發性，使其不但自己運作，而且在運作中「道者，一立而萬物生矣」㊼；道生萬物原是老子道德經的思想。可是「道生萬物」並沒有完全解釋宇宙起源問題，因爲，「道」又是怎麼來的？這仍然是可以提出來的哲學問題。淮南子的答覆是：「道始於虛廓」㊽。這又與老子的「道生於無」一般，把本體的問題混同在知識問題中，㊾更實現出其「汎宇宙論」的性格。

董仲舒則秉承儒家，其代表作春秋繁露卻無法回歸易經或是易傳，以「生」來解釋宇宙起源與發展，卻與當時宇宙發生論的話法，追隨了騶衍留傳下來的意見，無論是重政篇、王道篇，或是玉英篇，都把「元」作爲宇宙的開始：「元爲萬物之本」㊿。可是，「元」究竟是什麼呢？董仲舒並沒有深一層的解釋。若再問：「元」又是怎麼來的，同樣沒有答案。有人以爲董氏講「氣化」，故可以把「元」當作「氣」(51)。可是，這「氣」也是瀰漫天地的，故仍然脫離不了「汎宇宙論」的色彩。原來，

戰國時代的騶衍，就在宇宙問題上，提出了陰陽二「氣」的運作，產生了宇宙。到了呂氏春秋，給陰陽二氣在形成宇宙的過程中，加上了註解，那就是「合而成」以及「離而生」㊾，陰陽二氣的分合，成了宇宙的起源。同樣的，陰陽的來源，以及其分合的力量，都沒有正面的交待。

從騶衍的陰陽二氣，到班固白虎通的五行，可以說比較提出了宇宙的構成「元素」。五行本來是書經洪範篇的宇宙元素，本來是各各獨立的；到了白虎通，五行相互間就有了相生相克的情形；並且認爲這相生相克才能創生宇宙。

至於楊雄，認爲「玄」是宇宙的太始，它與「道」爲一體，因而亦有了「道」的所有特性，這又回到「氿宇宙論」的境地。

因而，在宇宙起源問題中，漢代思想家並沒有很系統地懷有共識，「道」「元」「氣」「五行」等等主張不一。不過，就哲學意義來說，把這些概念作爲宇宙的太初元素，則亦不失爲有某種創見。而在這些答案的嘗試背後，畢竟有一個共同的預設，那就是：宇宙有始；而且，其始源應有某種原始元素。各派各家對該元素所給予的描寫固然不一，但其對宇宙開始，以及由元素開始的意見則是懷有共識的。更重要的是：這被肯定爲最終的元素，是太初的，而其上再也沒有更早的元素。因而，這終極元素認定，似乎亦是漢的代宇宙論的特點之一。至於用西方的宇宙起源論，來詢問漢代的學者，究竟這宇宙元素是心或是物，是一或是多，則似乎並不恰當。

二、宇宙變化問題：漢代宇宙論的宇宙變化問題，都濃縮到「氣」的課題上。從騶衍五德終始說

所開展的陰陽二氣開始，到呂氏春秋的「順氣」[53]，再到淮南子的「宇宙生氣」[54]以及「天含和而未降，地懷氣而未揚」[55]，還有「氣有涯垠」[56]，再到董仲舒在春秋繁露裏所假定的「氣」[57]，以及由氣所演化成的萬物。楊雄的「玄」極似老子的「道」，可也發佈陰陽二氣，而二氣的相互交散，才形成天地萬物。[58]甚至，王充的論衡也認爲「萬物都由氣構成」，進一步，離之氣便沒有物的存在，而「氣」才是天地萬物的根源。[59]

「氣」的交感而生成天地萬物，倒是符合了騶衍就開始的五德終始說。後來的陰陽二氣也好，五行之氣也好，天地之氣也好，一方面在說明宇宙之生成變化與「氣」息息相關，另一方面則要從對「氣」的瞭解，而把「人」安排到宇宙之中。

從呂氏春秋開始，「人」就是由陰陽二氣所化生；但是，這二氣對人的形體來說，則分三類：形氣、神氣、精氣。形氣是四肢百體，神氣卽元氣，精氣是生命力；並由這三種氣的分配份量，來決定人的性和情。[60]

白虎通更具體地指出人的器官也由「氣」構成，五行之氣就構成了五臟，而身體的五臟又配合仁義禮智信五德，貫通了天地人，同時亦和諧了宇宙與人生，更把肉體的生命和靈性的德行相配起來。[61]

董仲舒在春秋繁露裏，由於其思想目標旨在「天人相配」，因而把「人」看成一「小天地」，進而把宇宙現象都以人體的結構來比附。[62]也就因此，「氣」的運作，不但一方面形成宇宙，另一方面，相對地也產生人；不但在形體上，而且亦在情性上。[63]

揚雄的陰陽二氣交散，所形成的人，則成了「三品」：聖人、衆人、惡人。因爲人們都由二氣交散而生，因而使揚雄的人性論走向了「善惡混」的主張。㉔當然，揚雄是主張去惡揚善的，這原是中國道德進路的方向。

王充的「氣」說得比前面幾位思想家都露骨，就是認定「氣」全是物質，就連人的精氣也一樣，是純粹的物質；而解釋「氣」在化成天地萬物時的過程，也全是機械唯物的。難怪胡適之先生把王充看成唯物論者，把他的方法看成是科學精神的表現。㉕從「氣」化的物質宇宙，到物質化的「人」，然而，這物質的人卻也有「性」，因而亦有善惡；而且因爲有「命」，人生因而亦有吉凶禍福；甚至這些吉凶禍福和人身骨相相連，可以憑摸骨而測知人的命運。但在另一方面，卻堅持不相信鬼神，認爲人死如烟滅；進而反對天人感應，認爲人事與天理並沒有互爲因果的關係。

如果用西洋哲學的方式來檢討漢代宇宙變化的課題，目的論和機械論似乎都不是問題的重點，王充似乎傾向於機械唯物，而其它的思想家，似乎都在假定人生有目的，宇宙有目的，尤其是把人生安排在道德進路時，此種傾向更爲明顯；或者一主張天人感應時，必需預設這種目的論的肯定。

不但「氣」的運作有目的，就是「改變氣質」更具有目的性；讖讖的目的也非常明顯地在避凶就吉。當然，批評漢儒的道德進路走得不夠可以，但是，認定漢儒走宇宙論之路就置哲學於死地，則有失厚道。

叁　漢代宇宙論的當代意義

如果把哲學內涵界定為「定位宇宙」，以及在宇宙中「安排人生」的雙重面向，則漢代的宇宙論的確在這方面盡了心力，本文緒論中所提到的難題，也祇是事後的批判，卻沒有先驗的價值。完全把哲學作為心性的「主體性」研究，而對外在世界的客觀知識不聞不問，或是根本否定哲學中宇宙論的價值，似乎都失之有偏。再則，漢儒對「人性論」的研究，亦絕不是一片空白，其對性善性惡之反省與檢討，仍然是中國哲學發展史中，非常重要的過程；其成果亦是相當豐碩的。[66]把「人生」安排到「宇宙」中，原是漢代思想家努力的哲學探討方向；雖然其「天人相應」學理的論證不夠周圓，其論證的方式有待檢討改進，但是，其哲學方向應該是無可厚非的。

下列幾點應是漢代宇宙論檢討的地方：

一、物質宇宙的構成元素與構成原因應有某程度的劃分；亦即精神與物質的二元宇宙來解釋單元宇宙的生成變化，否則難以推演出人性中靈肉的部份，更難導引出德性生命。漢代宇宙論的開展，對易傳的「生生」理解不夠深入，因而陷入了讖緯，命數的桎梏中。

二、宇宙論中安排人性論時，道德進路的忽視，走進命運的束縛中，可以說並沒有走原始儒家的路子，反而以俗世精神。談論了天人相應的課題。而在天人關係的課題中，也太關懷構成元素的生成變化，而忽略了創造性的生命。

三、宇宙論的層次不夠分明，以物質化的通盤考量，處理了宇宙和人生問題。這種宇宙及人類的物質化對機械命定的傾向非常明顯，而缺少了宇宙和人生廣大悉備的目的論體系，因而無法開展出大胸矜的民族情操，更無從瞭解世界主義的藍圖。

四、當然，就單在宇宙構成元素的探討，或是宇宙生成變化問題的開展，漢代哲學家有自其哲學上的貢獻，雖然其銜接宇宙和人生時，所用的方法，過於用陰陽之氣的迷信，或是五行相生相克的邪說。㊿

五、固然，漢儒的宇宙論，事實上並沒有開展出人性論，而在其人生哲學中陷入了幾許迷信。但這祇是方法上途用的錯誤，而不能歸罪於哲學上對宇宙論的探討；更不能認爲哲學一進入宇宙論的探討，就造成哲學的沒落。㊱

宇宙論的哲學既無法避免自然科學所提供的資料，如果把漢代思想家對宇宙研究的精神，運用到當代的科學哲學中；而且，在「安排人生」在宇宙之中時，稍作謹慎的態度，使「天人相應」的學說提升到人性的道德進路中，放棄對命運的執着，則漢代宇宙研究對哲學也就容易提供積極的意義了。

結　語

上面用了「歷史發展」「內在涵義」「當代意義」三部份，探討了漢代宇宙論的課題，把原本錯綜複雜，且沒有清楚體系的漢代哲學家，用哲學體系規範了出來，雖不敢說理路分明，但至少窺探了

漢代宇宙論思想的濃縮。至於這種宇宙體系本身的詰難，在這結語中似乎有一提的必要：

漢代宇宙論思想家，無論屬儒家的董仲舒、揚雄、王充，或是屬道家的淮南子，甚至較接近法家的呂氏春秋，都沒有什麼創見，把「道」或是「元」作爲宇宙的太初，原是承襲先秦思想而來。不過，對宇宙變化所運用的「氣」，以及其間的變化情形，尤其是依附到時空中的節令和人事，則是漢代的創見。這創見很可惜的是拋棄了先秦儒的道德取向的哲學，而轉化成對命運執着的見解，乃致於把哲學淪落爲讖緯和術數。

其中，在論及宇宙生成變化元素，落實到人生時，不但條理不是井然有序，甚至有許多矛盾衝突的地方，像桓譚反對「天人感應」，但仍主張修德，以德行來感動天。⑲到了王充，更是反對「天人相應」，但是卻相信「骨相」。⑳

無疑地，漢代宇宙論思想家，對宇宙問題的提出，自有其哲學上的意義及貢獻，但在方法上，以及論證的效用上，則不夠成熟。

【附　註】

① 方東美先生註解「洪範九疇」時，對「五行」水火土金木以及其特性，用西洋經驗主義的方式，解析爲「實體」與物之「初性」及「次性」。參閱方東美著原始儒家道家哲學，黎明，民七十四年十一月再版，第五五—五六頁。

② 周易的卦，原是由陰、陽的爻所構成；而六十四卦所依持的是三爻的八卦；八卦的重疊形成六十四卦。亦卽是說，無論文王的八卦，或是伏羲的六十四卦，都可歸約回陰或陽爻。

③ 史記卷七十四，孟子荀卿列傳第十四。

④ 呂氏春秋，卷十二序意。二十二子第八册呂氏春秋，先知出版社印行，第三七二頁。

⑤ 同上，卷十三，有始覽第一，第三七五頁。

⑥ 「雜而生」的「離」字，不是分離或分開的意思，而是「麗」的別字，有「附着」之意。參閱羅光著中國哲學思想史，兩漢南北朝篇，臺灣學生書局，民六十七年十一月初版，第一八頁。

⑦ 淮南子，卷二十一，要略。

⑧ 同上，原道訓。

⑨ 同上，天文訓。

⑩ 羅光，中國哲學思想史，同註⑥，第五五二—五五五頁。

⑪ 淮南子，精神訓。

⑫ 同上。

⑬ 淮南子，主術訓。

⑭ 同上。及泰族訓。

⑮ 春秋繁露，重政篇。

⑯ 同上，王道篇。

⑰ 同上，玉英篇。

⑱ 同上，觀德篇。

⑲ 同上，五行相生篇。

⑳ 同上，官制象天篇。

㉑ 同上，爲人者天篇。

㉒ 同上，如天之爲篇。

㉓ 同上，陰陽義篇。

㉔ 董仲舒賢良對策第一；春秋繁露，必仁且知篇。

㉕ 班固白虎通卷三，五行篇。

㉖ 同上。

㉗ 同上，卷八，情性篇。

㉘ 渡邊秀方在其所著中國哲學史概論，中世哲學第一編中，很詳細地列擧比較了楊雄的太玄與易經的內容。參閱該書第三十四頁。臺灣商務，民五十六年版。

㉙ 後漢書卷二十八上，桓譚馮衍列傳第十八上，楊家駱主編，中國學術類編，新本校漢書並附編十三種，第二册，鼎文書店印行，民六十六年九月初版，第九五五頁。

㉚ 同上，第九五六頁。

㉛ 同上。

㉜ 桓譚，新論，啓寤篇。同上，譴非篇。
㉝ 同上，辨惑篇。
㉞ 同上，辨惑篇，言體篇等。
㉟ 同上，形神篇，中國歷代哲學文選，兩漢隋唐，木鐸出版社印行，民六十九年三月，頁一七六－一七七。
㊱ 後漢書本傳，同上，第九六七頁。
㊲ 後漢書卷四十九，王充王符仲長統列傳第三十九，楊家駱主編，中國學術類編，同上，頁一六二九。
㊳ 王充讚揚桓譚之處甚多，如定賢篇，超奇篇，佚文篇等，都明顯指出桓譚之批判精神可嘉，參閱鄔昆如著東漢社會哲學之研究，臺大創校四十週年國際中國哲學研討會論文，第七五頁。
㊴ 王充，論衡，佚文篇，第二〇二頁。
㊵ 同上，感虛篇。
㊶ 同上，談天篇。
㊷ 同上，物勢篇。
㊸ 同上，骨相篇。
㊹ 同上，率性篇。
㊺ 同上，論死篇：「精氣散亡，何能復有體而人得見之乎！」
㊻ 參閱鄔昆如著東漢社會哲學之研究，同註㊳，批判命定論諸引文，第七五－七七頁。
㊼ 淮南子，原道訓。

㊽ 同上，天文訓。

㊾ 「無」概念在道家哲學中，知識取向，道德取向，本體取向三者時常混用，其詳細情形請參閱鄔昆如著否定詞在道德經中所扮演的角色，中央研究院國際漢學會議論文集，思想與哲學組（下册），民七十年十月十日，第七九一—八〇〇頁。

㊿ 董仲舒，春秋繁露，重政篇。

(51) 參閱黃建中先生遺著：兩漢諸子之哲學思想，收集在哲學年刊第六期，中國哲學會主編，商務印書館發行，民五九年七月初版，第十三頁。

(52) 同註⑤。

(53) 呂氏春秋卷二十，召數篇：「類同相召，氣同則合，聲比則應……禍福之所來，衆人以爲命焉，不知其所由。」

(54) 淮南子，天文訓。

(55) 同上，俶真訓。

(56) 同上，天文訓。

(57) 董仲舒春秋繁露認爲「天地有氣」，而且，天地之氣，合而爲一時，就成了「元氣」，而「元」則是宇宙之太始。參閱春秋繁露卷十，五行對，卷三，玉英篇。

(58) 揚雄，太玄，玄攡篇。

(59) 王充，論衡，卷十八，齊世篇；又卷三，骨相篇。

⑥⓪ 呂氏春秋，卷三，盡數；卷二，情欲。

⑥① 白虎通，卷八，情性。

⑥② 春秋繁露，卷十三，人副天數篇。

⑥③ 同上，卷十一，天辨在人篇。

⑥④ 揚雄，法言，修身篇：「人之性也善惡混，修其善者爲善人，修其惡者爲惡人。」

⑥⑤ 參閱胡適，王充的哲學，胡適選集，述學篇，頁一五一——一五七，傳記文學社印行，民五九年版。

⑥⑥ 參閱鄔昆如著性善性惡的反省與檢討——漢儒的人性論，臺大哲學論評，第十二期，民七十八年一月，第五五——七〇頁。

⑥⑦ 參閱唐君毅著中國哲學原論，原道篇(二)，新亞研究所出版，臺灣學生書局印行，民六十九年一月四版，第一七二頁及三一六頁。

⑥⑧ 持此見解者，最清楚的莫過於勞思光，氏在其所著中國哲學史，香港中文大學崇基書院，一九七一年十月初版，第一頁，第二、三頁，把哲學中的宇宙論稱爲「妄言」，把哲學發展宇宙論時期稱爲哲學「衰亂期」。

⑥⑨ 桓譚，新論，譴非篇。

⑦⓪ 王充，論衡，卷三，骨相篇。

董仲舒的正義觀及其思想梗概

曾春海

董仲舒「正其誼（義）不謀其利，明其道不計其功」（《漢書・本傳》）的價值判斷原則，對陷溺於貪好淺功近利而不顧及價值理想的世俗之人，猶如暮鼓晨鐘，警策有力，頗能發人省思。本文擬由儒家正義概念的演變、涵義；董仲舒正義的超越基礎——神化及德化的天道觀；天人之間，具對應性結構的人性觀；正義的個人道德涵義；整體社會生活的正義規範；以及正義的政治目標觀、君臣關係、君民關係以及正義的經濟價值觀等層面，探究董仲舒正義觀的諸般蘊義，期能對其正義概念及思想全貌獲得一較清楚而完整的理解，並作一初步的評論以為結論。粗陋處，尚祈時賢，不吝賜正。

一、儒家正義概念的演變及涵義

「正」、「義」兩語詞在《論語》、《孟子》及董仲舒的著述中尚不見連用並稱處。然而，吾人若分究兩詞的詞義，則可發現兩者間的意美是互相含攝和可以相互解釋的。因此，本文擬將「正」與「義」視為一可結合為完整意義的複合詞使用。綜觀《論語》中孔子使用「義」字的概念有兩點重要涵義。其一為：個人在多樣化的動態情境中，對所涉及的情事之判斷及回應方式適當、得宜。例如：

《論語・爲政》：「子曰：……見義不爲，無勇也。」皇侃疏曰：「義謂所宜爲也。」①「義」意指得宜而不過當的行爲係春秋時人的通義，例如：左傳莊公二十二年載齊桓公與陳敬仲飲酒作樂至天黑而欲繼續下去，陳敬仲的推辭之辭中有云：「酒以成禮，不繼以淫，義也；以君成禮，弗納於淫，仁也。」「淫」爲「義」的相反詞，楊伯峻先生謂：「凡事過度皆可謂淫」②。因此，「義」指有節度，適當的行爲，不義指失度過當的行爲。

孔子對「義」觀念的創進處，在於將「義」與「君子」結合起來，把「義」視爲構成理想人格——君子的必要條件之一。例如：《論語》中孔子常謂「君子義以爲質」（〈衞靈公〉）、「君子義以爲尙」（〈陽貨〉）、「君子之於天下也，無適也、無莫也，義之與比。」（〈里仁〉）……等。「君子」在孔子前指由血緣或其他社會關係而賦予的外在社會地位。孔子則轉化成經由人自身的努力所修養達成的道德人格。「義」爲獲致君子人格的必要道德因素之一。在《論語》中與義相反相對的語詞爲「利」例如：「君子喩於義，小人喩於利。」《論語、里仁》，漢儒鄭玄（康成，公元一二七——二〇〇）注《論語・子罕》：「子罕言利、與命、與仁」中「利」的涵義爲「利有貨之殖否」③義與利之相對反，繫因於「義」具普遍的適當性，合乎衆人的理性判斷，有公共理性的公理爲依據。「利」則拘限於個己的立場、判斷與要求，不符合公理，不具普遍的適當性，其適用性有侷限。因此，義、利之辨有公、私之別。勞思光先生詮釋說：「從私念則求『利』，從公心則求『義』；『仁』既指公心，則『仁』爲『義』本。……『公心』不立，則必溺於利欲；『公心』既立，自能循乎理分。立公

心是『仁』，循理是『義』」④勞先生以「公心」釋「仁」係有鑒於《論語、雍也》：「夫仁者，己欲立而立人，己欲達而達人。能近取譬，可謂仁之方也已。」他說：「此節論『仁』之本義，最爲明朗；『仁』即是視人如己，淨除私累之境界。……『仁』是一超越意義之大公境界，此可由『人己等視』一義顯出；而人之能除私念，而立『公心』，則是一純粹自覺之活動。」⑤依筆者的見解，「仁」之所以能超越私念而達「人己等視」的大公境界，其原動力係發於愛的作用力，《論語・顏淵》：「樊遲問仁，子曰：愛人。」仁愛是一種普遍的同情、關注與成全之大公心。這是孔子忠恕（體物的一貫之道。⑥朱熹曰：「盡己之謂忠，推己之謂恕而已矣。」《四書集註，論語卷之二》因此，忠恕之道，簡言之，就是本着普遍關愛之仁心，貼切的推己及人，不僅積極的竭己之誠以己立立人，己達達人，而且在消極方面當「己所不欲，勿施於人。」⑦。

至於「義」與「仁」的關係，孔子謂：「惟仁者能好人，能惡人。」⑧仁者能忠恕體物，故能以同情的瞭解，面面兼顧的表示好惡的價值意識。仁的好惡有其公正性和適當性，應是「義」的基礎。熊十力先生在《原儒》一書中解釋了其間的相互關係，他說：「仁道廣愛，是人道之貞常也。故說仁是義之體，然物情與事變萬殊，廣愛不可以無權，故說義是仁之用，有仁方有義，仁失則義無從生，亂而矣。」因此，義是仁心發用於分殊的具體情境之判斷。依筆者淺見係連結了前後相依的兩種判斷，先是理性對具體的情境下客觀的事實判斷，再本着仁的價值意識辨識出適當的理份下價值判斷。孔子所謂：「以直報怨，以德報德。」⑨係合情合理的公正原則。仁與義猶情與理，理份由情份之適

當的處理而顯現，換言之，情義是不能分割的，因情而有義。《論語、子路》有一則值得深思的事例：「葉公語孔子曰，吾黨有直躬者，其父攘羊，而子證之。孔子曰，吾黨之直者異於是。父爲子隱，子爲父隱，直在其中矣。」義的適當性在殊別的經驗界沒有一成不變的判斷，在人際脈絡中，父子關係與路人關係不同。因此，在該事例中，事實判斷雖同，然而；隨人際關係的不同而有分殊的理份，因此，本於仁心而下的價值判斷亦不同。此處，可見孔子對正義的立論側重人倫道德的格局，其「直」的觀念係「義」觀念的深入剖析。

此外，孔子「義」的涵義也可由其所蘊涵的「正」之涵義來表詮。孔子曰：「政者正也，子帥以正，孰敢不正。」（《論語・顏淵》）「義」表達在政治上就是確立經常性的常理常理及其具體的規範。具體而言，「義」在政治上涉及羣體的客觀理性及公共制度。孔子擬由政治方面所建構的體制秩序上，亦卽典章制度上，要求每個人由政治體系所定位的名份中，澄清其理份，克盡責任，不踰越權利，孔子論爲政之道時，所謂：「必也，正名乎。」（《論語・子路》）、「君君、臣臣、父父、子子。」（《論語・顏淵》）對孔子而言，義的具體實踐形式是人文創製的禮。義與禮互爲表裏，義爲禮的內在所以然，禮爲義的具體形式。孔子曰：「君子義以爲質，禮以行之」（《論語・衞靈公》）至於義、禮與政治的關係，晉國大夫師服嘗云：「……夫名以制義，義以出禮，禮以體政，政以正民。」⑩可資理解春秋時人對義、禮、政與正民的相互關係。

孔子雖隱然表示禮以義爲一先決條件，義以仁爲基礎，卻未點明義與仁發源於人性中的何種部

份。孟子的性善論直指人心，以仁、義、理、智皆根源於心，謂「君子所性，仁義禮智根於心」（盡心章下）、「惻隱之心，仁之端也；羞惡之心，義之端也；辭讓之心，禮之端也；是非之心，智之端也。」（公孫丑上）孟不但以羞惡感解釋吾人道德心靈的價值意識，也指陳此一羞惡感伴隨着是非之辨及是非之辨所由成的理義。換言之，當人自覺理虧時，有羞惡感，然而當人得理於心時，則心覺滿足愉悅，所謂：「心之所同然者何也？謂理也、義也。聖人先得我心之同然耳。故理義之悅我心，猶芻豢之悅我口。」（告子上）理不得於心的羞惡感及理得於心的滿足感是義心的兩種狀態，且爲人先天的同一性。對孟子而言義是內在於心性中，對享有高度自覺性的人而言，有充分的自主性，可行使高度的自由意志，所謂：「由仁義行，非行仁義也。」（離婁下）、「生，亦我所欲也。義，亦我所欲也；二者不可得兼，舍生而取義者也。」（告子上）「舍生而取義」意謂著「義」爲人生所當追求的無上價值，人的意志享有絕對的抉擇自由。

荀子則將「義」概念由抽象走向具體，由道德人倫的格局轉向政治、經濟方面的公共生活，提出「公義」的概念，荀書中所謂：「公道通義」（〈臣道〉）、「公義明而私事息矣。」（〈君道〉）、「君子之能以公義勝私欲也。」（〈修身〉）其公義的概念側重在人所面對的公共事務上。人臣在政治事務上若能盡「大忠」，亦卽實現了「公」，他說：「以德覆君而化之，大忠也；……致忠而公。」（〈臣道〉）。他也提出了「正義」這一語辭，謂：「故正義之臣設，則朝廷不頗。」（同上）在荀書〈性惡〉篇謂：「人之性惡，其善者僞也。」該篇認爲化性起僞的方法，在於禮義師法，亦卽外在

知識與制度的規範。荀書嘗予「義」下定義爲：「夫義者，所以限禁人之爲惡與姦者也。」正義在羣體生活的實現訴之於外在權威強制性的「限禁」，亦卽外鑠性的他律主張了。《荀書》的公義概念凸顯了公共理性及客觀的制度規範對公共生活制約的重要性。個體在社會、政治和經濟方面的羣體生活，其個人意志當受政法制度的制約，以成全正理平治的公共生活，在荀書中論證了其間的合理性。

董仲舒認爲「義」是人天生的內在本性，是人價值心靈的滿足對象，董氏曰：「利以養其體，義以養其心，心不得義不能樂，體不得利不能安。義者，心之養也；利者，體之養也。體莫貴於心，故養莫重於義。」⑪對董氏而言，做爲心靈生活滋養品的「義」究竟賦予心靈何種悅樂的狀態呢？其所以然又如何呢？他解釋義的內涵爲：「義者謂宜在我者。宜在我者而後可以稱義。故言義者，合我與宜以爲一言，以此操之，義爲言我也。」義之法在正我，不在正人，我不自正，雖能正人，弗予爲義。」⑫以「宜」釋「義」順承孔、孟、荀以及中庸第二十章：「義者，宜也。」之脈絡。董氏特別強調的是得宜在我以正我的主體自正義。若追究董氏何以做爲主體的人欲得宜以自正，董氏將動力根源歸究於天，他說：「天之爲人性命，使行仁義而羞可恥。」⑬以羞惡釋義不難見到他對孟子的繼承處。然而，孟的是非之辨及所從生的羞惡感係源發於主體內在的自覺，非來自外在力量決定性的化導或超越實體之天志的指引和制約，董氏的天對人而言，「使行仁義」則隱含了天的意志性和影響力。因此，吾人欲揭露董仲舒的正義觀，則不得不探究董氏的天道觀、人性論以及相互的互動關係了。

二、做爲正義根源的天道觀

對董氏而言，「天」不僅是萬物所從生的共同根源，且是「高其位而下其施，藏其形而見其光。」⑭具意識活動特徵的神明，所謂：「天者，百神之君也，王者之所最尊也。」⑮天不僅是自然法則的來源，亦是人間世一切人倫道德、政教、禮法規製的超越根據。「天地之大義」亦即「天地神明之心」非一般人所能知，「唯聖人能見之」⑯那麼聖人所見的天地之心爲何呢？董仲舒說：「仁，天心也。」⑰、「天志仁，其道也義」⑱「天」如何顯其「仁」，示其「義」呢？

在董氏之前的《呂氏春秋》繼鄒衍後，將陰陽、五行、天文、律曆、風俗習慣和政治理念，組成合一完整系統十二紀。再配上「感應」、「召數」等篇的同氣相應的觀念，爲漢代天人相應思想奠定初基。秦漢之際的儒生時與吸收陰陽五行思想，再重加組合而滲入儒家經典中。⑲董氏亦不例外，他不但承繼《呂氏春秋十二紀》之以四時爲中心，把陰陽、五行、四時配合成一完整的有機體系，且將之構築成更緊密的系統。天道、天志卽由其所言的氣化宇宙運行觀中透露，他說：「天地之氣，合而爲一，分爲陰陽，判爲四時，列爲五行。」⑳

對董氏而言，氣流轉循環，係四時運轉，萬物得以生生不息的動力。陰陽、四時、五行，再配上方位在其氣化宇宙論中有着互相聯繫，協調配合，互動互成的作用。董氏稱這種具運轉四時、化生萬物之功能的氣爲元氣。董氏的「元」指謂統一而超越的存有，由「氣」的作用致使天地顯現。至於陰

陽二氣乃天道之常，所謂：「天地之常，一陰一陽。陽者，天之德也；陰者，天之刑也。」㉑陰陽間的互動消長產生四時的變化。董氏進而以自然界中所顯示的春生、夏養、秋殺、冬藏而對陰陽之性質與作用予以區別而定尊卑。

董氏認為陽氣的作用性質為煖、予、仁、寬、愛、生……等，為「德」的表現。陰氣的作用性質為寒、奪、戾、急、惡、殺……等，係「刑」的表現。他並且依據陰陽運行所顯陽氣作用與陰氣作用的「久」與「暫」主張天意是任德遠刑，貴陽賤陰的。他認為陽氣之發動由正月至十月，以對萬物的生、育、養、長實現天道生生之德，故其性質與作用是「德」的。陰在陽履行其任務的期間居「虛」的地位。俟陽氣「功已畢成之後，物未復生之前。」㉒陰氣的作用才得以顯現，而自然現象隨陰氣的施用呈顯為戾、惡、奪、殺的刑殺特徵。董氏云：「陽之出，常縣於前，而任歲事；陰之出，常縣於後，而守空虛；陽之休也，功已成於上，而伏於下；陰之伏也，不得近義，而遠其處也。天之任陽不任陰，好德不好刑，如是。」㉓陽氣促成萬物的春生夏長，「任歲事」、「出實入實」合乎天道之「義」。陰伏於下，「出空入空」，不合乎天道之「義」。因此，董氏由陰陽是否符合天道生生之德，判陽尊陰卑，再由尊卑別陰陽的善惡，謂：「惡之屬盡為陰，善之屬盡為陽。」㉔

在董氏的宇宙觀中，復將陰陽與五行結合。他針對陰陽運行與所產生的四時之關係，謂陰分少陰、太陰，配以秋、冬；陽分少陽、太陽，配以春、夏。再以五行中的木、火、金、水分別配合春、夏、秋、冬，於夏之末別稱季夏以土配合，如是完成了其陰陽五行的結合。㉕他認為五行與陰陽皆助

成天地生養萬物之功，五行依從於陰陽，陰陽導領五行。㉖五行相互間存在着「比相生而間相勝」的規律，㉗「比相生」指木、火、土、金、水的排列秩序，相比鄰者前者生後者。「間相勝」指間隔的兩行間，前者尅後者，例如：木克土、土克水。四季的時序係陰陽五行終而復始的運行歷程。先冬而後春，表生生之循環不息。五行各行其能，促成春生、夏長養、秋收、冬成的生成規律。五行的運行規律，顯示天所賦予的職能和規律。「仁」是天心，天的意志，亦卽透過四時顯現於大地的生生之德。陰陽五行運行的規律有其正當性和適宜性，不容錯亂，是天的常道，換言之，生生之仁德係天志，陰陽五行所依循的運行規律係施展生生之仁德的天律，爲天道之常義。總而言之，仁與義係天之意志與規律，仁是義的基礎，義是施展仁的經常性規範，對董氏而言是絕對的規範。

三、正義的人性觀

董仲舒思想中的「人」似乎是「天」按自身的模型而造生的。他從人生理上的形體構造、心理上的情意及精神上的道德結構來分述天與人是類比對應的。他在《春秋繁露》〈人副天數〉篇中興緻勃發的對照比附人的諸般形體構造與諸般天象及天所運行的時序節數，且斷言：「天地之符，陰陽之副，常設於身。身猶天也，數與之相參，故命與之相連也。」在心理情緒上，董氏以春生、秋殺、夏養和冬藏表示天之喜、怒、哀、樂。四情與四時、四種農業生產的步驟相擬配。㉘，對董氏而言，陰陽之氣在天亦在人，天人一氣貫通，所謂：「人之性命，由天道變化而來，其神氣則根極於元。」㉙因此，

人的德性亦承天而有，他說：「人之形體化天數而成，人之血氣化天志而仁，人之德行化天理而義，人之好惡化天之暖清，人之喜怒化天之寒暑，人之受命化天之四時，人生有喜、怒、哀、樂之答春、秋、冬、夏之類也。」[30]人之「仁」源於天志，人之「義」本於「天理」，人受天命以參贊化育於天之四時。依董氏觀點，人幾乎是天抽離其神性後的模本或化身。

至於人所稟賦於天的性命內涵，董仲舒從心、性、情三層面論述。首先分就「性」、「情」的涵義而言，董氏謂：「性者，質也。」[31]、「性者，天質之樸也。」[32]據蘇輿《春秋繁露義證》的解釋，「質」指「血氣心知」義。如是，「性」當指人不假後天教化的自然生命，自然的質樸本性，自身無所謂倫理學上的善惡。若從道德人性觀之，性雖有行仁義的可能性，但就其渾然未覺的自然狀態，只能稱爲「善質」或潛在待開發的善。然而董氏論人性與善的關係，是撇開人口素質中最上層的「聖人之性」與最下層的「斗筲之性」，只就佔高比例的「中民之性而言。」他說：「聖人之性，不可以名性，斗筲之性，又不可以名性。名性者，中民之性。中民之性，如繭如卵，……性待漸於教訓，而後能爲善；善者，教訓之所然也，非質樸之所能至也，故不謂性。」[33]

至於何謂「善」？董氏未予一本質定義。他在〈深察名號〉篇中只是相對的比較了聖人之善與中民之善的區別。他認爲「循三綱五紀，通八端之理，忠信而博愛，敦厚而好禮，乃可謂善；此聖人之善也。」「善」的高標準在體現當時倡行的社會倫理規範，對董氏而言，這是「人道之善」「善」的低標準則衡之於人禽之辨。他認爲孟子的性善說是採善的低標準，且表明自己談性善係採取高標準，

若以合乎聖人之善的高標準觀之於「中民之性」則「性未善」。他說：「或曰性也善，或曰性未善，則所謂善者，各異意也。性有善端，動之愛父母，善於禽獸，則謂之善；此孟子之善。……由此觀之，聖人之所謂善，未易當也，非善於禽獸，則謂之善也。」中民之性只是流露了愛父母的善端，若以此善端「質於禽獸之性，則萬民之性善矣！質於人道之善，則民性弗及也。萬民之性善於禽獸者許之。聖人之所謂善者弗許。吾質之命性者異孟子。孟子下質於禽獸之所爲，故曰性已善。吾上質於聖人之所爲，故謂性未善。」

董仲舒的「性未善論」頗類荀子的人性論。性只是天生可造就成善的材質，未能稱「性已善」。然而人的表現何以會有不善或惡呢？吾人又如何來遏惡揚善呢？董氏以「情」來解釋前者，以「心」來回答後者。那麼，何謂「情」呢？董氏謂：「情者，人之慾也。」㉞「慾」指人天生的情慾生命，隨諸般誘惑的刺激，任本能衝突，盲目反應，既昧且貪，究其所以然，董氏在〈深察名號〉篇謂：「身之名取諸天，天兩有陰陽之施，身亦兩有貪仁之性；天有陰禁，身有情欲栣，與天道一也。」、「天地之所生，謂之性情，性情相與爲一瞑，情亦性也。」「情」既然是昧且貪的人慾，放縱無度㉟，從道德價值的判斷而言，「情」的放蕩無歸，不正當，不合宜，有悖正義而謂爲惡了。至於遏惡的力量，董氏訴之於「心」。他在該篇文章說：「栣衆惡於內，弗使得發於外者，心也。故心之爲名栣也。人之受氣苟無惡者，心何栣哉？吾以心之名得人之誠；人之誠有貪有仁，仁貪之氣兩在於身。」「誠」指實然之事況。「栣」指衣襟，引申爲禁禦義。㊱董氏以陰陽爲宇宙萬物構造的普遍原理及人生

於天，與天有結構上的對稱符應關係，解釋人身有性之仁與情之貪源生且對應於天的陰與陽。在陽善陰惡的範型下，董氏依理將性置於可善之域，而將情置於生發惡的原因。復依陽德陰刑的天道觀，人之德化人格訴諸仁性的教化與對情欲的禁制了。至於「心」如何敎化性之仁，如何禁制情欲之失度而使之歸正合義，則爲其倫理敎育的課題。

四、正義的倫理觀

對董氏而言，「性」雖露出孝親的善端，卻與「情」相與爲一瞑。蓋中民不具備道德的自覺反省能力，亦不具有自我期許，自修自律的可能。他從訓詁上解釋「民」字係由「瞑」而來，「民之號，取之瞑也，使性而已善，則何故以瞑爲號？以賓者言，弗扶將，則顚陷猖狂」蘇輿將「賓」作「瞑」，引注「瞑古眠字」㊲。瞑指矇昧不覺的狀態。因此，中民之性所自然流露的善端，在不自知自覺的狀況下，不能稱爲已然的善，只能視爲善的材質。董氏且以禾與米的關係喻義「性」與「善」的區別。他在〈深察名號〉篇說：「故性比於禾，善比於米；米出禾中，而禾未可全爲米也；善出性中，而性未可全爲善也。善與米，人之所繼天而成於外，非在天所爲之內也。」禾是米的材質，禾不能自行成米，有賴於外力的加工。董氏據此喻義性是天生自然的材質，可成善卻不能自行成善。性之成善有賴於外力的琢磨，亦卽性只是善的資質有待於後天人事的作爲。換言之，「善當與敎，不當與性。」

顯然，對中民之性是要透過他律道德才能實現善德的。因此，「心」也無從在隔絕敎化的外緣

下，自行禁制情欲之惡，實現仁性之善，實踐正義的人格。因而，心雖有主宰氣的作用，仍有賴於與外在的敎化建立積極的正面關係。他說：「天所禁，而身禁之，……必知天性不乘於敎，終不能裢。」、「民受未能善之性於天，而退受成性之敎於王，王承天意以成民之性爲任者也。」「心」的克欲行善之終極規準在天，能承天意以敎善者爲王，能「受成性之敎於王」以克欲行善者爲中民之「心」。

就道德人格的敎化而言，「正也者，正於天之爲人性也。天之爲人性命，使行仁義而羞可恥，非若鳥獸然，苟爲生，苟爲利而已。」㊳然而如何明白天之所性的仁義，正性命行仁義，則非一般處矇昧狀態的芸芸衆生所能知而自爲了。董氏將知天志與天理(義)之權，獨與聖王，他說：「天地神明之心，與人事成敗之眞，固莫之能見也，唯聖人能見之」、「故聖人之言亦可畏也。」㊴對董氏而言，「王者配天」㊵，在其尊王貴君的理念中：「三畫而連其中，謂之王。三畫者，天地與人也。而連其中者，通其道也。而連其中者，通其道也。取天地與人之中以爲貫而參通之，非王者孰能當之？」㊶因此，王獨承天志與天命以替天行道，敎正萬民。相對的，王必須尊天敬天祭天，對天盡政治上的使命，承擔政治上成敗的責任，接受上天的賞與罰。

聖王不僅居天人之間，能承明天意，且其敎化民性以成善亦係出乎天意之所許，董氏謂：「天生民性，有善質而未能善，於是爲之立王以善之，此天意也。」、「王承天意以成民之善性爲任也。」㊷對董氏而言，眞能明天意行天德的人才是聖人，所謂：「行天德者，謂之聖人。」㊸人世間能符合

這一條件者爲有德有位的天子，他說：「(天子)其淳粹無擇與聖人一也。」㊹、「德侔天地者稱皇帝。」㊺因此，董仲舒思想中的聖人，係指有德一位的天子，有時簡單稱爲「王」。吾人或可連稱爲聖王。

至於聖王敎化萬民所最當效行的天德爲何？由前面「天志仁，其道也義」觀之，莫非爲表徵天志的「仁」與上天運行規律的「義」了。天生萬物所以人爲最貴者，在於人受天命之性能行仁義。董氏曰：「天地之精所以生物者，莫貴於人，人受命乎天也，故超然以倚，物疢疾，莫能爲仁義，唯人獨能爲仁義。」㊻、「天之爲人性命，使行仁義而羞可恥。」

那麼，何謂仁、義呢？對董氏而言，仁是對待他人的道德法則，所謂：「仁之法在愛人，不在我愛。」、「仁者，愛人之名也……仁者愛人不在愛我。」㊼董氏不厭其煩的描述了「愛人」的特徵，他說：「仁者惻怛愛人，謹翕不爭、好惡敦倫、無傷惡之心、無隱忌之志、無嫉妬之氣、無感愁之欲、無險陂之事、無舒達之行。故能平易和理而爭。如此者謂之仁。」㊽簡言之，「汎愛羣生不以喜、怒、賞、罰所以爲仁。」㊾超克個人偏私的情緒及利害得失的計較，而能對「羣生」發揮普遍的關愛，係仁的發用狀態。對負有替天行道之使命的君王，若要法天之仁以施政，則必須正道修理，不存謀利急功之念，他說：「仁人者，正其道不謀其利，修其理不急其功，致無爲而習俗大化，可謂仁聖矣。」㊿能臻彼境界的君王被尊稱爲「仁聖」。

至於「義」則是正已的道德法則。「義」的至上規準在天道天理，董氏曰：「不順天道，謂之不義。」51就做爲一般生活實踐的道德法則而言，他在〈仁義法〉中說：「《春秋》之所治，人與我也。

所以治人與我者，仁與義也。以仁安人，以義正我。故仁之爲言人也。義之爲言我也。」、「義者謂宜在我者，宜在我者而後可以稱義，故言義者，合我與宜以爲一言，以此操之，義之爲言我也。故曰：有爲而得義者，謂之自得，有爲而失義者，謂之自失。人好義者謂之自好，人不好義者謂之不自好。」「義」指自我在人際脈絡中，對所涉及之事，如何就具體的情境，衡情度理，辨明人我分際，自行下一具體的道德判斷，處事得宜。「義」操之在己，憑自身的理性認識、判斷和意志的抉擇以自正。「義」的好與不好，得或失，全操諸個己是否有義心？因此，「君子求仁義之别以紀人我之間，然後辨乎內外之分而著於順逆之處也。是故內治反理以正身。」辨人我的位份、理份，自省之後以理正身謂之義。行義之功夫端賴日用之間，事事求理，「義以養其心」，瞭解到「凡人之性，莫不善義，然而不能義者，利敗之也。」㊷究明義利之辨以自省自正。

董仲舒考察彼時羣倫共處的位份和理份，本着陽尊陰卑的宇宙法，以及彼時貴上賤下的封建禮法，提出君臣、父子、夫婦主從關係的三綱說，所謂：「君爲陽，臣爲陰，父爲陽，子爲陰，夫爲陽，妻爲陰，陰道無所獨行，其始也不得專起，其終也不得分功，有所兼之義。……是故仁義制度之數，盡取之天，天爲君而覆露之，地爲臣而持載之，陽爲夫而生之，陰爲婦而助之，春爲父而生之，夏爲子而養之，王道之三綱，可求之於天。」㊸董氏以天地、陰陽之道論證了三綱。他把天地、陰陽的自然法則絕對化、神秘化，將其永恒性建築在天的意志上。由「王道之三綱，可求之於天」以及「道之大原出於天，天不變，道亦不變。」㊹可知董氏的天志及天律爲絕對的理法，決定了社會意識

和社會綱常倫紀。樹立了神權、君權、父權、夫權，蔑視了人權、臣權、子權及妻權，且獨斷的說：「道者萬世無弊，弊者道之失也。」[55]可說是他倫理思想中最不適當，最不合宜的部份了。

五、正義的政治、經濟觀

董仲舒在絕對尊天法天的信仰上，主張政治的動機和目標在協助天志之仁的廣被和實現。在政治官僚人事系統的設計及政令的運作上，則以類比於天道的陰陽，任德遠刑；生殺予奪當配合四時的時宜才合乎義；類比及類推五行的結構和互動規律，因材授官，在分工合作中又互相制衡。他說：「天志仁，其道也義，爲人主者，予奪生殺，各當其義，若四時；列官置吏，必以其能，若五行；好仁惡戾，任德遠刑，若陰陽；此之謂配天。」[56]政策應配合時令時宜，反應了農業經濟的政治文化。「任德遠刑」亦頗有儒家仁政愛民的理想，倣配五行以置官寓有職能分工，權責相兼的整體運作，分層負責，相互制衡的合理成份。

在天與君王的相互關係中，由法天志生生之仁，導出德化的宇宙觀及政治目的論，含具有意義的部份。對於君主專制的濫權問題，董仲舒雖無人爲的法制規範之大膽言論，卻高漲神權，提出了災異感應說，他說：「天地之物，有不常之變者，謂之異。小者謂之災，災常先至，而異乃隨之。災者，天之譴也。異者，天之感也。譴之而不知，乃畏之以威，《詩》云：「畏天之威」，殆此謂也。凡災異之本，盡生於國家之失，國家之失乃始萌芽，而天出災害以譴告之；譴告之，而不知變，乃見怪異

以驚駭之；驚駭之，尚不知畏恐，其殃咎乃至。以此見天意之仁，而不欲陷人也。」[57]災異係針對政治的人爲過失提出警策，旨在促爲政者自我批判，檢討過失，規過遷善。災異以「有懲於心」[58]的善意手段以覺醒爲政者自省，顯示了天志仁，有「不欲陷人」於不義的正義感及正義之舉。

災異說旨在針對政治的弊端，去除政治上的惡。雖有神話色彩，然勸善規過的道德立意尚佳。至於政治的積極面，則董氏倡與《春秋》大義大義之「安百姓」、「審得失」、「正事之本」、「明君臣之分」、「著是非」、「序百官」、「立化所務」、「達仁恩」、「次陰陽四時」、「行天之欲爲」等十項旨意。[59]其中有關正義概念之精要部份，略述如下。

《春秋》立義在正本清源。「元」爲天地萬物之根源，董氏云：「《春秋何貴乎元？而言之元者，始也。言本正也。」[60]、「是以《春秋》變一謂之元，元猶原也，其義以隨天地終始也。」[61]「元」既指天地萬物所源出的共同始元、生元，則貞定天理天道的絕對法則，係教政制義法以撥亂返正，化成天下的終極根源。他說：「是故《春秋》之道，以元之深，正天之端；以天之端，正王之政；以王之政，正諸侯之卽位；以諸侯之卽位，正竟內之治；五者俱正，而化大行。」[62]對儒家而言，「政者正也。」爲政之正，首重正始。正始在態度上是審愼敬重，在方法上則爲政治事業尋根立本，對董氏而言，政治的基本大法當溯本求源於以生生之德爲核心的天志與天律。

確立天道爲治道之超越基礎後，爲政者應當愼思明辨於人情物理之眞，規創建構一套嚴密的綱紀規範，以正名正是非來順應天道的大義，實現政治的目的。董仲舒云：「春秋愼辭，謹於名倫等物者

也」⑱、「治天下之端，在審辨大。辨大之端，在深察名號。名者，大理之首章也。錄其首章之意，以窺其中之事，則是非可知，逆順自著，其幾通於天地矣。是非之正，取之逆順。逆順之正，取之名號。名號之正，取之天地。天地爲名號之大義也。」⑭「名倫等物」指細察明辨人倫名物的實情實理，及其由其間的相互關係所分別出來的親疏、重輕、尊卑、文質、貴賤、大小、內外、遠近……等差異。務求「名」能精確的指「實」，名實相符，整個政制體系經久運作而少差錯。因此，辨物正名，規創嚴密的制度規範是治國的首要大端。

規創統的制度規範，從某一意義而言，係確立了一套系統化的政治原理和價值層級。對董氏而言《春秋》的天地之元，不僅爲德化宇宙觀的根本原理，亦爲範圍萬事萬物的統紀。「元」可謂爲一切政教制度之本根，由天道演繹爲人事。因此，春秋所主張的大一統，其所建立的統一性制度規範，係慎始貴本地演發於大地之大常經，宇宙的自然法，所謂：「《春秋》大一統者，天地之常經，古今之通義。」⑮大一統的目的在息邪說，一統紀明法度，知是非，百姓知所依從。

在政治道德方面，董氏透過《春秋》大義，特別強調貴信賤詐。他說：「無信無義，故大惡之。」⑯、「《春秋》尊禮而重信」⑰信義是立國施政的基本政治道德，「義」是明於分際，嚴守理份，行動有守有爲。「信」指行爲有原則，前後有一貫性、一致性。守「信」是「義」的表現，「義」是「信」的內在條件。《春秋》書中，有尊禮重信者，董氏贊美之；有悖禮違信者，則予譏惡之。⑱

在君臣關係上，董氏以陽貴陰賤的天道價値法則，倡君貴臣賤的絕對尊君說，所謂：「貴者居陽

之所盛，賤者居陽之所衰，藏者言其不得當陽，不當陽者，臣子是也，當陽者，君父是也。故人主南面以陽爲位也，陽貴則陰賤，天之制也。」[69]君對臣的關係，董氏主張提振君權在統御羣臣上是必要的，他說：「君子所以爲君者，威也，……威分則失權，失權則君賤，……君賤則臣叛。」[70]在顧慮「君賤則臣叛」的惡果下，董氏肯定君主的威權統治形勢，臣對君則被要求服從是忠與義的表現，他說：「臣不奉君命，雖善，以叛言。」[71]同時，爲人臣者應當竭誠效勞以取信於人君，他說：「人臣者，比地貴信，而悉見其情于主，主亦得而財之，故王道威而不失，爲人臣常竭情悉力，而見其短長，使主上得而器使之。」[72]君對臣享有全權，臣對君只有當盡的職責，董氏曰：「功出於臣，名歸於君。」[73]爲人臣者建立功績，該享何種榮耀名譽，當由人君考核實情以裁決。[74]在君臣關係上，董氏轉持法家君尊臣卑，君強臣弱的立場。因此，爲人臣者不但「義不訕上」，而且，若「人臣之行，貶主之位，亂國之臣，雖不篡殺，其罪皆宜死。」[75]政治事務是公共事務，政治的運作當以公理正義取信於人，所謂：「不以親害尊，不以私妨公。」[76]同時，董氏雖肯定君王的威權統治，然而，也提醒君王負有敎化的崇高使命。他說：「聖人之道，不能獨以威勢成政，必有敎化。」[76]在敎王的任務中又以「理人倫」一時首務，所謂：「仁者所以理人倫也，故聖王以爲治首。」[77]至於所當理的人倫，具體而言，有三方面，他說：「政有三端：父子不親，則致其愛慈；大臣不和，則敬順其禮；百姓不安，則力其孝弟。」[78]

在君民關係上，董氏曰：「天之生民也，非爲王也；而天立王，以爲民也。」[79]儒家的仁政，其

出發點是以愛民爲本的。董氏認爲「聖人法天而立道，亦溥愛而亡私，布德施仁以厚之，設誼（義）立禮以導之。」[80]君王的仁德仁政除了「設誼立私」的人文教養萬民外，也應注重與人民安生及社會安定的經濟問題。

在治民「務德不務刑」[81]的價值取向上，在教化與養民兩大德政目標上，董氏主張其間的優先秩序是「先飲食而後教誨」[82]「飲食」係民生經濟問題。董氏準「溥愛而亡私」的天德，在民生經濟資源的分配上應該以分配的正義原則，滿足百姓基本的生存需求及調整貧富差距，他說：「孔子曰，不患貧而患不均。故有所積重則有所空虛矣。大富則驕，大貧則憂。憂則爲盜，驕則爲暴。此衆人之情也。聖者則於衆人之情，見亂之所從生。故其制人道而差上下也。使富者足以示貴而不至於驕，貧者足以養生而不至於憂。以此爲度而調均之，是以財不匱而上下相安易治也。」[83]漢初，承大動亂之後，農業凋敝。文、景以後，因人民從事工商業，產生豪門，造成社會貧富懸殊問題。

爲解決上述問題，董氏主張採取五項經濟措施[84]：㈠抑豪強，濟貧弱，禁止官宦之家與民爭利、爭業。㈡爲了防止人民因私相買賣田地，造成土地兼併，富者田連阡陌，貧者無立錐之地。主張限田政策以安定小農生活。㈢塩鐵爲大宗民生消費品，爲防患官家經營而與民爭利，主張「塩鐵皆歸於民」公平競爭，利潤共享。㈣解放權勢富豪蓄養私奴，禁專殺之威。㈤薄賦稅、輕繇役以寬民財民力。

總而言之，養民、教民和安民是天所賦予君王的使命。天對王權的去留端視其能否克盡所任職責，所謂：「故其德足以安樂民者，天予之，其足以賊害民者，天奪之。」[85]

結論

董仲舒的正義概念承傳了先秦儒家以宜辨義，以理釋義的傳統。値得注意的是他拓展了正義深遠的形上基礎，溯本於以生生之仁德所德化的天志及天律。神化的天志以仁爲心，以陰陽五行運行於四時，其化生萬物的規律爲天地之經常法則。換言之，義的先決基礎是「仁」，義是天之仁德施用於萬物生生的律則，亦卽天地大義。再就生生的德化宇宙觀判陽尊陰卑，進而論斷陽德陰刑係天道之大義。因此，正義的規準在於是否符應生生的律則和目的性。

人性論方面，董氏以天人在內在構造上的對應性關係，謂天有陰陽二氣，因而，內在人身的陰陽二氣爲仁、貪二種屬性。董氏將天所賦予人的仁義屬性稱爲「性」，而以人之貪欲屬性稱爲「情」。因此，道德實踐的過程就是如何發展以仁義之「性」來超克、主導貪欲之「情」的歷程。對董氏而言，仁是待人的道德法則，「義」就個人道德而言，係守經常達權變之宜的自處原則。

在倫理道德方面，董仲舒認爲一般大衆雖生具仁義本性，卻處於曚昧狀態，而無自覺自省的能力。因此，若要將一般民衆潛在的善性，予以發展實現爲現實的善，則有賴於外力。董氏將此外力訴諸君王。蓋君王得天獨厚的能明曉天意，且負替天行道的使命。在正義的社會倫理規範上，董氏依據陽尊陰卑，陽善陰惡的天道觀，提出主從隸屬關係的君臣、父子、夫婦三綱說。

在政治方面，董氏認爲君王承天意治理萬民。一切政治措施在原理上，應當源本於天道生元。君

王應該貴始愼始，據天地大義以正名立制，統一禮義規制，養民以安生，敎民以敦厚民俗，君若失天職天責，則天將降災異以警示。

綜觀董氏的正義觀，諸如肯定仁義，強調敎化，以災異說限制君權的濫用或失責，經濟上側重民生資源予以合乎正義的分配，肯定了人人皆有同等的生存權，調和貧富不均，以及在政治、經濟、社會……等公共生活上倡正名立制以反應實情實理以合乎正義的精神，他也認識到社會正義的實現，客觀的、合理的制度規範有其工具上的必要性，這些都是其正義觀具有理論價值處。

然而，觀省其正義說也有若干缺失。例如：他低估一般人對公理正義的思辨能力，膨漲了君王的智力與治理能力。吾人一方面不能得到保證君王對神化的天是否有絕對的信仰，忠竭於天的使命。雖有災異的警示，但只是道德性的預警，若君王失職失責，災異又不必然發生，則如何避免君權過大所造成的諸般痛苦。再方面，一般人未能與天直接交通，也就無從審視君王的意志與天的意志是否符合一致，君王所規創的制度規範是否合乎天地之義，而具有正義的眞實性。

在敎化方面，一般民衆若只侷限於君王的他律道德，則其自尊自信的人格價值如何建立？同時，在欠缺自發性的道德感之下，世民的道德行爲如何能保證生機盎然，持續久遠。此外，維繫社會倫理的三綱說比附陽貴陰賤，陽善陰惡，失於武斷，抹殺了爲臣、子、妻者的自由意志，人格尊嚴，也剝奪他們的基本人權，實有失當處。

在政治上，權力分配不合理，爲臣者流於有責無權，董氏又如何能要求他們充份發揮其才幹呢？

君王享有幾近於全面的權力，又無規避其濫權作惡的具體辦法。同時，賦予君王超過其能力所能承載的政治、教化等工作和目標，使儒家的人治疑似超人政治，難免有可能產生對人治過份倚賴的失望。這些問題都值得我們對董仲舒再省思和批判。

【附　註】

① 皇侃《論語義疏》卷一，「爲政」。

② 楊伯峻著《春秋左傳注》臺北，源流出版社影印本。民國七十一年，上册，莊公二十三年，頁二二一。

③ 敦煌本、《論語鄭氏注殘卷》。

④ 勞思光《新編中國哲學史㈠》、臺北、三民書局、民國七十七年十一月增訂四版，頁一二〇。

⑤ 同上，頁一一九。

⑥ 《論語、里仁》載：「子曰：參乎！吾道一以貫之。曾子曰：唯。子出，門人問曰：何謂也。曾子曰：夫子之道，忠恕而已矣。」

⑦ 《論語、衞靈公》。

⑧ 《論語、里仁》。

⑨ 《論語、憲問》。

⑩ 《春秋左傳》桓公二年。

⑪ 《春秋繁露》〈身之養重於義〉。本文使用淸、蘇輿著《春秋繁露義證》，淸宣統庚戌刋本，一九七四年三

月臺北河洛圖書出版社影印一版，頁一八五～一八六。後註引用此書時，篇名後附總頁碼。
⑫ 同上，〈仁義法〉，分見頁一七六、一七八。
⑬ 同上，〈竹林〉，頁四二。
⑭ 同上，〈離合根〉，頁一一五。
⑮ 同上，〈郊義〉，頁二八四。
⑯ 同上，〈郊語〉，頁二八〇。
⑰ 同上，〈俞序〉，
⑱ 同上，〈天地陰陽〉，頁三三〇。
⑲ 例如，《禮記》將十二紀抄錄成〈月令〉篇，其餘如〈禮運〉、〈樂記〉……等皆染有陰陽五行之氣息。例如〈禮運〉云：「人者，其天地之德，陰陽之交，鬼神之會，五行之秀氣也。」
⑳ 《春秋繁露》〈五行相生〉，頁二五六。
㉑ 同上，〈陰陽義〉，頁二四〇。
㉒ 同上，〈煖燠常多〉，頁二四五。
㉓ 同上，〈天道無二〉，頁二四三。
㉔ 同上，〈陽尊陰卑〉，頁二二九。
㉕ 同上，〈天辨在人〉，頁二三五～二三七。
㉖ 同上。
㉗ 同上，〈五行相生〉，頁二五六。

㉘ 同上，〈陰陽義〉，頁二四〇。

㉙ 見蘇輿《春秋繁露義證》臺北、河洛出版社。

㉚ 《春秋繁露》、〈爲人者天〉，頁二二三。

㉛ 。同上，〈深察名號〉，頁二〇四。

㉜ 同上，〈實性〉，頁二一八。

㉝ 同上。頁二一七～二一八。

㉞ 《漢書》本傳。

㉟ 同上，所謂：「情非度制不節」。

㊱ 見註㉙，〈深察名號〉，頁二〇五。

㊲ 同註㉙，〈深察名號〉篇，頁二〇八。本節本註之後文不載明出處者，皆出於該篇。

㊳ 《春秋繁露》〈竹林〉，頁四二。

㊴ 同上，〈郊語〉，頁二八〇。

㊵ 同上，〈四時之副〉，頁二五〇。

㊶ 同上，〈王道通三〉，頁二三一。

㊷ 同上，〈深察名號〉，頁二一一。

㊸ 《春秋繁露・威德所生》，頁三二六。

㊹ 同上，〈執贄〉，頁二九八。

㊺同上，〈三代改制〉，頁一四一。
㊻同上，〈人副天數〉，頁二五一。
㊼同上，〈仁義法〉，頁一七七。
㊽同上，〈必仁且知〉，頁一八一。
㊾同上。
㊿同上，〈對膠西王越大夫〉，頁一八八。
51同上，〈天地陰陽〉。
52同上，〈玉英〉，頁五〇。
53同上，〈基義〉，頁二四七－二四八。
54《漢書》本傳。
55同上。
56同上，〈天地陰陽〉，頁三三〇。
57同上，〈必仁且智〉，頁一八二。
58同上，頁一八三。
59同上，〈十指〉，頁一〇一－一〇二。
60同上，〈王道〉，頁七一。
61同上，〈玉英〉，頁四七。

⑫ 同上，〈玉英〉頁四九、〈二端〉頁一〇九。

⑬ 同上，〈精華〉，頁五九。

⑭ 同上，〈深察名號〉，頁一九九。

⑮ 同註㉞。

⑯ 《春秋繁露・竹林》，頁四四。

⑰ 同上，〈楚莊王〉，頁四。

⑱ 同上，〈精華〉贊魯、齊於柯之盟，齊桓雖失地，仍以信守示天下，〈楚莊王〉舉證伯姬疑於禮而不下堂，死於火災。

⑲ 同上，〈天辨在人〉，頁二三七。

⑳ 同上，〈保位權〉，頁一二二。

㉑ 同上，〈順命〉，頁二九一。

㉒ 同上，〈離合根〉，頁一一六。

㉓ 同註⑳。

㉔ 參考賴炎元《春秋繁露今註今譯》對這句引文的意譯。

㉕ 此兩則引文俱見《春秋繁露》〈楚莊王〉，頁九、頁三。

㉖ 同上，〈精華〉，頁一六三。

㉗ 〈詣丞相公孫弘記室書〉。

⑱《春秋繁露》〈爲人者天〉，頁二三四。
⑲同上，〈堯舜不擅移湯武不專殺〉，頁一五五。
⑳《漢書，董仲舒傳》。
㉁《春秋繁露》〈陽尊陰卑〉，頁二三〇。
㉂同上，〈仁義法〉，頁一七九。
㉃同上，〈度制〉，頁一五九～一六〇。
㉄參考李威熊先生《董仲舒與西漢學術》，臺北，文史哲出版社，一九七八年初版，頁一二八～一三一。
㉅同註⑲，頁一五五。

孔雀東南飛試析

王文顏

孔雀東南飛是樂府詩中最膾炙人口的敍事詩，全詩長達一千七百餘字，也是樂府詩中獨有的長篇作品，最早著錄於梁徐陵所編纂的玉臺新詠，題爲「古詩爲焦仲卿妻作」，作者無名氏，詩前有小序，記載故事發生的年代與故事的大意。樂府詩集卷七十三著錄本詩，題爲「焦仲卿妻」，署名「古辭」，意即無名氏的作品。後代人往往取本詩第一句「孔雀東南飛」爲詩名，本文從俗，亦以「孔雀東南飛」爲名。

關於此詩的寫作年代，玉臺新詠序云：「漢末建安中，廬江府小吏焦仲卿妻劉氏，爲仲卿母所遣，自誓不嫁，其家逼之，乃投水而死，仲卿聞之，亦自縊於庭樹，時人傷之，爲詩云爾。」序中明指是漢末建安年間「時人」的作品，但後人卻根據「四角龍子幡」、「新婦入青廬」等詩句而加以否定，說「龍子幡」是南朝的風尚，「青廬」是北朝的婚俗，本詩既然寫入這些後代的習尚，時代就應該在東漢建安之後；同時又說詩中部分語調如「奄奄黃昏後，寂寂人定初」是南朝人的口氣，因此更加肯定此詩不產於漢末建安年間。其實流傳在民間的樂府詩歌，原是集體創作的作品，民間藝人演唱時，可以隨心所欲的增刪修飾，以鍊就最切合民間口味的作品，最後才由文人寫定傳世，而文人在寫

定之時，難免會修飾其中自認不雅的詩句，或摻入當時語法，因此孔雀東南飛中有南北朝的習俗與語法，我們僅能據此推測此詩可能寫定於南北朝時代，但不能據以否定此詩是東漢建安年間的作品。關於孔雀東南飛寫作年代之考訂，主張寫於六朝者有梁啓超中國美文及其歷史、陸侃如孔雀東南飛考證，主張寫於漢末建安年間者有胡適之白話文學史、劉大杰中國文學發展史、邱燮友中國歷代故事詩等，可供參考，本文從後說。

本文析論的重點在於孔雀東南飛的結構和表現技巧，將詩中較特殊的結構和表現技巧分別提出討論，希望有助於孔雀東南飛的解析和鑒賞。

一、開頭語和結束語的運用

中國傳統的說唱通俗文學，在組織上常見兩種特殊的現象，就是「開頭語」和「結束語」的運用，孔雀東南飛中恰巧兩種都用了，而且用得相當典型。

漢代樂府詩運用「開頭語」的現象十分普遍，例如陌上桑的前二句：「日出東南隅，照我秦氏樓」，孤兒行的前三句：「孤兒生，孤兒遇生，命獨當苦」，長安有狹斜行前六句：「長安有狹斜，狹斜不容車，適逢兩少年，挾轂問君家，君家新市傍，易知復難忘」，它們分別具有多樣化的作用，陌上桑用以拉近歌唱者和聽衆的距離，孤兒行用以喚起同情，激發共鳴，安長有狹斜行則屬卽與卽景之作。孔雀東南飛的開頭二句：「孔雀東南飛，五里一徘徊」，也是運用開頭語的範例。這兩句的語

意十分淺白易懂，但就文意連貫作用說，卻與後文風馬牛不相及，我們甚且可以刪除這兩句而絲毫不影響全篇大意，因此胡適之先生歎云：「一千多年以來，這十個字遂成不可解的疑案」（見白話文學史第六章）。一般說來，大家一致認爲這兩句是「開頭語」，胡適之先生云：「這自然是民歌的起頭」（同上），聞一多先生云：「本篇母題與之同類（按指艷歌何嘗行），故亦借以起興，惟易鵠爲孔雀耳」（見樂府詩箋），余冠英先生云：「古樂言夫婦離別者，往往以雙鳥起興，艷歌何嘗行是本篇起頭兩句的來源」（見樂府詩選）。運用「起興」是民歌中常見的格式，學者們對於「孔雀東南飛，五里一徘徊」兩句的看法大體一致，都認爲是「起興」無誤，但對於爲何選用這兩句爲起興，則頗費推敲，聞一多先生云：

艷歌何嘗行曰：「飛來雙白鵠，乃從西北來……五里一反顧，六里一徘徊」，又曰：「妻卒被病，行不能相隨……吾欲銜汝去，口噤不能開，吾欲負汝去，毛羽何摧頹」，魏文帝臨高臺曰：「鵠欲南遊，雌不能隨，我欲躬銜汝，口噤不能開，欲負之，毛羽摧頹，五里一顧，六里徘徊」，偽蘇武詩曰：「黃鵠一遠別，千里顧徘徊」，襄陽樂曰：「黃鵠參天飛，中道鬱徘徊」，以上大旨皆言夫婦離別之苦，本篇「母題」與之同類，故亦借以起興，惟易鵠為孔雀耳。（見樂府詩箋）

胡適之先生云：

這是漢朝樂府的瑟調歌（按指艷歌何嘗行），曹丕採取此歌的大意，改為長短句，作為新樂府臨高

臺的一部分，而本辭仍舊流傳在民間，「雙白鵠」已訛成「孔雀」了，但「東南飛」仍保存「從西北來」的原意，曹丕原詩前段有「中有黃鵠往前翻」，「白鵠」也已變成了「黃鵠」。民間歌辭靠口唱相傳，字句的訛錯是免不了的，但「母題」(Motif) 依舊保留不變。故從漢樂府到郭茂倩，這歌辭雖有許多改動，而「母題」始終不變，這個「母題」恰合焦仲卿夫婦的故事，故編孔雀東南飛的民間詩人遂用這一隻歌作引子。最初的引子必不止這十個字，大概至少像這個樣子：

孔雀東南飛，五里一徘徊，吾欲銜汝去，

口噤不能開，吾欲負汝去，毛羽何摧頹……

流傳日久，這段開篇因為是日人人知道的曲子，遂被縮短只剩開頭兩句了，又久而久之，這隻古歌雖然還存在樂府裏，而在民間却被那篇更偉大的長故事詩吞沒了，故徐陵選孔雀東南飛全詩時，開篇的一段也只有這十個字。（見白話文學史第六章）

按樂府詩集收錄的艷歌何嘗行，其內容分前後兩段，屬於拼湊性樂詞，前段寫「飛來雙白鵠，乃從西北來」、「妻卒被病，行不能相隨」的生離死別，後段寫良人「遠道歸還難」，閨中人自誓「若生當相見，亡者會黃泉」的生離死別，前後主題一致，想來這首曲子應該是哀怨沈痛的悲調旋律，而白鵠和閨中人「直教人生死相許」的專情，與焦仲卿、劉蘭芝夫婦的遭遇，正可遙相呼應，因此我們讚同胡適之先生的推測，認爲民間藝人在演唱焦仲卿和劉蘭芝的故事之前，先唱一曲艷歌何嘗行，藉以烘

托悲傷感人的氣氛，預先暗示有一對夫婦殉情的悲劇故事卽將發生，在民間藝人還未說唱主題故事之前，聽衆可能早有預感，而且早就傷感的期待故事的開展。至於「寫定」故事時，原本應該將演唱的所有歌辭全部照實記錄，但因艷歌何嘗行是完整而獨立的曲子，人人耳熟能詳，口口傳唱，沒有必要全首記錄，但若隻字不提，又擔心時人、後人不知道演唱故事之前有一段引子，因此就精簡成兩句輕「帶過。「寫定」一首正在流行的曲子，因爲曲調尚風行傳唱於世上，所以往往省略其中重複的歌辭，就當時而言，卽使有所省略也不致於影響人們對曲子的理解。自古以來，此種例證十分常見，樂府詩中的「江南可採蓮」，卽由五段縮寫成一段。沈約宋書樂志著錄重複的樂詞，均以「〃」畫標示，例如魏武帝秋胡行『「晨上散關山，此道當何難」』，原作『「晨〃上〃散〃關〃山〃，此〃道〃當〃何〃難〃」』。唐代王維「送元二使安西」，原詩千古傳誦，但渭城曲、陽關三疊的樂詞就鮮爲人知，幸好東坡志林，和清徐本立詞律拾遺還保存了遺迹。卽使今日流行的歌本也是如此，凡是重複的樂詞，往往以某種符號標示何處該重複，而非整首記錄。

總之，「孔雀東南飛，五里一徘徊」這二句開頭語，在故事中具有「引子」的作用，曲子仍舊傳唱的時代，是說唱時不可或缺的有機體，藉由一首不卽不離而又命意相同的曲子引領主題，同時也爲我們留下中國古老說唱文學難能可貴的遺產。

樂府詩中運用「結束語」的現象也極爲常見，歌唱者在曲子完結時，順口帶上二句、四句、或一小段，以收束全曲，例如艷歌何嘗行的結尾二句：「今日樂相樂，延年萬歲期」，魏武帝塘上行的結

尾二句：「今日樂相樂，延年壽千秋」，白頭吟的結尾二句：「今日相對樂，延年萬歲期」，曹子建怨詩行的結尾四句：「我欲竟此曲，此曲悲且長，今日樂相樂，別後莫相忘」，這此結束語分別具有祝福、感歎、期望等作用，類似於今日舞臺上的演唱者，在唱完一首曲子之後，習慣會說：「謝謝掌聲」、「請多捧場」的情形。孔雀東南飛的最後一段：「兩家求合葬，合葬華山傍，東西植松柏，左右種梧桐，枝枝相覆蓋，葉葉相交通，中有雙飛鳥，自名爲鴛鴦，仰頭相向鳴，夜夜達五更，行人駐足聽，寡婦起彷徨，多謝後世人，戒之愼勿忘」，也可視爲結束語的形式，尤其最後二句則爲典型的結束語。

孔雀東南飛的故事發展到劉蘭芝「舉身赴清池」，焦仲卿「自掛東南枝」，已經是大悲劇的尾煞，男女主角分別消逝於人間，故事完全落幕，此時說唱藝人爲了進一步滿足聽衆的好奇心，就現身交代故事主角的身後遺事，或許也暗示著聖潔的愛情，其精神永垂不朽的長存人間，足以戰勝一切不合情理的社會制度，形體雖死，而其楷模卻足式千古。

結尾二句：「多謝後世人，戒之愼勿忘」，其語意大概是「聽唱這故事的人啊，請多多轉告後世人，要以焦仲卿、劉蘭芝夫婦被逼殉情的不幸遭遇爲警惕，千萬不能忘了這是人間的大悲劇」，具有警世勸善的作用，與話本小說中的評論甚爲類似，頗有社會教育的用意，只是篇幅簡短許多而已。

二、衝突技巧的運用

衝突技巧的運用，在小說和戲劇中具有靈魂性的關鍵地位，如果小說和戲劇中缺乏衝突成分，一般說法就稱之爲「沒話說」或「沒戲唱」。孔雀東南飛雖然是一篇敍事詩，但卻兼具小說戲劇的內涵，尤其是衝突技巧的運用，其純熟程度，令人歎爲觀止，在純熟之中，使人感覺其情節發展十分合情合理，一點也沒有刻意「製造衝突」的痕迹。

衝突是推動孔雀東南飛情節發展的唯一線索，一個衝突緊接著另一個衝突，直到故事完結，環環相扣，絲毫不鬆，我們如果細加分析，孔雀東南飛的衝突可以分爲：人與人衝突、人與環境衝突、內心衝突等三大類，人與人衝突是表象，故事的發展就在不同人物的衝突中進行著，而人與環境衝突，內心衝突是暗潮，它鼓動波面的起伏。

故事的開頭，女主角劉蘭芝在閨房中面對丈夫述說自己在焦家所遭受的種種委曲，最後他總結：「君家婦難爲」，並且沈痛的決定要丈夫焦仲卿「及時相遣歸」，夫妻之間的衝突於焉展開，衝突的原因不在於夫妻間的感情不睦，而在於社會上普遍存在婆媳糾葛，問題出在焦母身上，只有焦母改變觀念才能化解衝突，因此焦仲卿卽刻「堂上啓阿母」，希望能塡補婆媳間的鴻溝，第二幕的衝突就在聽堂上展開，我們從「便可速遣之，遣去愼莫留」、「阿母得聞之，搥床便大怒」等句，便可察覺這是一場火花四溢的大衝突，母子之間已瀕臨完全爆裂的危機，然而在家長式權威主導一切的時代，夫妻之間的兒女私情，想要與之抗衡，只有註定失敗的命運，男主角焦仲卿不得不「默無聲」的退回閨房，「哽咽」的請求劉蘭芝暫時容忍，衝突的場景又回到閨房之中。

在焦家的衝突，就環繞在劉蘭芝、焦仲卿、焦母三人身上打轉，焦仲卿是居中的關鍵人物，焦仲卿與劉蘭芝、焦母分別有兩次對話衝突，而前後兩次衝突的尖銳性顯然昇高許多，焦母的「搥床便大怒」，劉蘭芝的「勿復重紛紜」，都是頗動肝火的言論。表面上劉蘭芝和焦母之間並無正面衝突，但一切衝突卻因他們而引起，只是藉由焦仲卿居中表現而已，如此安排最切合中國式家庭的普遍情況。夫妻之情和母子親情是「緩衝」的兩股力量，卽使衝突昇高到白熱化的程度，但只要這兩股力量發揮作用，一切衝突都得暫時低頭緩和，雖然它不足以化解癥結問題，但卻有十足的緩衝作用，焦仲卿與焦母的妥協，劉蘭芝與焦仲卿的妥協，都是得力於此的。

第二階段的衝突發生在劉家，以劉蘭芝爲中心，劉蘭芝分別和劉母、劉兄、焦仲卿發生衝突。劉蘭芝「入門上家堂」立卽與劉母衝突，對於一個禮教世家而言，女兒出嫁後被休還家，是極無顏面的事情，它代表著家敎無方的羞辱，因此劉母「大拊掌」的動怒行爲，十分切合當時的社會型態。經過劉蘭芝一番解說後，劉母「大悲摧」，反而十分同情女兒的委曲與遭遇，畢竟媳婦熬成婆，個中酸苦滋味較能深切體認。

劉蘭芝回家後，先後有兩次再婚的機會，第一次縣令派人爲「第三郎」提親，遭到劉母和劉蘭芝婉拒，第二次太守派人爲「第五郎」提親，劉母照例婉拒，但劉兄「悵然心中煩」，顯露其意欲結親權貴的勢利企圖，逼迫劉蘭芝答應，劉蘭芝在毫無自主的能力下只得逆來順受的說：「理實如兄言」，她對於惡劣的客觀環境，認識十分清楚，她沒有自主婚姻的權利。這次衝突看似最微不足道，

但卻最具威脅力，劉蘭芝一旦妥協再婚，那麼先前的種種衝突、忍讓，都將前功盡棄，化爲烏有，因此此次衝突有如暴風雨來臨前的短暫寧靜，愈寧靜愈足以襯托暴風雨的凶險恐怖。

「夫妻深情」是焦仲卿和劉蘭芝存活人間的精神支柱，他們之所以百般堅忍的苟活於世，爲的就是維繫這份人間至愛的尊嚴，如今劉蘭芝被迫同意再婚，表面固然引發了夫妻間的劇烈衝突，但骨子裏卻是存活理念的破滅，先前種種衝突的焦點都集中於此，此時他們的「愛」已經被「逼」上窮途末路，世間再也沒有任何縫隙容納他們的存在，「黃泉下相見」是他們不得不走的唯一道路。

劉蘭芝在殉情之前，萬般無奈的說：「同是被逼迫，君爾妾亦然」，焦母逼迫焦仲卿「出妻」，劉兄逼迫劉蘭芝「再婚」，焦母、劉兄是禮教權威的化身，擁有對子弟婚姻的支配權，這在當時被視爲天經地義的事，所謂的眞情，只有在不違背這個大前題之下，才有些許存活的空間，焦母、劉兄可以理直氣壯的自作主張：「吾意久懷忿，汝豈得自由」、「吾已失恩義，會不相從許」、「作計何不量」、「其往欲何云」，這些霸道無理的言論，宛如一股排山倒海的勢力，壓得這對苦命鴛鴦步步退縮，直到完全被吞噬爲止，大環境、大制度就是如此無情。

在整篇故事中，劉蘭芝有兩次內心掙扎的記錄，第一次是被逼還家的內心掙扎，原先她向丈夫一面訴苦一面賭氣的說：「及時相遣歸」，不幸果如其言，不得不歸，在處置完畢嫁妝之後，卻又情不自禁的眷戀起來：「時時爲安慰，久久莫相忘」，這種前後矛盾的言詞已經透露出她不欲歸的心情。等到與小姑辭別時「淚落連珠子」，出門時「落涕百餘行」，內心的掙扎一層一層的加深，最後終於

山洪爆發似的藉著淚水傾瀉而出。與小姑辭別的言詞，完全是眞情的流露：「新婦初來時，小姑始扶床，今日被驅遣，小姑如我長，勤心養公姥，好自相扶將，初七及下九，嬉戲莫相忘」，劉蘭芝與小姑的深情是建立在丈夫焦仲卿身上，眷戀小姑實可視爲眷戀丈夫的情感轉移，一旦此層關係中斷，這份深情卽無依靠，虛寫小姑遠比實寫丈夫深切動人。

第二次內心掙扎是發生在答應再婚之後，一方面是來自兄長的「處分適兄意，那得自任專」，另一方面來自丈夫的冷嘲熱諷：「賀卿得高遷」、「吾獨向黃泉」，多方面外在的壓力逐漸緊縮爲苦悶的掙扎，「雖與府吏要」的誓言，兄長是不可能接納的，「以我應他人」的提親過程，丈夫也不可能諒解，此時劉蘭芝的處境是求情訴苦無門，因此她感覺多言辯解無益，只得選擇「黃泉下相見」的無言抗議。

三、鋪敍性技巧的運用

鋪敍性技巧是中國文學常用的技巧之一，尤其在漢賦中用得更爲普遍，可以說是集中國文學鋪敍技巧之大成，例如描寫洞庭的壯濶景象，唐代詩人孟浩然只用了「氣蒸雲夢澤，波撼岳陽樓」（臨洞庭上張丞相）兩句，就把洞庭湖氣象萬千，蘊育萬有的活潑生命體現出來，同時還將湖水浩浩蕩蕩，波濤洶湧的氣勢，寫得淋漓盡致，使人有怵目驚心的感受。大詩人杜甫也只用了「吳楚東南坼，乾坤日月浮」（登岳陽樓）兩句，就把洞庭湖的面積寫得大無倫比，還表達出詩人懷抱日月天地的開濶胸

襟，比起孟浩然，毫無遜色。我們再逆看漢代司馬相如的子虛賦，其中也有一段文字專門描寫洞庭湖，但其表現技巧就與孟浩然、杜甫完全不同，司馬相如用了二百餘字，分別用「其山、其土、其石、其東、其南、其高燥、其卑濕、其西、其中、其北、其上、其下」等十二個不同的鏡頭來攝取洞庭湖的景象，極盡鋪張堆砌之能事，爲楚王勾畫出一座華艷奪目、浩瀚無際的大獵場，然而由於他犯了誇大賓的缺點，引起後代文評家的不滿，貶多譽少，例如「麗靡過美，則與情相悖」（摯虞文章流別論）、「侈言無驗，雖麗非經」（左思三都賦序），都是針對此點而發的。然而漢代另一種文學作品——樂府敘事詩，也普遍運用這種技巧，但卻得到驚人的藝術效果，例如陌上桑、羽林郎、孔雀東南飛都是如此。

孔雀東南飛中的詩句，有四段是典型的鋪敍文字，分別在塑造人物形象，推展情節，及強調對比效果方面，都曾發揮巨大的功用，玆引錄析論如下：

㈠十三能織素，十四學裁衣，十五彈箜篌，十六誦詩書，十七為君婦，心中常苦悲

㈡妾有繡腰襦，葳蕤自生光，紅羅複斗帳，四角垂香囊，箱簾六七十，綠碧青絲繩，物物各自異，種種在其中。

㈢鷄鳴外欲曙，新婦起嚴妝，著我繡裌裙，事事四五通，足下躡絲履，頭上玳瑁光，腰若流紈素，耳著明月璫，指如削葱根，口如含朱丹，纖纖作細步，精妙世無雙。

㈣交語速裝束，駱驛如浮雲，青雀白鵠舫，四角龍子幡，婀娜隨風轉，金車玉作輪，躑躅青驄

馬，流蘇金鏤鞍，齎錢三百萬，皆用青絲穿，雜綵三百疋，交廣市鮭珍，從人四五百，鬱鬱登郡門。

第一段對塑造女主角劉蘭芝的形象，具有很大的作用，十三、十四、十五、十六，並非確切的年齡數字，它只泛指劉蘭芝待字閨中時，曾經接受良好的家庭教育，不但會織布裁衣，而且還精通音樂，知書達禮，這位完美的女子，于歸之後，理應幸福美滿，可是事實恰好相反，「十七爲君婦」之後，過的卻是「心中常苦悲」的日子，苦悲的起因，顯然是外在惡劣的環境所造成，詩中透過劉蘭芝的控訴，一針見血的指出「非爲織作遲，君家婦難爲」，故事的悲劇結局，也就無法挽回的發展下去。

焦母對於劉蘭芝的挑剔：「三日斷五匹，大人故嫌遲」、「此婦無禮節，舉動自專由」，都與第一段塑造出來的劉蘭芝形象相衝突，焦母的指責，完全是出於主觀好惡的作祟，就情理而言，劉蘭芝除了走上「及時相遣歸」的道路，再也別無選擇了。

第二段鋪敍劉蘭芝嫁妝的豐富，雖然已經過門二三年，但這些閨房用品仍然細數不盡，件件如新，這顯示她的娘家必定是富豪之家，與婆家的「雞鳴入機織，夜夜不得息」、「晝夜勤作息，伶俜縈苦辛」的家境，形成強烈的對比，富家千金嫁作貧賤婦而能甘於淡泊，任勞任怨的操持家務，但依舊免不了「仍更被驅遣」的命運，劉蘭芝的委屈遭遇，經過這一段鋪敍，表現得更爲透徹。

第三段的作用可以分成兩層說明，其一是鋪敍劉蘭芝的美貌，前半段用陪襯烘托法刻畫，後半段用正面描寫的方法刻畫，然後總結一句：「精妙世無雙」。在本詩中，焦母決定驅遣劉蘭芝之後，安

慰焦仲卿云：「東家有賢女，自名秦羅敷，可憐體無比，阿母爲汝求」，又在焦仲卿決定殉情時安慰云：「東家有賢女，窈窕艷城郭，阿母爲汝求，便復在旦夕」，如果沒有這一段鋪敘刻畫劉蘭芝的美貌，或許會讓人誤會劉蘭芝除了才德（第一段鋪敍）之外，毫無「婦容」可言，因此這段有突顯劉蘭芝「才貌雙全」的積極作用。其二，在情節的發展過程中，這段鋪敍的作用，歷來有三種不同的說法：①劉蘭芝刻意盛妝，②劉蘭芝心煩意亂，一遍又一遍換妝，均不妥當，必須「事事四五通」，③劉蘭芝不忍心離去，故意拖延時間。按第一說較爲可取，因爲故事的情節發展，從起頭開始，至劉蘭芝臨去盛妝，「上堂謝阿母」，其間劉蘭芝的應對進退，均無心煩意亂的迹象，而被驅遣也似乎出於自己的要求，應無故意逗留的必要。至劉蘭芝何以在臨去之時故意盛妝一番呢？大抵聖賢豪傑的行爲，一絲不苟，卽使在面臨生死關頭之時，也要保持體面的風度，子路結纓而死就是一個很好的例子，劉蘭芝自幼「誦詩書」，當然了解此理，所以她要「光明的來，磊落的去」，以顯現其知書達禮的修養。

第四段極力鋪寫劉蘭芝再嫁之時，迎娶排場的華麗浩大，以及聘禮的豐富珍貴，這段敍述在詩中的作用，除了與焦家的寒酸環境形成強烈對比外，它在塑造人物形象方面，也起了積極作用，以一個再嫁夫人的身份，而得到如此盛大的禮遇，如果是拜金主義的汎汎之輩，早已芳心大動，可是劉蘭芝卻視若無覩，而且很理智而無奈的選擇了「黃泉下相見」的殉情路，因爲除此之外，她實在別無去路。故事發展到此地，是一個總結前的預兆，所有的衝突都將凝聚在往後的一個高潮頂端，劇情馬上

要急這直下，同時，劉蘭芝的形象，也將在轉一刻決定她是否能閃爍光芒，照耀中國二千年來的文學領域。

四、詼諧性技巧的運用

詼諧性技巧是民歌中常用的手法之一，民間藝人在敍述情節，或刻劃人物之時，經常會出現顧此失彼的情況，造成文意的前後矛盾，表面看來極不合理，但它卻具有誇張或強調的藝術效果，例如在陌上桑中，民間藝人爲了塑造秦羅敷的美貌，極力在衣著妝扮方面鋪寫：「頭上倭墮髻，耳中明月珠，緗綺爲下裙，紫綺爲上襦」，倭墮髻是當時時髦的髮型，明月珠是名貴的耳飾，緗綺裙、紫綺襦都是盛妝禮服，民間藝人通過側面描寫的技巧，刻劃出美如天仙的羅敷形貌，但民間藝人卻忽略了羅敷正在從事採桑的工作，必須在桑樹間爬上爬下，如此的妝扮與所從事的工作相矛盾，矛盾的原因是民間藝人在此處所要強調的是羅敷的「美貌」，而不是羅敷的「工作」。另外，在年齡方面也同樣出現矛盾，文中說羅敷是「二十尚不足，十五頗有餘」，羅敷的丈夫是：「四十專城居」，夫妻年齡相差二十餘歲，如此老少搭配，實在算不得是十全十美的婚姻，之所以出現如此矛盾的原因，一則強調其「年輕」貌美，一則強調其宦途「平步青雲」，民間藝人不在年齡上做考量。

孔雀東南飛中也運用了詼諧性技巧，其中有三處較爲明顯，玆論述如下。

劉蘭芝在被遣離開焦家之前，與小姑辭別時說：「新婦初來時，小姑始扶床，今日被驅遣，小姑

如我長」，而前文焦仲卿在廳堂上與乃母抗議理論時說：「共事二三年，始爾未爲久」，既然劉蘭芝嫁到焦家只有「二三年」，那麼小姑卽使發育再快也不可能由「始扶床」長大爲「如我長」，這是一個明顯的矛盾。近人聞一多、余冠英對此矛盾都曾提出質疑，聞氏云：「四句似是後人所添，宋刻玉臺新詠、樂府詩集但刪去二三兩句，仍嫌語意突兀」（見樂府詩箋），余氏云：「這兩句語意稍嫌突兀，一本在兩句間又有小姑始扶床，今日被驅遣兩句，文意較完足，但二三年間由扶床而長成，未免太快，於事理又不合，或本篇本無這四句，是後人所添，四句皆見於唐顧況棄婦行」。按文中如果缺少「小姑始扶床，今日被驅遣」兩句，確實「語意突兀」，但多了這兩句又與前文矛盾，說它是增抄顧況棄婦行「記得初嫁君，小姑始扶床，今日君棄妾，小姑如妾長，回頭語小姑，莫嫁如兄夫」，也不盡合情理，我們如果從「詼諧性」立說，則一切矛盾都可迎刃而解，焦仲卿說：「共事二三年，始爾未爲久」時，民間藝人在此所要強調的是婆媳之間，僅僅相處如此短暫時間，不應該累積如此深仇大恨，儘量將時間縮短，以期化解婆媳間的糾葛。劉蘭芝說：「新婦初來時，小姑始扶床，今日被驅遣，小姑如我長」時，民間藝人在此所強調的是劉蘭芝「看著小姑長大」，彼此之間已建立深厚的情感，因而對小姑充滿關懷和依依不捨的離情。就眞實情況而言，「共事」應該不只「二三年」，「小姑」也不一定眞的「如我長」，矛盾之所以產生，完全是民間藝人視情節需要而自由調整所致。

太守在得悉劉家同意婚事後，隨卽檢視曆書，很高興的對兒子說：「良吉三十日，今已二十七，卿可去成婚」，緊接著太守府裏開始大動員，爲迎親而忙碌起來，因爲決定婚事到迎娶的日子，僅有

短短的三天而已，在準備禮物中有「交廣市鮭珍」一句，按此句「交廣」二字有不同解說，余冠英先生云：「舊說交廣指交州、廣州……據吳志，黃武五年（二二六）才分交州置廣州，這時民間還不會將交廣並稱」（見樂府詩選），邱燮友先生云：

> 交廣市鮭珍，到交州、新廣去買海錯佳餚。交州、新廣，漢代已有此地名，交廣不作交州、廣州解，更不作「交用市鮭珍」。黃節漢魏樂府風箋：「漢書地理志：蒼梧郡，武帝元鼎六年間，莽曰新廣，屬交州。」因此交廣是指交州、新廣。顧敦鍒孔雀東南飛箋校引近人胡懷琛註：「交為交趾，廣為廣州，按廣州在漢為越南，三國時始有廣州之名。可見這詩是三國後人的作品。」其實廣不宜作廣州，指新廣。四庫全書本左克明古樂府「交廣」二字作「交用」。明梅鼎祚古樂苑，漢魏詩乘，馮惟訥古詩紀等均云：「廣一作用」，四溟詩話引此句亦作「交用市鮭珍」，如用「交用市鮭珍」便費解了。（見中國歷代故事詩）

按邱先生的考訂十分詳實，說法十分可取，然而故事發生在廬江府，相當今之安徽省境內，距離交州、新廣，道里可有千萬里，以漢代的交通情況而言，要在三天之內往返買回鮭魚珍餚等名貴禮品，似乎不太可能，矛盾於焉產生。其實，這也與詼諧性技巧的運用有關，寫太守「心中大歡喜，視曆復開書」時，儘量將婚期縮短，藉以顯示太守迫不及待的急切心情，同時襯托劉蘭芝雖是再嫁夫人，身價依舊非凡，鋪寫太守家準備禮品時，爲了強調禮品的名貴與豐富，還特地派人遠赴交州、新廣專程採購，目的在塑造婚禮的豪華熱鬧場景，只求分別達成目的，即使細節偶有疏失，民間藝人是不去斤

斤計較的。

焦仲卿、劉蘭芝夫婦雙雙殉情之後，「兩家求合葬，合葬華山傍」，「華山」一詞引起近人許多不同的爭議，有的與南朝民歌華山畿合並考訂，用以證明孔雀東南飛是南朝作品，陸侃如孔雀東南飛考證一文卽爲代表(見國學月報第三期，邱燮友中國歷代故事詩引)。有的則考訂此「華山」非「西岳華山」，用以推翻陸氏說法，胡適之白話文學史卽爲代表，玆引胡氏說法以供參考：

本篇末段有「合葬華山傍」的話，所以陸先生起了一個疑問，何以廬江的焦氏夫婦要葬到西岳華山呢？因此他便連想到樂府裏華山畿二十五篇。樂府詩集引古今樂錄云：

華山畿者，宋少帝時懊惱一曲，亦變曲也，少帝時，南徐一士子從華山畿往雲陽，見客舍有女子，年十八九，悅之，無因，遂感心疾，母問其故，具以啓母，母為至華山尋訪，見女，具以聞，感之，因脫蔽膝，令母密置其席下，臥之當已。少目，果差，忽擧席見蔽膝而抱持，遂呑食而死，氣欲絕，謂母曰：「葬時，車載從華山度」，母從其意，比至女門，牛不肯前，打拍不動，女曰：「且待須臾」妝點沐浴，旣而出，歌曰：華山畿，君旣為儂死，獨活為誰施，歡若見憐時，棺木為儂開。棺應聲開，女透入棺，家人扣打，無如之何，乃合葬，呼曰「神女塚」。

陸先生從這篇序裏得著一個大膽的結論，他說：

「這件哀怨的故事，在五六世紀時是很普遍的，故發生了二十五篇的民歌，華山畿的神女塚也

許變成殉情者的葬地的公名，故孔雀東南飛的作者敍述仲卿夫婦合葬時，便用了一個眼前的典故，遂使千餘年後的讀者們索解無從。但這一點便明明白白的指示我們說，孔雀東南飛是作於華山畿以後的。」陸先生的結論是很可疑的，孔雀東南飛的夫婦，陸先生斷定他們不會葬在西岳華山，難道南徐士子的棺材却可以從西岳華山經過嗎？南徐州治在現今的丹徒縣，雲陽在現今的丹陽縣，華山大概卽是丹陽之南的花山，今屬高淳縣。雲陽可以有華山，何以見得廬江不能有華山呢？兩處的華山大概都是本地的小地名，與西岳華山全無關係，兩華山彼此也可以完全沒有關係，故根據華山畿的神話來證明孔雀東南飛的年代，怕不可能罷！

此外，聞一多先生云：「華山蓋廬江郡小山名，今不可考」（見樂府詩箋），余冠英先生云：「一說今安徽省舒城縣南二十五里有華蓋山，也許就是本詩的華山（見樂府詩選）」。按胡氏之考訂最爲詳實，聞氏、余氏見解大抵與之相似，但筆者認爲如此解說並非最完美，文學畢竟與考據學有所不同，如果採此說法，那麼「華山」在此詩中的「淒美」象徵意義便完全喪失，不論詩中的華山是指西岳華山，或華山畿的華山，就實際里程計算，都是不合情理，雙方家長不太可能將這對苦命鴛鴦合葬到那麼遙遠的地方去，因此筆者認爲此華山應該是借用華山畿的殉情故事，以強調「殉情」的無獨有偶，藉以增加警世效果，屬於詼諧性的表現手法，至於華山畿故事發生在後（宋少帝時），孔雀東南飛成詩在前，時代有矛盾的現象，那是因爲一篇偉大的民間作品，往往是在口口相傳之中逐漸豐富起來，而後再由文人寫定傳世，中間難免有更動修飾的地方。

兩漢鏡銘所見吉語研究

林素清

銅鏡萌芽於商周，①興盛於戰國，②至兩漢時代，由於經濟、文化高度發展，銅鏡的鑄造、使用更盛，種類繁複，形制多方，紋飾題材更豐富，眞是包羅萬象，美不勝收。更重要的是漢初銅鏡開始出現銘文，刻意安排的字體，不僅有助於鏡背之裝飾，③文字與花紋相得益彰，更增添了銅鏡的藝術性而優美的文詞，和深遠的內涵，尤其充分表達了作鏡者的情感與思想。於是小小一面銅鏡，既是日常生活必備之具，鏡背又融合詩、書、畫於一體，堪稱極獨特而珍貴的藝術品。羅振玉蒐藏古鏡，也研究古鏡，他有這樣的看法：

刻畫之精巧，文字之瓌奇，辭旨之溫雅，一器而三善備者莫鏡若。④

日本學者梅原末治也指出：

行於東西古代文化圈之金屬鏡中，中國之鏡鑑為特徵最多之工藝品。兼之其背文反映中國之古文化，極為顯著之事實。⑤

漢鏡銘文豐富的內容，對兩漢文學、思想、社會、經濟各方面都是第一手資料，其價值實不容忽視。本文僅就鏡銘所見吉語部分，略作整理，藉以提供探討兩漢文化之參考。

鏡銘始於漢初，西漢初期鏡銘簡短，字體皆小篆，內容多爲男女或朋友間的饋贈之詞。藉著互贈銅鏡；表達彼此思慕之情，「相思」、「勿忘」，是最常見詞彙，叮嚀之餘，又附加些頌禱吉語，如「大樂未央」、「貴富」等。

(1)大樂未央，長相思，願毋相忘。⑥

(2)脩相思，愼毋相忘，大樂未央。⑦（附圖一）

(3)大樂貴富，長相思，願毋相忘。⑧

有些鏡銘，措辭委婉，卻充滿怨慕之思：

(4)愁思悲，願君忠，君不說，相思願毋絕。⑨

另一類銘文則全爲頌禱吉語，內容不外「貴富」、「千秋萬歲」、「宜酒食」等，表達了當時人精神、物質上的願望如。

(5)大樂貴富，千秋萬歲，宜酒食。⑩（附圖二）

(6)大樂貴富得所好，千秋萬歲宜酒食。⑪

(7)大樂貴富得所好，千秋萬歲，延年益壽。⑫

西漢中期以來，銘文鏡逐漸由圖文兼顧的裝飾形式，轉變爲以銘文爲主要裝飾。於是銘文字體格外方整、美觀，筆畫均勻地排列在方框內，銘文鑄於方形鈕座上。這種刻意排列的字體，亦可稱爲繆篆體。銘文既分佈於方形鈕座四周，通常爲四句，或二句形式，由整齊三言或四言成語組成，且多有

韻。是頗特殊的鏡銘形式。文字內容有與漢樂府，民歌類似的三言韵文，充滿離別惆悵與無奈，從中看出當時人爲征戰戍役所苦之情。

(8)君行卒，予志（或作心）悲，道路遠，侍前希。⑬

(9)昔同起，予志悲。道路遠，侍前希。⑭

(10)秋風起，予志悲。久不見，侍前希。⑮

另外也有一些贈答之詞：

(11)常與君，相讙幸，毋相忘，莫遠望。⑯

(12)道路遼遠，中有關梁，鑒不隱情，修毋相忘。⑰

此外，絕大多數都是三言或四言的頌禱吉語：

(13)長相思，毋相忘。常貴富，樂未央。⑱（附圖三）

(14)長貴富，樂毋事。日有熹，宜酒食。⑲

(15)常貴富，樂毋事。日有熹，宜酒食。⑳

物質生活要「貴富」、「酒食」，精神上則要「日有熹」並且「樂毋事」。

四言吉語有二句、三句及四句等形式，且多押韵，如：

(16)願毋相忘，長樂未央。㉑

(17)願毋相忘，久毋見忘。㉒

⒅長毋相忘，長樂未央。㉓
⒆心思美人，毋忘大王。㉔（附圖四）
⒇與天相壽，與地相長。㉕
(21)時來何傷，長毋相忘。㉖
(22)見日之光，天下大明。㉗
(23)見日之光，天下大陽。㉘
(24)見日之光，美人在旁。㉙
(25)見日之光，所言必當。㉚
(26)見日之光，心思君王。㉛
(27)見日之光，長樂未央。㉜
(28)見日之光，□□何傷。㉝
(29)見日之光，天下大陽，用者君卿。㉞
(30)見日之光，天下大陽，所言必當。㉟
(31)見日之光，天下大陽，服者君卿，所言必當。㊱

日光鏡中「所言必當」等語，有箴語性質。「用者君卿」則寓有官祿之意。另外，四言四句吉語銘有：

(32)與天毋亟(極),與地相長。驩樂如言,長毋相忘。㊲(附圖五)
(33)與天無極,與地相長。吏(使)人富貴,長毋相忘。㊳
(34)與天相壽,與地相長。富貴如言,長毋相忘。㊴
(35)大上富貴,長樂未央。延年益壽,幸毋見忘。㊵
(36)鏡氣清明,服者君卿。延年益壽,安樂未央。㊶

另外,又有雜言式吉語銘,如:

(37)大樂貴富毋極,與天地相翼。㊷

大致皆強調對富貴、歡樂與長壽之嚮往。

西漢中期盛行三言韻文鏡銘,內容上較前文所引(13)—(15)更具體地敘述了對物質生活享樂之追求與憧憬。如:

(38)長富貴,樂無事,日有熹,常得所喜,宜酒食。㊸
(39)常富貴,樂無事,日有熹,美人侍。㊹

鏡銘敘述與《楚辭・招魂》所載:

實羽觴些……華酌既陳……女樂羅些……造新歌些……美人既醉……竽瑟狂會……。㊺

及《漢書・酈陸朱劉叔孫傳》云:

(陸)賈常乘安車駟馬,從歌鼓瑟侍者十人……。㊻

十分近似。而由漢畫像磚、畫像石常見宴飲、遊樂場面，也可窺知漢人酒食宴遊等享樂生活之一斑。值得注意的是早期常見的「貴富」一詞，至此已逐漸轉變爲「富貴」，且較早篆書「家常貴富」銘也逐漸改作「家常富貴」了。㊼而由西漢晚期鏡銘又添入「月有富」以及「賈市程」、「萬物平」等語，也說明了當時商業行爲的普及，和對「富」的渴望：

(40)日有憙，月有富，樂毋（或作無）事，常得意，美人會，竽瑟侍，賈市（程），萬物□。㊽

(41)日有憙，月有富，樂無事，常得意。美人會，竽瑟侍，賈市程，萬□平，老復丁。㊾

(42)日有憙，月有富，樂毋事，常得意，美人會，竽瑟侍，商市程，萬物平，老復丁，復生寧。㊿

另又見三、四、七言雜體：

(43)日有憙，月有富，樂毋有事宜酒食，居而必安毋憂患，竽瑟侍，心志驩，樂已哉，年固常然。(51)

例(43)鏡銘顯然由例(40)—(42)等形式衍化而來，而由三言、三四言夾雜，到三、四、七言雜體，正可看出七言體形成之痕跡。

除了頌禱吉語外，西漢中、晚葉最常見的鏡銘有昭明鏡、精白鏡，皆藉鏡之潔淨光明爲喻，說明忠君與堅貞之志，與《楚辭》句型、詞彙十分類似，(52)無疑是受楚國文學的影響。銘文雖多語句不全，然而完整者以六言爲主，或六言加上兮分成七言體。昭明鏡銘爲：

(44)內清質以昭明，光輝象夫日月。心忽揚而願忠，然壅塞而不泄。(53)

精白鏡銘作：

(45)潔清白以事君，怨陰歡之弇明。煥玄錫而流澤，恐志疏（或作疏遠）而日忘，慎（或懷）靡美之窮皚，外承歡之可說。慕窈窕于靈泉（景），願永思而毋絕[54]。

稍晚也有合昭明鏡銘和清白鏡銘於一鏡中，多見於重圈銘文鏡，如：山西朔縣漢墓出重圈銘文鏡，內圈銘作：

(46)內清質以昭明，光輝象夫日月。心忽揚而願忠，然壅塞而不泄。

外圈銘文爲：

如皎光而耀美，挾佳都而無間。□驩察而性寧，志存神而不遷。得並見而不棄（衰），精昭折而伴君。[55]

又，《續古文苑》十四引：

絜精白而事君，怨陰驩之弇明。煥元錫之流澤，志疏遠而日忘。慎靡美之窮皚，外丞驩之可欲。說慕安於重泉，願永思而毋紀。內請願以昭明，光渾象天日月。心忽揚而願忠，然壅塞而不泄。

應亦屬重圈銘文，合清白、昭明而成文。

西漢中期又有鏡銘，如下：《小校》卷十五・一百上、下，「君有行鏡」兩件，皆重圈銘文。內圈文作：

(47)見日之光，天下大明。服者富貴番昌。長相思，毋……。(附圖六)

外圈銘爲：

君有行，妾有憂。行有日，反毋期。願君强飯多勉之，卬（仰）天大息長相思。毋久……。

融合了三言民歌體鏡銘和四言吉語銘，陳直《史記新證》稱此鏡爲「妻贈夫戍境」，並引《史記・外戚世家》⑯「子夫上車，平陽主拊其背曰：行矣，彊飯，勉之，即貴，毋相忘。」認爲鏡銘乃漢人習俗語，其說當可信據。

西漢晚期常見描述鏡質之美與用途之善之銘文，基本上以七言爲主，如：

(48)清冶銅華以為鏡，昭察衣服觀容貌，絲組雜還以為信，清光乎宜佳人。⑰

或於「湅冶銅華以爲鏡」文後，加上「延年益壽去不祥」、「長樂未央」一類吉語，如：

(49)湅冶銅華清而明，以之為鏡宜文章，延年益壽辟不羊，與天毋亟如日光，長樂未央。⑱

另，又見類似箴言性質之鏡銘，如：

(50)湅石華，匇之菁，見上下，知人情，心志得，樂長生，內而光，明而清。⑲

(51)聖人之作鏡兮，取气于五行，生于道康兮，□有文章，光象日月，其質清剛，以視玉容兮，辟去不羊，中國大寧，子孫益昌，黄帝元吉有紀剛。⑳

銘文透露陰陽五行與氣等觀念，在思想史上也是值得注意的材料。

總之，西漢中期鏡銘所見吉語以「長貴富」、「家常貴富」、「樂無事」、「日有憙」、「宜酒

圖一（例(5)）

圖二（例(2)）

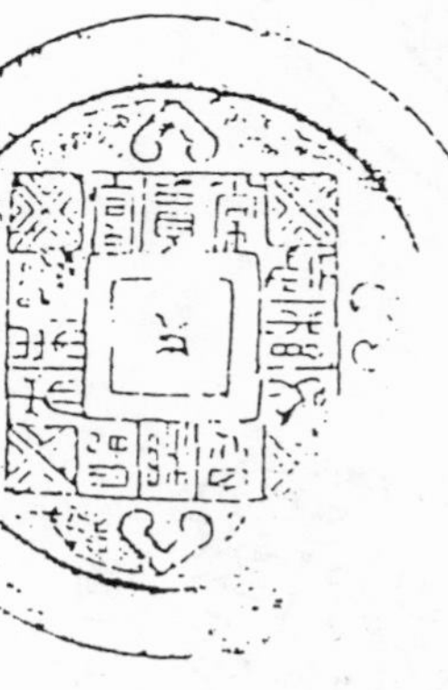

圖三（例13）

圖四（例19）

圖五（例32）

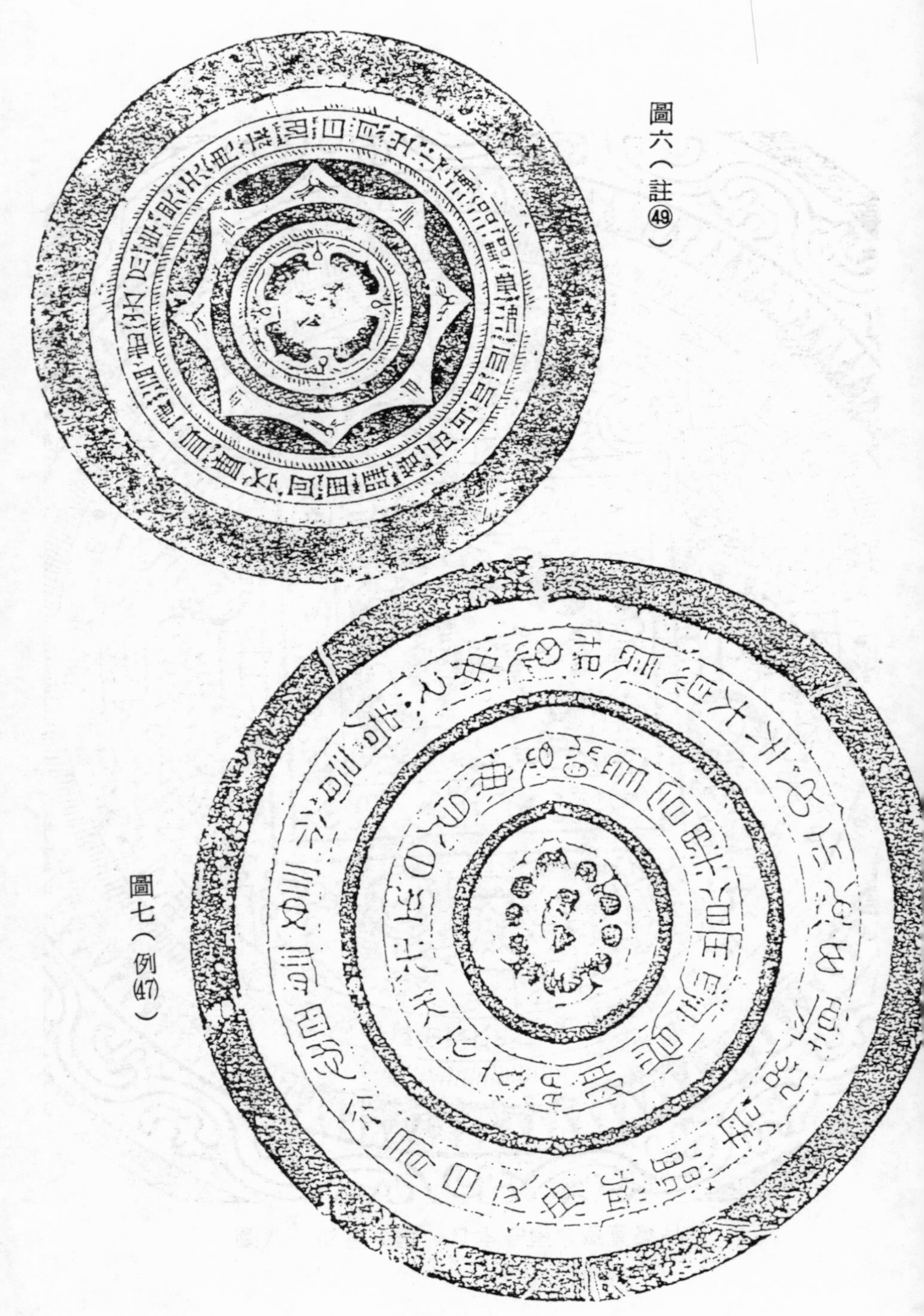

圖六（註㊾）

圖七（例⑷⑺）

圖八　新善銅器　日本守屋孝藏蒐集品

「家常富貴」、「常富貴」、「長樂未央」爲主。稍晚則加強「富」的觀念，開始出現而有「常富貴」、「家常富貴」、「家當大富」、「日有喜，月有富」等吉語，此外，又有：「常得所喜」、「長樂未央」、「延年益壽」、「延年益壽去不祥」、「與天相長」、「與天無極」、「服者君卿」、及「賈市程」「萬物平」等吉語。而一些鏡銘也顯示出陰陽五行說之影響，以及修身養性，樂長生的觀念。

王莽以後常見鏡銘有以下幾種，分別爲七言、三言韻文：

一、尚方鏡

(52)尚方作鏡真大巧（或作好），上有仙人不知老，渴飲玉泉饑食棗，浮遊天下遨四海，徘徊名山採芝草。(61)

或於「…採芝草」後加上「壽如金石爲國保」(62)，或將「徘徊名山採芝草」換成「左龍右虎辟保道」(63)等，或於文末加「兮」字等等，總之皆七言韻文爲主，且多每句押韻。實爲七言詩之早期形式。

(53)尚方御鏡大毋傷，巧工刻之成文章，左龍右虎辟不祥，朱鳥玄武順陰陽，八子九孫治中央（或作：「子孫備具居中央」），長保二親樂富昌（或作：樂未央）（或於文末加「宜侯王」三字，或加「壽比金石如侯王」）等(64)。

二、善銅鏡

(54)新有善銅出丹陽，以之為鏡宜文章，左龍右虎掌四方，朱雀玄武順陰陽。(65)

三、上大山鏡

(55)上大山，見神人，食玉英，飲澧泉，宜官秩，葆子孫，長樂未央，富貴昌。

(56)上大山，見神人，食玉英，(66)飲澧泉，駕交龍，乘浮雲，宜官秩，保子孫，貴富昌，樂未央。(67)（或作「壽萬年」）

(57)駕蜚龍，乘浮雲，上大山，見神人，食玉英，餌黃金，宜官祿，錦子孫，樂未央，大富貴。(68)

(58)上華山，見神人，宜官秩，保子孫，食玉英，飲澧泉，駕非（飛）龍，乘浮雲。(69)

(59)上華山，鳳皇集，見神鮮（仙），保長久，壽萬年，周復始，保子孫，福祿永。日以正，食玉英，飲澧泉，駕青龍，乘浮雲，白虎引。(70)

鏡銘所述正和當時社會瀰漫陰陽五行，讖緯迷信的情況相吻合，而且字裏行間充溢著羽化昇仙，祥瑞避邪的意念。除了長樂、富貴仍是一般追求的理想外，求仙、服藥、希望達到長生久視的目標，更是當時人們渴望的境界。對於生命，不僅要「延年益壽」，更要健康地生活，於是希望能「生如仙人不知老」，「壽如金石佳且好」。再加上西王母傳說的盛行(71)，以及嫦娥向王母求不死之藥神話(72)的影響，這時鏡銘祈頌長壽的吉語出現「壽如金石之天保」、「壽如大山樂母已」、「壽比金石樂未央」，「壽如東王公西王母」，「壽如金石佳且好」、「生如仙人不知老」以及「長生久視家常左」等，見：

(60)尚方作鏡真大好，上有仙人不知老……，壽如今（金）石之天保，大利八千萬兮。(73)

(61)尚方作鏡自有紀，陽遂光明宜孫子，壽如大山樂母已兮。(74)

(62)長宜子孫，壽如金石。(75)

(63)尚方作鏡，明如日月不已，壽如東王公西王母，長宜子孫，位至三公，君宜高官。76

(64)泰言之紀〔自〕竟始，湅冶銅錫去其宰（滓），以之為鏡宜孫子，長葆二親樂毋已，壽敝（比）金石西王母，常安作。77

(65)尚方作鏡大毋傷，巧工刻之成文章。左龍右虎辟不〔祥〕，朱鳥玄武順陰陽。子孫備具居中央。（外圈銘）壽如金石佳且好。（內圈銘）78

(66)此有清銅□□好，上有仙人不知老，渴飲玉泉饑食棗，浮游天下遨四海；壽敝金石為國保，長生久視家常左。79

子、丑、寅⋯（十二地支）（內圈銘）

(67)此有清銅真獨好，上有仙人不知老，⋯⋯壽欲（如）金石為國葆，長生久視家尚（常）左。80

王莽以後鏡銘中增加許多對於家庭和樂的頌禱詞，以及對於家族興旺的嚮往。因此，西漢時期所未曾見到的對於雙親、夫妻、姑嫜、及子孫等祈願的各種吉語紛紛出現，如「長保二親及妻子」、「利父母」、「便姑章」、「夫妻相喜」、「夫妻相愛」、「保子孫」、「利孫子」，並要希望多子多孫，東漢以來常見「子孫備具居中央」、「九子九孫樂可喜」、「八子九孫居高堂」、「五男四女凡九子」、「周復始兮八子十二孫」等頌語：

(68)始建國天鳳二年作好鏡，常樂富貴莊君上，長保二親及妻子，為吏高遷位公卿，世世封傳于毋窮。81

(69)尚方作鏡大毋傷，左龍右虎辟不祥，朱鳥玄武順陰陽，子孫備具居中央，長保二親樂富昌兮。或作「長保二親樂未央，……」[82]。

(70)李氏作鏡自有紀，青龍白虎居左右，神魚仙人赤松子，……宜子孫，五男四女凡九子，便固（姑）章，利父母，為吏高遷……。[83]

(71)居攝元年自有真，家當大富，糴常有陳，□之治吏為貴人，夫妻相喜，日益親善。[84]

(72)侯氏作鏡大毋傷，巧工刻之成文章，左龍右虎辟不陽，七子八孫居中央。夫妻相保如威央。（外圈銘）宜侯王，樂未央，富貴昌。（內圈銘）[85]

(73)李氏作鏡四夷服，多賀國家人民息，胡虜殄滅天下服，風雨時節五穀熟。長保二親得天力，傳告後世樂無極。自有紀，上有山人不知老，渴飲玉泉饑食棗。夫妻相愛如威田鳥。長宜子。[86]

(74)青蓋作鏡四夷服，多賀國家人民息，胡虜殘滅天下復，風雨時節五穀熟，長保二親得天利。[87]

(75)青蓋作竟大毋傷，巧工刊之成文章，左龍右虎辟不祥，朱鳥玄武順陰陽，子孫備具居中央。[88]

(76)新有名善銅出丹陽，用之為鏡青且明，八子九孫主四彭，朱爵玄武順陰陽。[89]

(77)（七）言之紀從竟始，蒼龍居左，白虎居右，長葆孫子宜君子。[90]

(78)魯氏作鏡大毋傷，浮雲連結□四方，六子大吉……。[91]

(79)宜子孫（內層銘）

角王巨虛日有憙，延年益壽去憂事，長樂萬世宜酒食，子孫具，家大富。(中層銘)

新有善銅出丹陽，湅治銀錫清而明，巧工刻之成文章，左龍右虎辟不羊，朱鳥玄武順陰陽，子孫服(備)具居中央，長保二親樂富昌，壽如金石之侯王。(外層銘)[92]

(80)朱爵玄武順陰陽，八子九孫治中央，照面目身萬全象，衣服好，可觀君，宜官秩，葆子。[93]

(81)漢有名銅出丹陽，雜以銀錫清且明，左龍右虎主四彭，朱爵玄武順陰陽，八子九孫治中央。[94]

(82)張氏作鏡大毋傷，長〔保〕二親樂未央，八子九孫居高堂兮。[95]

(83)福憙進兮日以萌，食玉英兮飲澧泉，駕文龍兮乘浮雲，白虎日兮上泰山。鳳凰舞兮見神仙，保長命兮壽萬年，周復始兮八子十二孫。

長宜子孫。(紐座外周)[96]

(84)宋氏作竟□有意，善時日，家大富，取婦時，□衆具，七子九孫各有喜，官至公卿中常侍……[97]

既要求多子多孫，進而又祈求子孫賢良有德，享富貴，居高官，除了「女貞男聖，子孫充實」一類吉語外，東漢中晚葉更見：「女爲夫人男爲郎(或作卿)」、「女宜賢夫，男得好婦」、「子孫具備孝且力」、「五男四女爲侯王」、「十男五女爲侯王」、「男封太君女王婦」等語：

(85)二姓合好，□如□□，女貞男聖，子孫充實，姐妹百人，□□□□，夫婦相□……月吉日，造此信物。[98]

(86)尚方作鏡大毋傷，巧工刻之成文章，左龍右虎除不祥，朱鳥玄武順陰陽。壽敝金石樂未央，長保二親富貴昌，子孫備具居中央，女為夫人男為卿。(99)

(87)三羊作竟自有紀、明而（如）日月世末有，家大富，保父母，五男四女凡九子，女宜賢夫，男得好婦兮。(100)

(88)張氏作鏡四夷服，多賀國家人民息，官至三公得天福，子孫具備孝且力。(101)

(89)（永嘉）元年，五月丙午，買此鏡者家富昌，五男四女為王后，買此鏡者居大市……(102)

(90)建寧三年正月廿七丙午，三羊作明鏡自有方，白同（銅）清明復多光，買者大利家富昌，十男五女為侯王，父嫗相守壽命長，居世間樂未央，宜侯王，樂未央。(103)

(91)青蓋作鏡佳且好，子孫番昌長相保，男封太君女王婦，壽如金石。

除了「保子孫」、「宜子孫」並希望子孫既多且好之外，王莽以後鏡銘吉語也屢見祈求家族後代能傳之久遠，希望「子孫千代」(104)，能「世世封傳於無窮」，或「子孫累世永安寧」，並能「傳之後世樂無極」：

(92)新銀治竟子孫具，多賀君家受大福，位至公卿修祿食，幸得時年獲嘉德，傳之後世樂無極，大吉。(105)

(93)肖氏作竟四夷服，多賀新家人民息，胡虜殄滅天下復，風雨時節五穀孰，官位尊顯蒙祿食，長葆二親子孫力，傳之後世。(106)

始建國天鳳二年……世世封傳於毋窮。（已見前⑹引）

⑼五行德令鏡之清，光象日月貴人情，長保聖樂長生，風雨時節五穀成，家給人足天下平，子孫累世永安寧。⑽

⑼青羊作竟四夷服，多賀國家人民息，胡虜殄滅天下復，風雨時節五穀熟，傳告後世得天福。⑽

⑼王氏作鏡四夷服……長保二親受大福，傳告後世子孫力，千秋萬歲樂毋極。⑽

東漢鏡銘屢見祝願高官厚祿之詞，反映了當時社會對仕宦之熱中。一般最常見的銘文是「君宜高官」、「宜秩高官」、「長宜高官」、「君位官卿」、「位至公卿」、「位至三公」等，另又見：「爲吏高升人右」、「作吏高遷車生耳」、「郡舉孝廉州博士」、「高遷三公九卿十二大夫」等。

⑼永康元年……早作尚方明鏡，買者大富且昌，……君宜高官，位至公侯，大吉利。⑾

⑼侯氏作鏡自有紀，□大得，宜古市。出入居官在人右，長保二親及孫子。⑾

⑼呂氏作鏡自有紀，長保二親□孫子，辟去不祥宜古市，為吏高升居人右，壽如金石。⑾

⑽青蓋作鏡自有紀，辟去不羊宜古市，長保二親利孫子，為吏曹□（高官）壽命久。⑾

⑽青蓋作鏡自有紀，辟去不羊宜古市，□□□□壽命久，保子宜孫得好，為吏高官車生耳⑾

⑽建安廿四年六月……家有五馬千頭羊，高位至車丞……⑾

⑽許氏作鏡自有紀，青龍白虎居左右，聖人周公魯孔子，作吏高遷車生耳，郡舉孝廉州博士，少不努力老乃悔、吉。⑾

(104)吳氏作鏡自有紀，除去非祥宜古市，為吏高遷耳生耳，壽而東王父西王母，五男四女家子大吉利。(117)

(105)延康元年十月三日，吾作明竟，幽湅三商，買者富貴番昌，高遷三公九卿十二大夫，吉。(118)

至於物質生活和財富的追求，表現在鏡銘有西漢時代的「富貴」、「貴富」、「日有熹，月有富」、「宜酒食」、「賈市程、萬物平」，王莽時代的「家當大富，糴常有陳」、「風雨時節五穀熟」等。及至東漢中、晚期，由於私人鑄鏡盛行，鏡銘所見吉語也就普遍通俗化、口語化，如：「大富」、「家富昌」、「家有五馬千頭羊」、「牛羊有千」、「家財三億」等等：

建安廿四年六月辛巳朔十七日……家有五馬千頭羊。(已見前(102))

(106)建安廿四年五月丁巳朔卅日丙午，造作明鏡清且良，世（？）牛羊有千，家財三億，宜侯王、位至三公。(119)

由於私人鑄鏡之盛行，商業競爭日趨激烈，東漢中晚期鏡銘見到許多宜傳用語，誇稱自己所造鏡既「佳且好」（如例(91)），或稱自己作鏡「明如日月世少有」(120)，甚至「明如日月世未有」（例(87)）等廣告詞句，尤其在鏡銘當中加入大量頌禱買鏡者吉祥詞句，藉以吸引人們購買，因此這類吉語很能反映當時人們的願望與生活背景，鮮明而生動地傳達了漢代人的思想。

茲僅以紀年鏡銘爲例，將這類頌禱買人吉祥用語依序列出，用以說明東漢中晚葉常見吉語之大概，並以結束本文：

(1)有此鏡，延壽未央兮。（元和三年（八六年）鏡）

(2)買此鏡竟者家富昌，五男四女為侯王，買此竟，居大市。（永嘉元年（一四五年）夔鳳鏡）

(3)買人大富。（延熹七年（一六四年）獸首鏡）

(4)其所有者王父母，位至三公，宜古市，大吉。（延熹七年（一六四年）鏡）

(5)買者長命，宜孫子。（延熹九年（一六六年）鏡）

(6)買者大富，延壽命長。（永康元（一六七年）年神獸鏡）

(7)買者長宜子孫，買者延壽萬年。（永康元年（一六七年）鏡）

(8)買者大富且昌，長宜子孫。（永康元年（一六七年）鏡）

(9)買者大吉祥，宜古市。（建寧元年（一六八年）鏡）

(10)買者大利，家富昌，十男五女為侯王，父嫗相守壽命長，居世間，樂未央，宜侯王，樂未央。（建寧二年（一六九年）鏡）

(11)買人大富貴，長宜子孫延年兮。（熹平二年（一七三年）鏡）

(12)買人大富長子孫，延年益受（壽）長樂未央兮。（熹平三年（一七四年）鏡）

(13)買者長宜子孫，延年益壽，長樂未央……（光和元年（一七八年）鏡）

(14)買此鏡人，尚歡虞家，當臣□師侯，大吉祥。（中平四年（一八七年）鏡）

(15)買竟位至三公，古（賈）人買竟百倍田家。（中平六年（一八九年）鏡）

⑯買者大富昌。（初平元年（一九〇年）鏡）

⑰服者豪貴，延年益壽，子孫番。（建安十年（二〇五年））（鏡）

⑱人者服之千萬年長仙，作吏宜官，吉羊，宜侯王（建安廿一年（二一六年）鏡）

⑲服者大得高遠（遷）宜官位，為侯王。（建安廿二年（二一七年）鏡）

⑳服者吉羊。（建安廿四年（二一九年）鏡）

㉑伏（服）者老壽，高昇二千石……（延康元年（二二〇）鏡）

㉒買者富貴番昌，高遷三公九卿十二大夫。（延康元年鏡）

【附　註】

① 銅鏡的發明，在冶銅技術出現之後，其歷史淵源可上溯到四千年前的齊家文化期。一九七七年青海省貴南縣朶馬臺齊家文化墓葬出土一件背飾七角星紋銅鏡，是中國目前所知最早的銅鏡。之後，甘肅廣河縣齊家坪也發現一面銅鏡，造型、紋飾都較原始，但已具銅鏡雛形。（參考《青海省文物考古工作三十年》，《文物考古工作三十年(一九四九—一九七九)》，文物出版社，一九七九年。李虎侯〈齊家文化銅鏡的非破壞鑒定〉，《考古》一九八〇年第四期）商代有安陽、西北崗一〇〇五號墓曾出弓形鈕、垂直線紋鏡，又殷墟婦好墓發現四件銅鏡，知商代銅鏡製作工藝確已萌芽。（參考高去尋〈殷代的一面銅鏡及其相關的問題〉，《歷史語言研究所集刊》第二十九本下、中國社會科學院考古研究所安陽工作隊，〈安陽殷墟五號墓的發掘〉，《考古學報》一九七七年二期）。西周銅鏡在陝西寶鷄、鳳翔，河南濬縣辛村等地都有發現，形制較簡單。

東周銅鏡有：三門峽上村嶺虢國墓出土三件春秋早期鏡，雙橋形鈕，並有虎、鹿、鳥紋，此時銅鏡製作已趨成熟。（參考：王永光、曹明檀〈寶鷄市郊區和鳳翔發現西周早期銅鏡等文物〉，《文物》一九七九年二期，郭寶鈞《濬縣辛村》，科學出版社，一九六四年版。《上村嶺虢國墓地》，科學出版社，一九五九年版）。

② 考古發現戰國銅鏡極多，以楚地爲最。其他如四川、河南、陝西、河北等地也都有銅鏡出土，這時鏡型、質料與紋飾皆精美，一九六〇年湖南省博物舘編《湖南出土銅鏡圖錄》一書，將楚鏡分爲素鏡、純地紋鏡、四葉紋鏡、山字紋鏡等十一種類型，可知戰國銅鏡已發展到相當成熟的地步，紋飾所用題材也十分豐富。

③ 如西漢中晚期盛行的昭明鏡、精白鏡等，卽完全以銘文爲主要裝飾如重圈銘文鏡等。銘文字體格外工整、美觀，或稱爲「繆篆體」。

④ 羅振玉〈古鏡圖錄・序〉，《羅雪堂先生全集》初編，册一，一六三頁。文華出版公司，一九六八年版。

⑤ 《漢三國六朝紀年鏡圖說》頁一〈序說〉。昭和十八年，桑名文星堂發行。譯文引自梁上椿〈中國古鏡銘文叢譚〉，《大陸雜誌》二卷三期。

⑥ 《巖窟藏鏡》第一集，七〇圖，壽縣出蟠螭紋鏡。

⑦ 亦壽縣出蟠螭紋鏡，鑄於淮南王安（前一六四－一二二年），「脩」字係避其父諱，故改長爲脩字。見《巖窟藏鏡》第一集四九、五四圖，又《書道全集》二，漢代圖二〇。銘文前有雙魚圖案。

⑧ 王正書〈上海福泉山西漢墓群發掘〉，《考古》一九八八年八期，圖九・三。又《巖窟藏鏡》一集圖七四、七五，《小校經閣金文拓本》（以下簡稱《小校》），卷一五・三上下，題作「秦愁思鏡一、二」，其實皆

爲漢鏡。銘文前皆有魚形圖案。

⑨《長沙發掘發告》圖版四四蟠螭紋鏡。又周世榮〈湖南出土漢代銅鏡文字研究〉，《古文字研究》第十四輯。（以下簡稱〈周文〉）圖三。

⑩銘文前有魚形圖案。一九五六年湖南長沙子彈庫四一號西漢墓、長沙燕子嘴三號西漢墓皆出。又，《小校》卷一五、二下二件，作「秦大樂貴富鏡」。

⑪《長沙古物聞見記》五，梅原末治《漢以前の古鏡の研究》二五三頁。《小校》卷一五、一－二，共六件，題爲「秦大樂貴富得所好鏡」。

⑫規矩蟠螭紋鏡，見〈周文〉圖二，又一九五三年湖南長沙月亮山一號漢墓、河北滿城中山靖王之妻竇綰墓出同。《巖窟藏鏡》一集八〇、八一。

⑬〈周文〉圖八「君行卒」鏡。一九五三年西安東郊紅慶村六四號墓出同，見《陝西出土銅鏡》圖八，釋文由「久不見」讀起，而陳直〈四種銅鏡圖錄釋文的校訂〉，《文物》一九六三年二期，二五頁引《北江詩話》所載「君行卒，予志悲，秋風起，侍前希」文，認爲鏡銘當從「君行卒」讀起。陳直並認爲鏡銘乃西漢時戍卒遠征、妻子相會之辭。

⑭《小校》卷一五、九八作「漢道路遠鏡」，由「道路遠」讀起。

⑮見羅振玉《古鏡圖錄》、容庚《讀金文編》引。

⑯方格四虺紋鏡，見《中國古代銅鏡》圖三二，及《廣州漢墓》圖版三八：三，圖九二、七。

⑰一九八七年上海書畫出版社出《上海博物館藏青銅鏡》三十「西漢道路遼遠鏡」。

⑱ 四川成都羊子山出土連弧紋鏡、長相思鏡，見一九六〇年文物出版社《四川出土銅鏡》二〇・二一。又《廣州漢墓》圖九一・七作「常相思」餘同。

⑲ ＜周文＞圖七。又《小檀欒室鏡景》二・三六上，《小校》一五・一〇一—一〇三等。

⑳ 見《文物資料叢刊》四，＜廣西賀縣河東高寨西漢墓＞出，其時代稍晚，近西漢末。又《洛陽出土銅鏡》圖一、七有草葉紋鏡，銘同。而羅振玉《古鏡圖錄》另有「常貴富，樂毋事，日有熹，得所喜」銘。

㉑ 《四川出土銅鏡》圖一八草葉連弧紋鏡，成都羊子山一三五號墓出。

㉒ 同上圖一九。成都羊子山一六九號墓出。

㉓ 同㉑圖二一。成都羊子山二〇三號墓出。⑯—⑱類鏡銘實由①②③銘衍化而來。另有「長相思，願毋相忘」等近似鏡銘不一一贅述。

㉔ 同註㉑，圖二二，草葉連弧紋鏡，成都羊子山收集所得。

㉕ 《廣州漢墓》圖版三八：五，四乳草葉紋鏡。

㉖ 《小校》卷一五、一〇六下。又陝西洪慶村西漢墓有「長勿相忘，君來何傷」銘，《考古》一九五九年一二期。

㉗ ＜周文＞圖九。又「見日之光，長毋相忘」，甘肅靈臺西漢墓，《考古》一九七九年二期，「見日之光，長不相忘」黃州安順寧谷漢墓。

㉘ ＜周文＞圖十一至十三，又＜上海福泉山西漢墓發掘＞二號墓，圖九、二。《四川出土銅鏡》二六。

㉙ ＜周文＞圖十四，又＜山西臨沂二號漢墓＞出草葉紋鏡，《文物》一九七四年二期。

㉚《小校》卷一六・三一上，又《巖窟藏鏡》二集上二二。

㉛《巖窟藏鏡》二集上一六「草葉心思君王鏡」。

㉜《四川出土銅鏡》一五，成都羊子山二〇〇號漢墓。

㉝《陝西出土銅鏡》七，西安北郊徐家灣出。

㉞《四川出土銅鏡》一七，成都羊子山工地收集。又《金石索》八四一頁「漢日光鏡一」文同。

㉟梁上椿〈古鏡銘文叢譚〉引，另又有「見日之光，天下大陽，長樂未央」及「見日之光，天下大陽，服者君王」等。

㊱〈周文〉圖十五。較晚六朝時代，更有鏡銘作：「見日之光，天下大明，服者君卿，鏡辟不祥，富于侯王，錢金萬堂。」

㊲一九五四年成都羊子山出土，見《四川出土銅鏡》九。「驩樂如志」，恐誤。

㊳《長沙古物聞見記》漢鏡一。

㊴容庚《金文續編》引。

㊵《小校》卷一五、一〇四上、下。

㊶陝西臨潼博物館徵集來西漢中葉銅鏡，見《文物》一九八二年九期。

㊷《漢以前の古鏡》二五三頁，又〈古鏡銘文叢譚〉甲類五。

㊸《滿城漢墓發掘報告》一號墓出草葉紋鏡。該墓主中山靖王劉勝卒於漢武帝元鼎四年（前一一三年）。

㊹〈中國古鏡銘文叢譚〉引。

㊺《楚辭》卷七，藝文印書館《楚辭補注》本二六〇—二六二頁。

㊻《漢書》卷四十三，鼎文書局影印標點本二一一四頁。

㊼如《陝西出土銅鏡》二一及《巖窟藏鏡》二集上四一圖有「家常貴富」鏡銘。稍晚則改作「家常富貴」，如：陝西向陽縣博物館藏西漢末期「家常富貴」連弧紋鏡，見《文博》一九八六年四期，八四頁，圖四。又包頭地區漢墓四五號亦出「家常富貴」鏡。

㊽《洛陽燒溝漢墓》一六二頁原釋作「賈市程萬物」，陳直〈校訂〉改爲「賈市利，萬物平」。

㊾見容庚《金文續編》引「日有熹鏡」，又駒井和愛《中國古鏡の研究》引富岡氏藏鏡銘同。參考圖六。

㊿見〈古鏡圖錄〉等引，銘文共有三言十句，爲這類銘文中較完整之形式。

51 見容庚《金文續編》引日有熹鏡銘。

52 〈離騷〉；「伏淸白以死直兮」，〈九章、惜誦〉；「事君而不貳，竭忠誠而事君兮」，〈九辯〉；「忠昭昭而願見兮，然霧曀而莫達」，「紛忳忳之願忠兮，妬被離而彰之」、「路壅塞而不通」，「彼日月之昭明兮，尙黯黮而有瑕」〈哀時命〉；「志沉抑而不揚，道壅塞而不通」等。

53 《洛陽燒溝漢墓》一三六號墓出。漢昭明鏡極多，字句時有刪減，卽以《小校》爲例，卷十六共錄昭明鏡五十五件。其他鏡譜及考古出土亦繁，不細數。

54 精白鏡極多，散見各譜，玆不贅述。銘文亦常刪減，字體常簡省。近三、四十年考古發現有：定縣四〇號漢墓出大形連弧紋淸白鏡，其時代在公元前五十七年以後，（《文物》一九七六年七期；又西安郊區也出多件，見《洛陽出土銅鏡》三一—三一；《長沙發掘報告》亦載數件，時代稍晚。

(55) 〈山西朔縣秦漢墓發掘簡報〉，《文物》一九八七年六期。又《小校》一六・三三下「漢精白鏡一」、一六・三五—一六・三六「皎光鏡」等。

(56) 《史記》卷四十九。鼎文書局標點本一九七八頁。

(57) 山西朔縣漢墓出土，同(55)圖六三；五，又〈周文〉圖四三。

(58) 〈周文〉圖四四。又溫州出鏡銘末句只作「與天無極」，《考古》一九八九年二期。又《陝西出土銅鏡》三六亦如此。又〈周文〉圖五十，銘文至「與天毋極如日月之光」上。

(59) 《湖南出土銅鏡圖錄》圖六三，《故宮銅鏡選萃》圖十八，又《小校》一五・九三，銘文至「樂長生兮」止。釋文採阮廷焯〈漢長生鏡銘辭考釋〉說，《大陸雜誌》六八卷三期。

(60) 西漢後期禽獸規矩鏡，見《長沙發掘報告》圖六八：一。

(61) 〈周文〉圖五四，外圈銘爲「尚方……」，內圈銘爲十二地支名。

(62) 〈中國古鏡銘文叢譚〉等引，又安徽潁上縣出漢鏡，《文物》一九八六年九期。

(63) 《小校》卷一六・三三下等。

(64) 如《小校》卷一六・三三上、《支那古鏡概説》一六〇頁、《小校》一五・三二《金石索》七六九等等。

(65) 《小校》卷一六・六八上。或於「新有善銅出丹陽」下接「尚方作鏡眞大好……」，或銘文省略數字，如〈周文〉圖五二，《小校》卷一六・六八下。或於第二句作「和以銀錫淸且明」見《洛陽出土銅鏡》七八。或「朱雀」作「朱鳥」《小校》卷一五・六七上等。

(66) 〈周文〉圖五五。或末句作「樂未央兮」，如一九七五年陝西扶風陵東村漢墓出鏡，《文博》一九八八年四

期。

⑰ 見《小校》一五・八九上、下—九一下等，字數多寡不一。

⑱ 湖北襄陽博物舘徵集新莽時四神規矩鏡，《文物》一九八六年七期。

⑲ 《小校》卷一五・九二下。

⑳ 《小校》卷一五・九二上、《金石索》七八六等。

㉑ 如《漢書・哀帝紀》「關東民傳行西王母籌」，類似記載又見王嘉、王莽等傳，可見西漢末以來西王母神話已漸盛行。

㉒ 《淮南子・覽冥篇》「羿請不死之藥於西王母，姮娥竊以奔月」。

㉓ 《小校》一五・二二上等。又一九七七年西安出尚方鏡，銘末句爲「壽如金石之保」，見《考古與文物》一九八一年四月。廣西貴縣出鏡，末句省爲「壽如金石」，《考古》一九八五年三期等。又《金文續編》有末二句改爲「子孫備具長相保，壽如金石」。《小校》一五・三三下末二句爲：「左龍右虎辟保道，壽如金石之國保」。

㉔ 《中國古鏡の研究》四七頁。

㉕ 陝西戶縣東漢中期墓。《考古與文物》一九八〇年一期。

㉖ ＜古鏡圖錄＞引。

㉗ 見＜古鏡圖錄＞、《金文續編》。

㉘ ＜周文＞圖七九，東漢墓出規矩鏡。

⑲ 〈周文〉圖六二，長沙出土禽獸規矩鏡。
⑳ 同上，圖六三，禽獸規矩鏡。
㉑ 《漢三國六朝紀年鏡圖說》圖三。
㉒ 《小校》卷一六・三三上。
㉓ 用王士倫《浙江出土銅鏡》釋文。
㉔ 見《樂浪郡時代の遺蹟》，又《書道全集》漢圖二七。一九二四年韓國平安南道大同江漢墓出精白鏡。
㉕ 〈周文〉圖八五，東漢中期鏡。
㉖ 益陽出土東漢中期鏡。〈周文〉圖九一。
㉗ 新鄉市博物館藏莽前後期鏡，《中原文物》一九八八年三期。
㉘ 陝西勉縣紅廟東漢墓出，《考古與文物》一九八三年四期。
㉙ 洛陽西郊漢墓出，《考古學報》一九六五年二期。
㉚ 《小校》卷一五・六六上。
㉛ 長沙出土東漢中期墓，〈周文〉圖九九。
㉜ 《小校》卷一六・六六下、六七上。
㉝ 《小校》卷一六・六九下「莽大泉五十鏡」
㉞ 《小校》卷一五・二一下。
㉟ 長沙出土東漢鏡，〈周文〉圖八九。

⑯ 漢西郊漢墓出土，《考古學報》一九六三年二期。
⑰ 《小校》卷一五・五四下。
⑱ 江西南昌出錢紋鏡，《考古》一九七八年三期。
⑲ ＜周文＞圖七八東漢鏡。
⑳ ＜古鏡圖錄＞等引。
(101) 《金石索》八〇七。
(102) 《巖窟藏鏡》二集上，又《漢三國六朝紀年鏡圖說》圖三。
(103) 《漢三國六朝紀年鏡圖說》圖一八。
(104) 東漢銅尊銘云：「子孫千代皆陽遂」，《文物》一九八四年十二月。
(105) 《小校》卷一六・六六上二，《索》八三六。
(106) 《金石索》八三五。
(107) 《小校》卷一五・九三下。
(108) 《金石索》八一七。
(109) 《小校》卷一六・七一上。
(110) 同(103)圖一七。
(111) 長沙東漢墓出，見＜周文＞圖八六。
(112) 長沙北郊東漢晚期墓出浮雕神獸鏡，《考古》一九五九年十二期。

⑬ 陝西勉縣老道寺東漢晚期墓，《考古》一九八五年五期，又《金石索》八一五，《小校》卷一五・五九—六〇作「爲吏高官」餘同。

⑭ 見〈古鏡圖錄〉。

⑮ 《小校》卷一五・一五下。

⑯ 《金石索》七九九。

⑰ 《中國古鏡の研究》圖版六・二。

⑱ 同⑬，圖三七。

⑲ 同上，圖三四。

⑳ 《小校》一五・八七：「作竟自有紀，明而日月世少有」，湖南資興東漢墓出鏡銘：「吏氏作鏡世少有，明而日月世少有」等。另有《簠齋藏鏡》上二一：「朱氏明鏡快人意」亦宜傳用語。

董仲舒「天人感應」與司馬遷的「天道觀」之比較研究

梁榮茂

一、前　言

天與人的關係是自古以來人類所面對的重大問題之一，也是歷來思想家們亟欲探索、解決的一大問題。天人關係論，在中國傳統文化中，有其淵遠流長的歷史。據現存的文獻可知，自西周而下，歷春秋、戰國、秦漢，以迄有清一代，迭有發展，尤以春秋至秦漢間，最爲發達。這種人與天、或人與自然相互關係的宇宙意識，使中國文化更富於多樣性。

作爲宇宙間萬物之一的人類，面對着自然界非人力所能控制或改變的種種巨大變化，令人害怕；尤其是原始時代，民智未開，天文知識不發達，對自然現象的認識有限，如風雨雷電、陰晴寒暑、日食月虧、地震水旱等等，既無力抗拒，又無法改變，必然由恐懼而心生敬畏，繼而乃產生崇拜信仰之念，天神地祇百神等亦隨之而生；人民希望從對這些神靈的信仰膜拜中，得到保護、平安與幸福。百神之中，以天或天神最尊最大，至高無上。詩經、尚書中稱爲上帝、天帝、皇天或昊天，如「肆類於上帝」（堯典）、「予畏上帝，不敢不正」（湯誓）、「皇天上帝」（召誥）、「昊天上帝，則不我

慮」（詩・大雅・雲漢）、「昊天不惠，降此大戾」（詩・小雅・節南山）、「如何昊天，辟言不信」（詩・小雅・雨無正）等等之例甚多。不論稱上帝、或皇天、或皇天上帝、或昊天，均指天之神而言，用辭雖異，其義則一。馮友蘭說：

在中國文字中，所謂天有五義。曰物質之天，卽與地相對之天。曰主宰之天，卽所謂皇天上帝，有人格的天帝。曰運命之天，乃指人生中吾人所無奈何者，如孟子所謂『若夫成功則天也』之天是也。曰自然之天，乃指自然之運行，如荀子天論篇所說之天是也。曰義理之天，乃謂宇宙之最高原理，如中庸所說『天命之為性』之天是也。詩、書、左傳、國語中所謂之天，除物質之天外似皆指主宰之天；論語中孔子所說之天，亦皆主宰之天也。①

其實這五種天，物質之天與自然之天性質極相近，可合爲一種，仍稱自然之天。玆分述於下：

㈠**人格天**：又稱主宰之天、神靈之天或至上神。這種天有意志、有目的，是全能的。祂是宇宙萬物的創造者，也主宰着天地的運行，萬物的長養收藏，國家的治亂興衰，人事的吉凶禍福。這種觀念在中國流傳數千年之久。「在西方基督敎神學思想中，上帝與自然的矛盾，在形式上是解決了的。上帝高居於宇宙萬物之上，是宇宙萬物及其運行規律的創造者。宇宙萬物的唯一本原是上帝。」②中國傳統思想中的「主宰之天」，正與基督敎中的上帝相當。這是屬於神學信仰的範疇。天既是宇宙萬物的本原，則已具有天爲形而上的本體的概念，只因它被賦予了倫理道德，制度禮儀等任務或目的，於是便兼具了這兩種特徵，而未能發展成邏輯思辨的形上本體的天。③

㈡**自然之天**：這是指客觀事實存在的所有物理、天文現象及自然運行規律之天。中國傳統文化中，最初所體認的宇宙意識，是從農業的生產活動中而來的。何炳棣說：「糧食作物的播種、耕耘和收穫都需要一定的時節，……因此，糧食的耕作，使原始時代的耕作者不得不遵守一定程度的生活紀律，不得不觀察四季、氣候、日月、星辰等自然現象。」④這個論點極有見地。農業時代，農民爲了適應環境、利用環境，就要認眞的觀察，紀錄自然運行的規律性，以資利用，但他們還不知道爲何有這種規律性或其他變化，於是把這種巨大無比的力量當作「天」。如荀子所說的「天行有常，不爲堯存，不爲桀亡」、「列星隨旋，日月遞炤」（天論篇），可作爲這一說的代表。

㈢**德性之天**：即馮氏所說的「義理之天」。這是從第一項主宰之天「授命」帝王的觀念而來。因爲只有有德者才配「永言配命」，如「文王之德之純」（詩大雅維天之命）、「昊天有成命，二后受之」（詩周頌昊天有成命，二后指文王、武王）。至孟子主張人性本諸天，倡言人人皆可以爲堯舜，亦即謂人人都可以修身像堯舜那樣有德以配天。子思的「天命之謂性」、「自誠明謂之性」、「唯天下至誠，爲能盡其性；能盡其性，則能盡人之性；能盡人之性，則能盡物之性；能盡物之性，則可以贊天地之化育；可以贊天地之化育，則可以與天地參矣」（並見中庸），「與天地參」，也是以德配天之意。人性本諸天，則修性達到某一定的程度，就可以與天道相通，可以與天合德，這就形成了德性的天道觀。在這心性修養的成德過程中，不再爲天所主宰，而是靠個人持續不斷的努力，這就使人找回了人的獨立自主性。

㈣**命運之天**：也可稱爲神秘之天⑤。人雖貴爲萬物之靈，但人類的體力、智慧是有限的。正如莊子所說：「吾生也有涯，而知也無涯」（養生主）、「計人之所知不若其所不知」（秋水篇）。宇宙萬物，繁複多變，人類雖不斷的努力，但所能解決或所知的仍然有限。對於不可知、不能抗拒的事，孔子有時稱天，有時稱命。他那位最好學的顏淵死了，孔子便傷心的嘆道：「噫！天喪予！天喪予！」（先進篇），列於孔門四科德行的冉伯牛有疾，孔子去探望他，執着他的手嘆道：「命也夫！斯人也而有斯疾也！斯人也而有斯疾也！」（雍也篇）馮氏謂「孔子所說之天，亦皆主宰之天」，似有不妥。若顏淵與冉伯牛都是「善人」，則不應一個早夭，一個得惡疾；若他們都是「惡人」，則早夭與得惡疾，正合乎「主宰之天」報應不爽之天意。然觀孔子之意，他們應該都是「善人」，而有此禍災的結果，乃與「常與善人」的天道不符。因爲「主宰之天」必是有意志、有目的，且公正、至善的。「自然之天」是客觀存在的事實，且具有周期的規律性。「德性之天」發自於以個人爲主體的自由意志，而自覺的對於道德的實踐或完成。這三種天雖未必能使人都達成其預設的理想或目的，但都已提示了正面的方向與目的。而「命運之天」則是不可測知的，譬如命之壽夭長短，運之吉凶禍福，事之成敗得失，都不是個人自己所能掌握。孟子說：「莫之爲而爲者，天也；莫之致而至者，命也。」「孔子進以禮，退以義，得之、不得，曰有命。」（萬章上）這裏的「莫之爲而爲」、「莫之致而至」、「得之不得」的情況，都不是人所能支配、預知的部分，也含有不可知、意外、神秘的成分，所以可稱爲天或命。⑥

對於天，天道或命的體認，大體可分成上述四類。若分類愈細，則內容上重複的地方也就愈多。然爲說明之方便，仍然不得不分類。

二、董仲舒與陰陽五行說之發展

春秋、戰國時代，諸侯互相攻伐，人民死傷無數，造成社會的動盪不安，有識之士紛紛提出自己的學說，造成了思想界百家爭鳴的黃金時代，他們的目的無非是想拯救這個社會。其中有一位很值得注意且影響後世很大的，便是那位晚於孟子，而好作「怪迂之變」，把陰陽與五行結合起來，創立五德終始說的騶衍。

騶衍，後孟子。騶衍睹有國者益淫侈，不能尚德，若大雅之於身，施及黎庶矣。乃深觀陰陽消息而作怪迂之變，終始、大聖之篇十餘萬言。其語閎大不經，必先驗小物，推而大之，至於無垠。……稱引天地剖判以來，五德轉移，治各有宜，而符應若茲。⑦

齊威宣之時，騶子之徒論著終始五德之運。及秦帝，而齊人奏之。故始皇采用之，而宋毋忌、正伯僑、充向、羡門子高，最後皆燕人，為方僊道，形解銷化，依於鬼神之事。騶衍以陰陽主運，顯於諸侯，而燕齊海上之方士傳其術，不能通；然則怪迂阿諛苟合之徒自此興，不可勝數也。⑧

鄒子有始終五德，從所不勝。土德後木德繼之，金德次之，火德次之，水德次之。⑨

鄒子曰：五德從所不勝，虞土、夏木、殷金、周火。⑩

從上引資料可知：

⑴把陰陽說與五行說結合在一起的是騶衍。⑪

⑵騶衍遊於北方各國，陰陽五行說自燕齊傳佈開來。

⑶陰陽五行說、方士之術，自騶衍之後才開始興盛起來。

梁任公說：「春秋戰國以前，所謂陰陽、所謂五行，其語甚希見，其義極平淡。且此二事從未嘗併爲一談。諸經及孔老墨孟荀韓諸大哲皆未嘗齒及。」⑫至於洪範中的五行，據劉節的考證：「實非周初箕子所傳。其著作時代當在秦統一以前，戰國之末。」⑬甘誓中的五行，墨子明鬼篇下曾引用。顧頡剛認爲墨子一書成書甚晚。⑭任何一種學說初起之時，正如梁任公所說「其義極平淺」，越後就越有系統、抽象化而有形上學的意義了。「五行」一詞最早的意義亦復如此。例如：

⑴地之五行，所以生殖也。⑮

⑵天生五材，民並用之，廢一不可。⑯

⑶水火者，百姓之所飲食也。金木者，百姓之所興作焉。土者，萬物之所資生也，是為人用。⑰

⑷五行：一曰水，二曰火，三曰木，四曰金，五曰土。水曰潤下，火曰炎上，木曰曲直，金曰從革，土爰稼穡。潤下作鹹，炎上作苦，曲直作酸，從革作辛，稼穡作甘。⑱

⑸有扈氏威侮五行，怠棄三正，天用絶其命。⑲

第⑴～第⑶條指的都是與人民生活有密切關係的物質而言，無任何深奧義；第⑷條則已增加了對五行之性質、功用等的詮釋，其中有許多是牽強附會的；第⑸條則已含有神秘性了。水火木金土原是五種物質、材料，或是橫成宇宙的五種元素，其性質跟石頭一樣，如何能加以「威侮」呢？詹劍峰說：「中國本土所產的宗教，始終停留在多神教的階段。萬物各有神，……水火木金土，自當有神靈，由於這種東西是人們生活所必需，所以當中國氏族社會進入部落國家，部落聯盟的酋長就把五行作爲崇拜的大神，列入祀典，號系五祀。」⑳這五種物質，在當時蓋已成爲統治者及人民共同崇拜信仰的神，五行才會受到「威侮」，天才會「勦絕其命」，夏君才要「今予惟行天之罰」。㉑若僅止是一堆木料，一池水，一塊金屬，一堆泥土，則斷無威侮不威侮的道理可言。

自騶衍之後，五德終始說便日漸流行，首先採用這套理論的就是起自西方的秦國，表示秦帝是「受命之君」，「今秦變周，水德之時。昔秦文公出獵獲黑龍，此其水德之瑞；於是秦更命河曰德水，以冬十月爲年首，色上黑，度以六爲名，音上大呂，事統上法。」㉒至此，五德終始說與政治正式緊密地結合在一起，在政治上起了很大的作用。這就是中國歷史上常見的受命改制的主張。

經過呂氏春秋作者們的修改補充，雜說並列，淮南子的吸收混合，至董仲舒就把各家之說加以消化，將陰陽五行跟四時（加長夏或季夏爲五）、五方、五音、五色、五味、五臟……等相配起來，（如附表㉓）構成一套組織嚴密、系統化的架構。宇宙萬物的運行存滅、政治體制、倫理道德，吉凶

五行	方	季	穀	氣	時	應	味	聲	色	官	臟	腑	體	志	聲	脈
木	東	春	麥	風	平旦	生	酸	角	青	目	肝	膽	筋	怒	呼	弦
火	南	夏	菽	暑	日中	長	苦	徵	赤	舌	心	小腸	脈	喜	笑	洪
土	中	長夏	稷	濕	日西	化	甘	宮	黃	口	脾	胃	肉	憂	歌	濡
金	西	秋	麻	燥	日入	收	辛	商	白	鼻	肺	大腸	皮毛	悲	哭	浮
水	北	冬	黍	寒	夜半	藏	鹹	羽	黑	耳	腎	膀胱	骨	恐	呻	沉

禍福，都納入這套架構裏而得到適當的解釋，董仲舒形而上的天道觀於焉成立。㉔這種天道觀既機械，又具有意志、動機、目的的特性，這就是有意志的人格天。這種思想在漢初就很流行，像陸賈、賈誼都已具有這種思想，只不過沒有那麼嚴密而已。

三、司馬遷的天道觀

武帝採董仲舒議：「罷黜百家，獨尊儒術」，立五經博士，開科取士，誘以利祿之路，士子競逐，儒學大盛；而仲舒又是「始推陰陽，爲儒者宗」㉕，「潛心大業，令後學者有所統一，爲羣儒首」㉖的大儒，他的學術聲望之高於此可見。

對於天人關係問題的探討，無非想釐淸天與人的界限、分際，找出人在宇宙中的定位。荀子說：「明於天人之分，則可謂至人矣。」（天論篇）又說：「故善言古者，必有節於今；善言天者，必有徵於人。」（性惡篇）「（黃）帝曰：余聞之，善言天者，必應於人；善言古者，必驗於今；善言氣者，必彰於物。」（黃帝內經・素問・氣交變大論）漢武帝册曰：「蓋聞：善言天者，必有徵於人；善言古者，必有驗於今。」仲舒對曰：「孔子作春秋，上揆諸天道，下質諸人情，參之於古，考之於今。」（並見漢書董仲舒傳）司馬遷說：「亦欲以究天人之際，通古今之變。」（報任安書）可見天人、古今問題是當時廣受注意與被熱烈討論的。史遷大有：「武帝沒有問到我，我也要說說」的情狀，於是加了「亦欲」兩字。

仲舒以治春秋公羊學出名，而遷從之學，觀太史公自序，自「余聞董生曰」以下一大段話，對春秋的精神、作用、目的都極爲讚嘆，想來司馬遷也同意董生的意見了。仲舒把陰陽五行說融入儒學中而成的春秋公羊學，把天變災異附會在經義裏頭，使儒學籠罩着一層濃厚的迷信色彩。災異譴告說便成爲董生「天人感應」說的主要內容。

然則，太史公是否全盤接受這種說法呢？曰：同中有異。

司馬遷是位歷史學家，而不是哲學家，他沒有有系統的哲學著作來展現自己的思想；而歷史本來就是人對於史料的搜羅、取捨、整理而成的，寫歷史就必然受到史料的限制，要忠於史料，勾勒出歷史的本來面目，而不得加上自己的意見；否則就不是眞實的歷史，而是一部歷史哲學了。司馬遷也想

遵守這個原則，他說：「余所謂述故事，整齊其世傳，非所謂作也。……此人皆意有所鬱結，不得通其道也，故述往事，思來者。」㉗因爲孔子已先說「述而不作」，司馬遷也就不敢不這麼說，這應是他的客氣話；否則，爲何又要「思來者」呢？所謂思來者，一則是希望後來能觀史以鑒今，從歷史的成敗得失中吸取經驗教訓；再則是寄望後人能窺其志、見其意吧！徐復觀說：「思來者，是想到人類未來的命運，這是他作史的動機及他想通過作史以盡到對人類的責任。」㉘這話也不無道理。司馬遷的思想就零星的分散在各篇之評論中。

董生所說的人格天，有意志、有目的、有超自然的無比的巨大力量，主宰着宇宙萬物生滅及其運行規律，因此，天能降災異來譴告人君；反之，若人君修德而感動了天，天也會降福給他。但天與人又如何能溝通或相互感應呢？董生應用「同類相感」的原理，即以人偶天，以人配天。他說：

> 天地之精，所以生物者，莫貴於人……唯人獨能偶天地。人有三百六十節，偶天之數也；形體有骨肉，偶地之厚也；上有耳目聰明，日月之象也；體有空竅理脈，川谷之象也，心有哀樂喜怒，神氣之類也。……是故所取天地少者旁折之，所取天地多者正當之，此見人之絕（超越之意）於物而參天地。……天以終歲之數成人之身，故小節三百六十六，副日數也；大節十二分，副月數也；內有五臟，副五行數也；外有四肢，副四時數也；乍視乍瞑，副晝夜也；乍剛乍柔，副冬夏也；乍哀乍樂，副陰陽也。㉙

仲舒以爲人的生理各部位及性情，都與天相副，這卽可證明人與天同類，同類故可以相感應；這同時

也提高了人超越萬物之上而達到與天同等的地位；除了人以外的其他任何物都不具這種性質，故不能感天，亦卽天與物不能互相感應。植物的長養收藏存滅、花開花謝、芽發葉落，動物的冬眠等等變化，只是「物」爲了本身之存在而產生的一種自然調節現象，而不是對於天而起的感應。所謂「感應」，應是物本身具有意識或理性的回應活動。人類對於災變所做的種種預防或措施，便是有意識、有理性、且具有目的的行爲，這才是董生所說的「感應」現象。然而董生的天道的實際內容是指異質同構、相反相成的陰陽之氣，有序、有節、有度、有時、有常，周而復始、有規律的運行而產生了春夏秋冬四時的必然變化。如此天道就不具有變化無常的意志與可能性㉚。那麼天又如何能降災異譴告人君呢？而且所降的災異，無非是日月蝕、水旱災、地震、瘟疫、蝗災等等一成不變的現象，這就難怪王充要指責萬能的人格天，何以「百變千災，皆如一狀」呢㉛？因爲董生用的是牽強附會的類比法，這只有說明或暗示的作用，而不具論證或推理的效力，他卻大量的使用，因而結論也就不正確了。

據「人副天數」的原理推之，人間所有的一切行爲、事物，天也應當有，人間與天庭也就沒有兩樣，這也就肯定了人事政治與自然規律又是屬於同類。董生企圖將機械的自然哲學與目的論的神學合而爲一，亦卽想用神學消融自然知識，但漢代的自然知識——尤其是醫學與天文學方面——相當發達，因此神學無法將自然知識消融掉。他既想要保持自然原有的客觀狀態，又想賦予自然以神學的目的，所以理論上仍存在着矛盾。㉜

司馬遷對於天道的看法，與其師董生的自有不同，然而亦未完全擺脫天命神學的歷史觀。他有高

超的史識，不局限於從古代史料中搜羅、辨證以探求歷史的眞實，而是立足於史實，又超越於史實之上，而想在天人關係和古今之變的大洪流、大演化中，找出其變化發展的規律。

在史記中，天、天道、天授、天命、天運、天幸、天變、天祿等字詞出現很多㉝，可歸納爲三種類型：

(1)人格天，(2)自然之天，(3)命運之天。

(1)人格天：這與西周以來一直流傳的有意志、有目的、主宰萬物的天相同。司馬遷對於古代傳說中的神話人物的迷信色彩，未能完全摒棄。如黃帝「生而神靈」、「有土德之瑞」，帝嚳「生而神靈，自言其名」（五帝本紀）、「殷契母曰簡狄……見玄鳥墮其卵，簡狄取呑之，因孕生契」（殷本紀）、「周后稷，名弃，其母有邰氏女，曰姜原，……姜原出野，見巨人跡，心忻然說，欲踐之，踐之而身動如孕者」（周本紀）、「秦之先……曰女脩，女脩織，玄鳥隕卵，女脩呑之，生大業。」（秦本紀）、劉邦母夢與龍交而生邦，劉邦所到之處常有天子氣（高祖本紀），等等，都可視爲神話。爲什麼越久遠的帝王越神靈，越多怪異的事情？越後來的帝王不但不神靈，反而荒淫無道早夭呢？這些神話可棄而不棄者，蓋欲保留一些歷史進化的原始史料吧！

(2)自然之天：漢代的天文學很發達，司馬遷又精通天文曆法，因此他對天象的瞭解是科學的而非神學的，也非神秘不可測的。天官書中記載了兩千多年前星球的運行，星座的位置；記載了幾百個星體、星座，並指出這些星球出現的時間，運行的軌度；而這些規律的天象，是可經由人的觀測推算出

來的自然現象，決無神秘莫測可言。但受到當時天文知識及觀測儀器的限制，總難免還有一些不得其解的地方，可以說在一定程度上，他仍保有「天人感應」的說法。因此在史記中仍可見到許多星象、災異與人事相應的情形。天官書云：

太史公曰：自初生民以來，世主曷嘗不歷日月星辰？及至五家三代，紹而明之，……仰則觀象於天，俯則法類於地。天則有日月，地則有陰陽；天有五星，地有五行；天則有列宿，地則有州域。……夫天運三十歲一小變，百年中變，五百載大變，三大變一紀。三紀而大備，此其大數也。為國者必貴三五，上下各千歲，然後天人之際續備。太史公推古天變，未有可考於今者，蓋略以春秋二百四十二年之間，日蝕三十六，彗星三見，宋襄公時，星隕如雨。……此其犖犖大者。若至委曲小變，不可勝道。由是觀之，未有不先形見而應隨之者也。

太史公想推測古天變，然無史料可據，乃從春秋一書中所載，以迄漢代，歷數各種天變現象，而謂「未有不先形見而應隨之者也」，既是天人相應，於是他擬出一套救天變的辦法。天官書云：

日變修德，月變省刑，星變結和。凡天變過度，乃占。國君强大有德者昌，弱小飾詐者亡。太上修德，其次修政，其次修救，其次修禳，正（考證謂當作「最」）下無之。夫常星之變希見，而三光之占亟用。日月暈適雲風，此天之客氣，其發見亦有大運。然其與政事俯仰，最近大（考證：王啓元曰：大字誤，當作天）人之符。此五者，天之感動。為天數者，必通三五，終始古今，深觀時變，察其精粗，則天官備矣。

太史公觀察天象的變化，而歸納出「小變、中變、大變、三大變一紀」的規律。天變果眞如此規律，則不可視爲「變」了。既是規律，則修德變仍是會來，救亦無效。故謂司馬遷不言災異感應，是不確的。

至於封禪書中所載的神仙方士之術，這是一些史實的記錄，旨在譏諷當事者。

(3)命運之天：相對於宇宙這個大環境而言，個人是渺小微不足道的；但在個人生命、力量所能及的範圍內，人的意志、力量仍可產生一定程度的作用。孔孟荀等先哲所提倡的修德、盡人事的人本思想，就是要人發揮個人主觀的動能性，人類的幸福前程不全受社會環境或天命所支配，人類的努力也不致於白費。但是人類的智與力仍無法完全控制周遭的環境，盡了力，卻往往達不到預期的效果，總覺得在冥冥中仍有一股不可抗拒的力量在發生作用，因此天命或命運的觀念，必定仍然存在。[34]

司馬遷以史家求眞求實的態度，對於歷史上之政治人事，要「罔羅天下放失舊聞，王迹之興，原始察終，見盛觀衰，論考之行事」（自序），在報任安書中又加了一句「稽其成敗興壞之理」，可見他要避免用天命或天道來闡釋歷史人事，而要儘量用人事來說明人事，從歷史人物的行事中加以探究，希望能找到其「成敗興壞」的因果關係之理，這正是所謂的「通古今之變」，在古今人事中求其變的原理，或者求其變中的不變原理，以資後人借鏡。項羽在垓下被困時，大怨天命說：「此天亡我，非戰之罪也」（項羽本紀），司馬遷批評道：

> 及羽背關懷楚，放逐義帝而自立，怨王侯叛己，難矣！自矜功伐，奮其私智而不師古；謂霸王

之業，欲以力征，經營天下。五年，卒亡其國，身死東城，尚不覺寤，而不自責，過矣。乃引「天亡我，非用兵之罪也」，豈不謬哉！

他指出項羽的失敗：「背關懷楚，放逐義帝」，是政策上的錯誤，所以「王侯叛己」；「自矜功伐，奮其私智而不師古」，是剛愎自用，不採納古人寶貴的經驗，也是很大的錯誤；「霸王之業，欲以力征」，便是「以暴易暴」，必定不得民心，這又是一項錯誤；臨死「尚不覺寤而不自責」，即不知反省，又是一項錯誤。結論是：項羽的失敗是咎由自取，決不是什麼天意，故怨不得天。

又如蒙恬被秦二世賜死時，他自以爲功多，不當死；而最後卻以爲是自己修長城，犯了「絕地脈」之罪的報應。司馬遷卻持不同的看法。他說：

夫秦之初滅諸侯，天下之心未定，痍傷者未瘳，而恬為名將，不以此時彊諫，振百姓之急，養老存孤，務修衆庶之和，而阿意興功，此其兄弟遇誅，不亦宜乎！何乃罪地脈哉！

身爲名將，能做又應做的事甚多，恬卻只知「阿意興功」，害了二世，也害了自己，故他的死與「絕地脈」無關。

又如漢代開國三大功臣之一的韓信造反被捕，方斬時大叫：「吾悔不用蒯通之計，乃爲兒女子所詐，豈非天哉！」信被族，亦歸罪於天，司馬遷則不以爲然。他要韓信「學道謙讓」，「不伐己功，不矜其能」，則可「後世血食」。韓信恃功自傲，不知收斂，「自以爲功多，漢終不奪我齊」，認人不清，太過於相信劉邦，結果不但奪你的齊國，還奪了你的命。蒯通勸他反時，正是天下未集之時，

但他猶豫不決，坐失良機；「天下已集，乃謀畔逆」，言外之意：該反的時候不反，不該反的時候卻反，這是時機選擇上的錯誤，所以怨不得天。

另外一個最有名的便是伯夷列傳中的「天道是邪非邪」的問題。「或曰：天道無親，常與善人……余甚惑焉！儻所謂天道，是邪非邪」這一大段將善人與惡人作一明顯的對比。善人是「糟糠不厭，而卒早夭」，或「遇禍災」；而惡人卻是「竟以壽終」，或「終身逸樂，富厚累世不絕」，這是什麼天道、天理？這是殘酷的社會現實與所謂「天道獎善懲惡」的說法造成尖銳的矛盾，使司馬遷懷疑「天道」的存在。但司馬遷並不消極絕望，在百般無奈的情形下，筆鋒一轉，緊接：子曰：「道不同，不相爲謀，亦各從其志也」，並且要「從吾所好」，志於自己之所好，不就是找到了人生的方向嗎？松柏可以傲立於歲寒之中，志士仁人當可卓立於濁世之上！有了志，有了方向，即當全力奮進，以盡人事；至於成敗得失、吉凶禍福，只得歸之於命了。㉟

在那篇抒懷的「悲士不遇賦」中，結合了他個人不幸的遭遇，他控訴了當時不合理的社會現象，以及人與人之間的爭奪與欺凌，而指出天道之渺茫與無知，這種天道還能相信嗎？最後只好「委之自然，終歸一矣」！

另外一種情形，金春峰稱爲「歷史發展的客觀趨起」㊱。這種「趨勢」，人類或人君並無法完全掌握或主控，所以司馬遷仍稱爲「天」。如魏國被秦所滅時，太史公曰：「說者皆曰：魏以不用信陵君故，國削弱至於亡。予以爲不然。天方令秦平海內，其業未成，魏雖得阿衡之佐，曷益乎！」這

裏的天，是指歷史發展的趨勢，也就是這時已是強者統一天下的時刻了，已非個人力量所能抗拒的潮流，所以司馬遷要說：「天方令秦平海內」了。

又如：

(1)勾踐復國，是由於他的「苦身焦思」、「坐臥卽仰膽，飲食亦嘗膽」、「身自耕作」、「振貧弔死，與百姓同其勞苦」，如此苦心經營，勵精圖治，所以國富兵強，司馬遷說：「終滅強吳，北觀兵中國，以尊周室，號稱霸王，勾踐可不謂賢哉！蓋有禹之遺烈焉。范蠡三遷皆有榮名，名垂後世，臣主若此，欲毋顯，得乎！」（並見越世家）勾踐旣賢能，而臣主又同心協力，要國家不強盛，也不可能。所以說「欲毋顯得乎」！

(2)田氏之所以能代齊，便是由於田氏（釐子乞）「收賦稅於民以小斗受之，其稟予民以大斗，行陰德於民」、「由此田氏得齊衆心，宗族益強，民思田氏」。田氏的施惠於民、行陰德的人爲作用，可以轉化爲一股強大的客觀力量，晏子早就看出這一趨勢，對叔向說：「齊國之政，其卒歸於田氏矣！」（並見田敬仲完世家）

秦朝的速亡，賈誼以爲是「仁義不施，攻守之勢異也」，司馬遷也同意這個看法。施仁義是人爲，進攻與守國的情勢已經不同，而秦帝不知改變，所以秦速亡也不是什麼天意，全是決策失當所致。魏其侯竇嬰之亡也一樣，都是「不知時變」。這都是人爲之誤，與天命無關。以上二例，金春峰氏也當作是「歷史發展的客觀趨勢」。筆者以爲這是不對的。這二例，正是盡了人事以後所產生的積

極力量，其根本的原因在於人爲，而不是「坐望天命」、「等待時機」所能得到的。

司馬遷在史記中歷述五帝三王及其他賢君，都是由於勤政愛民、修德潔行，受人民的擁戴，才能有天下國家；反之，則會亡國。這都是人爲的作用，不是什麼天意、天命。司馬遷處處強調人的意志及其主觀的動能性，而不可把命運交給不可知的天道來支配，這是他與董生「天人感應」思想的最大不同處。太史公在腐刑後，仍「隱忍苟活」而完成史記，便是這種意志力的表現。

【附　註】

① 馮友蘭：中國哲學史附補篇，頁五五。
② 金春峰：漢代思想史，頁一五一。中國社會科學出版社。
③ 韋政通：董仲舒，頁六六。東大圖書公司印行。
④ 何炳棣：黃土與中國農業之起源。香港中文大學，頁一二二。
⑤ 馮氏稱運命，必有他的道理。運命者，命爲我所運；命運者，我爲命所運，自有主動與被動之分。今則以用「命運」爲多，此從俗。
⑥ 參看拙作：王充的性命論，國立編譯館館刋，十卷一期。
⑦ 司馬遷：史記孟子荀卿列傳，本文所引全用史記會注考證本。
⑧ 史記封禪書。
⑨ 文選左思魏都賦注引七略。

⑩ 文選沈休文齊故安陸昭王碑文注引。

⑪ 此處推衍過簡略。王夢鷗教授「鄒衍遺說考」第四章論之甚詳，可參看。

⑫ 梁啓超：陰陽五行說之來歷，古史辨㈤，頁三五三。

⑬ 劉節：洪範疏證，古史辨㈤，頁四〇二。

⑭ 顧頡剛：五德終始說下的政治和歷史，古史辨㈤，頁四〇六。關於墨子之生卒年月及墨子一書之著成年代，梁啓超、顧頡剛、羅根澤、錢穆等人皆有論辨，參看古史辨㈣。

⑮ 國語魯語上。

⑯ 左傳襄公二十七年。

⑰ 尙書大傳。

⑱ 尙書洪範。

⑲ 尙書甘誓。

⑳ 金春峰：漢代思想史，頁一五三註②——詹劍峰：駁原始五行說是樸素的唯物論。

㉑ 夏君，墨子明鬼下篇，莊子人間世、呂氏春秋召類篇、說苑正理篇以爲禹；書序、史記夏本紀則以爲啓；呂氏春秋先已篇又以爲是夏后相，迄無定論。屈師翼鵬云：「本篇文辭淺易，與堯典、皐陶謨相近。篇中言五行及三正，皆春秋以來之語。而所言五行，實指終始五德；以是證之，本篇蓋著成於鄒衍之後也。墨子明鬼下篇，蓋墨者之徒爲之，故及引之。」（尙書釋義，頁三九）。

㉒ 史記封禪書，又呂氏春秋應同篇已載五行相勝之說。

㉓ 本表影印自李澤厚：中國古代思想史論，頁一八四。

㉔ 董生的天人感應的天道觀，勞思光先生稱爲「宇宙論中心思想」，見氏著中國哲學史卷二，頁二四。

㉕ 漢書五行志上。

㉖ 漢書董仲舒傳。

㉗ 史記太史公自序。按：後四語又見報任安書。

㉘ 徐復觀：兩漢思想史卷三，頁三一六。學生書局印行。

㉙ 董仲舒：春秋繁露、人副天數篇，河洛出版社。

㉚ 此處採用金春峰之說。見漢代思想史，頁一五三。

㉛ 王充：論衡治期篇。

㉜ 此處用金春峰之說。見漢代思想史，頁一五四。

㉝ 阮芝生：試論司馬遷所說的「究天人之際」，史學評論六期。

㉞ 此處本唐君毅之說。見中國哲學原論導論篇，頁五〇四—五〇七。

㉟ 同註㉙。阮文於第四節第一項標題作「於人事盡處始歸之天命」，此說極恰切。

㊱ 同註⑳，頁二七五—二七七。

論漢代文人「悲士不遇」的心靈模式

顏崑陽

一、引言

首先，我們必須界定本論文所用「心靈模式」一詞的涵義。

中國古典哲學中很少用「心靈」這一複合詞，而多用單詞「心」。「心靈」一詞往往只作為一般語詞，泛指一切情感及意志的心理活動，而無特定之義理概念，例如《隋書·經籍志》云：「詩者所以導達心靈，歌詠情志者也。」至於佛經中，「心靈」也是一般意義之雜語，統括諸識而言，因「心」之作用靈妙，故稱為「心靈」。

在西方哲學中，「心靈」，希臘文 Psychē，德文 Seele，或英文 Soul，其作為哲學之術語，則涵義隨各種學派理論而作不同之界定。①本論文所用「心靈」一詞，並不以任何一家之說的理論為依據，故亦不必去討論西方何種學派對它所作的界義。

我們所謂「心靈」不作為一種特殊理論之術語，它是個一般性語詞，但我們將它的意義範疇規定為靈性或精神性之心理活動，而不指涉物質性感覺官能的經驗活動。②因此，我們所謂「心靈」乃指

主體對應於價值性之文化現象③所引生之感情經驗、意志趨向、觀念思惟等精神性的心理活動。「模式」意指事物存在之規模型式，它是諸多個別事物之共相，也就是諸多個別事物以其共同特徵所形成固定規模型式之存在現象。

綜言之，本文所謂「心靈模式」乃指諸多個別主體對應於同一價值性之文化現象而引生之感情經驗、意志趨向、觀念思惟，凡此精神性之心理活動皆表現出共同特徵而形成固定規模型式之存在現象。

所謂同一價值性之文化現象，指的是「士不遇」，即「士」這一階層之人物在當代政治活動中所遭受不合理待遇之現象。我們把這一文化現象發生的時間，斷限在漢代，而主體人物則劃定爲「文人」。「文」相對於「武」，「文人」即是指以文學爲能事之人，而「文學」不是狹義地指辭章寫作，而是廣義地指非武力爭戰之一切文化實踐及知識活動，辭章寫作當然包括在內。

我們之所以選擇漢代文人「士不遇」這一文化現象作爲討論範疇，乃是漢代諸多文人以「士不遇」爲主題，依藉辭章寫作之能事，描述了這一頗爲普遍性的文化現象。「士不遇」這一文化現象雖已屢見於先秦時代，但卻必須到兩漢，才被作爲文學上反覆出現的主題，而逐漸型塑成固定的心靈模式。兩漢之後，這一文化現象當然還是不斷在發生，而文學創作上也同樣以它作爲主題，但大致上仍是漢代文人所形成的此一心靈模式的延續發展。因此，討論中國古代文人「悲士不遇」這一心靈模式，應當以漢代爲中心，再向上追溯其源流，向下觀察其演變。

漢代文人直接或間接以「悲士不遇」作爲文章主題的作品，大約計有：

△賈誼：弔屈原賦、鵩鳥賦、惜誓

△董仲舒：士不遇賦

△淮南小山：招隱士

△嚴忌：哀時命

△司馬相如：美人賦

△鄒陽：獄中上書

△東方朔：七諫、非有先生論、答客難、嗟伯夷、誡子詩。

△司馬遷：悲士不遇賦

△王褒：九懷、聖主得賢臣頌

△劉向：九歎、條災異封事

△揚雄：太玄賦、逐貧賦、解嘲、反離騷

△馮衍：顯志賦、自陳疏、自論

△劉歆：遂初賦

△崔篆：慰志賦

△桓譚：陳時政疏

△梁竦：悼騷賦

△班彪：悼離騷

△班固：幽通賦、答賓戲

△崔駰：達旨

△張衡：思玄賦、歸田賦、應間、四愁詩

△荀悅：馮唐論、鄭崇論

△王逸：楚辭章句序、九思

△蔡邕：弔屈原文、述行賦

△禰衡：鸚鵡賦

以上二十四家、四十四篇，爲數不少，可見出「士」之遇或不遇，確是漢代文人「同意共感」的文化現象。因爲我們所要研究的主要範疇是漢代文人「悲士不遇」的心靈模式，自當以他們言志抒情的文章作爲最直接的資料。然而，這些文人大多不是純以辭章爲能事者，而是政治性人物，其作品所表現的也都是攸關政教的情志內涵，因此我們雖只以辭章作品爲主要資料，卻不礙將「文人」作廣義的解釋。

他們對這文化現象，有什麼深切的情緒感受、有什麼強烈的意志趨向、有什麼複雜的觀念思維？這實在是值得討論的問題。對於這個問題，我們預計作以下的思考：

㈠「悲士不遇」這一心靈模式如何形成？漢代之後，又有何發展？

㈡這一心靈模式實質的經驗及觀念內容如何？也就是諸多個別主體對「士不遇」這一文化現象有什麼具體的共同感情經驗，意志趨向與觀念思維？

二、「悲士不遇」心靈模式的形成與發展

在文化活動中，一種普遍心靈模式之形成，必然是由前代文化經驗之累積、當代文化經驗之普及、個人文化經驗之深切所會合而來。而所謂歷史經驗、當代經驗、個人經驗，只是分解性認知之區別，若就此一心靈模式之實在，則為三者之辯證融合。所謂歷史經驗乃是集體生命進化歷程的實踐經驗。此一歷程，於時間是因果辯證性之連續，故前代、後代只是時間秩序上相對性的概念，而個人生命為集體生命之一成分，所謂個人文化經驗，就其不可重複之偶然性，是個別的、孤立的經驗。然而，人之不同於動物，即是其經驗之發生並不單純源自於物質性的生理官能，而是更深層地源自於精神性的心靈官能，此一精神性心靈官能，不論其自覺與否，均有一價值理念以為支配。而價值理念乃是歷史文化發展中所逐漸規範而成。因此，個人文化經驗，不管從歷時性的因果關係或從並時性的互動關係而言，它與所謂前代文化經驗及當代文化經驗都是辯證融合為不可分割的整體。故每一個人都既是個別的存在，也是歷史的存在。理解個人必須理解歷史、理解歷史也必須理解個人。

準此，欲理解漢代文人諸多個別主體「悲士不遇」的心靈模式，當然不能把任何一個人的經驗視

爲個別的、孤立的、偶然的經驗。首先，我們就必須理解這一心靈模式與前代文化經驗的辯證關係。

對於知識階層的士人而言，個體之於歷史絕非現實生活中全無自覺反省的習性關係。換句話說，士人個體對歷史皆當有一定程度的自覺認識，此之謂「歷史意識」。而所謂「歷史意識」不僅是意識到個我存在於歷史活動之中，同時對於前代之歷史經驗亦能有相當的認知與感受，進而形成具有價值意識的觀念。漢代文人也就是在清楚的歷史意識中，認知及感受了前代「士不遇」的諸多文化經驗，從而型塑了他們的心靈模式。前文所列以「士不遇」爲主題的文章中，幾乎都不只是在抒發個人的遭遇經驗，而是多借前代如比干、箕子、伯夷、叔齊、屈原等歷史經驗，以表顯「士不遇」之悲情與意義。換言之，漢代文人「悲士不遇」之心靈模式，除了當代個人經驗而外，更是受到前代歷史經驗所型塑而成。

歷史經驗能對後代的文化心靈構成明顯的型塑作用，則必是典型性之經驗。漢代之前，「士不遇」的典型性經驗，大約主要有三種類型：

㈠伯夷、叔齊不遇於周，餓死首陽山。

㈡孔子、孟子周遊列國之不遇而歸。

㈢屈原忠而受謗，不遇於楚王，終投江而死。

這三種不遇的典型，從他們在政治上沒有受到重用的結果來看，雖然都很類似，但是就整個經驗的過程而言，卻存在著頗大的差異性。什麼差異？主要有下列三方面的考慮：

第一方面的考慮是「君臣對待」的關係。我們可以說，在隋唐科舉制度完全建立之前，文士之遇或不遇，主要不是「人」與「制度」的對待關係，而是「人」與「人」的對待關係。尤其在先秦時代，封建制度還未建立或已瓦解的兩個階段，人材的進用並無中介性的固定制度，政治集團的領袖直接掌握用人的權力，用人者與被用者之間存在著供需的直接關係，其間頂多透過某個中介人的引薦，故孔子也曾將自己當作人材貨品，所謂「沽之哉！沽之哉！我待賈者也」《論語・子罕篇》。在這種政治文化場域中，文士之遇與不遇，首先就要從君臣直接對待關係上來觀察。

第一種類型，伯夷、叔齊乃封建制度未形成之前的「士」。④他們與周武王之間的君臣關係是未確立的。爲什麼？因爲當時眞正的「君」是殷商的紂王，伯夷叔齊原爲孤竹君之子，與周武王同爲殷之諸侯。他們之投奔姬周，是道義上的嚮往，《史記・伯夷列傳》即云：「伯夷叔齊聞西伯昌善養老，盍往歸焉？」因此，周武王雖是政治集團的領袖，但與夷齊之間並非政治官僚體制中的上下主從關係，而是道義上平等對待的關係。然則，彼此既無確定性的君臣關係，或遇或不遇，皆是上不傷君道，下不傷臣德。

第二種類型，春秋戰國時代，封建制度已漸解體，「士」乃從固定的位階游離出來，成爲所謂「游士」。顧炎武《日知錄》卷十三〈周末風俗〉條說「士無定主」，也就是指出「士」與「諸侯」之間的關係多元化、浮動化。因爲當時名義上的「君」——周天子還在，諸侯雖然掌握用人的實權，但在政治倫理上，誰也沒有資格對士建立一統性、確定性的君臣關係。當時，被用的「士」與用人的

「諸侯」之間，上焉者建立在「道義」關係上，下焉者建立在「利害」關係上。儒家之士，以「道」自許，故其去就以諸侯之君是否「致敬有禮，言將行其言」爲判斷依據。⑤縱橫家之士談的是政治功利，其理想性固無儒士崇高，但他們是否願就某一諸侯，也同樣取決於諸侯之君是否能以禮接之而實行他的政治主張。因此，不管如何，先秦之士多持「道」與「勢」相抗，爭取與王侯之間保持一種師友而非君臣的關係⑥他們的去就並未被一客觀必然的政治制度所決定，而有相當的自主性。遇或不遇，仍有自我抉擇的可能，故命限的色彩便沒有那麼濃厚。

第三種類型，屈原同樣處在戰國時代，但很特殊的是，他卻絕無「游士」的文化性格。賈誼在〈弔屈原賦〉中曾質疑地說：「歷九州而相其君兮，何必懷此都也」。司馬遷在《史記・屈原傳》中也順著賈誼此意而提出疑問：「屈原以彼其材，游諸侯，何國不容，而自令若是！」漢代文人對屈原這種不輕於去就的質疑，並非不能瞭解屈原，而是他們「苦於不能游諸侯」的心理投射。但從他們的質疑，反而可以觸發一個問題：爲什麼屈原處於戰國，可「以彼其材，游諸侯」，而他卻執著於只做楚國的忠臣？對於這個問題，大約可從三方面去得到理解：第一方面，應該是屈原個人獨特的氣質性，他在〈橘頌〉中以橘性「受命不遷」隱喻自己，充分表現出從情感而生的固執性格。第二方面，《史記》說他是「楚之同姓也」，唐代林寶《元和姓纂》說：「屈，楚公族芊姓之後」，則屈原乃楚王室的宗族，或因此而抱持與王室共存亡的情操。第三方面，不管就政權或文化來說，「楚」都是自別於北方之「周」而獨立的政治集團。春秋時代，南方的蠻夷，除「巴」外全爲楚所併吞。⑦換句話說，楚自春

秋以來，統一了南方吳越以外的地域，而在文化與政治上和周相抗衡，《史記・楚世家》載，楚子熊渠說：「我蠻夷也，不與中國之號諡。」楚武王也自稱「我蠻夷也」。楚莊王問鼎於周，顯然也是將抗爭提高到與周天子相對的層次。雖然，春秋中期以後，楚在文化上頗曾認同華夏，故《左傳・襄公十三年》，楚國子囊云：「赫赫楚國，撫有蠻夷，奄征南海，以屬諸夏」，但顯然仍以南方代表華夏而撫有蠻夷的政治集團自居，以對抗北方的另一政治集團。稱盟於北方的晉、齊，其所欲攘除之「夷」，除狄之外，最主要的對象就是楚。⑧因此，從春秋以下，楚雄據於南方，不管是文化或政治都是與周抗衡，而形成「小一統」的局面。在一統的政治格局中，士之仕進比較缺乏自主性的選擇，君臣上下的政治倫理關係也容易被確立下來。因此，春秋戰國時代，楚的士人雖亦有出仕他國的情形，所謂「楚材晉用」，但畢竟多爲罪臣出亡，《左傳・襄公二十六年》載伍舉奔鄭，《史記》載伍子胥奔吳，即是很好的例子。屈原在這種政治格局中，除了自己的性情和身份之外，也很難像北方諸國的士人，將遊於諸侯視爲當然的行爲。

從以上的比較來說，前二種類型，所謂君臣乃建立在道義平等對待的關係上，因此「士」在政治活動中並未被納入官僚體系的主從階級結構中，而仍然保有自主性的選擇。後一種類型，屈原則在橫向的一統政治格局與縱向的官僚體系，被決定在一無自主性的主從階級結構中，而特顯其「命限」的色彩。

由屈原所展現的君臣對待關係，更有一深層的意義，即是使「忠君」之倫理道德趨向絕對化。孟

子曾致力於建立君臣平等對待的政治倫理關係，因此「忠君」的倫理道德是相對的。他在〈離婁篇〉中便很大膽地說：「君之視臣如手足，則臣視君如腹心；君之視臣如犬馬，則臣視君如國人；君之視臣如土芥，則臣視君如寇讎」。然則，「忠君」的道德規範，必須相對於「敬臣」才能成立。至於屈原，則將此一政治倫理道德絕對化，不管楚王如何昏庸，如何貶逐他，他仍然還是盡忠於楚王，故《史記・屈原傳》云：「屈平既嫉之，雖放流睠顧楚國，繫心懷王，不忘欲反，冀幸君之一悟，俗之一改也」。何以如此？其中有一很大的關鍵，即是屈原實將「悟君」與「改俗」視為一事，故忠君的終極理想，乃在於改革社會。孟子所提出的「忠君」觀念，除了游士的時代政治處境之外，背後另有一套「民為貴，社稷次之，君為輕」的政治理念為依據。而屈原則在「小一統」的政治格局中，無法選擇國君，一國之事繫於一人（君）之身，故欲「改俗」則必「悟君」，遂將「忠君」與「改革社會」視為同一件事。這其實已顯示了在一人專制的政治格局中，懷抱理想之士在政治改革的活動中，很難規避的政治倫理。

第二方面考慮的是，其人之不遇，是否受到邪佞之輩的排擠，而形成一背理傷德的政治事件。人性為創造理想價值之根源。當人性通過個體生命而具現為事功與道德，則此一生命即為一價值實在體。而價值之具現，在羣體的價值交換行為中，其本身即涵有一合理的報償率。而報償的方式很多，傳統對士人的人性價值所肯認的主要報償方式是政治價值（或社會）位階的分配。由此，在我們的理想中，人性價值與政治價值位階實有一合理對應的結構，而形成一套才德與權位相配的報償性價

值體系。此一價值體系在先秦時代仍以一概括性的意識型態存在，尚未形成與政治體制結合的系統，例如荀子在〈君子篇〉中提出「尚賢使能」而「等貴賤」的觀念，但並未具體提出才德高低與政治權力位階的配置。到漢代則大致系統已經完成。班固《漢書・古今人表》從人性之善惡賢愚區分為九個價值位階，此一人性價值位階雖未與政治價值位階作系統性的配合，但實已隱涵這種報償性的觀念，因為這種位階的區分並非只是事實的描述，而更是價值的評估，寓褒貶於其中，故班固在本表的序言云：「歸乎顯善昭惡」，王先謙補注引錢大昕云：「失德者雖貴必黜，修善者雖賤猶榮」。這種評價，頗具理想色彩。然《漢書・古今人表》之制作，除在理想上從才、德以評價人物之外，實亦與漢代選舉人材的制度有關，品鑑人物亦所以為選舉人材的理論依據。這種關係，後來完整地表現於劉劭的《人物志》，從人性的品鑑上達到「量能授官」的合理性，他在〈流業篇〉中分人材為十二等，而各有合理對應的政治價值位階。這當然不是劉劭個人的理論建構，而是參考了漢代政治上用人的實際經驗。這種人性價值位階與政治價值位階的合理相配，從因材適用的角度來看，是功能性的。從價值分配的角度來看，則是報償性的。此一報償的合理性，簡單地說，才、德之大者應該被分配在高層的政治價值位階上。若反之，才、德之大者被分配在低層的政治價值位階上，甚或被摒棄在外，是為「背理」。假如，此一「背理」現象出自邪佞者不良動機之排斥，是為「傷德」。

才、德主體在現實政治價值位階中可以有他的自主性，但也有被決定性。自主性表現於才、德主體在政治價值位階上，對去就的主動性選擇。其遇，為出於意志的承受，而非違背意志的屈就；其不

遇，爲出於意志的引退，而非違背意志的逼退。更有進者，當其不遇，亦能在內心自爲超越，而不受困於挫折之情緒。被決定性則表現於才、德主體在政治價值位階上，去就乃出於被動性之擺佈。其遇，爲違背意志之屈就；其不遇，爲違背意志之逼退。更有進者，當其不遇，未能在內心自爲超越，而受困於挫折之情緒。所謂「背理傷德」，大多發生在後一境遇中。

在此一理論基礎下。伯夷、叔齊以大德者而不遇，似爲「背理」。然而，他們所對爲聖明的政治領袖，彼此爲道義性關係，去就皆出於自主性的選擇，故非被決定性之遭遇，無所謂「傷德」。其不遇之背理性，既不出於人道之不正，則唯有從天道之公平性上去質疑。司馬遷對於夷齊之不遇於周武王，在人道上的解釋是：「道不同，不相爲謀，亦各從其志也」，可見武王無傷德之處。而又不免對天道之報償是否合理提出質疑：「余甚惑焉，儻所謂天道，是邪！非邪！」

孔、孟諸游士，在君臣對待關係上，能保持其自主性。他們挾其才德遊走於諸侯之間，尋求知遇，以得大用。諸侯之君可以選擇他們，他們也可以選擇諸侯之君，故其遇或不遇，乃取決於彼此之是否相知相賞，不完全被決定。從這層次而言，其不遇雖有背理性，於天道報償爲可疑，於人道則可有「知音難逢」之嘆，而無「傷德」之怨。

至於屈原爲高才大德者，在人性上特顯其崇高之價值，而在政治價值位階上，卻終究不能獲致合理的安置。其不遇，也在政治官僚體系上，出於被決定的擺佈。《史記・屈原傳》云：「上官大夫與之同列，爭寵而心害其能」，然則屈原的不遇，乃出於邪佞之徒的讒害，在人道上極顯其「傷德」。

第三方面考慮的是，其不遇所構成的悲劇強度究竟有多高。悲劇的構成，通常有主、客二種因素。主觀因素爲個人的性格與觀念，客觀的因素則爲一自由意志所無能把握的命遇。悲劇之構成，有時是一種因素之作用，有時爲二種因素之交互作用。

從性格、觀念與客觀命遇的關係上來說，理性人格以及由此人格所成之價値觀念往往能對命遇起超越之作用，而解消悲劇；此卽儒道所謂知命、安命的曠達人生觀。而氣性人格以及由此人格所生之感性衝動或價値觀念，往往能對命遇起陷溺之作用，而構成悲劇。

悲劇之最高強度卽是死亡。伯夷、叔齊與屈原，皆由氣質之淸而順成道德之高潔，亦由此氣性人格所生之感性衝動及價値觀念，對命遇起陷溺之作用，而構成死亡的強度悲劇。但二者之間，又略有一差別：卽夷齊之不遇，爲出於自主性之選擇，故被決定之命遇色彩較低。其死亡又爲殉道之自主性選擇，別人從客觀的立場視此事件，雖爲一悲劇，但從夷齊主觀之情志而言，實無悲怨，借孔子一句話來說是：「求仁得仁，又何怨乎？」（《論語・述而篇》）但屈原之不遇，非出於自主性之選擇，特顯其被決定之命遇色彩。其死亡亦在命遇的逼迫下，所作不得已之選擇。故屈原之死，不管就其個人主觀之情志或別人客觀之看待而言，皆是一充滿哀怨之悲劇。至於孔孟則由理性之明而逆覺道德之圓通，而由此理性人格及所成之價値觀念對客觀命遇起超越之作用，終而解消悲劇。

從現有史料來看，漢代文人對孔孟一類游士之不遇，並不相應。於夷齊之不遇，則雖同情而不共感。而於屈原之不遇則極爲相應，不但同情，更有共感。前文所列漢代以「悲士不遇」爲主題的四十

多篇文章中，直接描寫屈原之不遇或間接將自己之不遇類比於屈原而仿其騷體的作品，竟有十多篇。足見屈原不遇的悲劇，很引發漢代文人普遍而深刻的感受。何以如此？徐復觀在《兩漢思想史》卷一〈西漢知識分子對專制政治的壓力感〉中所作的解釋是：

> 離騷在漢代文學中所以能發生鉅大地影響，一方面固然是因為出身於豐沛的政治集團，特別喜歡「楚聲」，而不斷加以提倡。另一方面的更大原因，乃是當時的知識分子，以屈原的「信而見疑，忠而被謗，能無怨乎」的「怨」，象徵著他們自身的「怨」；以屈原的「懷石遂自投汨羅以死」的悲劇命運，象徵著他們自身的命運。

徐氏這個見解頗能洞察漢代文人的普遍心靈。準此，則漢代文人「悲士不遇」心靈模式的形成，屈原的經驗實在起了極大的型塑作用。其中原因，主要是他們當代經驗與屈原的經驗頗具類似性。我們可在徐氏的觀點基礎上，將漢代文人的當代經驗與前述的歷史經驗作更詳細的比較。

從深層性的文化思想來說，漢代「氣化宇宙論」的哲學思想與孔孟「心性論」的哲學思想實不相類，因漢代的文人並不瞭解孔孟。在「氣化宇宙論」衍生下，漢人多由氣質性以理解人格。⑨這一進路，很難體受孔孟由理性之明所逆覺道德圓通而超越命遇的人格型態。反之，對夷齊與屈原由氣性之清所順成道德高潔而陷溺於命遇的人格型態，則甚能體受。尤其是屈原，盡才盡性盡情，而終究以死殉道，構成強度的悲劇，除主體氣性發顯爲道德而讓人敬慕之外，更比夷齊多一層客觀命限的逼迫而引人痛惜。這一強度的悲劇，對以才應命的漢代文人而言，很容易產生同類共感的體驗。司馬遷在

《史記・屈原傳》中即表示讀離騷而「悲其志」，並「垂涕想見其爲人」。對於屈原的人格，他的體受是「其志絜，其行廉」；「蟬蛻於濁穢，以浮游塵埃之外，不獲世之滋垢，皭然泥而不滓者也」。王逸〈楚辭章句序〉也稱「屈原膺忠貞之質，體清潔之性」，而在〈離騷經序〉中又說「凡百君子莫不慕其清高，嘉其文采，哀其不遇而愍其志焉」。凡此皆可以說明漢代文人乃直接體受到屈原由氣質性所發顯的清高廉潔，而又爲其不遇感到深沈的哀傷。

其次，從表層的政治體制來看。漢代是大一統的專制帝國，雖然漢初仍保留著周代封建的制度，天子之下還有分封建國的諸侯王，但這種情況畢竟與春秋戰國，王室陵夷、諸侯專權頗爲不同。在大一統專制的格局下，最高的支配權不在諸侯王，而在皇帝一人。皇帝的人格與權威被神聖化、絕對化，沒有任何相對的批判與節制的力量，故天下諸士莫不在彼一人的牢籠之中。⑩

大一統專制的政治格局，對於士人出處進退最顯著的影響，第一方面便是在橫向的活動中，由多元收束爲一元，由浮動而轉趨固定，因此漢代的文士已失其「游」的環境。當然，此種轉變非突而漸。漢初，諸侯王仍延續戰國養士之風，《漢書・鄒陽傳》云：「漢興，諸侯王皆自治民聘賢」。其中以吳王濞、梁孝王、淮南王、衡山王、河間獻王最爲著名。當時，枚乘、嚴忌、鄒陽、司馬相如等文士，皆游於諸侯王之間。然而，諸侯王的養士對中央集權的一人專制政局十分威脅，皇帝對諸侯王也始終非常猜忌，淮南王劉安被以「謀反」的罪名誅死，⑪河間獻王也在受武帝的警告之後，「歸即縱酒聽樂，因以終」。同樣的寃獄迫害，也發生在東漢，光武帝建武二十八年「詔郡縣捕王侯賓客，

坐死者數千人」，⑫明帝永平年間，楚王英「交通賓客」，被以「逆謀」之罪廢徙丹陽涇縣，終自殺而亡。⑬諸侯王在皇帝的構陷迫害以及「削藩」的政策之下，逐漸失去封地分權的力量，漢武帝時，諸侯王已與有名無實的列侯無異，至哀平之際，則已與富室無異。⑭在這種政局日趨中央集權專制的情況下，漢代的文士實已很難游走於諸侯之間，取得政治權位，以施展個人的抱負。根據余英時的研究，秦漢之後，中國知識階層卽從戰國的無根「游士」轉變爲具有深厚的社會經濟基礎的「士大夫」，士與宗族緊密結合而「士族化」、與田產結合而「地主化」，「游士」的文化至漢代而逐漸告終。⑮因此，漢代的文士其出處進退只剩下皇帝爲他們設定好的一條路了，這種處境，與在「小一統」的政局中，除了仕於楚而別無他途的屈原，非常相近。

在這種政局中，文士非但出處進退上失去多元選擇的可能性，同時也失去「材能」的價值性。材能的價值必須建立在政治功業的競爭中。戰國游士之所以成功立業，最主要的原因是諸侯政治覇權的競爭導致人材的大量需求，而游士也就是在這一特殊的人材供需市場中，取得與諸侯抗禮的優勢。但是，漢代卻是個大一統的政局。大一統的政治性格不是競爭，而是安定。徐復觀曾提出「一人專制的五種特性」的說法⑯。其中第二個特性卽是商鞅在《商君書・農戰篇》中所謂「則民樸壹」。樸，也就是誠樸，要求被統治者思想簡單，忠心服從。壹，就是整齊劃一，要求被統治者遵照專制帝王所定的規範去生活，不得追求個人特殊的想法與做法。循此而下，第四個特性卽是對一切可能的反抗性社會勢力，必然加以壓制或消滅。而文士是最具知識與特殊價值理想的社會階層，這種材能在政權競

逐，優勝劣敗的時局中，可突顯其正面價值。相反的，在追求安定的大一統專制時局中，卻突顯其負面價值。漢初，諸侯王招攬賓客，多少也夾雜著政權鬭爭的意圖，其中吳王濞是個顯著的例子。⑰而梁孝王的賓客鄒陽、公孫詭、羊勝等，在孝王爭立爲太子的事件中，其實也扮演著謀士的角色。⑱而淮南王、河間獻王之招攬文士雖無明顯的政權爭奪的意圖，卻被漢武帝猜疑爲謀逆。因此，在漢代一人專制的政局下，士非但無所用其材，甚至因材而受害，漢初幾個有才幹的士人，如申屠嘉、鼂錯等皆不能善終。《史記・張丞相列傳》說，從申屠嘉死後，陶靑、劉舍、許昌、薛澤、莊靑翟、趙周等人爲丞相，都「娖娖廉謹，爲丞相備員而已，無所能發明功名，有著於當世者」。因此，漢代文士在大一統專制格局中，有理想、才能之士，恐怕都不免如屈原在〈離騷〉中所作的感慨：「哀衆芳之蕪穢」。準此，則大一統專制的政局，對士人出處進退的第二方面影響，卽是無可用其材，卽是材能價值的貶降。

以上的兩種時代經驗，東方朔在〈答客難〉與〈非有先生論〉二篇文章中，有著極深刻的描寫。在〈答客難〉中，他一方面嚮往著「得士者強，失士者亡」的戰國時代，一方面又感慨於自己處在「聖帝流德，天下震慴，諸侯賓服，威震四夷」的大一統時代。在這時代中，「天下無害菑，雖有聖人，無所施才；上下和同，雖有賢者，無所立功」，因此「賢不肖何以異哉」！在〈非有先生論〉中，則指出在專制統治之下，士人想發揮他的知識與理想，忠言直諫，以盡輔弼之責，乃是「談何容易」之事，假如逢上邪主，可能反罹「誹謗君之行，無人臣之禮」的罪過。但志士仁人卻又不願「卑

身賤體，說色微辭，愉愉呴呴，終無益於主上之治」，這是一種理想價值與現實處境的矛盾。除了東方朔之外，揚雄在〈解嘲〉一文中，也指出戰國時代「士無常君，國無定臣，得士者富，失士者貧」，士不但在出處進退上有多元選擇的可能，而且具有重要的價值，材能得以彰顯，故云「世亂則聖哲馳騖而不足」。而在大一統的政治體制之下，士人只能遵循著統治者所設定的仕宦之路，以取得功名利祿，因此他不能不感慨「今世策非甲科，行非孝廉，舉非方正……安得青紫」，在這種固定的用人制度之下，往往是「庸夫高枕而有餘」。東方朔與揚雄很代表性地描述了漢代文士在出處進退上的痛苦經驗。另外，張衡在〈應間〉一文中也有相同的論調，不俱引。

第三方面的影響是，在大一統專制政治格局之下，士之仕宦，無可避免地必須被納入一套以權力位階決定主從關係的官僚體系中。以君臣這一層次而言，決定彼此倫理關係的依據，不是道義而是權力。道義性的關係是雙向相對的尊重，而權力性的關係是單向絕對的服從。漢代一人專制的政體完全形成，皇帝的人格被神聖化，不可懷疑，也不可批判；皇帝的權威被絕對化，不可抗拒，也不可背離。由此，漢代文士之從政者，皆必然在此一嚴密的官僚體系中，服從皇帝的權威，君臣之間不再是春秋戰國時代的道義相對關係。就以「百官之長」的宰相而言，士人固然可以位至一人之下的宰相，但由於宰相與皇帝仍屬權力位階上的關係，權力來源是皇帝，在行政體系中，名義上雖如《荀子・王霸篇》所謂「相者論列百官之長，要百事之聽」，但一切政治作爲都是「以效於君」。因此，在政治上，最高的決定權仍在皇帝手上。漢代自高祖以來，雖然因應政治實務上的需要，延續戰國時代的宰

相制度，但卻又顧慮宰相分去君權，故諸帝莫不一方面要求宰相辦事，一方面又壓制他的權力，讓宰相實質上成爲聽命行事的僚屬。⑲宰相如此，其他官吏更不用說了。文帝時代的名士賈誼曾任「大中大夫」這一官職。申屠嘉爲相，鄧通以「大中大夫」得幸於文帝，卻侍寵而怠慢申屠嘉。申屠嘉決意要嚴辦他，以死定罪。文帝派使者持節召通而謝宰相曰：「此吾弄臣，君釋之」。從這事件，我們可以窺知在皇帝心中，「大中大夫」這個官職只不過是「弄臣」而已。那麼賈誼雖受知於文帝，任爲「大中大夫」，其倫理關係恐怕也不能與梁惠王、齊宣王之對孟子相提並論。漢代文人在這一官僚體系中，其縱向的進退也就完全被決定了。

同時，在這大一統專制政局中，隨著皇帝的人格與權威被神聖化、絕對化，「忠君」的精神也被絕對化了。孟子所倡導相對義的「忠君」精神，秦漢之後已不再有實現的可能。「忠君」精神之絕對化開創於屈原，但屈原視「忠君」爲絕對義，乃是出於「改俗」的政治理想，是人臣自律的道德行爲。漢代「忠君」精神之絕對化則是統治者爲維護君權之神聖性與絕對性，而對臣僚所作的強求。很有趣的是，漢代君臣都同時在利用屈原的「忠君」精神。文人在以屈原爲題材的文章中，都從「直諫」的角度以發顯屈原的「忠君」精神，其中隱涵著漢代文人以導正君德的道義精神詮釋「忠君」的觀念祈嚮。然而，相對的，《漢書・淮南王傳》與王逸〈楚辭章句序〉皆載漢武帝使淮南王劉安作〈離騷傳（或云章句）〉。漢武帝爲什麼特別要去顯揚離騷，其用意恐非純粹愛其文辭。雖然史籍中並未明載武帝的用意如何，但我們或可從王逸的幾句話推想而知：「人臣之義，以忠正爲高，以伏節

爲賢」。王逸注解楚辭不是個人私作，而是上奏皇帝，當然以君意爲立場，其與武帝使淮南王作〈離騷傳〉的立場應無根本的差別。王逸如此強調人臣「忠正伏節」的精神，正透露漢代皇帝對臣僚的要求，而此一要求卻不須在「君德無虧」的條件下成立。漢代文人一方面感受到屈原堅持理想、忠言直諫之可敬，一方面卻又感受到在權力位階的官僚體系中，被要求絕對效忠的痛苦。

最後，我們從同僚彼此的關係中，觀察漢代文人的政治經驗。屈原之不遇，最受同情的地方，便是他「信而見疑，忠而被謗」，這是對人性才德價值極大的傷害。「信而見疑」是相對於國君而言，「忠而被謗」卻是相對於同僚而言。而他之所以被謗，是因爲上官大夫「爭寵而心害其能」。〈離騷〉一文反復抗訴的也就是這一人性才德價值的傷害，我們可提出「世溷濁而嫉賢兮，好蔽美而稱惡」一語以爲代表。漢代諸多有才德的文人對這一「背理傷德」的經驗感受極深，也就是他們的不遇，非如夷齊、孔孟單純只是「道不同，不相爲謀，各從其志」而已。其中，賈誼、董仲舒、鄒陽、劉向、劉歆、馮衍、張衡等，皆曾受同僚之謗，輕者疏遠貶斥，重者入獄幾死。⑳故多模擬楚騷之作，以自傷不遇，我們可提出賈誼〈惜誓〉：「悲仁人之盡節兮，反爲小人之所賊」一語以爲代表。此一現象，從它的發生意義來說，是專制政局下，士人的權力鬪爭；因爲在專制政局中，臣僚的權力來源是國君，故以政治爲業的士人必須在國君之前爭寵。然而，在政治權力鬪爭的行爲中，往往不能不去考慮到兩造的人性價值與乎手段的正當性，因此這一政治現象卽隱涵著道德意義。換句話說，這一政治現象，應該超越權力鬪爭的層次，更本質地從人性上作深層的理解。

漢代文人除了班固之外，㉑大抵都確信屈原這一歷史經驗中，屈原典型地表現了人性的正面價值，而「心害其能」的上官大夫、令尹子蘭等人則典型地表現了人性的負面價值。漢朝文人的確是依循這種君子與小人、善良與邪惡平面性二分的人性觀念，去理解屈原受誇於上官大夫的政治權力鬪爭。其實，這一人性善惡抗爭的認知模式，基本上也就是他們自己政治經驗的類化。從史料來看，這種類化由賈誼開始。賈誼在實現自己政治理想的過程中，受到文帝的賞識，權力膨脹過於快速，一年之中，超遷至大中大夫。不久，「天子議以賈誼任公卿之位」。因此，頗召周勃、灌嬰、馮敬等老臣的嫉妒，聯手向文帝詆毀賈誼，說他「年少初學、專欲擅權，紛亂諸事」，於是「天子後亦疏之」。㉒這一權力鬪爭的政治經驗類近屈原受讒於上官大夫的模式。因此，賈誼被貶長沙，渡湘水，憑弔屈原，便將自己不遇的政治經驗與屈原的經驗加以類化。〈弔屈原賦〉就題材的直接意義而言，所悲者雖為屈原，實際上卻是自己情感的投射，故悲屈原亦所以自悲，充滿著隱喻的色彩。在這篇文章中，對屈原的人性價值，不管是才能或道德，都給予高度理想的肯定，因此以「鸞鳳」、「麒麟」、「莫邪」等比喻他，甚至明白地以「賢聖」稱許他；相對地，以「鴟鴞」、「犬羊」、「鉛刀」等比喻上官大夫一班小人，甚至明白地指責他們為「讒諛」。在這種歷史經驗的評估中，屈原之受讒而不遇，已不只是政治權力鬪爭，而是人性價值的鬪爭。這一人性價值鬪爭的經驗模式，乃是通過屈原的實證與〈離騷〉的自我表述、自我評價而形成。在〈離騷〉一文中，他反復地自我表述受讒而不遇的經驗，並從材能、道德上作自我評價，以「賢」、「美」肯斷自己。相對地以「惡」批判對方，將政治

上的權力鬪爭提昇爲人性鬪爭。於是，屈原鑄成之，賈誼推衍之。在〈弔屈原賦〉中，他循著這一人性鬪爭的模式，悲屈原亦所以自悲，評價屈原亦所以自我評價，批判上官大夫亦所以批判周勃等人。從〈弔屈原賦〉以下，諸如〈惜誓〉、董仲舒〈士不遇賦〉、東方朔〈七諫〉、王褒〈九懷〉、劉向〈條災異封事〉、〈九歎〉、劉歆〈遂初賦〉、馮衍〈顯志賦〉、〈自陳疏〉、張衡〈思玄賦〉等，有的複寫屈原的經驗，有的將自己的經驗與屈原類化，莫不把主題集中在「邪佞害正」這一人性鬪爭導致理想價值失落的悲怨上，從而形成一定的主題模型。

綜合以上的分析，漢代文人「悲士不遇」心靈模式的形成，乃是通過屈原這一歷史經驗的型塑作用，再加上當代個人經驗的深切與普同，而與歷史經驗類化而成。

至於漢代之後，這一心靈模式既有同質性的延展，也有異質性的轉變。所謂同質性的延展，是指在大一統專制政局中，士人出處進退一元性與被決性的痛苦，與在權力位階的官僚體系中，士一方面以道義期許於國君而體現忠君的精神，一方面卻又在權威的強制之下被要求絕對忠實地服從國君，以及在同僚的關係中，受到背理傷德的讒害，凡此心靈經驗，皆與漢代文人作同一模式的呈現，這可以陳子昂及張九齡的「感遇」作爲代表。而所謂異質性的轉變，是指隋唐以後，逐漸出現另一種很個人性的不遇經驗模式，其不遇的主因並非邪佞害正，而是個人未能通過客觀科舉制度的考驗。因此，阻礙文人自我實現的主要因素，已經由主觀人性轉爲客觀制度。順是而來，則文人的悲怨也由普遍價值理想的失落轉爲個人現實功名的挫敗，也就是從充滿政教理想色彩的「悲世之怨」，轉變爲充滿功名

欲望色彩的「悲己之怨」。唐代許多在科舉上屢試不中的文人，發抒於詩文中「不遇」的牢騷，基本上就是這一心靈模式，溫庭筠可為典型的代表。㉓

這一轉變，宋玉已啓其端，東方朔、揚雄又揚其緒，㉔但普遍發展則在隋唐之後。最主要的原因，一是隋唐之後，科舉制度的日趨嚴密，使得文人實現自我的障礙，由人與人的直接相對轉為人與制度的相對。二是東漢魏晉以來，士的個體自覺已形成文化上的新思潮。所謂「個體自覺」者，即自覺為具有獨立精神之個體，而不與其他個體相同，並處處表現其一己獨特之所在，以期為人認識之義。㉕由此，士人也就自覺地關懷到個人才性價值的體現，而才性價值的體現若上通於平治天下的政教意圖，則與普遍價值理想並不違背；但若下墮於個人功名利祿的追求，則喪失其理想而俗化為一功利價值矣。隋唐以來，文人所謂「悲士不遇」，其中不乏這種為個人計較的模式。此一轉變，相對於漢代而言，可以說是「悲士不遇」心靈的窄化、俗化，甚至於空洞化。

三、漢代文人「悲士不遇」心靈模式實質經驗與觀念內容之共同特徵

我們通過前文所列四十多篇文章的觀察，大致可以發現漢代文人藉由辭章所展示「悲士不遇」這一心靈模式實質經驗與觀念內容的特徵約為三端：

㈠其感情經驗特徵是，由忠君改俗之政教理想受阻而引生悲怨，可稱之為「忠怨」或「悲世之怨」。

(二)其意志趨向特徵是，堅持此一理想價值，絕不與邪佞者妥協。

(三)其觀念思維特徵，是由對「時命」的感受，進而思考，以形成特定的命觀。

(一)感情經驗特徵——悲世之怨

「怨」，可以說是〈離騷〉的感情特質。漢代以後，「騷」成為文學中一種特定的風格類型，構成此一風格類型的感情特質，也被規定為「怨」。當然，「怨」是籠統言之的感情類型，與「喜」或「樂」相對成義。若進一步理解到，「怨」自何而生？也就是發生這一「怨」情的特殊經驗，則〈離騷〉之「怨」，實緣自才德之士於現實政治活動中，因忠君、改俗之理想受阻而引生之悲怨，也就是「忠怨」、「悲世之怨」。然則，〈離騷〉之「怨」自不同於一般傷春悲秋、男女情愛或功名挫敗等等「悲己之怨」，㉖最先指出〈離騷〉這一特殊怨情的人，當推司馬遷，他在《史記・屈原傳》中說：

屈平正道直行，竭忠盡智，以事其君。讒人間之，可謂窮矣。信而見疑，忠而被謗，能無怨乎？屈平之作離騷，蓋自怨生也。

司馬遷之後，東漢王逸作《楚辭章句》，大抵依循此一見解，故在序文中說：

屈原履忠被譖，憂悲愁思，獨依詩人之義而作離騷，上以諷諫，下以自慰。

然則，由屈原所型塑「悲士不遇」的心靈模式，其感情經驗特質即是「忠怨」。何謂「忠」？盡己之心謂之忠。屈原所盡之心，不是一私己的情欲之心，而是一普遍的政教理想之心。因此，「忠

君」不是在權力位階中，對國君權威絕對的服從，並依此條件以企求個人權位的升遷。對屈原而言，「忠君」與「改俗」是同一事，也就是他的「忠君」乃是以政教理想期求國君，並盡此誠心，不稍改易。前文論及屈原「忠君」的絕對精神，已有詮釋。「忠君」須從道義處著眼，始得關聯於「悲世」而展現其理想意義。

「忠君」既以政教理想爲價值依據，則其「怨」即生於政教價值理想之失落，而不生於個人現實權位價值之喪失。但這是分解性的詮釋，若就一才德主體於現實經驗中的感受而言，個人現實權位價值喪失與政教價值理想失落，實交融而不可分。王逸說屈原作〈離騷〉的用意是「上以諷諫，下以自慰」。諷諫，是爲了實現悟君而改俗的政教理想。自慰，是爲了寬解個人所遭受的挫折。從這層意義來說，「悲世之怨」與「悲己之怨」可以是一體，普遍而涵特殊，特殊而寓普遍。假如說，風雅代表著未融入抒情自我而只反映社會普遍情志的「言志」文學，而魏晉之後個人抒情作品代表著只表現自我情志的「緣情」文學。那麼，就文學類型而言，〈離騷〉便是兼具二者；就文學史而言，它就是由風雅到個人抒情文學之間的橋樑。

〈離騷〉的「忠怨」之所以融合了「悲世」與「悲己」之怨。主要的原因便是屈原的政教理想，不是一種客觀的、理論的概念，而是才性主體在政教實踐中，由氣質之淸所順成的價值信仰。換句話說，他的道德是由才性的自我實現所順成，此中並無理性的逆覺，因此他的善只能是一種偶然，而無必然的保證。而且，價值既非由理性逆覺而來，乃是由感性執著而來，一碰到阻礙，便難以自求超

越，甚至陷溺爲悲劇。這完全是「詩人式」的道德典型，是文學中最感人的一種情操。我們從〈離騷〉一文中，反復見到的是屈原對自己材能、德行、理想的表白與期許，例如「紛吾既有此內美兮，又重之以修能」、「謇吾法夫前修兮，非世俗之所服」，「民生各有所樂兮，余獨好修以爲常」……。然而，他對一己才德的自我表白與期許，其目的並非墮向世俗名利的競逐，而是一一上通於政教之理想，也卽是他在〈離騷〉中所謂「指九天以爲正兮，夫唯靈修之故也」。因此，在屈原而言，卽是性情卽是道德。其個人性情之挫折，也卽是世間道德之失落，而「悲己」的終極意義乃在於「悲世」。班固不能體會這種深層意義，將「悲己」與「悲世」斷開，只看到屈原在才德上的自我表白，故在〈離騷序〉中指責屈原「露才揚己」。

漢代文人在他們的文章中所呈現「悲士不遇」的心靈模式，也大致以「忠怨」爲其情感特質。其中，又可分爲二類。一類是以屈原的遭遇爲題材所作的複寫，例如王逸《楚辭章句》中所收集騷體的作品，卽賈誼的〈惜誓〉、東方朔的〈七諫〉、嚴忌的〈哀時命〉、王褒的〈九懷〉、劉向的〈九歎〉，王逸的〈九思〉，再加上史記所載賈誼的〈弔屈原賦〉等。這些文章，描寫的重點之一，卽是屈原的「忠怨」之情，玆列舉數則以明之：

△悲仁人之盡節兮，反爲小人之所賊。比干忠諫而剖心，箕子被髮而佯狂。……非重軀以慮難兮，惜傷身之無功。〈惜誓〉

△哀時命之不合兮，傷楚國之多憂。內懷情之潔白兮，遭亂世而離尤。惡耿介之貞行兮，世溷濁

而不知。何君臣之相失兮，上沅湘而分離。〈七諫〉

△靈皇其不寤知兮，焉陳詞而効忠。俗嫉妬而蔽賢兮，孰知余之從容。願舒志而抽馮兮，庸詎知其吉凶。〈哀時命〉。

△撫檻兮遠望，念君兮不忘。怫鬱兮莫陳，永懷兮內傷。〈九懷〉

△若龍逢之沈首兮，王子比干之逢醢。念社稷之幾危兮，反爲讎而見怨。思國家之離沮兮，躬護衍而結難。〈九歎〉

△悲兮愁，哀兮憂，天生我兮當闇時，被諑譖兮虛獲尤。〈九思〉

另外一類則是漢代文人描寫自己的經驗感受，例如董仲舒的〈士不遇賦〉、劉歆的〈遂初賦〉、馮衍的〈顯志賦〉、〈自陳疏〉、張衡的〈思玄賦〉等，皆表現著才德之士的「悲世」怨情。據《漢書・董仲舒傳》，仲舒是極有政教才能與理想的人，卻受嫉於主父偃及公孫弘，因而獲罪。〈士不遇賦〉就是抒發其「忠怨」之情：「屈意從人，非吾徒矣。正身俟時，將就木矣。悠悠偕時，豈能覺矣。心之憂歟，不期祿矣」。劉歆在〈遂初賦〉的序言中說：「是時朝政已多失矣，歆以論議見排擯，志竟不得之官，經歷故晉之域，感今思古，遂作斯賦，以歎往事，而寄己意」，其「忠怨」之情已可想見，故篇中卽以屈原相喻：「彼屈原之貞專兮，卒放沈於湘淵；何方直之難容兮，柳下黜而三辱」。《後漢書・馮衍傳》載衍爲曲陽令，斬賊有功，「以讒毀，故賞不行」；又因受聘諸侯王，光武帝懲西京外戚賓客，衍受牽連獲罪，遂廢而不用。他在〈顯志賦〉中發抒了一懷「忠怨」之情：

「悲時俗之險阨兮，哀好惡之無常」，在〈自陳疏〉中更引前賢以自喻：「董仲舒言道德，見妬於公孫弘。李廣奮節於匈奴，見排於衞青。此忠臣之常所爲流涕也」。《後漢書・張衡傳》載張衡見「時政事漸損」，故常「上疏陳事」，後爲宦官所讒。他在〈思玄賦〉中也表現了此一「忠怨」之情：「感鸞鷖之特棲兮，悲淑人之稀合。彼無合其何傷兮，患衆僞之冒眞」。

綜合以上的討論，漢代文人「悲士不遇」的心靈模式，其感情經驗的特質，卽是忠君改俗的政教理想受阻所引生的悲怨；因此，文人所悲者不只是一己功名的挫折，而是時代政教的敗壞，更深層地說，那是一種對人性理想價值失落的悲憫。

(二)意志趨向的特徵——堅持理想價值，不與邪佞者妥協

士之不遇原就是政教理想在實現過程中，遭受到阻力。意志受阻，其解消阻力的方式，一可以是克服此一阻力，二可以是屈服於此一阻力，三可以是內心自求超越此一阻力。假如，士能克服阻力，終究實現了理想價值，也就無所謂「不遇」的悲情了。又假如士能在內心自求超越此一阻力，安之若命，則於實際上雖未能改變不遇之困境，卻也可於心靈上化解不遇所引生之悲情。又假如士能屈服於此一阻力，終而向它妥協，或可改變不遇的困難，而解消其悲情。然而，如此則士亦不足以爲士，而所謂「士不遇」此一實踐經驗命題也就根本不成立。

準此，士於面對不遇之時，若不能於實際上克服阻力或於內心中自求超越阻力，則亦不屑於屈服

於阻力，這是「不爲」而非「不能」的事。然而，在理想上堅持其意志，以對抗於現實阻力，卻往往又增強此「不遇」的悲壯性。

從屈原以至漢代文人，在「悲士不遇」的心靈模式中，都突顯了此一堅持理想價值的意志趨向。而此一堅持理想之意志，也正是構成「士不遇」的必要因素。屈原卽在他的作品中，反復強調自己對價值理想的堅持，甚至以死爲誓：

△亦余心之所善兮，雖九死其猶未悔。〈離騷〉

△伏淸白以死直兮，固前聖之所厚。〈離騷〉

△雖體解吾猶未變兮，豈余心之可懲。〈離騷〉

△阽余身而危死兮，覽余初其猶未悔。〈離騷〉

△欲橫奔而失路兮，堅志而不忍。〈惜誦〉

△吾不能變心而從俗兮，固將愁苦而終窮。〈涉江〉

△欲變節以從俗兮，愧易初而屈志。〈思美人〉

△受命不遷，生南國兮。深固難徙，更壹志兮。〈橘頌〉

漢代文人以屈原遭遇爲題材的騷體作品中，也同樣強調著此一意志趨向。例如東方朔〈七諫〉云：「內自省而不慙兮，操愈堅而不衰」。劉向〈九歎〉云：「願屈節以從流兮，心鞏鞏而不夷」、「悲余性之不可改兮，屢懲艾而不移」。另外，在自寫他們「不遇」的經驗時，同樣也表現了對價值

理想的堅持：

△屈意從人，非吾徒矣。〈董仲舒・士不遇賦〉

△雖矯情而獲百利兮，復不如正心而歸一。〈董仲舒・士不遇賦〉

△內自省而不慙兮，遂定志而不改。〈馮衍・顯志賦〉

△竭力以守義兮，雖貧窮而不改。〈張衡・思玄賦〉

綜合以上所引述的史料來看，從屈原到漢代，這一「悲士不遇」的心靈模式，所表現於意志趨向的特徵，卽是對價值理想的堅持。對價值理想堅持而不改，卽謂之「節」。爲了守節，至可以死相殉，卽謂之「死節」，這就是屈原在〈離騷〉中所說：「亦余心之所善兮，雖九死其猶未悔」、「伏清白以死直兮，固前聖之所厚」、「雖體解吾猶未變兮，豈余心之可懲」、「阽余身而危死兮，覽余初其猶未悔」。

余英時在《中國知識階層史論》中，認爲春秋戰國以來，王官之學散爲百家的局面，從此中國知識階層便以「道」的承擔者自居。先秦諸學派無論思想怎麼不同，但表現以道自任的精神這一點上是完全一致的。而知識分子以道自任的精神在儒家表現的最爲強烈，孔子在《論語・里仁篇》中明白宣示「士志於道」。在〈泰伯篇〉中，曾子也強調「士不可不弘毅，任重而道遠」。而孟子同樣在〈盡心篇〉中，強烈指出「天下無道，以身殉道」、「士尚志……，何謂尚志？仁義而已矣」。這些話都是在強調士的價值取向必須以「道」爲最後的依據。㉗

什麼是「道」？從儒家的說法則是一套「內聖外王」的眞理。因此，所謂「士志於道」即是士的意志乃在於內則修養自己的學問道德，外則將這學問道德發而爲政教上的理想，並實踐之，以致天下太平。戰國游士，至於晚期，而品類愈雜，鷄鳴狗盜之流亦可爲諸侯賓客。㉘然而，論春秋戰國之士，自當以儒墨爲主流，《韓非子》在〈顯學篇〉中卽說：「世之顯學，儒、墨也。……孔子、墨子俱道堯、舜，而取舍不同，皆自謂眞堯、舜」。儒、墨誰爲眞堯舜，姑不論，其哲學內容也姑不論；但他們講求修身與治國平天下，而皆具理想性，則沒有什麼分別。因此，若以儒墨之士爲道統之正，則「士」的理想性格，便是把生命存在的價值定位在以德修身而以德治天下。當這種價值自覺，歷經文化的實踐與傳導，而逐漸被士人所普遍認同並形成特定的價值信仰，卽型塑爲士人的「文化性格」。從而，我們也將以此「文化性格」爲準據去判斷其人是否眞爲「士」。卽有此性格者可稱之爲「士」，無此性格者不得稱之爲「士」，則「士」便不只爲一描述性名詞，進而爲評價性名詞。

「士」這一文化性格，儒墨以其實踐與觀念之提倡而開創爲典型。漢代文人尊儒，雖頗雜道、法、陰陽諸家之說，然其價值定位仍大致以儒爲依歸。前引董仲舒〈士不遇賦〉所謂「雖矯情而獲百利兮，復不如正心而歸一」、馮衍〈顯志賦〉所謂「內自省而不慙，遂定志而不改」、張衡〈思玄賦〉所謂「竭力以守義兮，雖貧窮而不改」，皆可視爲此一文化性格之表現。

悲劇之構成，乃在於主觀、理想之人性價值受挫於客觀之命限，而形成背理性之傷害。爲惡而得惡報，卽使身受刑戮，實爲合理，滿足吾人道德價值之意願，故不得因其死亡而謂之悲劇。反之，爲

善而得惡報，甚而身受刑戮，實爲背理，於吾人道德價值之意願爲有憾，故可謂之悲劇。職此，則悲劇之構成，須以主觀、理想之人性價值爲其必要因素。主觀上，理想之人性價值一旦放棄而墮毀，則悲劇亦必因此而解消。討論至此，我們可以判斷，「士不遇」這種類型的悲劇，從構成悲劇之根本原因而言，「性格悲劇」的成分實大過於「命運悲劇」。

構成文化性格的因素不是個人的自然氣質性，而是普遍的文化價值意志。然而，價值意志之實現爲事業，除客觀之機緣命限的條件外，個人材能的適任性也是重要條件。換句話說，假如我們將治國平天下這一政教理想看作「士」的集團意志，則此一集團意志之實現，實非個人之力所能完成，當這一理想落實於政治事務，則有賴於士的因材分職，各司其所長。劉劭《人物志》即是從自然才性之殊異，探討政治實務中「因材適任」的事理，〈材能篇〉云：「人材各有所宜」、「人材不同，能各有異」、「能出於材，材不同量。材能既殊，任政亦異」，故〈流業篇〉分人材爲十二，而各有適任。

從以上的討論，我們已約略可以發現，士的文化性格與其自然才性之間實隱涵著可能的矛盾。所謂可能，卽指此一矛盾並非必然。而其可能矛盾之造成，乃在於文化性格爲一普遍性之文化價值意志，凡爲「士」，人人皆以此價值自許並堅持之，而又人人自以爲治國平天下之才，必欲「致君堯舜上，再使風俗淳」。㉙但是實際上，「人材不同，能各有異」、「材能既殊，任政亦異」，並非人人皆具有實現政教理想價值的材能。因此，便可能形成價值意志與個人才性無法相應的困境。魏晉以後，文學創作已逐漸脫離政教而取得純文學的獨立地位。這種文學創作的專業化傾向，使得「文人」的涵

義也被部分地窄化爲文學創作之人。但這類以文學創作爲能者，並未通過自我性向的正確認知，充分理解到能文學者未必能政事，故仍以治國平天下之價值理想爲意志，終而構成才性不足以具現理想，卻又鬱鬱於「不遇」的虛幻性悲劇。

劉劭《人物志》的〈流業篇〉中分人材爲十二，可擔負治國平天下之政治實務者，主要是「清節之家」、「法家」、「術家」，㉚即所謂「三材」。此「三材」構成文官的完整體系，乃是政治實務中，「政務官」與「事務官」的人材來源。而以文學創作爲專能者，稱爲「辭章」之材，列在三材之外，適任的職務是「國史」，乃文書官的性質。《人物志》作這種區別，不只是理論而已，事實上漢代之文學創作雖未脫離政教而獨立爲專業，但某些文人在才性表現上卻已顯示出以文學創作爲專能的特徵，例如枚乘、司馬相如、東方朔、揚雄、王褒等，這類文人在漢代政治上也逐漸形成「文學之臣」的典型。然而，他們卻未必能以「文學之臣」爲滿意，揚雄在《法言·吾子篇》中自悔其辭賦創作爲「雕蟲篆刻，壯夫不爲」，即是很明顯的例子。

因此，「士不遇」之悲劇，當我們由其理想之自許與堅持作感性的同情，都算是可悲。但若作理性之批判，則不能不去檢驗文人在才性上所作具體的表現，是否與其自許之理想不相適應？然後才能判斷此一悲劇在政教上是否具有客觀性、實質性之意義。

綜合以上的討論，漢代「悲士不遇」這一心靈模式，普遍地以政教理想價值之堅持此一特徵構成形式性的存在。然而，假設我們從個殊的經驗內容，實質地理解這一悲劇之構成，是否由於個人才性

與普遍之文化價值意志不相諧合，或可區分出不具政教上客觀實質意義的悲劇。這類悲劇，就當事者主觀的感受而言，充滿自傷自憐之情，但若從政教的客觀境況而言，則未必能顯示全時代政亂理昧的普遍悲情。然則「士不遇」之悲劇，有時代性也有個人性。對於理解屈原以下這一心靈模式，理性的檢驗、分辨與批評，實有其必要，不可一概而視之。

㈢觀念思惟的特徵——對「時命」經驗的反省

何謂「命」？在中國文化思想史上，對於「命」所提出的觀念非常複雜。㉛在此，我們不去討論歷代諸家對於命所說的實質內容，而只對「命」作一範疇性之定義：命，即是個體存在，其主觀意志實現所受客觀限制之因素。

因此，「命」實爲悲劇構成之客觀性因素的總名。至於「命」之主宰者，究竟是一超越性之人格天或元氣，或其他什麼形上體，則可有許多不同的解釋。

「命」是漢代文化思想的重要主題之一。在哲學思考上，最主要有董仲舒的「王者受命」之說，探討君權與治道的超越依據。其次是漢儒一般流行的「三命」說，所謂三命是指正命、遭命、隨命。「正命」乃指人之受天生，而自然爲善，亦自然得福壽，其德福一致而皆正。「遭命」乃指行善而得惡。「隨命」則指福禍隨人自己行爲之善惡而召致者。這是從「德行」與「命祿」關係，所作理論性之思考。再其次，則是王充「自然之命」的觀念，從自然氣稟以探討「命」之發生的超越依據。㉜這

些「命」觀，都是哲學上理論性的思惟，多具形上學的傾向。

在「悲士不遇」這一心靈模式中，從屈原到漢代文人對於「命」的感受與思考一直是很顯著的特徵。但他們不同於哲學家，對於「命」並不太作理論上的思惟，而是傾向於歷史經驗的感悟，故特別注重「時」而謂之「時命」。我們從屈原諸多作品中，雖然也可以看到他將「命」推極於天，而稱之爲「天命」，例如〈天問〉即云「天命反側，何罰何佑」、「皇天集命，惟何戒之」，〈哀郢〉亦云「皇天之不純命兮」，彷彿屈原心中有一人格天以宰制人之命運。然而，他對於「命」最眞切的感受，並不在天，而在於時代。他在〈離騷〉中所反覆申訴的也是他理想價値意志被時代所限制的痛苦，他說「吾獨困窮乎此時也」、「哀朕時之不當」。然則，相對於其理想意志的時代客觀限制因素是什麼？他反覆地強調，這客觀限制因素是一完全與人性理想價値對反的集體心靈，〈離騷〉云：

△衆皆競進以貪婪兮，憑不厭乎求索。羌內恕己以量人兮，各興心而嫉妒。

△衆女嫉余之蛾眉兮，謠諑謂余以善淫。固時俗之工巧兮，偭規矩而改錯。背繩墨以追曲兮，競周容以爲度。

△世溷濁而不分兮，好蔽美而嫉妒。

△世溷濁而嫉賢兮，好蔽美而稱惡。

△世幽昧以眩曜兮，孰云察余之善惡。

△何瓊佩之偃蹇兮，衆薆然而蔽之。惟此黨人之不諒兮，恐嫉妒而折之。

從以上的敍述來看，對屈原理想價值意志形成限制的客觀性因素，即是一「競進」、「貪婪」、「嫉妒」、「工巧」、「背繩墨」、「競周容」的集體心靈。此一「集體」，主要是政治上的一批當權人物。其心靈狀態，則是欲望奔馳、虛僞矯飾、嫉美妒賢、而背離繩墨規矩。這基本上是人性的墮落，而異化爲一宰制吾人理想價值意志的客觀限制因素。然則，屈原所感受到的「時命」，不是一政治表層結構的限制，而是一人性深層結構的限制，它不是天的命限，也不是自然的命限，而是文化的命限。因爲所謂文化，深層來說，即是價值系統。㉝

漢代文人之「悲士不遇」，對於「命」的感受與思考，大致也側重在時代經驗層次，甚少推極於天而作形上的思考。嚴忌〈哀時命〉，其以「時命」爲主題，甚爲明確：「哀時命之不及古人兮，夫何予生之不遘時」。其他以屈原不遇爲題材之作品，亦多將「時命」列爲描寫重點，例如東方朔〈七諫〉專節寫「哀時命」云「哀時命之不合兮，傷楚國之多憂」。劉向〈九歎〉亦專節寫「愍命」云：「哀余生之不當兮，獨蒙毒而逢尤」。至於漢代文人描寫其當代之經驗，更是明白提出對「命」的感受與思惟，最典範的例子，即是賈誼的〈鵩鳥賦〉、董仲舒的〈士不遇賦〉、司馬遷的〈悲士不遇賦〉、東方朔的〈非有先生論〉、〈答客難〉、揚雄的〈太玄賦〉、〈解嘲〉、劉歆的〈遂初賦〉、班固的〈幽通賦〉、〈答賓戲〉、馮衍的〈顯志賦〉、〈自論〉、張衡的〈思玄賦〉、〈應間〉、〈應間序〉等，其中有些推向形上的哲學思考，例如賈誼的〈鵩鳥賦〉、揚雄的〈太玄賦〉、班固的〈幽通賦〉、張衡的〈思玄賦〉。但是，最能顯示此一心靈模式的思惟特徵者，則是從歷史經驗的進

路，描寫對「時命」的感受與思考。

屈原對於「時命」的描述，往往通過「遇」與「不遇」兩種歷史經驗典型加以對顯。「不遇」的典型經驗是他自己，而「遇」的典型經驗則是他在〈離騷〉中所描寫的「說操築於傅巖兮，武丁用而不疑」、「呂望之鼓刀兮，遭周文而得舉」、「甯戚之謳歌兮，齊桓聞以該輔」，這是個體生命之間，能相互感通，以道義相契合的典型。漢代文人也延續此一思惟方式，以「遇」之歷史經驗對顯「不遇」之歷史經驗，而見「時命」之不虛。「不遇」是指屈原與他們自己的經驗。而「遇」的歷史經驗則有二種類型：一種是伊尹之遇於殷湯、太公之遇於文王等等，東方朔在〈非有先生論〉中稱這種「遇」爲「心合意同」，班固在〈答賓戲〉中稱爲「言通帝王，謀合神聖」，顯然這也是君臣個體之間的感通知遇，與屈原所說無異。另一種則是蘇秦、張儀等戰國游士之遇於諸侯，東方朔的〈答客難〉、揚雄的〈解嘲〉、班固的〈答賓戲〉、張衡的〈應間〉對此都有很精切的描寫。這一類型乃屈原所未曾觸及。

上述二種「遇」的經驗典型對顯了漢代文人「不遇」的二種經驗層次。第一種明君與賢臣的相遇，表徵著君之敬信其臣，而臣之忠愛其君，彼此以道義、理想相結合，在這種關係之中，讒佞不能間，邪惡不得逞，人性理想價值充分地發顯。這是古代士人所最嚮往的時命，李蕭遠在〈運命論〉中對此有精彩的描寫：「運之所隆，必生聖明之君，聖明之君，必有忠賢之臣，其所以相遇也，不求而自合。其所以相親也，不介而自親。唱之而必和，謀之而必從。道德玄同，曲折合符。得失不能疑其

志，讒構不能離其交，然後得成功也」。我們姑不論李蕭遠將命的宰制因素推極於天，㉞只就這經驗現象本身來說，的確是展現了人性最爲理想的價値。漢代文人如此強調這一「時命」，正是爲了對顯其「不遇」，乃是出於人性理想價値的失落。其中，賈誼、董仲舒、劉向、劉歆、馮衍、張衡等，皆以正道而受讒於小人，經驗到人性理想價値失落的時命，而將它表現於作品之中。㉟這種「時命」經驗，乃一道德主體在實踐其政教理想過程中所受到客觀的限制，這客觀限制卽是人性墮落而異化爲一宰制性力量，與屈原的「時命」經驗相同。

第二種「遇」的經驗典型，表徵著大一統專制解體的時代，士人由統一固定的政治制度游離出來，而成爲一自由的才性主體，可不受限制地實現個人的才性價値。這種「遇」的經驗典型，對顯的是漢代文人由大一統專制的「時命」所造成的「不遇」經驗。因此，這一「時命」指涉的是政治制度的限制，其所對之主體也是才性主體而非道德主體，與前一種「時命」的涵義不同，徐復觀在《兩漢思想史》中所謂「西漢知識分子對專制政治的壓力感」，所指的應該就是這種「時命」了。

我們前文比較漢代文人與屈原政治處境相類似。然而，屈原雖處在「小一統」的政治格局中，而不「游」於諸侯，但他卻未感受到這是一限制性的「時命」。因爲就「文化命限」的意義來說，「時命」是相對於一價値意志而存在，無此意志也就感受不到此一命限。屈原無游士之性格，亦無「游」之意志，故亦未感受由政治格局而生之命限。由此推之，西漢文人這一「時命」經驗，實與游士性格及意志相對而生。西漢去戰國不遠，從政治制度上來說，已轉型爲大一統的專制。但文人的文化性格

卻仍延續著戰國的「游士」性格，故「游士」的表層活動雖結束於秦漢之際，但內在深層的觀念卻無法隨著政局而立刻調適轉型。余英時在《中國知識階層史論》中，就曾判斷說：「秦的統一確已結束了古代的游士時代，不過由於社會史不能像政治史那樣有清楚的斷代，所以漢初幾十年之內游士又一度廻光返照而已」。㊱這顯然是內在觀念與外在處境的脫節，故漢代文人，往往表現出主觀意志從當代處境中游離而出的心理現象。這一心理現象，當以東方朔〈答客難〉與揚雄〈解嘲〉爲代表。東方朔將當代「天下平均，合爲一家」的處境與戰國「得士者彊，失士者亡」的處境作一比較，而爲漢代文人之不遇提出「時異事異」的觀念，云：

天下無害災，雖有聖人，無所施才。上下和同，雖有賢者，無所立功。故曰：時異事異。

同樣的觀念，也見於揚雄的〈解嘲〉，他比較了漢代與戰國的政治處境之後，論斷云：「世亂則聖哲馳騖而不足，世治則庸夫高枕而有餘」，故士人「爲可爲於可爲之時則從，爲不可爲於不可爲之時則凶」。

從這些觀念很顯著地看出：㈠他們所謂「遇」是指才材能之表現，而以表建立功業爲目的。㈡時代混亂，反而是士人一展材能的良好時機。㈢時代治平，則賢能者無可用其材。這樣的「時命」觀志顯係受到專制政體的壓迫所反激而成，與屈原的「時命」觀念有些不同。不過，他們雖以展現個人材能的目的，卻還不失政教理想。

他們對待這一「時命」，基本態度是不滿，但又如何自處呢？東方朔的自處是「守常」而「待

時」，他相信「苟能修身，何患不榮」，故「君子有常行」，「不爲小人之匈匈而易其行」。然則，東方朔雖不滿於「時命」，卻仍能以積極的態度，堅持其價值理想。至於揚雄，則採取「知言知默，守道之極」的超越態度，這顯然是道家的進路了。

這種「時命」的觀念，到東漢班固而有頗大的轉變。他在〈答賓戲〉之中，一反東方朔、揚雄對當代政治處境之不滿，而大加讚揚：「基隆於羲農，規廣於黃唐，……六合之內，莫不同源共流，沐浴玄德，禀仰太和」。因此，他反對「處皇代而論戰國，曜所聞而疑所覿」。並且他批判戰國儒家孔孟之外的游士，尤其是縱橫家和法家，以爲他們「因勢合變，偶時之會，風移俗易，乖迕而不可通」，故君子應當「愼修所志，守爾天符」，「功不可以虛成，名不可以僞立」。大致來說，他的觀念特色是安於當代的政治處境，不再有抗拒之心。然後，在此一現實基礎上，去追求政教理想價值。徐復觀對班固這種轉變頗著貶詞，以爲這是「知識分子對大一統專制的全面性的壓力感，由緩和而趨於痲木」。㊲但我們認爲這種批判並不公平，他只見到班固對現實的承認，卻無視於班固對政教理想的堅持。承認現實，並不完全等於向現實妥協，這必須視其是否抱持理想而定。士人不能認識時代，不願立足時代，而從時代游離出來，空談理想，遂使理想虛掛，難以實現，這也未必是明智的做法。

四、結　論

綜合以上的討論，我們可以得到這樣的判斷：

漢代文人「悲士不遇」的心靈模式，乃是通過屈原這一歷史經驗的型塑作用，再加上當代文人個別經驗的深切及普同，而與歷史經驗類化而成。從屈原以至漢代文人，構成他們「不遇」的內外因素，則是由於：㈠士志於道，他們將人性理想價值定位在以德修身而以德平治天下，而逐漸形成固定的文化性格。此一性格之發用，一方面使他們的出處單一化，在事業的橫向選擇中，形成自我限定。一方面則堅持價值理想，以與時命對抗。對抗失敗，則成不遇的悲劇。㈡在一統的政治格局中，漢代文人逐漸失去「游」於諸侯的環境，因此在政治活動橫向的空間上，喪失了多元性、自主性的選擇，而受制於時代的客觀命限。㈢在漢代一人專制的政治格局中，士已無法與政治領袖保持道義上平等對待的師友關係，而必須被納入一套以權力位階決定主從關係的官僚體系。漢代文人之從政者，皆必然在此一官僚體系中，服從皇帝的權威。因此，在縱向的進退升降中，士人已完全失去其自主性。㈣大一統的政治性格，不是競爭，而是安定，故有理想有見識的文人，其材能價值反而受到貶降，而無可用之處。㈤在現實政治權力的競逐中，人性墮落而異化爲一宰制性的深層意識結構，反過來壓抑人性理想價值的實現，而形成政治文化發展的一種客觀命限。漢代具有政教理想的文人，往往受此一時命的宰制，而造成「不遇」的悲劇。

漢代文人此一心靈模式呈現三大特徵：㈠在感情經驗上，是以「忠怨」或說「悲世之怨」爲其特質。其怨生於政教理想價值之失落，而非只爲個人名利之受挫。㈡在意志趨向上，則堅持人性的理想價值，不與邪佞者妥協，甚至可以死相殉，展現著性格悲劇的色彩。㈢在觀念思惟上，從歷史經驗體

悟「時命」。通過「遇」與「不遇」的經驗對顯，而指出所謂「時命」，一是人性的墮落而異化，一是專制的政治格局。故「時命」非人格天之命限，亦非自然氣化之命限，而是政治文化之命限。

漢代之後，此一心靈模式除了同質性的延展之外，更產生異質性的轉變。由於隋唐以來，科舉制度的日趨嚴密，以及東漢魏晉以來，士的個體意識的覺醒。遂使此一心靈模式中的情感特質，由政教理想失落所生的「悲世之怨」轉而爲個人功名挫敗所生的「悲己之怨」。相對於漢代而言，可以說是「悲士不遇」心靈的窄化、俗化，甚至空洞化。

【附　註】

① 參見《西洋哲學辭典》第三四四條，布魯格編著，項退結編譯，先知出版社。

② 所謂物質性感覺官能的經驗活動，指眼、耳、鼻、舌、身等感官作用於物質對象，而產生顏色、形狀、聲響、味道、質地等知覺經驗。

③ 人文性的活動現象，如政治上的權力鬪爭、倫理上的夫妻失和等等，皆是人們生活中的一種行爲，行爲的發生都有價值觀念爲其動因。因此，一切文化現象，皆具有價值性。

④ 「士」在身分上的界定，說法頗多。他是低階級的貴族，也是高階級的平民，並具備知識，甚至說以政教理想爲志。伯夷、叔齊時，封建制度未建立，他們又是高階級的貴族，實不得稱之爲「士」。但此處「士」爲廣義用法，不指涉其社會階級，而指涉其才德學識。

⑤ 見《孟子·告子篇》：「所就三，所去三。迎之致敬以有禮，言將行其言也，則就之。禮貌未衰，言弗行也，則去之……。」

⑥ 參見余英時《中國知識階層史論》頁七四，聯經出版社。

⑦ 參見潘英《中國上古史新探》第三章〈中國上古時代的「國」〉、第四、五、六節，臺北明文書局。

⑧ 同註⑦。

⑨ 參見勞思光《中國哲學史》第二卷第一章〈漢代哲學〉，友聯出版社。

⑩ 參見徐復觀《兩漢思想史》卷一，〈一人專制的五種特性〉頁一三五起，學生書局。

⑪ 見《漢書》卷四十四〈淮南王傳〉。

⑫ 見《後漢書》卷一〈光武帝紀〉。

⑬ 見《後漢書》卷四十二〈光武十王列傳〉。

⑭ 參見徐復觀《兩漢思想史》卷一，〈專制對封建的尅制過程〉頁一七五起。

⑮ 參見余英時《中國知識階層史論》〈私門養客與游士的結局〉，頁八六。

⑯ 參見徐復觀《兩漢思想史》卷一，頁一三五至一四七。

⑰ 參見《漢書》卷三五〈吳王濞傳〉、卷五一〈枚乘傳〉

⑱ 參見《漢書》卷四七〈梁孝王傳〉、卷五一〈鄒陽傳〉、卷五二〈韓安國傳〉。

⑲ 參見徐復觀《兩漢思想史》〈武帝對宰相制度的破壞〉頁二二五起。

⑳ 參見《漢書》卷四八〈賈誼傳〉、卷五六〈董仲舒傳〉、卷五一〈鄒陽傳〉、卷三六〈劉向、劉歆傳〉，另

《後漢書》卷十八、十九〈馮衍傳〉、卷四九〈張衡傳〉。

㉑ 班固〈離騷序〉以爲屈原「露才揚己」。

㉒ 參見《史記》卷八四、《漢書》卷四八〈賈誼傳〉。

㉓ 例如溫庭筠〈蔡中郎墳〉詩：「今日愛才非昔日，莫拋心力作詞人」、〈過陳琳墓〉詩：「詞客有靈應識我，霸才無主始憐君」等，按《舊唐書》卷一九〇下〈溫庭筠傳〉載，庭筠士行塵雜，屢年不第。

㉔ 宋玉〈九辯〉已啓文人窮愁之端，而東方朔在〈答客難〉、揚雄在〈解嘲〉中，皆表現個人才性不得用於當世之牢騷。故劉熙載《昨非集》卷二〈讀楚辭〉云：「若悲已則宋玉以下至魏晉人爲甚矣」。

㉕ 參見余英時《中國知識階層史論》頁三三一起〈士之個體自覺〉。

㉖ 以上參見楊雪嬰《李賀詩風格之構成與表現》〈騷怨在經學詮釋系統中的意義〉，高雄師範大學國文研究所碩士論文。

㉗ 以上參見余英時《中國知識階層史論》〈士志於道——兼論「道」的中國特性〉。

㉘ 參見余英時《中國知識階層史論》〈私門養客與游士的結局〉頁七六至頁八四。

㉙ 此處借用杜甫〈奉贈韋左丞丈二十二韻〉詩句。

㉚ 按「清節之家」是「德行高妙，容止可法」，適合「師氏之任」。「法家」是「建法立制，強國富人」，適合「司寇之任」。「術家」是「思通道化，策謀奇妙」，適合「三孤之任」。此三材乃「純備三公之任」。

㉛ 參見唐君毅《中國哲學原論・導論篇》第十七、十八、十九章〈原命〉上中下，商務印書館。

㉜ 參見同前註㉛；第十七章〈原命中：秦漢魏晉天命思想之發展〉。

㉝ 參見余英時《從價值系統看中國文化的現代意義》，時報文化公司。

㉞ 李蕭遠〈運命論〉云：「其所以得然者，豈徒人事哉！授之者，天也。告之者，神也。成之者，運也」。見《昭明文選》卷五三。

㉟ 見賈誼〈惜誓〉、董仲舒〈士不遇賦〉、劉向〈上條異封事〉、劉歆〈遂初賦〉、馮衍〈顯志賦〉、張衡〈思玄賦〉。

㊱ 參見同註⑮。

㊲ 參見徐復觀《兩漢思想史》〈兩漢知識分子對專制政治的壓力感〉。

兩漢章句之學重探

林慶彰

一、問題的提出

章句之學是什麼？前人的解釋是否正確，似乎尚未有人作進一步的討論。此事不但關涉到對章句之學的正確認識，也有助於解決兩漢經學研究的某些問題，是以有重新檢討的必要。

孔穎達《毛詩注疏．關雎．疏》說：

句者局也，聯字分疆，所以局言者也。章者明也，揔義包體，所以明情者也。（卷一，頁二四）

孔氏所說的章句，是就《詩經》各篇分章分句來說的。清人沈欽韓《漢書疏證》說：

章句者，經師指括其文，敷暢其義，以相教授。（王先謙《漢書．藝文志補注》引）

什麼是「指括其文，敷暢其義」，沈氏卻沒有說明。呂思勉《章句論》說：

顧考諸古書，則古人所謂章句，似卽後世之傳注。（頁一）

呂氏以章句爲「傳注」。馮友蘭的說法也很接近，他的《中國哲學史史料學初稿》說：

章句是從漢朝以來的一種注解的名稱。先秦的書是一連串寫下來的，旣不分章，又無斷句。分

章斷句，都須要老師的口授。在分章斷句之中，也表現了老師對于書的理解，因此，章句也成為一種注解的名稱。（頁一四〇）

馮氏以爲章句是分章斷句，分章斷句表現了老師對典籍的理解。這種理解可說是一種注解，所以章句就是注解。皮錫瑞的《經學歷史》曾說：

治經必宗漢學，而漢學亦有辨。前漢今文說，專明大義微言；後漢雜古文，多詳章句訓詁。章句訓詁不能盡饜學者之心，於是宋儒起而言義理。（頁八九）

皮氏似乎也把章句認爲是一種注解，所以章句訓詁連在一起說。他認爲前漢今文家，專明大義微言，後漢古文家，多詳章句訓詁；則章句似乎專屬於古文家的一種注解。皮氏的說法是否正確？

戴君仁先生的《經疏的衍成》一文，認爲漢人的經說大抵可歸併爲解故和章句兩種。解故和章句是不相同的，《尚書》既有《大、小夏侯解故》，又有《大、小夏侯章句》，可知是有分別的。戴先生並引沈欽韓所舉《左傳》宣公二年的《疏》，證明章句不是，或不僅是零星的詞和字的解釋，而是整段逐句的文義解釋。又引《漢書》卷八十八〈儒林・張山拊傳〉：「（秦）恭增師法至百萬言」，以爲師法卽章句。又引《後漢書》卷七八〈宦者蔡倫傳〉「各讎校漢家法」，以爲家法卽博士們的五經章句。所以「家法、師法、章句當是一物之異稱。皮錫瑞分別師法家法，我想是不必的。」①戴先生有關章句、師法和家法的闡述應是目前爲止較爲詳盡可信的。但是，由於前人累積太多不正確的說法，戴先生的論文又非專門討論章句而設，所以想了解章句之學的人，未必見過。且有些問題戴先生

也未討論到，如：

1.爲何說「章句小儒，破碎大道」？

2.章句之徒所破壞的是「形體」或是「大體」？

3.有「小章句」，是否也有「大章句」？

4.如果章句與師法、家法，是一物的異稱，何以要有此異稱？

5.嚴守師法和家法，有何意義？

6.博通的學者何以會「不守章句」？

這些問題，看似無關緊要。其實，唯有徹底解決這些問題，兩漢章句之學的眞正面貌才有可能呈現出來。能夠掌握章句之學的眞貌，談兩漢經學才不致於人云亦云，甚或歪曲解釋。

本文僅討論章句之學本身的問題，兩漢經學的諸多糾纏問題將不涉及。再者，對以上諸問題的討論也僅表示個人的一點看法而已。

二、章句是什麼？

章句並不全是對經書的注解，此點前引大、小夏侯《尚書》，既有《章句》二十九卷，又有《解故》二十九篇，已足以證明。另外，《漢書・揚雄傳》說揚雄「不爲章句，訓詁通而已。」《後漢書・桓譚傳》說桓譚「博學多通，徧習五經，皆詁訓大義，不爲章句。」〈班固傳〉說班固「所學無

常師，不爲章句，舉大義而已。」從揚雄、桓譚、班固的傳記，可知三人讀經時，皆不爲章句，通訓詁而已。章句、訓詁之不同，這裏又是很好的例證。我們雖已知章句和訓詁不同，但章句的性質如何，似仍有待進一步的闡述。

《漢書·夏侯勝傳》說：

勝從父子建字長卿，自師事勝及歐陽高，左右采獲，又從五經諸儒問與《尚書》相出入者，牽引以次章句，具文飾說。勝非之曰：「建所謂章句小儒，破碎大道。」建亦非勝，為學疏略，難以應敵；建卒自顓門名經。（卷七五，頁三一五九）

夏侯勝和夏侯建，是西漢宣帝時代的人。夏侯勝是夏侯建的叔叔。夏侯建曾拜他爲師。夏侯建研究《尚書》的方法是：「左右采獲，又從五經諸儒問與《尚書》相出入者，牽引以次章句，具文飾說。」這段話是研究章句之學最早、最值得注意的資料。所謂「左右采獲」，是說從夏侯勝和歐陽高兩處援引了不少相關的資料。「以次章句」的「次」，是排列的意思。亦卽順著經文各章、各句的脈絡，將所援引的資料納入，然後再加以引申闡述，這就是「具文飾說」。這種解經方式，自成一種格局，且由於牽引資料太多，往往妨害到對本文的理解，經文中所蘊含的聖人之道，已無法兼顧，甚或茫然無所知。所以，夏侯勝要批評夏侯建是「章句小儒，破碎大道」。這裏的「大」、「小」是相對立的，聖人之道是一種「大道」，能通聖人之道的是「大儒」，不能通聖人之道的，是「小儒」。小儒所以不能通聖人之道，是因爲祇顧援引資料，證成自己的論點，聖人的原意如何，已棄置不道。此

種解經方式，有一部分是爲應付論敵用的。夏侯建研經的著眼點卽在此。而夏侯勝承繼西漢初的學風，訓詁通而已②，所以夏侯建才批評他「爲學疏略，難以應敵」。

另外，班固《漢書·藝文志》中的一段話，對了解章句之學也頗有助益，玆引錄如左：

古之學者耕且養，三年而通一藝，存其大體，玩經文而已。是故用日少而畜德多。三十而五經立也。後世經傳旣已乖離，博學者又不思多聞闕疑之義，而務碎義逃難，便辭巧說，破壞形體，說五字之文，至於二、三萬言。後進彌以馳逐，故幼童守一藝，白首而後能言；安其所習，毀所不見，終以自蔽。此學者之大患也。（卷三〇，頁一七二三）

這裏所說的「古之學者」，可能是指西漢初的學者，它們研究經書，乃從經文中去探討聖人著書的眞義，所以說「存其大體，玩經文而已。」所謂「後世」，大概是指西漢中葉以後，經書的各種注解逐漸出現，學者專在傳注上下工夫，甚至鑽牛角尖，刻意彌縫者也所在多有，所以說「碎義逃難，便辭巧說」。至於「破壞形體」，顏師古以爲當時經學家爲了逃避別人的攻擊，故爲便辭巧說，以析破文字之形體。這種情形在當時可能相當嚴重，許愼〈說文解字敍〉曾指出當時的經生「競逐說字解經誼」，說字時乃根據隸書的字形來解說的，如「馬頭人爲長」、「人持十爲斗」、「虫者屈中」……等。許愼認爲這種說解文字的方式，「不合孔氏古文，謬於史籀」。並批評那些隨意解字的俗儒鄙夫，「翫其所習，蔽所希聞，不見通學，未嘗覩字例之條。」這種隨意解說文字的現象，或許就是班固所指摘的「破壞形體」。至於「說五字之文，至於二、三萬言」，大概像秦近君說〈堯典〉篇目兩

字十餘萬言，說「曰若稽古」三萬言之類。班固雖在批評當時章句之學的弊病，但從另一角度來看，章句之學的特點卽在此。當時經學家說經旣如此煩瑣，所以「幼童守一藝，白首而後能言。」由於祇顧自己所知者加以闡釋發揮，自成一封閉的系統，無意接受新知，所以才有「安其所習，毀所不見，終以自蔽」的「大患」出現。

以上對《漢書・夏侯勝傳》和《藝文志》等兩段文字的疏解，對章句之學的性質已有較明晰的概念。那麼，是否有現存的章句資料，可輔助說明前面的論點。〈漢志〉著錄以章句爲書名的，《易經》有施讎、孟喜、梁丘賀章句各二篇；《尙書》有大、小夏侯章句各二十九卷；另有公羊章句三十八篇和穀梁章句三十三篇。這些章句都已亡佚，清人馬國翰和黃奭等人的輯佚，僅是斷簡殘篇，已無法窺見章句的完整形式。④ 現存以章句爲書名的著作，有趙岐的《孟子章句》和王逸的《楚辭章句》。這兩部書都是東漢時代的作品，是削減章句以後才出現的，恐不足以反映章句極盛時代的面貌。這兩書的內容和一般所說的傳注並沒有什麼不同，但對經文的每一句都有簡明的釋義。這種對各章、各句作簡明釋義的，可能就是〈丁寬傳〉所說的「作易說三萬言，訓故舉大誼而已，今小章句是也。」（《漢書》，卷八八）可知解經如僅僅「訓故舉大誼」，就是「小章句」⑤。這種小章句，可能就是章句之學最早的形式，如果牽引很多資料，甚至單就某一問題作詳盡縝密的闡釋，就可能變成「大章句」。西漢末至東漢時代所要刪削的，就是這種動輒數十萬言，或百萬言的大章句。

小章句的形式是怎樣呢？清人沈欽韓曾說：「章句者，經師指括其文，敷暢其義，以相教授。左

宣二年傳疏，服虔載賈逵、鄭衆或人三說，解叔牂曰『子之馬然也』，此章句之體。」（《漢書·藝文志補注》引）沈氏以爲宣公二年《左傳疏》，載有賈逵、鄭衆、或人（不知名之人）等三種說法，在解說「子之馬然也」這句話。這些解說，就是章句的一種形式。玆將沈氏所舉的《左傳疏》抄出來：

服虔載三說，皆以「子之馬然」為叔牂之語，「對曰」以下為華元之辭。賈逵云：叔牂宋守門大夫，華元既見叔牂，牂謂華元曰，子見獲於鄭者，是由子之馬使然也。華元對曰：非馬自奔也，其人為之也。謂羊斟驅入鄭也。奔，走也。言宋人贖我之事旣和合，而我卽來奔耳。鄭衆云：叔牂卽羊斟也，在先得歸。華元見叔牂，牂卽誣之曰，奔入鄭軍者，子馬然也。非我也。華元對曰，非馬也，其人也，言是汝驅之耳，叔牂旣與華元合語而卽來奔魯。又一說，叔牂，宋人，見宋以馬贖華元，謂元以贖得歸，謂元曰：子之得來，當以馬贖故然。華元曰，非馬也，其人也，言己不由馬贖，自以人事來耳。贖事旣合，而我卽來奔。

就所錄的疏文加以分析，賈逵、鄭衆、又一說等三家都在闡述「子之馬然」一句話的文意，三家解釋互有不同，但力求文句的眞意則並無二致。可是，賈逵、鄭衆都是東漢時代的人，他們的說法，出在章句減化以後的時代，也許可視爲一種較純淨簡潔的章句，卽前文所說的「小章句」。至於什麼是「大章句」呢？

現在雖然沒有那一種流傳的文獻，直接說某某資料就是大章句。但是，前人所說的數十萬言，或

百萬言的「大章句」，其詮釋形式，恐怕不會像前文所引的那麼簡潔扼要。〈漢志〉著錄施、孟、梁丘氏的《易經章句》各二篇，他們的原書已亡佚，但孟氏章句的一部分，仍保存在開元中唐僧一行的〈卦議〉中。其所引的孟氏說如左：

自冬至初，中孚用事，一月之策，九六、七八，是為三十。而卦以地六，候以天五，五六相乘，消息一變，十有二變而歲復初。坎、震、離、兌，二十四氣，次主一爻。其初則二至、二分也。坎以陰包陽，故自北正，微陽動于下，升而未達，極於二月，凝涸之氣消，坎運終焉。春分出於震，始據萬物之元，為主於內，則羣陰化而從之。極于正南，而豐大之變窮，震功究焉。離以陽包陰，故自南正，微陰生於地下，積而未章，至于八月，文明之質衰，離運終焉。仲秋陰形于兌，始循萬物之末，為主於內，則羣陽降而承之。極於北正，而天澤之施窮，兌功究焉，故陽七之靜始於坎；陽九之動始于震。陰八之靜始于離，陰六之動始于兌。故四象之變，皆兼六爻，而中節之應備矣。（卷二七上，歷三上）

這是孟喜的十二月卦，一行說：「十二月卦出於孟氏章句。」可見孟氏的十二月卦，也是一種章句之學。如果一行所說的無誤，那麼，漢代易學家的象數之學，是否可算是一種章句之學？個人以爲不單是易學家的象數學，西漢宣帝以後的經學研究，都可以說是一種廣義的章句學。

宣帝以後的經學是一種有別於漢初古學的「今學」。今學的主導者是博士。博士領政府的俸祿，主要的任務是傳承某一種經書。博士在政府核定的員額內招收弟子，博士弟子卽是政府部門所儲備的

人才。博士用他所專精的一門經書作爲教材，由於經書大都是先秦留傳下來的文獻，如果沒有注解、闡釋已不易了解。這些經師所作的注解，或稱傳、說、故、或稱章句，名稱雖不同，其爲經書作注，則並無二致。而當時的博士，爲了長久保有他的地位，解釋經書時，逐漸和政治結合也是很必然的現象。當時統治治者喜歡陰陽災異，這些博士和他的弟子，馬上把經書附會上陰陽災異；統治者喜歡以經書論教化，經書也成了教化的工具。統治者，喜歡圖讖，經書也染上圖讖的色彩。在這種情況下，經師們對經書的解釋，已不僅是字句的訓詁或文義的闡釋，而是假借經書中的一兩句話，牽引許多資料，甚而發展出一種新的理論。《易經》的象數論，《尚書》的〈洪範〉五行說，《齊詩》的五際六情等等理論，就是在時勢的需求下逐次發展起來的。這些看似注解，其實是發揮個人理論的詮釋方式，可能被稱爲「大章句」，原先那種解釋文義的「章句」，由於篇幅短小，祇好稱爲「小章句」了。

這樣看來，廣義來說，西漢宣帝以後被稱爲「今學」的經學，都可以說是一種章句之學。這種經學，因爲代代相傳，又不願與其他經師相溝通，形成一種自我封閉的系統。在激烈變動的時代中，其不能迎合時勢潮流也是很必然的事。所以王莽時代起，削減章句之聲此起彼落，原因卽在此。

三、章句之學與師法、家法

檢討兩漢的經學，除了章句之學外，又有師法、家法。什麼是師法、家法？它們與章句之學的關

係如何？前人似乎僅著眼於師法和家法的分別，如皮錫瑞《經學歷史》說：

前漢重師法，後漢重家法。先有師法，而後能成一家之言。師法者，溯其源；家法者，衍其流也。(頁一三六)

皮氏所說的師法、家法之別，是從經學的授受源流來說的。馬宗霍《中國經學史》也說：

師法者，魯丕所謂說經者傳先師之言，非從己出，法異者各自說師法，博觀其義是也。家法者，范曄所謂專相傳祖，莫或訛雜，繁其章條，穿求崖穴，以合一家之說也。(頁三八)

馬氏則著重在師法、家法的特色來立論。戴君仁先生則以爲章句、師法、家法爲一物的異稱，皮氏分別師法、家法，則爲不必。這些見解的是非如何，也有待重新檢討。茲將《前、後漢書》中，有關師法、家法的記載擇要臚列，並加以檢討。《漢書》中有關師法的記載，《翼奉傳》說：

(元帝)召問奉：「來者以善日邪時，孰與邪日善時？」奉對曰：「師法用辰不用日。」(卷七五，三一七〇)

又〈李尋傳〉說：

(尋)治《尚書》，與張孺、鄭寬中同師，寬中等守師法教授，……(卷七五，頁三一七九)

又〈張禹傳〉說：

甘露中，諸儒薦禹，有詔太子太傅蕭望之問，禹《對易》及《論語》大義，望之善焉，奏禹經學精習，有師法，可試事。奏寢，罷歸故官。(卷八一，頁三三三四)

又〈孟喜傳〉說：

> 喜好自稱譽，得易家候陰陽災變書，詐言師田生且死時枕喜厀，獨傳喜。諸儒以此耀之。同門梁丘賀疏通證明之，曰：「田生絶於施讎手中，時喜歸東海，安得此事？」……博士缺，衆人薦喜，上聞喜改師法，遂不用喜。（卷八八，頁三五九九）

又〈張山拊傳〉說：

> （秦）恭增師法至百萬言，為城陽內史。（卷八八，頁三六〇五）

以上是《漢書》中有關師法的記載。至於《後漢書》中提及師法的資料有：〈卓茂傳〉說：

> 茂，元帝時學於長安，事博士江生，習《詩》、《禮》、及歷算，究極師法。（卷二五，頁八六九）

又〈吳良傳〉說：

> （良）治《尚書》，學通師法，經任博士，行中表儀。（卷二七，頁九四三）

又〈劉寬傳〉李賢注引〈謝承書〉說：

> 劉寬少學歐陽《尚書》、京氏《易》，尤明《韓詩外傳》。星官、風角、算歷，皆究極師法，稱為通儒。（卷二五，頁八八六）

這是《後漢書》中有關師法的記載。綜合《兩漢書》中的資料，可歸納出幾點現象：其一，說經必須守師法，如能守師法，仕進也較順利，孟喜因改師法，而失去博士的位子。其二，經師教學時，也都應守師法教授，不能守師法教授的，可能受到制裁。其三，經師可以依實際需要增加師法，亦即增加

章句，「（秦）恭增師法至百萬言」，卽增加章句至百萬言。可知，章句和師法有時意義是相同的。用「章句」一詞，是從當時經學的詮釋方式來說的，用「師法」一詞，是指此一詮釋方式和精神，都是由某一始祖代代相承而來，而形成一種典範。旣是始祖所傳，所以稱爲「師法」。

再看看有關家法的記載。《漢書》中尚無「家法」一詞。《後漢書》中有關家法的記載，則有：〈質帝紀〉說：

千石、六百石、四府掾屬、三署郎、四姓小侯先能通經者，各令隨家法，其高第者上名牒，當以次賞進。（卷六，頁二八一）

李賢的注說：「儒生爲《詩》者，謂之詩家，《禮》者謂之禮家，故言各隨家法也。」（同上引）

又〈魯恭傳〉說：

魯恭……，其後拜為《魯詩》博士，由是家法學日盛。（卷二五，頁八七八）

又〈徐防傳〉，徐防上疏說：

伏見太學試博士弟子，皆以意說，不修家法，私相容隱，開生姦路。每有策試，輒興諍訟，論議紛錯，互相是非。今不依章句，妄生穿鑿，以遵師為非義，意說為得理，輕侮道術，寖以成俗，誠非詔書實選本意。（卷四四，頁一五〇〇）

又〈左雄傳〉說：

左雄又上言：「……請自今孝廉年不滿四十，不得察擧，皆先詣公府，諸生試家法。」（卷六一，

頁二〇二〇)

李賢注說:「儒有一家之學,故稱家法。」(同上引)又〈蔡倫傳〉說:

(安帝)元初四年,帝以經傳之文,多不正定,乃選通儒謁者劉珍,及博士良史,詣東觀,各讎校漢家法,令倫監典其事。(卷七八,頁二五一三)

又〈儒林傳上〉說:

及光武中興,……立五經博士,各以家法教授,《易》有施、孟、梁丘、京氏;《尚書》,歐陽、大小夏侯;《詩》,齊、魯、韓;《禮》,大、小戴;《春秋》,嚴、顏十四博士,太常差次總領焉。(卷七九上,頁二五四五)

又〈張玄傳〉說:

張玄,……少習顏氏春秋,兼通數家法。……後玄去官,舉孝廉,除為郎。會顏氏博士缺,玄試策第一,拜為博士。居數月,諸生上言玄兼說嚴氏、冥氏,不宜專為顏氏博士。(卷七九下,頁二五八一)

以上是《後漢書》中有關家法的文獻記載。從這些資料,可以得到數點啓示:其一,諸生考試時,皆應「試家法」,經師教授時,也應以家法教授;其二,兼通數家法的,對仕途反而不利,如張玄因學顏氏、嚴氏、冥氏數家法,所以不能專爲顏氏博士。這和改師法不能當博士的情形是一樣的。其三,家法可以讎校。「讎校」即校讎,家法如果未記載成文字,如何能讎校?既可讎校,可見是記錄成文

字的。這些有文字記載的，卽是章句。徐防的疏也可以證成這一論點。徐氏說當時的博士弟子，都「不修家法……互相是非。今不依章句，妄生穿鑿，以遵師爲非義。」「不修家法」，是說不願依照家法學習；「不依章句」，表示不遵守章句。則「不修家法」和「不依章句」，顯然指的是同一回事。博士弟子既以「遵師爲非義」，當然不會去修習老師所世代相傳的家法。

章句既是當時經師的一種解經方式，此種詮釋方式是由創立學派的經師所傳，凡是受學於此一學派的經生，代代皆應以此種解經方式爲典範。此種典範，卽稱爲「師法」或「家法」。不能奉行師法或家法的，可能受到相當嚴厲的制裁。

討論到這裏，又衍生一個問題，卽：師法既是經生所要奉行的規律，何以還會有家法出現呢？後漢章帝建初四年（西元七九年）曾下詔說：「漢承暴秦，褒顯儒術，建立五經，爲置博士。其後學者精進，雖曰承師，亦別名家。」（《後漢書》卷三〈章帝紀〉，頁一三七）對「雖曰承師，亦別名家」，李賢有注說：「雖承一師之業，其後觸類而長，更爲章句，則別爲一家之學。」（同上引）是知遵守師法應是個大原則，如果有經師能觸類旁通，另外完成章句的，卽可成一家之學。這家的章句，就是他們的家法。能成一家之學的，卽有可能成爲政府的官學，所以王充曾批評當時的經生說：「世俗學問者，不肯竟經明學；深知古今，急欲成一家章句。」（《論衡・程材篇》）經生不肯好好的研究經學，「急欲成一家章句」，當然是有了章句以後，可以獲選爲博士，博得美名，贏取利祿。經生既爲利祿而研經，經學也流爲經生晉身的敲門磚而已。如何宏揚聖人之道，恐已無暇顧及。

如就另一個角度來說，章句之學本身卽是一閉鎖系統，而非開放系統。各家有自己的章句，又限制自己一派的經生，不可兼習他家的章句。經生在此一閉鎖系統的控制下，缺少交流溝通的機會，拘守固蔽也是很必然的事。本來閉鎖，是爲了鞏固本身的某種利益，章句之學，經過一百六十多年的發展⑥，卻因閉鎖而斷送了它在學術舞台的主導地位。

四、章句之學的衰落

章句之學，本身既是一閉鎖的系統，又爲了要博取利祿，不惜牽強附會，久而久之，所謂的「章句」，不但內容煩瑣，且已無法善盡解經的功能。因此，東漢初年時，這種解經方式，卽遭到各方的質疑。

當時學者，對章句的煩瑣，迭有描述，桓譚《新論》說：

> 秦近君（應作「延君」）能說〈堯典〉篇目兩字之說至十餘萬言；但說「曰若稽古」三萬言。

又《後漢書・鄭玄傳論》說：

> 經有數家，家有數說，章句多者或乃百餘萬言，學者勞而少功，後生疑而莫正。（卷三五，頁一二一三）

應劭〈風俗通義序〉也說：

> 漢興，儒者競復比誼會意，爲之章句，家有五、六，皆析文便辭，彌以馳遠；綴文之士，雜襲

龍麟，訓詁說難，轉相陵高，積如丘山，可謂繁富矣。

這種經學詮釋的煩瑣現象，如果有益於經世致用，學者也許還不會有怨言，但大家學章句，或守章句的結果，卻像顏之推所說的：「空守章句，但誦師言，施之世務，殆無一可。」（《顏氏家訓・勉學篇》）由於空守章句，卻無法經世致用，所以「通人惡煩，羞學章句」（《文心雕龍・論說篇》）西漢末以來的學者，已逐漸不守章句。意即對章句這種典範的一種懷疑、背離，甚至唾棄。有關的記載不少，如：《漢書・揚雄傳》說：

雄少而好學，不為章句，訓詁通而已。（卷八七上，頁三五一四）

又《後漢書・馬援傳》說：

嘗受《齊詩》，意不能守章句。（卷二四，頁八二七）

又〈桓譚傳〉說：

博學多通，徧習五經，皆詁訓大義，不為章句，能文章，尤好古學。（卷二八上，頁九五五）

又〈班固傳〉說：

所學無常師，不為章句，舉大義而已。（卷四〇上，頁一三三〇）

又〈王充傳〉說：

好博覽而不守章句。（卷四九，頁一六二九）

又〈荀淑傳〉說：

少有高行，博學而不好章句，多為俗儒所非，而州里稱其知人。（卷六二，頁二〇四九）

又〈韓韶傳〉說：

子融，……少能辯理，而不為章句學。（卷六二，頁二〇六三）

又〈盧植傳〉說：

少與鄭玄俱事馬融，能通古今學，好研精而不守章句。（卷六四，頁二一一三）

從這些記載，可知講求博通的學者，大多不好章句，或不守章句。這是爲什麼呢？他們所以不好章句，是因爲章句之學已流爲追逐利祿的工具，有志氣，有出息的學者根本不屑於去學習它。不守章句，是因爲章句之學專門名家，學問格局太小，不符合博通的要求。

當時除了學者不好章句或不守章句外，朝廷和一般學者也開始削減章句，《論衡・效力篇》說：

王莽之時，省五經章句，皆為二十萬。博士弟子郭路，夜定舊說，死於燭下。

《後漢書・章帝紀》，章帝曾下詔說：

五經章句煩多，議欲減省。（卷三，頁一三八）

又〈鍾興傳〉說：

詔令定《春秋章句》，去其復重，以授皇太子，又使宗室諸侯從興受章句。（卷七九下，頁二五七九）

又〈樊儵傳〉說：

儵刪定《公羊》嚴氏《春秋章句》，世號「樊侯學」。(卷三二，頁一一二五)

又〈伏恭傳〉說：

初，父黯章句繁多，恭乃省減浮辭，定為二十萬言。(卷七九，頁二五七一)

又〈桓郁傳〉說：

初，榮（桓郁之父）受朱普學章句四十萬言，浮辭繁長，多過其實。及榮入授顯宗，減為三十三萬言。郁復刪省定成十二萬言，由是有桓君大小太常章句。(卷三七，頁一二五六)

又〈楊終傳〉說：

著《春秋外傳》十二篇，改定章句十五萬言。(卷四八，頁一六〇一)

又〈張霸傳〉說：

初，霸以樊儵刪嚴氏《春秋》猶多繁辭，乃減定為二十萬言，更名張氏學。(卷三六，頁一二四二)

又〈張奐傳〉說：

初，牟氏章句浮辭繁多，有四十五萬餘言，奐減為九萬言。(卷六五，頁二一三八)

張奐是桓、靈帝時代的人。可見從王莽至東漢末的桓、靈帝時代，都有人在刪章句。被刪減過的章句，書中的浮辭或繁辭顯然是減少了，但構成章句的根本思想或意識形態，也許不是藉刪削可以除去的。章帝時的校書郎楊終，以爲「章帝之徒，破壞大體。」應該像西漢宣帝召開石渠會議邀集諸儒論定經義。建初四年（西元七九年）舉行白虎觀會議，由章帝親臨裁決，討論的結果經整理爲《白虎通

德論》，把當時分歧的章句之學作了整合⑦。可惜已無法挽救章句之學的沒落。代之而起的是承繼西漢初治經傳統的古學。這種古學的特色，是講求博通，不似章句之學的自我封閉。有如此開闊的格局，自然可以取得主導學術的地位。

五、結　論

兩漢經學的發展，約可分爲三個階段：一是西漢初至昭帝時代，古學盛行，治經訓詁舉大義而已；二是西漢宣、元至東漢明、章時代，今學盛行，用章句的方式來詮釋經書；三是東漢和帝至獻帝時代，古學復興，治經倡行訓詁通大義而已。此一階段，雖仍有許多學者從事章句之學，但已無太大的影響力。

這流行於西漢末、東漢初的章句之學，是今學博士用來詮釋經書的一種方式。最早的章句形式，除了對字、詞的解釋外，還兼疏通文義。這種兼疏釋文義的解經方法，就是《漢書・丁寬傳》所說的「小章句」。後來，經生爲了要鞏固自己的地位，解經時，不但牽引不少相關的資料，甚至就經書中的某些概念，發展出一套自己的理論，像《易經》的象數學，《尚書》的〈洪範〉五行說，《齊詩》的五際六情等，都可以說是今學博士的章句之學，此種「具文飾說」的解經方法，一方面可以凸顯出該家的「家法」，更可以藉發揮理論的機會，與朝廷的政策相配合。這種章句的字數，可以多到數十萬言或百萬言，也許就是「大章句」。西漢末以來，所要刪削的就是這種大章句。從西漢宣、元至

東漢明、章時代的一百六十多年間，現在看來，時間好像很短，但是，一百六十多年間的章句之學，不可能一成不變的維持「小章句」的形式。在政治、社會環境的衝激之下，章句的形式和內容跟著變化，也是很自然的事。所以由小章句演變至大章句，雖沒有更直接的資料可以證實，但這個論斷，應該是合乎歷史發展規律的。

傳習一經的始祖所建立的解經方式和規範，可以說是他的師法。師法是一個學派解經的指導原則，也是約束、規範這學派成員的一種法律，所以每一位經生都應遵守他們的師法。但是，能成一家之學的，才享有博士的榮寵。經生在這種利祿的誘惑下，遵守師法也許僅是個大原則，人人爭著揚名立萬，各家之學也就紛紛出現。創立一家之學的經師，增飾了老師的師法，所以秦恭可以「增師法至百萬言」。但他們還是會要求自己的學生要守家法，這些學生也如法炮製，又增飾他們老師的家法，《兩漢書》中某某經有某家之學⑧，就是這樣形成的。如果章句是當時經師解經形式的一種總稱。師法就是傳習一經的始祖所留傳下來的典範，一經往往只有一位始祖，所以師法一詞大多出現於西漢，由一經始祖分出來的各家，在增飾師法的過程中，逐漸形成一家之學，他們留下來的典範，就是「家法」。由此可知，不論是師法或家法，都可以說是一種章句之學。師法和家法，可以增強自己學派的凝聚力，也是制裁不守規範的經生的一種法律。甚至可以藉它來攻擊他人，瓦解異己的勢力，以鞏固自己的威權。就學術來說，章句之學因有師法和家法的傳承關係，形成了一種特殊的解經典範；就政治來說，透過師法和家法的有效應用，也可作爲控制經生思想的一種工具。

由於每一家都增飾了它們的章句，以赢取利祿，章句的內容不但日漸龐雜，與經書的本意也越來越遠。當時追求博通的學者，如楊雄、桓譚、班固、王充等人都看不慣章句家的作風，而「不爲章句」、「不守章句」。揚雄說：「大人之學爲道，小人之學也爲利。」（《法言・學行》）大概是針對當時的經生說的。從王莽時代起，至東漢末，刪削章句的事屢見不鮮。可見章句之學對經學研究的負面作用，當時學界已有較充分的認識。但是，削章句所刪減的，僅是有形的「繁辭」或「浮辭」，整個貫穿章句的思想意識，是刪除不盡的。所以，章帝時祇好接受楊終的建議，開了白虎觀的經學會議，以挽救章句之學的沒落。可是，章句是博士的著作，當時的今學博士倚席不講，不求上進，章句漸疏，卽使朝廷開再多的會議，也無法挽救它們的衰亡。當時的學術舞台，祇好換一批講博通的古學家來演出。

【附　註】

① 戴先生的論文，原載於《孔孟學報》十九期（民國五十九年四月），頁七七—九六。後收入戴先生所著《梅園論學續集》（臺北縣：藝文印書館，民國六十三年十一月），頁九三—一一七。

② 西漢文、景、武帝時代，雖立有博士，但並未有章句。當時博士治經，僅「訓詁擧大義」而已。至宣、元時代才有章句。詳見錢穆先生〈兩漢博士家法考〉和〈東漢經學略論〉二文。錢先生以爲兩漢的經學僅有「今學」、「古學」之別，並無嚴重的今古文學對立。此一觀點較能反映兩漢經學發展的面貌。本文卽採用此一論點。

③ 此一觀點，可以從《後漢書・楊終傳》得到印證。楊終說：「宣帝博徵群儒，論定《五經》於石渠閣。方今天下少事，學者得成其業，而章句之徒，破壞大體。宜如石渠故事，永爲後世則。」這裏的「破壞大體」，應該和《漢書・藝文志》所說的「破壞形體」意思相近。

④ 馬國翰有《玉函山房輯佚書》，所輯以章句爲名的經書，《易》類有施讎的《周易施氏章句》一卷、孟喜的《周易孟氏章句》二卷、梁丘賀的《周易梁丘章句》一卷、京房的《周易京氏章句》一卷、劉表的《周易劉氏章句》一卷。《尚書》類有歐陽和伯的《尚書歐陽章句》一卷、夏侯建的《尚書小夏侯章句》一卷。《詩經》類有薛漢的《韓詩薛君章句》二卷。《春秋》類有尹更始的《春秋穀梁傳尹氏章句》一卷、鄭衆的《春秋牒例章句》一卷。《論語》類有包咸的《論語包氏章句》二卷、周氏的《論語周氏章句》一卷。《孟子》類有程曾的《孟子程氏章句》一卷、高誘的《孟子高氏章句》一卷。黃奭的《黃氏逸書考》（原名《漢學堂叢書》）所輯的家數和各家章句的內容都較少。

⑤ 就事物的發展來說，一定先有某一事物，後來又有某一類似的新事物，爲新舊、前後、大小有別，所以在兩件事物名稱的上面，各加上用以分別的形容詞，如前、後漢書、新、舊唐書等都是。就章句的發展來說，本來祇有章句，有了新形式的章句，其內容又較龐大，所以把原先的章句，改稱爲「小章句」。

⑥ 從西漢宣帝元平元年（西元前七四年）至東漢章帝章和二年（西元八八年），約一百六十多年，是章句之學由興起、極盛和衰微的時代。

⑦ 有關白虎觀會議的敍述，可參考錢穆先生〈兩漢博士家法考〉一文第十五小節〈白虎觀議奏與今古學爭議〉。當時是想藉開會來解決章句煩瑣的問題，但是各家師心自用，這個會議根本無法發揮作用。

⑧ 如有關《尚書》的有：「由是歐陽有平(當)、陳(翁生)之學」；「由是《尚書》有大、小夏侯之學」；「由是大夏侯有孔（霸）、許（商）之學；小夏侯有鄭（寬中）、張（無故）之學，秦（恭）、假（倉）、李（尋）氏之學。有關《魯詩》的有：「由是《魯詩》有韋氏學」；「由是《魯詩》有張（長安）、唐（長賓）、褚（少孫）氏之學」。詳《兩漢書》各列傳。玆不具擧。

參考書目

經學歷史　皮錫瑞撰　周予同注　河洛圖書出版社　民國六十三年九月

中國經學史　馬宗霍撰　臺灣商務印書館　民國五十七年十月

中國經學史　李田成之著　古亭書屋　民國六十四年四月

中國經學發展史論（上）　李威熊著　文史哲出版社　民國七十七年十二月

兩漢經學今古文平議　錢穆撰　東大圖書公司　民國六十七年七月

西漢經學與政治　楊向奎撰　獨立出版社　民國三十四年十二月

東漢經術與士風　翁麗雪撰　國立臺灣師範大學國文研究所碩士論文　民國七十二年四月

周易注疏　魏王弼、韓康伯注　唐孔穎達疏　藝文印書館　民國五十四年

易學哲學史（上）　朱伯崑撰　北京大學出版社　一九八六年十一月。

尚書學史　劉起釪著　中華書局　一九八九年六月

章句論　呂思勉著　臺灣商務印書館　民國六十六年三月

新校史記三家注　漢司馬遷撰　宋裴駰等注　世界書局　民國六十一年十二月
新校漢書注　漢班固撰　唐顏師古注　世界書局　民國六十一年十二月
新校後漢書注　宋范曄撰　唐李賢等注　世界書局　民國六十一年十二月
中國哲學史史料學初稿　馮友蘭撰　上海人民出版社　一九六二年十二月
荀子與兩漢儒學　徐平章著　文津出版社　民國七十七年二月
兩漢儒學研究　夏常樸著　國立臺灣大學文學院　民國六十七年二月
漢代思想史　金春峰著　中國社會科學出版社　一九八七年四月
兩漢思想史　祝瑞開著　上海古籍出版社　一九八九年六月
論衡注釋　漢王充撰　北京大學歷史系論衡注釋小組注　中華書局　一九七九年十月
玉函山房輯佚書　清馬國翰輯　文海出版社　民國五十八年
經疏的衍成　戴君仁撰　收入梅園論學續集　藝文印書館　民國六十三年十一月
兩漢經學獨尊與經學諸問題的探討　李威熊撰　孔孟學報四二期　民國七十年九月
論兩漢博士家法及其株生原因　羅義俊撰　中國文化月刊一一六期　民國七十八年六月
東漢經學略論　錢穆撰　收入中國學術思想史論叢(三)　東大圖書公司　民國六十六年七月
讖緯思想下的東漢政治與經學　金發根撰　收入沈剛伯先生八秩榮慶論文集　聯經出版事業公司　民國六十五年十二月

從黨錮、獨行諸傳看漢代儒術流變

姚秀彥

一 前言

東周是中國學術思想百花齊放的時代，漢司馬談總爲六家，班固分爲十家。班固說諸子出於王官，劉安說諸子源起於救世之弊，二者其實是一致的，就源起說、是出於王官；就目的說、是出於救世之弊，六家之中，理論體系不夠宏整的名家、陰陽家，尚有政治上「正名實」、「敬授民時」的功能，何況體系完整的儒、道、法三家，自然會被採用作爲治國之方。

自西元前三五九年，秦採用商鞅之法，到秦滅亡，約一百五十餘年，對秦的強大及統一，產生立竿見影之效，但也顯露了嚴刑峻法之弊。道家學說行之於漢初，七十年休養生息，使物富民豐，但經濟、社會諸問題，也藉此而生。儒家學說則自武帝到東漢之末，約有三百年的昌盛，這期間的起伏消長情況如何，是本文研討的目的。

道家思想，應用在政治上，稱黃老治術，漢武採用儒學爲治，史稱「尊儒術」，所以「術」只代表這派思想在政治層面的運用，而不是其全部。

儒的內涵，較其他各派為廣，所以極易產生歧義及誤解，本文先就「儒」及「儒家思想」作一規範，然後就儒術在漢代的實施情形作一敍述，以明其起伏盛衰的經過。

黨錮人物，在後漢書中有專傳，但本文除黨錮人物外，旁及獨行、逸民及其他相關人物的列傳，因為他們共同代表一個時代的思潮。本文不強調黨錮的政治意義，而是探求他們的思想脈絡及意識形態，進而尋出在這期間儒家思想發展的趨向，做為自武帝以來三百年發展的結穴。

二、儒家的起源與學說內涵

1 儒與儒家

儒家的名稱起於何時？其實這稱謂應分開來看，因儒和成為學派的儒家不盡相同。胡適先生在原儒一文中，說儒是殷遺民中的禮生，他稱之為殷士，專門為貴族們從事喪葬等禮的司儀工作，證據是詩經大雅篇中有：「殷士膚敏，祼將於京」，就是說動作靈敏的殷士，①來參加祼禮，另外他又從文獻中舉出不少證據。而魯在早期是商的舊地奄，所以魯國的儒、包括孔子在內，都是屬於此一社羣。而錢穆先生則極力反對此說，他也提出很多證據，他認為儒是指研習六藝的。②

胡先生的說法頗有道理，但過分強調「殷士」這一原社羣，忽略了西周三百年歷史文化的承變與演進，甚至把易經中的需卦都解成儒。錢先生對胡文破的部分很有力，但在「立」的方面不夠堅強，

說儒是研治六藝的，沒有提出證明。勞思光先生則修正了胡的說法，較爲合理。③

我們如從歷史面來看，當更爲清楚。周以農戰起家，其祖「世爲后稷」④，自豳遷周之前，與戎狄雜居，遷周之後，處於商文化圈的邊緣，吸收商的文化。牧野之戰，周率領西方庸、蜀、羌、髳、微、盧、彭、濮八族聯軍，比起紂軍，仍是少數。所以周初文獻中，一再出現「小邦周」「大國殷」的對稱。而此一少數民族，竟能在興起不多年內滅商，領域直達海邊，其動員的武力必是相當驚人的。也許就像後世的鮮卑、女眞一樣，全族皆兵，對繁瑣的祭儀之類，無暇兼顧。勝商之後，還要繼續保持優勢武力，所以君大夫都以勇武爲美，鄭之叔段：「叔善射忌、又良御忌」，大夫們：「執轡如組，有力如虎」。⑤

修洛邑是用殷頑民之力，建明堂、朝諸侯，諸侯來朝覲的，爲盛大禮容所震懾，無不磬折，可見畢恭畢敬之情態。周之東征，戎馬倥傯，詩經破斧諸篇，道盡艱辛。訓練嫻熟祭典的司儀，不是短時可促效的。而商自湯爲共主，六百多年來，世系分明，尤重祭祀，規模之盛大，有卜辭可證，殷士嫻熟此等禮儀，是必然的。勝利的周，令頑民修洛邑，令飛廉之後養馬，令殷士助祭，自屬可信。

古時職業世襲，殷士爲熟悉禮儀社羣，應該延續一段時間。而孔子的幼年喜陳俎豆，也不可只當作是天賦異秉，應該是有殷士傳統的因素在內。他離開衞時答覆衞靈公說：「俎豆之事、則嘗聞之矣；軍旅之事，未之學也」，也不純是客氣話或反諷。而左傳昭公七年，孟僖子病，囑其子向孔子學

禮，都可證孔子與殷士習禮社羣的淵源。而夾谷之會，孔子的揖讓進退，以及論語鄉黨篇中記載他在朝、送賓、升車等種種儀態，都不應視之爲偶然。

所以說：早期的儒，是種職任，是以司禮儀爲主的專稱，像卜、祝、僕、史一樣，而非泛稱，這一段的儒與殷士社羣有關。但孔子及其後的儒家，是一學派，以闡揚周文化爲主，與殷士或殷文化無關。

漢志所說的儒家特徵是：「祖述堯舜、憲章文武、宗師仲尼」，大致可爲定論，但依順序來說，該是憲章文武在先，祖述堯舜是戰國時儒家後學的說法，而宗師仲尼，可見儒家的形成在孔子之後，而以尊崇孔子爲共識。

2. 孔子與儒家

孔子雖是殷裔，但他重視的是周文化：「周監於二代，郁郁乎文哉，吾從周」⑥。他心目中的偉人是創建周文化的周公旦。

他敎生徒，目的在造成君子，樊遲問他關於農耕之事，他就避而不談。在論語中提到君子的地方有九十多處，其次是仁和禮。談到儒，只有一次，就是他對子夏說：「汝爲君子儒，勿爲小人儒」，可見儒可能爲君子，也可能爲小人，所謂小人儒，應卽是藉司儀而謀取衣食之類，他沒有敎人爲「儒」或爲「師」，因爲這二者在當時都是一種專職。

孔子重視禮，但是這禮，是以周文化爲主幹，吸收了損益之後的夏商文化、兼顧到精神與儀文的禮，代表人文精神、政治理念、與社會秩序，而不只是殷士們繁瑣的儀式，所以他說：「禮、與其奢也寧儉，喪、與其易也寧戚」，例證甚多，不必多舉。商重鬼，周重文，商浪漫，周嚴謹，孔子則寧取周道。

儒這個社羣，以相儀爲主要工作，相儀之時，有特製服裝。公西華說：「端章甫、願爲小相焉」，玄端是衣，章甫是帽。荀子儒效篇中也說，儒者「逢衣淺帶、解果其冠」⑦，甚至漢代仍保有此徵，漢書匡衡傳中，說儒服是方領逢掖之衣。這就是儒服儒冠，本是相禮時所穿，到了禮崩樂壞之後，不相禮時也穿，而且也有不少人穿上儒服冒爲儒者，因此雜流並進，方士皆儒，始皇坑方士，名之爲坑儒，酈食其爲縱橫，穿儒服謁劉邦，也算是儒。

孔子有教無類，成德達材，希望人人爲君子，並未刻意立學派，但他以詩書禮樂教人，這些是前期儒學的典籍，而他的生活行事，也與儒有關，但是此時並無儒家名稱出現。儒而名家，是從墨家而起，墨翟在魯，學儒者之業，看到儀式繁瑣，無益世局，就自行創立一學派，有和儒者完全不同的言論、行事、和服裝：儒家倡仁，墨家倡兼愛，儒家重禮樂、厚葬、久喪，墨家倡非樂、薄葬、短喪，儒尚親親，墨主尊賢，儒盛稱文武，墨尊崇堯舜。而生活習慣也不同，摩頂放踵，說明他們的苦行，也說明衣著隨便，和儒者冠履不同，而且又自成團體，領導人稱巨子，巨子有生殺予奪權威，門徒赴湯蹈火不旋踵。這樣鮮明的旗幟、和牢固的組織，和儒者對立，使孔子的門徒，自然冠上儒家的稱

號。

孟子時代，楊墨學說大盛，孟子挺身駁斥，詞意激切，但他仍然未自視爲「儒」，如滕文公篇：

今天下之言，不歸楊，則歸墨，楊氏為我，是無君也，墨氏兼愛，是無父也，無父無君，是禽獸也。……楊墨之道不息，孔子之道不著，是邪說誣民，充塞仁義也。仁義充塞，則率獸食人，人將相食……我亦欲正人心、息邪說、距詖行、放淫詞……能言距楊墨者、聖人之徒也。

另外梁惠王篇，孟子答梁惠王：「仲尼之徒，無道桓文之事者」，滕文公篇提到陳良：「悅周公仲尼之道」，可見此時，孔氏門徒，仍不以儒家自稱。孟子七篇中，儒字僅一見，而是由墨者口中說出。

此後各家自立壁壘，相互抨擊，孔子門徒才不得不形成一鬆散陣營，名爲儒家。莊子徐无鬼篇中稱「儒、墨、楊、秉」爲四派，荀子已以儒自居，韓非顯學篇中以儒墨對舉。而墨家衰微之後，因儒家陣營廣濶，所以陰陽五行、縱横又都紛紛冒入。

3. 戰國儒學

儒本是一鬆散指稱，凡衣儒服儒冠、尊孔子、習六藝的都稱爲儒，而孔子弟子衆多，所偏重不同，齊衞吳楚宋陳各國俱有，各國國風不同，看詩經十五國風可知，門徒資性不同、出身不同、言論主張不同，在論語中已有曾子、子張、子游、子夏相互批評的記載。荀子的非十二子，其中就有子

游、子張、子夏和孟子。更晚的韓非，在顯學篇中說，孔子死後，儒分爲八：

孔子
- 子張氏
- 漆雕氏
- （曾子）——子思——孟子
  - 樂正子
- 荀氏
- 顏氏
- 仲良氏

韓非曾攻擊儒墨，「無參驗而必者，非愚則誣也，想來他的說法必有若干事實，但如無言論傳世，就無法得其詳。史記仲尼弟子列傳，雖舉出七十七人姓名，並未提及他們的思想言論。

現在依漢志所說的儒家：「祖述堯舜、憲章文武、宗師仲尼」爲範疇，來探討儒家思想。文武周公是先期儒家，詩書禮樂爲其代表，孔子爲儒家宗主，以論語爲代表，孟子師法仲尼，言必稱堯舜，以孟子七篇爲代表，荀子雖駁斥孟子等人，但主張師法文武，肯定周制，尊崇孔子、闡揚五經，重視禮樂敎化，以荀子現存三十二篇爲代表。孟荀之外的後儒散碎言論，應是保留在禮記的四十六篇中，如果能仔細探討，可以窺其脈絡。

勞幹先生以爲大學篇出於孟子。⑧

中庸作於秦統一後的儒家後學之手，思想近乎子思孟子一派。⑨王制篇是漢文帝時代博士們所作，材料大半取自荀子書中的王制篇，是屬於荀派著述。檀弓等篇應屬曾子一派所作，曾子以孝道出名，孟子言之甚詳，孝經也附會是他所作，他是孔子門徒中的小輩，重視祭祀，「愼終追遠，民德歸厚矣」。

禮運篇應是子游派所作，篇首言孔子參與蜡祭，祭後喟然而歎，言偃在側，與孔子相問答，稱言偃，應是子游所記，如論語中憲問篇相類。在論語中記子游曾任武城宰，孔子與門徒到城外，聽到絃歌之聲，就笑說：「割鷄焉用牛刀？」子游回答說：「昔者，偃也聞諸夫子曰：『君子學道則愛人，小人學道則易使也』」。又批評子夏門人，只注意到洒掃、應對之末節，而不求其本，可見子游的濶大，正如禮運大同篇的旨趣。

儒行篇猶如莊子天下篇、韓非顯學篇，綜合敍述戰國以降儒者的不同風貌。儒家到戰國後期已完成爲一學派，學說不外乎詩書禮樂、論語、孟、荀及禮記，而五德及縱橫之說又於秦漢之際竄入。

4. 儒家學說舉要

孔子敎人爲君子，君子是指有學問道德的廣泛的稱謂，而門徒們從政的第一步就是爲士，「士」說文解爲事，就是服公務的意思，公務包括祭祀、戰陣、賦稅諸事，所以士可以包括儒，而儒不能包

括士。

論語子張問士，孔子說第一類是：「行己有耻，使於四方，不辱君命」，第二類是：「宗族稱孝焉、鄉黨稱弟(悌)焉」，第三類是：「言必信、行必果，硜硜然，小人哉，抑亦可以爲次矣」。

士就是戰國以後的儒。

就此段說，士有三層次責任，第一是政治責任，第二是社會責任，特別是倫理方面，縱的要維繫宗法的親親，橫的要和睦鄉黨。第三才是個人行爲，言必信、行必果。另外他答覆子路問君子時，和此段相似，只是把順序倒過來，第一步是：「修己以敬」，第二步是：「修己以安人」，第三步是：「修己以安百姓」。

因爲重視政治責任，所以贊賞管仲。

此外，他也重視文化責任，當他被匡人所圍時，曾說：「文主既沒，文不在茲乎？天之將喪斯文也，後死者不得與於斯文也；天之未喪斯文也，匡人其如予何？」。他晚年整理詩書、修訂春秋、贊易，就是要擔當文化責任。

他對南國所遇到的隱士們，是不贊同的。

其次說到孟子：

孟子時代，士已從封建階層中脫穎而出，成爲社會上的新階級，代表知識與道德。所以在政治方面，超越孔子時爲封君服務的立場，而可以抒發個人理想，實現理想，他以伊尹爲士從政負責的榜

樣，以先知覺後知，先覺覺後覺，拯民於水火，登之衽席之上，有一夫一婦不蒙其澤，若己推而納之溝中。他雖然斥距楊墨，但也難免受到同時代的交互影響，肯定堯舜的讓國，和士的隱居不仕。

再後是荀子：

荀子將儒分爲三等，大儒如周公，履天下之籍而非貪，殺管叔而非戾，立七十一國，姬姓佔五十三，而非偏私。其次是雅儒：尊賢畏法，不敢怠傲。再次是俗儒：逢衣淺帶，解果其冠，謬學雜舉。綜合上說，可見儒的定義已遠不是胡適先生所說的專業禮生了。大儒是政治家，有擔當、有抱負、有眼光，造福生民，周公伊尹是也。雅俗忠心謀國、負責盡職，類似後代的循吏，俗儒才好似早期的殷士禮生。

儒不從政，也有社會責任：「儒者在朝則美政，在下位則美俗」，「無爵而貴，無祿而富，不言而化，不怒而威，窮處而榮，獨居而樂」。

另外孟荀不同的是孟子道先生，言必稱堯舜，以禪讓爲美，荀子則主張法後王，反對禪讓：

世俗之為說者曰：堯舜擅讓，是不然，天子者，勢位至尊，無敵於天下，夫有誰與讓矣？……

夫曰堯舜擅讓，是淺者之傳、陋者之所說也。

孟子在戰國早期，五行之說尚未盛行，至荀子時此說大盛，故荀子的天論則嚴斥五行之無稽，他認爲星墜木鳴、日月之蝕、風雨不時，都是自然現象，並非有意志的行爲，祈雨得雨，正如不求雨也會得雨一樣，機會巧合而已。

他認爲儒者更應有傳承文化責任，文化可以五經概括：禮之敬文也，樂之中和也，詩書之博也，春秋之微也，天地之間者畢矣。

三、漢代儒術之治

1. 西漢與新莽時期

周孔孟荀之後，儒家難再有大師出現，創新方面已達巓峯，後儒只是掇拾雜糅，取捨其輕重而已，重點則在如何付之實施而已。

秦代初不排斥儒學，七十博士中就有淳于越、伏生、叔孫通等人。三十四年燔書，也只有五年有效期，入漢之後，儒雖未特受尊崇，但可和其他學派平流競進，黃老治術是採取放任主義，因此，儒並未受到壓抑。

儒並非謹嚴門派，只要儒冠儒服而稱道孔子，都可算是儒，所以戰國末期陰陽家也已混入。秦代齊燕方士統稱爲儒，當盧生侯生尋不死之藥失敗後，扶蘇曾向始皇請求說：「諸生皆誦法孔子，今上皆重法繩之，臣恐天下不安」，而後世則稱之爲坑儒。

治公羊春秋的大儒董仲舒，就吸收了五行思想。

所以西漢時的儒家思想，大概是如此：

政治方面：大的部分：孔子傳述的周代禮樂。

春秋中的大一統思想。

孟子的堯舜禪讓。

五行家的五德終始和天人相應、周官中的井田均富及工商國營、禮運篇中的社會關懷及人道精神。

行政部分：察舉人才、能者在職。

學術方面：闡述五經，整理典籍

個人方面：孝親、敬上、廉潔、好學。

武帝時代，開始尊儒術，設太學、立五經博士。統合四裔、削弱諸侯，就是春秋大一統理念的實施。改正朔、易服色、色尙黃、數用五，是採用部分的五德說。鹽鐵酒公營也是仿自周制。

武帝加上以後的昭宣二世，是漢的鼎盛時期，禪讓說自然無法抬頭，個人行爲，也由私行提升爲行政表現，經過察舉及考核，使廉能得以出頭。

宣帝之後，儒學大盛，親親精神蓋過尊賢，朝廷較前軟弱，禪讓與五德說結合，作一種政權和平轉移的試探，又企圖用周代的土地公有與工商國營來解決當時的經濟問題，用周代敬老慈幼精神來推動社會政策。

拓邊已至極限，行政步入常規，轉而重視個人行爲的突顯。這一切促成王莽代漢。王莽處處以周

公自居，希望實現儒者理想，他的封建、王田、經濟政策、社會政策，都與儒家思想有關，但他失敗了，空留下政治波瀾、及十餘年的動盪不安，而儒家的理想也遭受到重大摧挫。

2. 東漢時期

王莽改制失敗，使儒家部分高遠的理想受到徹底打擊，禪讓變成了篡奪的同義語，王田與國營事業成爲暴政的象徵，社會政策也縮小範圍成爲小恩小惠。加上光武帝重用尚書奪三公權，褒揚氣節、而忽視務實精神，使儒者的政治責任大幅減縮。只剩下學術責任和個人行爲的突顯了。

但是學術的路子也狹窄了，雖然東漢光武、明、章都重視儒術，在形式上甚至超過以往，太學中仍設博士，傳授經學，明帝曾親臨辟雍講經，又主持養老、大射之禮，並東巡祀孔子。章帝也曾往祭孔，並會諸儒於白虎觀，講五經異同，雖儀文不缺，但經學內容有限，經二百多年的反覆講求，訓詁、章句，已到極限。安帝之後，「博士倚席不講，朋徒相視怠散，學舍頽敝，鞠爲園蔬」，順帝時雖大修學舍，但「章句漸疏，多以浮華相尚」⑩。足證儒者在學術上也沒出路。

剩下只是個人行爲的突顯了。

王莽以儒者當國，正如漢書莽傳所說：「折節力行，以要名譽，宗族稱孝，師友歸仁。及其居位輔政，成哀之際，勤勞國家，直道而行，動見稱述……。」⑪哀帝時短暫離京，長安吏民紛紛上書求召還，陳崇稱莽有過人的十二項功德，大儒劉歆等皆與莽合作，這些人中一部分是誠意贊助他的改

革，一部分也是邀功干祿。光武帝要扭轉這種功利行爲，所以特別褒獎王莽時代的退隱之士，如譙玄李業等，以抑止奔競之風。這是矯弊的權宜措施，時效過後，就應改正，但後世反變本加厲，章帝時下詔此後徵召人才，「巖穴爲先，勿尚浮華」，導致儒者誤認以不仕爲高，而部分熱衷權位的，反以隱居爲釣名捷徑，以矯情爲氣節表現。

3. 儒者的行事與思想

黨錮事件前後兩次，一次是在桓帝延熹九年，李膺、杜密、范滂等二百餘人入獄，後經釋放。第二次是在靈帝建寧二年，因張儉誅殺侯覽家屬而起，李杜等人再度被捕入獄，太學生牽連者千餘人，不少人死獄中，後漢書特爲撰黨錮傳。但獨行傳、逸民傳中諸人，思想行事與黨錮人物相同，都代表東漢中期後儒者的言行，一併提出。

(1) 黨錮人物：共二十一人

姓名	言　　　　行
劉淑	通五經，五府連辟，對策第一，陳時政災異，宜罷宦官。與竇武、陳蕃被學者尊爲三君。
李膺	學者尊爲八俊之首，青州刺史，守令望風棄官。司隸校尉。捕殺宦官張讓弟、野王縣令張朔，受桓帝責問，膺答：「晉文公執衞成公於

京師，春秋是焉。仲尼爲魯司寇七日，而誅少正卯。今臣到官已積一旬，私懼以稽留爲愆，不意獲速疾之罪。乞留五日，尅殄元惡，退就鼎鑊。

杜密　靈帝立，陳蕃，竇武共秉政，膺爲長樂少府，陳竇敗，膺亦廢免。張儉事起，死獄中。八俊之一，北海相、河南尹，太僕。因牽連黨事，自殺。

劉祐　舉孝廉，任城令、揚州刺史、司隷、大司農。沒收宦官蘇康、管霸田產。罷歸。延篤稱贊他：「懷蘧氏之可卷，體寧子之如愚，微妙玄通，冲而不盈」，黨禍前一年死。

魏朗　習五經、春秋圖讖，兄爲鄉人所殺，晝白日操刄報仇於縣中。彭城令，九眞都尉，河內太守，竇武陳蕃被誅，朗自殺。

夏馥　張儉逃亡，牽連衆多，馥隱居不出。

范滂　舉孝廉，爲清詔使，察冀州，「守令自知贓汙，望風解印綬去」。

陳蕃爲光祿勛，辟滂爲主事。滂以公禮見蕃，蕃未阻止，滂棄官去。郭泰責陳蕃禮賢不周，而「成其去就之名」。

黨事繫黃門北寺獄，答王甫詢問說「見善如不及，見惡如探湯」，死後願葬首陽山側。

尚書霍諝減輕其罪，滂不肯謝：「叔向嬰罪，祁奚救之，未聞羊舌有謝恩之辭，祁老有自伐之色」。

出獄南歸，士大夫迎之者數千輛。

黨禍再起，滂自動到縣投案，縣令欲與滂共逃亡，滂不肯，與母訣別入獄。死前謂其子說：「吾欲使汝爲惡，而惡不可爲，使汝爲善，則我不爲惡」。

張 儉	張耳之後，舉茂才，爲山陽郡督郵，誅宦者侯覽家屬，追捕逃亡，禍連多家。出塞避禍，建安中卒。
范 康	太學生，太山太守，張儉殺侯覽家屬，宗族逃入太山郡，康皆收捕。
岑 晊	太學生，父太守，南陽郡功曹，桓帝美人之外家張汎與宦者勾結，晊捕殺其宗族二百餘人。
何 顒	太學生，友人有父仇未報，病重，顒代爲報仇，以頭祭其墓。

此外，另有宗慈、巴肅、尹勳、蔡衍、羊陟、陳翔、檀敷、劉儒、賈彪等各有傳。

(2)獨行傳諸人

姓 名	事 蹟
譙 玄	巴郡人，學易、春秋。莽時歸隱，公孫述賜毒藥迫出仕，不肯。
李 業	廣漢人，習魯詩，莽時辭官，公孫述強徵，飲毒酒而死，不屈。另有王皓、王嘉，不肯應述徵，自殺。
劉 茂	太原人，習禮經，莽時棄官

彭修　會稽人，捍衞太尉中流矢死。

索盧放　東郡人，敎尙書，太守有罪，乞以身代。

范式　山陽人，守信，重然諾，與張劭爲友，「二年之別，千里結言」卒赴約。

張劭　汝南人，與范式友，生死不渝。

李善　南陽人，爲李元之僕，李元死後，善保護幼主，保產，光武召爲太子舍人。

陸續　會稽人，爲太守尹興受刑不屈。

戴封　濟北人，太學生，師申君死，送喪到東海。後任西華令，天旱，禱雨，不雨將自焚，果雨。

李充　陳留人，妻欲分家，充大會親友，責妻不賢，離異。母死，有盜其墓樹者，充親手殺之。

繆肜　汝南人，爲太守決曹史，太守死，送喪返隴西，時西羌亂，晝伏夜修墳。

陳重　豫章人，習魯詩、顏氏春秋，爲同署郎私下還債。同署郎失褲，疑爲重所取，重不辯，買褲償還。

范冉　陳留人，違時絕俗，爲激詭之行。

戴就　會稽人，爲郡倉曹掾，太守贓罪，就受酷刑拷打不屈。

向栩　河內人，喜長嘯，有弟子名顏淵、子貢。常騎驢入市乞討，邀乞兒返家共樂。徵爲趙

相，到官不視文書。黃巾起，倡議派人到黃河岸上讀孝經以退賊。

諒輔　廣漢人，爲郡掾，天旱，自以爲未能調和陰陽，聚薪身旁，日中不雨，卽自焚。

另有溫序、周嘉、王忳、張武、雷義、趙苞、劉翊、王烈諸人。

(3)逸民傳諸人

姓名	事蹟
向長	河內人，隱居不仕，貧無食，受人餽贈，取其夠用，反其餘。讀易損卦，以爲人生，富不如貧，貧不如賤，男女婚嫁畢，遊五嶽名山。
逢萌	北海人，家貧，任縣亭長，郡尉經過，萌不願拜謁迎送，至長安、學春秋經。莽時，避於遼東，光武卽位，徵之不起。
周黨	太原人，少孤，及長至長安遊學。讀春秋所記復仇之義，回鄉與昔日曾辱黨者相鬭。莽時託疾不出。光武徵召，面見時禮節簡慢，博士范升奏劾：「……黨等文不能演義，武不能死節，釣采華名，庶幾三公之位，臣願與坐雲臺之下，考試圖國之道，不如臣言，伏虛妄之罪……」。而光武以爲自古明君，必有不賓之士，伯夷叔齊不食周粟，亦各有志焉，賜帛令歸。
王霸	太原人，莽時棄冠帶隱居，光武徵召面見，稱名不稱臣，有司詰問，答以：「天子有所

不臣，諸侯有所不友」，歸隱，茅屋蓬戶，再徵不至。

嚴　光　會稽人，光武舊友，光武卽位，光變名姓，隱居，披羊裘，釣澤中。光武迎之宮中，不仕，返耕於富春山。

戴　良　汝南人，母死，飲酒食肉，「禮所以制情佚也，苟情不佚，何禮之論？……」傲視一切，自稱「我若仲尼長東魯，大禹出西羌」徵辟不就。

梁　鴻　扶風人，受業太學，博覽無不通，娶孟光爲妻，布衣椎髻，親自操作，隱居霸陵山中。出關東行，作五噫之歌。又赴吳，死葬要離塚旁。

其他另有井丹、高鳳、韓康、龐公諸人，事跡略同。

(4) 其他處士

周　燮　汝南人，通詩、禮、易，不讀非聖之書，不修賀問之好。結草廬於岡畔，下有陂塘，非身所耕漁則不食。

馮　良　南陽人，年三十，爲縣尉佐，迎都郵，耻爲厮役，乃壞車殺馬，毀裂衣冠，至犍爲郡，從大儒學。其妻以爲他被盜殺害，發喪。後學成返鄉，非禮不動，遇妻子如君臣，徵召不應。

黃　憲　汝南人，家貧，父爲牛醫，荀淑、袁閎稱之，舉孝廉，不往，郭泰稱他：「汪汪若千頃

陂，澄之不清，淆之不濁」。

徐　穉　豫章人，家貧，自耕稼，非其力不食，恭儉義讓，所居服其德，公府屢辟不起。舉有道，家拜太原太守，不就。曾爲太尉黃瓊所辟，雖未就，但瓊死，徐穉負糧徒步到江夏哭祭。郭林宗母死，穉往弔，放生芻一束於靈前，衆人不解何意，林宗說，是取材詩經「生芻一束，其人如玉」句。

姜　肱　彭城人，博通五經，兼明星緯，就學者千人，與弟遇盜，兄弟爭死，賊遂釋之。後賊感動，叩頭謝罪，還其掠物。

中屠蟠　陳留人，博通五經，兼明圖讖，九歲喪父，哀毀過禮，服除，不進酒食十餘年，每忌日三日不食。同郡緱姓女子，爲父報仇，殺夫家之黨，縣令將判以死刑。蟠以緱女爲父報仇，是節義行爲，足以感無耻之子孫，應表旌，乃減死。與王子居同在太學，子居死，蟠親自推輦送喪歸鄉里。

郭　泰　太原人，家貧，給縣事，不甘處斗筲之役，就成皋屈伯彥學，博通墳籍。善談論，美音制，得見河南尹李膺，名震京師。歸鄉里，衣冠之儒送至河上者車數千輛，泰與李膺同舟而濟，衆望之以爲神仙。

泰身長八尺，容貌魁偉，善於相人，雅俗無所失，因遜言危行，免於黨禍。

符　融　陳留人，耻爲小吏，入太學，師李膺，幅巾奮袖，談詞如雲。

樊　英　南陽人，受業三輔，習京氏易兼明五經，隱於壺山之陽，受業者四方而至。公卿舉賢良方正有道，皆不應。順帝時，策書備禮徵之，到京，稱病不起，乃強輿入殿，猶不以禮屈……及後應對無奇謀深策，談者以爲失望。

孔　融　魯國人，孔子二十世孫，十歲隨父入京，欲面見李膺，令門上通報，是李家通家子弟，膺見面問是何親，融說：「先君孔子，與君先人李老君，同德比義，而相師友，則融與君累世通家」，衆人莫不歎息。張儉逃亡至孔家，融與其兄皆被捕，母子三人爭死，爲世所稱。

與禰衡相交，放言高論，說父與子有何親，不過情欲發耳。子之於母，比如寄物瓶中，出則離矣。又和衡相稱頌，衡稱融「仲尼不死」，融稱衡「顏回復生」，後被操所殺。

四　結　論

周早期的「儒」是指專業的禮士，含義和後代的「儒家」不同。到了孔子，整理前代文化，尤其是周文化，教人爲君子，才構成以周文化爲主的自覺性的思想體系，但不是一門派，也不以儒自稱，到了墨子，學儒而反儒，旗幟鮮明，反對「儒家」。但直到孟子時仍自稱仲尼之徒、或周孔之道，仍不以儒自居。戰國晚期，各派學說壁壘分明，才有儒家之稱。但它仍然不立門戶，廣闊如海，隨時吐

納百川，不拒斥其他學說混入，陰陽家就是例證。

戰國後期，儒家思想體系已完成，儒者自始對政治有強烈的參預感，對社會文化有使命感，所以學說充滿入世的關懷及實踐意義。就政治來說，大的方針是禮樂化民、禪讓傳國，外則招來遠人，天下一家，內則民生豐足、講信修睦。其次則是克盡職責，不辱所命，可以託六尺之孤，可以寄百里之命，造福生民，衆被其澤。

不從政也有社會責任，荀子所說，在上位則美政，在下位則美俗，和睦宗族鄉黨，救助鰥寡孤貧。

另有文化責任，術德兼修，承先啓後。

最後才是個人行爲：入孝、出悌、好學、克己、廉潔、謙讓、守信、報德種種。

他們主張廉讓，但不主張隱居，因爲鳥獸不可以同羣；主張以直報怨，而不是以怨報怨，主張忠恕，以心理上角色的調換去同情別人，而不是我是彼非去絕人之路。

漢中期武帝重儒尊經，使儒者擔當文化傳承重任，又開儒學入仕之路，使在政治上一展抱負，自公孫弘以降，韋賢、匡衡、張禹、孔光等紛登三公之位，這是儒家思想付諸實施的第一期。

王莽想推動儒家更高階段的理想，禪讓、王田、及社會政策，但最後失敗，劉氏復起，使禪讓類似篡奪，王田猶如暴政，玆後君主至尊，萬世一系，傳賢美意成爲絕響。不能不說是儒家的損失，這是儒家思想實施的第二期。

及光武卽位，以儒者身份，繼續發揚儒學，但爲矯正重功利之習，特倡氣節，雖可收一時草偃風行之效，但應適可而止，而後繼之君不能作適當調適，反用仕祿獎勵氣節，擢用隱逸，付以重任。和帝時令徵召以「巖穴爲先」，延平時又下令徵「隱士大儒，務取高行」，遂使儒者輕忽政治責任、及實踐意義，而特重個人行爲的突顯，前表可爲例證。

試看范曄黨錮傳之評：「桓靈之間，主荒政謬，國命委於閹寺，士子羞與爲伍，故匹夫抗憤，處士橫議，遂乃激揚，互相題拂，品覈公卿，裁量執政，婞直之風，於斯行矣！」「輕死重氣，怨惠必酬，令行私庭，權移匹夫」。

獨行傳中說：「（漢）中世偏行一介之夫，能成名一方者，蓋亦衆也；或志剛金石而尅捍於強禦（劉茂衞福），或意嚴冬霜而甘心於小諒（戴就陸續），亦有結朋協好幽明共心（范式張劭），蹈義陵險生死等節（繆同李善）」。

逸民傳中稱光武側席幽人，求之若不及，但徵召所至，眞才絕少。在黃瓊傳中，記載李固的一段話：「自頃徵聘之士……其功業皆無所採，是故俗論皆言處士純盜虛聲，願先生弘此遠謨，令衆人嘆服，一雪此言耳」。

學風與政局相關，後漢晚期政權握於外戚宦官之手，儒者不願與此輩同流，所以以不應聘爲高，應聘後，又無匡時良策，就以誅殺爲務，仇恨升高，造成政治風暴，政府則威望掃地，儒者則精英盡失。

地方行政，因吏職輕賤，官吏輕於去就，而宦者黨羽又惟知需索，使後漢循吏，只能存在於邊徼，如衞颯、許荆之在桂陽，任延之在九眞，孟嘗在合浦，第五訪於張掖，劉寵於會稽，不能不令人深省。

政局不安，如能守住個人行爲的誠敬端恪，也還算是保留文化種子，但這時儒者的行爲，多爲激切詭奇之行；就孝行來說，有廬墓十九年的趙宣，也有說父母於我無恩的孔融，徐穉等不是親自耕種不食，是孔孟不同意的農家行爲，手刄仇人近乎游俠，隱居不仕近乎道家，儒學不去實踐，而作爲吹拂談資。凡此種種，都非儒者本然的行爲。

這是儒家思想在東漢的展現，可說是第三期。

此後老莊代與，儒學有三百多年的消沈，再興又是另一局面了。

【附　註】

① 見胡適文存說儒（第十五）遠流出版社。

② 錢著：中國學術思想史論叢：駁胡適之說儒，東大圖書公司。

③ 勞思光著：中國哲學史：孔子與儒學之興起，三民書局。

④ 見國語周語，史記周本紀。

⑤ 見詩經鄭風。

⑥ 論語：八佾篇。論語爲常見之書，本文以下所引論語句皆不再加註。

⑦ 見荀子儒效篇。

⑧ 見史語所刊第三十八。

⑨ 中庸有：「今天下、書同文、車同軌」句，經斷定爲秦以後之文。

⑩ 見范曄後漢書：儒林傳序。

⑪ 見班固漢書：王莽傳。

試論漢代的古史系統

王仲孚

（一）

我國傳統的古史系統，以夏商周爲「三代」，或以虞夏商周爲「四代」①，至於三代以上古史系統則有三皇五帝，再向上則爲盤古開天闢地。②

民國十二年，顧頡剛在《努力》增刊、《讀書雜誌》第九期，發表〈與錢玄同先生論古史書〉，提出其著名的「古史層累積成說」，指出中國的傳統古史系統，都是後人一層一層的加上去僞造出來的，他認爲：「周代的人心目中最古的人是禹，到孔子時有堯舜，到戰國時有黃帝神農，到秦有三皇，到漢以後有盤古」；「時代愈後，知道的古史愈前，文籍愈無徵，知道的古史愈多。汲黯說：『譬如積薪後來居上』，這是造史很好的比喻。」③顧氏後來在《古史辨》第一册自序裏，又重申了他的「中國古史層累積成說」的主張。

衆所周知，顧頡剛的上述主張，引發了一場古史大論戰，所謂「古史辨運動」，從此如火如荼地展開。在「古史辨運動」期間，疑古學者的基本主張，認爲三代以上的古帝王，都是神話中的人物，

環繞著這些古帝王的故事，也都是僞書中的僞史。而傳統古史系統，原是以古帝王如伏羲、神農、黃帝、堯、舜等的時代先後，排列串連而成的，如今這些古帝王全被否定，古史系統也就遭到了徹底的破壞。這不僅使考察古史的人爲之「四顧茫然」④，直到現在，我們的中國通史著作或一般歷史教科書裏的古史系統，還呈現著「雙軌」的現象：大約都是在第一節先敍述考古發掘的舊石器時代、新石器時代，第二節又敍述古史傳說中的三皇五帝，至夏商時代以下，才有了一貫的系統。這種古史系統「雙軌」的現象，頗令人感到困惑，影響國人對於古史的信仰，至深且遠。這些都是由於舊的古史系統遭到破壞，新的古史系統未能建立起來的緣故。

關於「古史層累積成說」的主張，當時雖然有人稱贊「精當絕倫」⑤，但也有人指摘它的基本方法謬誤⑥。筆者也曾檢討過顧氏此說，發現其主要錯誤，在於把史籍著成的時代，作爲史事發生的時代，因此才會不管某書著作之目的與時代背景如何，凡是某一時代的著作中，未曾記載的事，就當作是歷史上未曾發生過的事⑦。

其實，戰國秦漢時代學者，多以遠古帝王代表歷史發展的階段，以古帝王爲代表，依其時代先後，組成了古史的系統。所以，我國傳統的古史系統，是古代無數學者，經過漫長的考察時間，才逐漸建立起來的⑧，我們對於傳統的古史系統，應作如是觀才是。

在先秦時代，各家提到的古帝王名字很多，但還沒有一致的古史系統，到了漢代，古史系統才趨於定型，漢代學者所建立的古史系統，自然有漢代的思想爲依據，我們不能以後代的觀點，加以全面

否定。自漢代以後，垂二千餘年，古史系統沒有發生很大的改變，所以漢代的古史系統，很值得我們留意探討。

（二）

在探討漢代的古史系統之前，我們應先看一看先秦時代的古史系統。

先秦時代的學者，對於三代以上的古史系統，並沒有建立起各家一致認同的古史系統，《左傳》昭公十七年記郯子言少昊氏以鳥名官的故事時，除了少昊氏以外還提到「黃帝氏以雲紀……炎帝氏以火紀……共工氏以水紀……太昊氏以龍紀……」，此一敍述的順序，與此後的古史系統對照，顯然沒有時代先後的意思。但是郯子提到了五位古帝王的名字，即：少昊氏、黃帝氏、炎帝氏、共工氏、太昊氏。這些古帝王的名字，都是此後古史系統中的重要人物。

《國語・晉語》載司空季子的話說：「昔少典氏娶于有蟜氏，生黃帝、炎帝。黃帝以姬水成，炎帝以姜水成。」這裏提到了四位「古帝王」的名字，值得注意的是黃帝與炎帝屬於同一個時代。

在《管子・封禪篇》裏，提到了十二位古帝王的名字，《封禪篇》云：

古者封泰山，禪梁父者七十二家，而夷吾所記者十有二焉。昔無懷氏封泰山，禪云云；虙羲封泰山，禪云云；神農封泰山，禪云云；炎帝封泰山，禪云云；黃帝封泰山，禪亭亭；顓頊封泰山，禪云云；帝俈封泰山，禪云云；帝堯封泰山，禪云云；舜封泰山，禪云云；禹封泰山，禪

會稽；湯封泰山，禪云云……。⑨

《封禪篇》所列的十二位古帝王，似乎有了古史系統的順位，但是以神農與炎帝爲二人，同時，成湯之後爲周成王。在《史記・五帝本紀》中以黃帝、顓頊、帝嚳、帝堯和帝舜爲五帝。而孔子刪書，斷自唐虞，堯舜可以說是先秦儒家古史系統中的開端，《管子・封禪書》中自黃帝向上延伸了四個古帝王，是很值得注意的現象。

《莊子・胠篋篇》也列舉了十二位古帝王，似乎也有時代先後的順序，《胠篋篇》云：

子獨不知至德之世乎？昔者容成氏、大庭氏、伯皇氏、中央氏、栗陸氏、驪畜氏、軒轅氏、赫胥氏、尊盧氏、祝融氏、伏羲氏、神農氏。當是時也，民結繩而用之。

上列十二位古帝王，無論是人名或次序，都與《管子・封禪篇》有所不同。《莊子》還提到了「三皇五帝」，例如《天運篇》中「三皇五帝」凡四見。其中假托子貢見老聃，老聃告以「吾語女三皇五帝之治天下」。但《莊子》並沒有提出「三皇」是那三人，「五帝」是那五人？「三皇五帝」表示了三代以前的一個久遠的時代，但並沒有具體的古帝王，標示時代先後的順序。

在《呂氏春秋》一書裏，雖然提到了「五帝」人選是：大昊、炎帝、黃帝、少昊、顓頊，但這五位古帝王是配合五個方位的「五方帝」，並不是具有時代先後的古史系統。至於「三皇」的人選，至秦始皇統一天下之後，才由秦博士提出「天皇、地皇、泰皇」⑩。

在《韓非子》一書裏，以有巢氏、燧人氏的事蹟，說明遠古文明演化的過程，《五蠹篇》有如下

的記載：

上古之世，人民少而禽獸衆，人民不勝禽獸蟲蛇，有聖人作，構木為巢，以避羣害，而民悦之，使王天下，號之曰：有巢氏；民食果蓏蚌蛤，腥臊惡臭，而傷害腹胃，民多疾病，有聖人作，鑽燧取火，以化腥臊，而民悦之，使王天下，號之曰：燧人氏。

《韓非子》所提到的兩位「聖人」有巢氏與燧人氏，並沒有形成一個古史系統。

《易·繫辭傳》稱：

伏羲氏沒，神農氏作，神農氏沒，黃帝堯舜氏作。

上列五個古帝王的名字，明顯的有時代先後的順序，實具備了古史系統的初形。不過，《易傳》的著作時代，是有爭論的，有人認爲它著於西漢，不是先秦時代的作品⑪。

總之，在先秦時代，傳統的古史系統並未建立起來，不過，當時學者已經認識到在「三代」以上，還有一段漫長的歷史，各家所提到的古帝王很多，但究竟應代表古史系統中的那一個時代，也沒有定論。例如《莊子·胠篋篇》裏，伏羲氏、神農氏的順位，排列在軒轅氏、祝融氏之後，《管子·封禪書》所列神農與炎帝，明顯的是兩個人，因此，在先秦的文獻裏，「太昊」是不是「伏羲氏」，「炎帝」是不是「神農氏」，「黃帝」是不是「軒轅氏」，似乎得不到答案，近代學者以爲兩者不是一個人的成分較大。⑫

所以，先秦時代各書中的古帝王尚未成爲一個有秩序的古史系統，不過它提供了後人建立古史系統的資料。

（三）

兩漢是中國傳統古史系統建立的時代。重要的古史系統有太史公的《史記・五帝本紀》，劉歆的《世經》⑬，班固《漢書・古今人表》、王符《潛夫論・五德志》等。這些著作中的古史系統，是此後中國傳統古史系統形成的主要依據。

太史公雖然確知有伏羲氏、神農氏⑭，但他斷然以黃帝爲古史系統的開端，這是由於經過了實際的考察和訪問，決定採納《大戴禮帝繫姓》的古史系統，做爲撰寫《五帝本紀》的基本架構。《帝繫篇》云：

> 黃帝產玄囂，玄囂產蟜極，蟜極產高辛，是為帝嚳。帝嚳產稷，產契，產放勳，是為帝堯。黃帝產昌意；昌意產高陽，是為帝顓頊。顓頊產窮蟬，窮蟬產敬康，敬康產勾望，勾望產蟜牛，蟜牛產瞽叟，瞽叟產重華，是為帝舜。帝舜產鯀，鯀產文命，是為禹。⑮

因此《史記・五帝本紀》的世系，可以列表如下：

- 黃帝
  - 玄囂—蟜極—帝嚳
    - 帝摯
    - 帝堯
    - 契（商的始祖）
    - 棄（周的始祖）
  - 昌意—顓頊
    - 窮蟬—敬康—句望—蟜牛—瞽叟—帝舜
    - 鯀—禹（夏的祖先）

根據此表，則「五帝三王」咸祖黃帝⑯，後世尊稱黃帝爲中華民族共同的始祖，與此應有很大的關係。

《世經》的古史系統，始於大昊炮犧氏（卽伏羲氏）⑰，其古帝王的先後順序依次是：

帝太昊炮犧氏——炎帝神農氏——黃帝軒轅氏——少昊帝金天氏——顓頊帝高陽氏——帝嚳高辛氏——唐帝（帝堯）陶唐氏——虞帝（帝舜）有虞氏——伯禹夏后氏——成湯（天下號曰商，後曰殷）

《世經》的古史，每一帝王分屬一德，然後以「五德相生」的系統，表示時代的推移，以古帝王代表時代的先後。可列出古史系統表如下：

木德	太昊炮犧氏	帝嚳高辛氏
火德	炎帝神農氏	帝堯陶唐氏
土德	黃帝軒轅氏	帝舜有虞氏
金德	少昊金天氏	伯禹夏后氏
水德	顓頊高陽氏	成湯商、殷

《漢書・古今人表》把古今（至秦末）人物「列九等之序」，其中列爲「上上聖人」的，自太昊帝宓羲氏至文王周氏、武王，正是古史系統的主幹，其次序如下：

太昊帝宓羲氏、炎帝神農氏、黃帝軒轅氏、少昊帝金天氏、顓頊帝高陽氏、帝嚳高辛氏、帝堯陶唐氏、帝舜有虞氏、帝禹夏后氏、帝湯殷商氏。

《古今人表》除了列出上舉的古帝王所代表的古史系統外，還把先秦時代各書所出現的遠古帝王名號，做了一次大整理，全部列入與太昊宓羲氏同一時代的「上中仁人」，他們是：

女媧氏、共工氏、容成氏、大廷氏、柏皇氏、中央氏、栗陸氏、驪連氏、赫胥氏、尊盧氏、沌渾氏、昊英氏、有巢氏、朱襄氏、葛天氏、陰康氏、亡懷氏、東扈氏、帝鴻氏。

這些古帝王的名號，分別見於《左傳》昭公十七年，《莊子・胠篋篇》、《韓非子・五蠹篇》、《呂氏春秋・古樂篇》、《史記》所引《管子封禪篇》等。他們在各書中，原來的順位有的本在伏羲氏之前，有的則看不出是在伏羲之前或之後，如今經此一番大整理，全部列在與伏羲氏同一個時代之中了。

《漢書古今人表》所列的古史系統，有幾點值得我們注意，其一是這一批被列爲「中上仁人」的古帝王，在傳統的古史系統中，並沒有佔據很重要的地位，其次「燧人氏」沒有被列在《人表》之中，而《左傳》昭公十七年所提到的「共工氏」被列爲與太昊伏羲氏同一時代。《孟子・萬章上篇》載帝堯時代的「四罪」：共工、讙兜、三苗、鯀，《人表》把他們列在帝堯時代，可見班固把《左傳》裏的「共工氏」與《孟子》裏的「共工」做爲不同時代的「二人」分開處理。

東漢王符著《潛夫論》，在〈五德志〉一章裏，採取「五德相生」的原則，把古帝王作了有系統的整理和分配，建立了它的古史系統如下：⑱

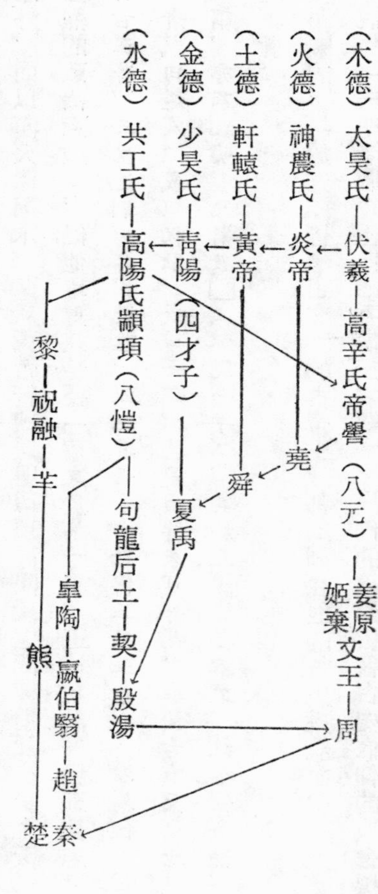

《潛夫論・五德志》裏的古史系統，大體上是以《世經》爲其基本架構的。

《大戴禮・帝繫篇》、《史記・五帝本紀》所載整齊的世系，在後人看來頗有許多矛盾，例如自黃帝自堯皆爲四世，至舜卻爲八世，所以宋歐陽修《帝王世次圖序》以舜娶堯二女乃是上娶其曾祖姑，又如稷、契與堯同父，堯不能舉，舜始舉之；舜較禹晚四世，反禪位於禹，是上傳其高曾祖⑲。同時，《易繫辭傳》、《左傳》、《國語》中所列許多著名的古帝王，如太昊、少昊、炎帝、伏羲氏、神農氏、共工氏等，都不見於《帝繫篇》，頗使後儒費思，也使古史系統混亂，因此《世經》、《古今人表》、《潛夫論・五德志》都以大昊與伏羲氏、炎帝與神農氏、黃帝與軒轅氏、顓頊與高陽氏、帝嚳與高辛氏合爲一人。《潛夫論・五德志》更以太昊氏、神農氏、軒轅氏、少昊氏、共工氏、

高陽氏、高辛氏爲「世號」，以伏羲、炎帝、黃帝、顓頊、帝嚳等爲身號，「世號」當卽部落名稱，「身號」卽該部落之領袖⑳。《潛夫論・五德志》並以帝嚳出於伏羲，堯出於神農，舜出於黃帝，另以少昊氏爲金德，禹爲其後，這樣使《左傳》、《易繫辭》、《國語》及《大戴禮，帝繫篇》所記載的古帝王，都做了適當的調合和安排，完成了一個自成體系的古史系統。

自《世經》至《潛夫論》的古史系統，係兼顧了經典的權威以及漢代盛行的五行思想，所做的古史整理工作，過去顧頡剛氏，以疑古的眼光，認爲這是「依照公式創造歷史」㉑，但我們也可以看做這是漢人在尊經和陰陽五行思想下的「古史觀」，不能說這是他們僞造的古史系統。

當然，劉歆《世經》所列的古史系統，採「五德相生」的原則，爲了以漢爲火德，「擯秦」於古史系統之外，而以漢火繼周木，又於黃帝軒轅氏與顓頊高陽氏之間，增加少昊金天氏，這種新的排列法，具強烈的政治意識㉒，但他畢竟還是要「稽之於易」㉓，王符《潛夫論五德志》云：

> 自古在昔，三皇迭制，各樹號謚，以紀其世……世傳三皇五帝，多以為伏羲、神農為二皇，其一者或曰燧人，或曰祝融，或曰女媧，其是與非未可知也。我聞古有天皇地皇人皇，以為或及此謂，亦不敢明，凡斯數□（似脫一字），其於五經皆無正文，故略依易繫，記伏羲以後，以遺後賢。

因此，很明顯的，「於五經皆無正文」的古帝王，都不列在他的古史系統之中。太史公於《史記・伯夷列傳》說：「夫學者載籍極博猶考信於六藝」，漢代的經學影響古史信仰的取舍標準。錢賓四先生

說：「漢廷之表章六經，罷黜百家，實起意於復古更化。更化者，化此晚周亡秦之覆轍。復古者，復於三代堯舜之前軌。故詩書之在當時，見稱曰古文。必上窺古文，始知歷史淵源，……。」㉔傳統古史系統建立於漢代，實有其時代的背景。

（四）

自漢代以後，除了緯書及羅泌《路史》一類著作外，三代以上的古史系統，大體都沿襲著《世經》、《易繫辭傳》裏所列的古帝王順序加以編列，而太昊伏羲氏便高居在古史系統的頂端。例如西晉皇甫謐《帝王世紀》一書，雖略提到天皇、地皇、人皇，但全書的體系，實以太昊伏羲氏爲其開端㉕，南朝劉宋時沈約著《宋書・符瑞志》云：㉖

> 赫胥、燧人之前無聞焉，太昊帝宓羲氏，母曰華胥，燧人之世，有大迹出雷澤，華胥履之，而生伏羲於成紀。

可見沈約雖然確知有「燧人之世」，而仍以太昊伏羲氏爲其開端。唐司馬貞補《三皇本紀》，包羅許多先秦及緯書裏的古帝王，但他仍以「太皞庖犧氏（卽「太昊伏羲氏」），風姓，代燧人氏，繼天而王」作爲《本紀》的開端，採納了《漢書古今人表》的方式。北宋劉恕《通鑑外紀》，已知緯書《春秋元命苞》所稱「九頭十紀」、盤古氏，以及《莊子胠篋篇》裏所列之古帝王，但卻選擇了《易繫辭傳》所列之伏羲氏、神農氏、黃帝、堯、舜爲其書的古史系統。他認爲「詩書仲尼刊定，皆不稱三皇

五帝三王，易下繫曰：古者包犧氏之五天下也，包犧氏沒，神農氏作，神農氏沒，黃帝堯舜氏作，載繼世更王而無三五之數，或以包犧至舜是爲五帝，然孔子未嘗道，學者不可附會臆說也」㉗。清代崔述著《考信錄》，其書以爲應按《易繫辭傳》的次序，首列包犧氏，再依《左傳》昭公十七年郯子所言古帝王，依次爲黃帝、炎帝、共工、太皞。而將少皞氏列於炎帝與共工氏之後，少皞氏之前爲太皞氏，而將「太皞氏」與「伏羲氏」別爲二人。㉘

在其他的歷史著中，如蘇徹的《古史》，三代以上古史系統爲太昊伏羲氏、炎帝神農氏、黃帝軒轅氏、少昊金天氏、顓頊高陽氏、帝嚳高辛氏、帝堯陶唐氏、帝舜有虞氏㉙；司馬光《稽古錄》則爲伏羲氏、神農氏、有熊氏、金天氏、高陽氏、高辛氏、陶唐氏、有虞氏㉚；陳櫟《歷代通略》，列夏商周三代以前爲「三皇」與「五帝」，「三皇」爲伏羲、神農、黃帝；「五帝」爲少昊、顓頊、帝嚳、唐堯、虞舜㉛；鄭樵《通志》也是以太昊、炎帝、黃帝爲「三皇紀第一」，以帝少昊、帝顓頊、帝嚳、帝堯、帝舜爲「五帝紀第二」；清代傅恒主編《增批歷代通鑑輯覽》，三代以上的古史系統，則爲太昊伏羲氏、炎帝神農氏、黃帝軒轅氏、少昊金天氏、顓頊高陽氏、帝嚳高辛氏、帝堯陶唐氏、帝舜有虞氏㉜。以上類似的著作，不勝列舉，大致都是依據《世經》的古史系統，編輯而成的。

元代金履祥《資治通鑑前編》，始於帝堯陶唐氏，帝舜有虞氏，則是依據《尚書》編輯而成，較爲例外㉝。

回顧兩千年來歷史著作中的古史系統，其基本架構，承自漢代，並深受經學傳統的影響，學者不

敢「離經叛道」的態度，在古史系統的編輯上，隨處可見。因此，凡未在經書裏出現的古帝王，多被排除在古史系統之外，著名的古帝王如燧人氏、有巢氏、葛天氏、無懷氏等人，始終占不到一席之地。至於盤古開天闢地，首見於三國時代吳國的徐整所著《三五歷記》、《五運歷年記》㉞，出現的時代很晚，魏晉唐宋時代的學者，大都沒有把它列入古史系統之中，類書如唐代的《藝文類聚》，宋代的《太平御覽》，都不把盤古列在《皇王部》，大多數史書，也不採納盤古開天闢地之說，直到南宋胡宏的《皇王大紀》一書，才以「盤姓爲萬姓之宗」，列入了古史系統的頂端㉟，元明清時代，雖有些學者把盤古氏列在古史系統裏，嚴謹些的學者則會不以爲然，例如清代馬驌在其所著《繹史》裏，篇首列有「帝王傳授總圖」，首爲伏羲，依次是女媧、神農，以至黃帝。他對於盤古的看法是：

> 盤古氏名起自雜書，恍惚之論，荒唐之說耳，作史者目為三才首君，何異說夢。㊱

兩漢經學的獨尊，論者以爲對中華民族的綿延和歷史文化的發展，功不可沒㊲，從古史系統建立及其後的影響加以觀察，也確實是如此。自「古史辨運動」以後，傳統的古史系統幾已徹底瓦解，這固然與「疑古派」學者的破壞，有直接的關係，而民國以後，經學衰微，學者多已不再唸「經」，由此而使古史信仰趨於淡薄甚至鄙視，是否應是古史系統遭到破壞的更重要原因呢？由於西洋新知識如考古學、人類學的輸入，重建中國古史系統，實屬學界的嚴肅課題。三十多年前，考古家李濟之先生指出，重建中國上古史的材料共有七大類，而認爲「歷代傳下來的秦朝以前的記錄……是研究中國上古史最基本的資料」，㊳他建議大學裏應設立經學講座，以便對於中國上古史的重建與研究，有所幫

助，李氏的主張，實具有眞知灼見。

重建古史系統，自然不是要復古讀經，但是對於影響我國歷史文化二千多年的經學以及漢代的古史系統，須以何種態度對待，應是値得思考的問題。

【附　註】

① 例如《左傳》莊公三十二年載內史過之言曰：「故有得神以興，亦有以亡，虞夏商周皆有之」；《呂氏春秋審應覽》云：「國久則固，固則難亡，今虞夏商周無存者，皆不知反諸已也」。此皆「虞夏商周」並列「四代」之例。

② 盤古開天闢地之說，在傳統古史系統中並未占重要地位，參拙作：〈盤古傳說試釋－兼論我國古史系統的開端〉，《國立臺灣師範大學歷史學報》第十二期，民國七十三年六月。

③ 《古史辨》第一册，中編，頁六〇。

④ 董作賓：〈中國古代文化的認識〉，《大陸雜誌》三卷十二期，民國四十年十二月；收在《平廬文存》上册，卷三，頁一－二五，藝文印書館印行，民國五十二年十月初版。

⑤ 錢玄同：〈答顧頡剛先生書〉，《古史辨》第一册，中編，頁六七。

⑥ 張蔭麟：〈評近人對於中國古史之討論〉，《古史辨》第二册，下編，頁二七一－二七三。

⑦ 王仲孚：〈顧頡剛的古史研究與著述〉，《國立臺灣師範大學歷史學報》第十五期，民國七十六年六月。

⑧ 王仲孚：〈試論中國歷史的開端和古史系統的建立〉，《中國史新論》（傅樂成教授紀念論文集），臺灣學

生書局印行，民國七十四年八月。

⑨ 今本《管子・封禪篇》已亡，茲據《史記・封禪書》所引。

⑩ 見《史記・秦始皇本紀》。

⑪ 據李鏡池：《易傳探源》一文認爲：「繫辭與文言—彙集前人解經殘篇斷簡，並加以新著的材料。年代當在史遷之後，昭宣之前」，《古史辨》第三册，頁一〇五。

⑫ 徐旭生：《中國古史的傳說時代》第二章〈我國古代部族三集團考〉，頁三七—一二七。科學出版社，一九六〇年三月第一版。

⑬ 《漢書・律曆志》引。

⑭ 參《史記・封禪書》。又《太史公自序》云：「余聞之先人曰：『伏羲至純厚，作易八卦』」；《五帝本紀》云：「神農氏世衰」；《伯夷列傳》：「神農虞夏忽焉沒兮」。

⑮ 《大戴禮記》卷七，頁三六，商務四部叢刋本。

⑯ 劉師培：〈氏族原始論〉，認爲此爲「種人之宗法」，見《國粹學報》第一年第四號，頁四二〇—四二八。

⑰ 伏羲氏有許多異稱，例如《易繫辭傳》作「包犧氏」、《莊子・繕性篇》、《荀子・成相篇》、《戰國策・趙策》等，皆作「伏戲」；《史記・封禪書》引《管子》、《漢書・古今人表》、《宋書・符瑞志》等，作「宓羲氏」；《漢書・律曆志》作「炮犧氏」，《列子・黃帝篇》、《帝王世紀》作「庖犧氏」。其他尚有皇羲、皇犧、羲皇、戲皇、泰帝、青帝、春皇、木皇、蒼帝、蒼精之君等。見梁玉繩：《漢書人表考》上册，頁一六，臺灣商務印書館，國學基本叢書。

⑱ 本表採自：胡秋原：《古代中國文化與中國知識份子》上册，頁四一，香港亞洲出版社有限公司。

⑲ 崔述：〈補上古考信錄〉卷下，頁二一，《考信錄》上册，世界書局印行。

⑳ 朱雲影師：《中國上古史講義》，師大出版組。

㉑ 顧頡剛：〈潛夫論中的五德系統〉，原刊《史學集刊》第三期，收入《古史辨》第七册，中編。

㉒ 雷家驥：〈兩漢至唐初的歷史觀念與意識〉，《華學月刊》第一四四期，頁四三—四五，國文化大學出版部，民國七十二年十二月。

㉓ 《漢書律曆志》引《世經》。

㉔ 錢穆：〈經學與史學〉，杜維運・黃進興編：《中國史學史論文選集一》頁一二四—一二五，華世出版社印行，民國七十四年再印版。

㉕ 《帝王世紀》已佚，現有清顧尚之輯・錢熙祚校，道光二十年刊本，《指海》第六集。

㉖ 《符瑞志》並非專論古史系統，但卻依古史之系統敍事。

㉗ 劉恕：《通鑑外紀》頁一五—一六，商務印書館，四部叢刊本。

㉘ 《崔東壁遺書・補上古考信錄》卷之上，頁九；卷之下，頁九—一〇，臺北河洛圖書出版社印行。

㉙ 蘇徹《古史》卷一，商務印書館四庫珍本。

㉚ 司馬光《稽古錄》，卷一，頁七—一二，商務印書館四部叢刊本。

㉛ 陳櫟《歷代通略》，卷一，頁一—四，《欽定四庫全書・史部十五》，商務印書館印行。

㉜ 傅恒主編：《增批歷代通鑑輯覽》卷之一，頁一—九，臺北生生印書館股份有限公司，民國七十四年三月初

版。

㉝ 金履祥：《資治通鑑前編》，卷一，頁一—二三，《欽定四庫全書・史部二》商務印書館印行。

㉞ 馬驌《繹史》，卷一開闢原始，臺北廣文書局印行。

㉟ 胡宏：《皇王大紀》卷一，三皇紀，頁一，商務四庫珍本。

㊱ 馬驌：《繹史》卷一，「三五歷記」條下，廣文印書館。

㊲ 李威熊：〈兩漢經術獨尊與經學諸問題的探討〉，《孔孟學報》第四二期，頁一五〇，民國七十年九月。

㊳ 李濟：〈再談中國上古史的重建問題〉，《中央研究院歷史語言研究所集刊》第三十三本，頁三五五—三五九。

漢賦興起的歷史意義

謝大寧

賦之興起於西京，繼而成爲兩漢之代表性文體，此一現象無論就文學史抑或思想史而言，都是相當特殊的。章學誠《文史通義・詩教下》謂：

賦家者流，縱横之派别，而兼諸子之餘風。

此一判斷將賦歸於諸子之緒餘，自然是側重其歷史和思想面。他無疑地指出了一個理解賦之歷史意義的重要參考點，可惜的是章氏並未詳述其論據。又自《史通》而下，頗多譏評班固以賦入傳者，亦獨章氏能說出：

漢廷之賦，實非苟作，長篇錄入於全傳，足見其人之極思。殆與賈疏董策為用不同，而同主於以文傳人。（同上引文）

之語。他注意到了賦在漢代似乎有著某些特殊作用，但可惜仍是語焉不詳。本文所作，原非爲演繹章氏之論點，而是順著兩漢知識份子社羣（community）之發展所作的歷史考察，期以理出賦之興起所特具的歷史意義；但它在相當程度上，卻可視作章氏論點的補強。古人讀書之先得我心，有如此者，委實可佩可感！

關於前述問題，首先引起我們注意的，便是早期賦家的來源。毫無疑問的，賦的興起和游士這一階層絕對脫不開關係，早期的賦家無一不是游士出身，卽爲明證。①就游士這一階層在漢初的發展這一課題而言，我們了解，游士基本上是六國社會之遺存。它在經秦的挫厄之後，於漢初軍興草創之時重又得到解放，劉項軍中卽不乏這類人物，如婁敬、叔孫通、陸賈等皆其著者。但是在天下初定之後，除了少數游士得以客卿身分被吸納進官僚系統之外，原則上社會仍處於半封閉狀態，法令關禁亦嚴，②游士極難得到活動的憑藉。這一現象至少要到文帝卽位之後才逐漸有所改善，例如文帝的詔廢誹謗妖言之罪，③除關禁，④復又詔舉賢良，予游士以一正式的進身之階等等，皆是極富意義的舉措。於是游士在社會解凍的帶動下，其活動乃日趨蓬勃，再加上一些有野心的諸侯王和名公巨卿，爲了厚植自己的政治資本，更紛紛廣納游士，因此游士一時之間遂又成爲一股炙手可熱的勢力。如吳王濞之招鄒陽、嚴忌、枚乘（見鄒陽傳），梁孝王之招羊勝、公孫詭、鄒陽（見孝王本傳），⑤淮南王更「招致賓客方術之士數千人」，而竇嬰在平七國後，「游士賓客爭歸之」，則其盛況或者竟不遜於戰國後期的稷下及四公子門下，亦未可知。

但是如同四公子門下，這些游士的流品恐怕也是極其複雜的，鬪雞走狗，游俠豪客之徒大概也不乏其人。這一羣品類萬端的游士，爲了爭取主人之注意，自需各顯奇能。於是有以思想干進者，有以種種術藝干進者。而其中或者由於漢之宗室皆好楚歌，是以一種以楚辭、楚歌形制爲基幹的賦體，便也成了干進的絕佳工具，⑥我以爲這便是賦這種文體所以成立的歷史因緣。然而我們若由殘存的早期

賦作，以及這些早期賦家的其它作品，如枚乘的諫吳王書等對比來看，一方面除了可證實早期賦家所具有的游士縱橫色彩而外，另一方面也可以看到這些賦家在企圖表達正式的政治立場和看法時，他們仍採取了奏議章疏的形式。至於賦，則顯然仍只是某種求顯達的工具而已；它的創作動機純是政治性、功利性，而非文學性的。因此在早期賦家心目中，可能仍只認爲縱橫式的章疏體才有價值，鄒枚等是如此，賈董等亦復如此。⑦賦和章疏這種作用上的差異，是值得特別注意並嚴予區分的。

由於早期賦本身所特具的政治性，乃使我們注意到了游士這一階層在漢初政治結構中，其地位的演化。隨著政治狀況的演變，漢廷中央集權的態勢日趨強化，游士的活動空間復又日漸緊縮。尤其武帝卽位後的頭一道政令，便是禁絕游士的任意干政。⑧於是游士在一無憑藉之下，除了向中央靠攏之外，便沒有其它更好的選擇餘地了。但他們既不能再憑縱橫之論向中央輸誠，因此就歷史實況而論，其靠攏方式大約不出以下兩種：一是如董仲舒、公孫弘等的憑藉賢良對策以進。大體言之，這是武帝採用的正途。⑨另一方式則是憑藉特殊才藝以進，此如嚴助、吾丘壽王、司馬相如、主父偃、徐樂、嚴安、東方朔、枚皐、膠倉、嚴葱奇等。⑩後者大致皆被吸收以爲武帝內朝的近臣，備供宿衞，其待遇是遠不同於以前一途徑進用者的。嚴格說，如果純就政治目的推論，武帝這一斟拔俊彥的政策，其著眼點恐怕仍是在削弱諸侯王這個大政綱的考慮上。上述兩種進用游士的途徑，一是正面企圖建立其統治階層，一是消極地防制游士亂政。於是在一抑一揚之間，無形中游士階層遂被割裂爲兩個部分。而隨著社會固定化的程度益趨擴大，⑪這兩個部分便也逐漸固定下來，成爲武帝一手操縱且可收相互

制衡之效的兩個知識團體。

現在我們且將注意力集中在作爲武帝近侍的這些人上。由於這些人之獲見用，憑藉的只是個人技藝，兼以位在內廷，故至多只能賴皇帝的寵幸來取得客觀地位，而不似博士尙能依憑一個新建立的教育系統，在某種程度上得自政權中相對獨立出來。因此這個內侍群嚴格來說，其團體相並不顯著，個人式的游士縱橫風格仍是這一團體的典型性格，此如嚴助、吾丘壽王、主父偃等人皆是。⑫這三人頗得武帝的倚重，故於政治上也取得了相當的影響力。但是這個團體中人，並非各個成員均能獲得皇帝相同的待遇；他們的發言權有限，亦不見得受到尊重，只能憑恃才藝的表現冀能博得君王偶而之一粲。亦卽因此之故，乃自然形成了這一群人內部的緊張。⑬我以爲漢賦本身由早期工具性之意義產生了以下兩類蛻變的原因，正須由這一群人的「內部緊張」這一概念上索解。以下我們卽詳細來探討這兩類蛻變的進程。

其一是賦體形制內容的轉變。誠如前述，賦原本是游士依以獵取功名的工具之一，這一本質到武帝時也仍未改變，例如司馬相如和朱買臣等人俱因此而獲青睞卽是。⑭但是因爲早期賦本身只具工具性質，故原則上游士們並不憑藉它來表示任何正面的思想，亦卽賦和奏議章疏仍是兩種迥不相侔的作品，賦大抵是裝飾性的遊戲文字成分居多。然而武帝後，也可能因爲其中許多賦家發言權的受到侷限，使他們不得不尋求變通，於是乃有司馬相如等對賦這種文體所作的改革。我們試比較一下今存的西漢武帝前後時期賦作，⑮最明顯的差別便是形制上的擴增；一種舖張揚厲的作品卽在司馬相如的手

中宣告完成。其實說實在的，這種形制上的靡麗閎衍，不過仍只是一種外表的包裝；其眞實的目的，恐怕只是在每篇賦作最後的進言。換言之，它根本就是將賦和奏議章疏治爲一爐的作法。我們由子虛和上林二賦的演變便可明顯發現此一事實。今存的子虛賦雖可能已非司馬相如客游梁時的原貌，⑯但大體只在頌揚梁的苑囿之美，應是可信的；不過它已初步在嘗試將賦加上一些諫言了，只是尚未有充分的意識而已。⑰然而到了他爲武帝作上林賦時，利用賦來發抒政見的傾向便極爲明顯了。在這篇長賦中，他主要企圖表達的是如下兩個論點：一是頌揚漢德，兼明君臣一統之義；二是藉君口而說出了自己企圖進言的內容，所謂：

> 地可墾闢，悉為農郊，以贍氓隸；隤墻填塹，使山澤之人得至焉。實陂池而勿禁，虛宮館而勿仞，發倉廩以救貧窮，補不足，恤鰥寡，存孤獨，出德號，省刑罰，改制度，易服色，革正朔，與天下為始。於是歷吉日以齋戒，襲朝服，乘法駕，建華旗，鳴玉鸞，游乎六藝之囿，馳鶩乎仁義之塗，覽觀春秋之林，射貍首，兼騶虞，弋玄鶴，舞干戚，載雲罕，揜羣雅，悲伐檀，樂樂胥，修容乎禮園，翱翔乎書圃。述易道，放怪獸，登明堂，坐清廟，恣羣臣，奏得失。

這儼然是另一篇天人三策。對比於這一段內容，則其它的誇張鋪排，便顯然都只是作爲裝飾之用而已。如果純就嚴格的文學批評角度言，這一作法自然破壞了形式與內容的協調性；相反地，這甚至可說是兩者間的異化。但卻因此而更加突顯了賦本身積極的政治意義和作用。如果我們不能認識這點，

便絕對無法了解司馬遷、班固大篇幅地抄錄全賦的意義所在。顯然他們不是只以文學作品視之的。⑱

這種賦體形制內容上的改變，原則上代表了仍具有縱橫色彩的游士階層掙扎圖存的努力，因此我們這一群內侍的其他成員身上，同樣可以清楚地見到這類作品。例如東方朔的非有先生論固然不具賦的標準形制，但其結構和上林賦幾乎是如出一轍的。他們同以文學的形式來取代硬性的奏議，以謀求發抒自己主張的機會。

於是我們看到了由武帝身邊的一群游士在其內部的緊張中，所激發出來的偉大文化創造，這是値得重視、玩味的現象。

其二則是由這一群人的壓力感所引發的個別挫折感，它通常以「士不遇」等之類的小賦形式出現，而成了這些人的具體表徵。⑳這原因也是不難理解的。大體來說，漢的游士已不若戰國游士之具有龐大規模，尤其在政治上有計畫地摧抑游士之後，他們只能以個人身分參與到朝廷中來。隨著社會的固定化，他們足資憑藉的社會資源乃益趨窘迫，於是皇帝的寵幸便成了他們唯一出頭的機會。在這種社會條件下，游士中的個別競爭自然是強烈的。這種個別競爭的確可能在相當程度上會破壞團體的凝聚力，甚至因而形成了一個「文人相輕」的傳統。再加上實際的權力來源本是一個非理性的力量，皇帝寵幸與否的憑據通常是他個人的好惡和政治的考量，這些在在都成了加深游士挫折感的因素。由這種挫折感遂轉而發爲他們一種創作的動力，於是乃創造了賦的另一個典型題材——卽對個人遭遇的怨嘆，和對現實政治的憤懣。

其實這種題材應上溯至賈誼的弔屈原和鵩鳥、旱雲等賦。㉑賈誼當然是標準的政治鬪爭中的犧牲者，他在由權力核心中無奈地退下來之後，內心的挫折感是很可以想見的。不過我們注意於賈誼的，毋寧是他這些賦的形式。因為賈誼的遭遇畢竟只是個人的，和他同時代的游士則正開始步入另一個意興風發的時期，因此並沒有一個由共同因素所形成的挫折感，這也就顯示不出賈誼這些作品在思想史上的重要性。但是對比於司馬相如對楚辭式的賦所作的改革而言，賈誼的作品其文學價値顯然是要更高的。因為他眞正成功地轉化了楚辭，使之由形式上的模擬解脫出來，成為適合表達新情境的體裁，同時又不至於喪失掉內容形式上原有的和諧。這確實是一項偉大的貢獻。憑藉賈誼此種天才式的轉化，乃為後來賦的發展打開了另一番生面。

但如果純就思想史的角度看，我們眞正注意的則是董仲舒、東方朔和司馬遷三個人的作品，㉒尤其是後兩者所代表的意義。董仲舒個人的遭際是個很具代表性的例子，他代表的是游士時代的結束，和一個擁有固定知識階層時代的來臨。因此對他個人而言，誠然仍屬於游士階層的一員，而他在面臨時代過渡的情境時，應該是有一些深沉的感慨的。尤其他個人的遭遇也不見得理想，是以也會發出「士不遇」這樣的悲懷。但是如果我們仔細推究一下，即會發現到一個事實，亦卽在由董仲舒所開出的經典教育系統中出身的人，絕對見不到再有任何人說出同樣的慨嘆。這事實顯然說明了士不遇主題的發抒，純是游士階層面對社會壓力的一種反應模式。因此我們乃意識到東方朔和司馬遷等人的感嘆雖然都是個人式的，但實際上它卻顯示了這是一個群體取向的行為，它普遍地存在於作為武帝近侍的

一群人之中，尤其是在那些並不能博取武帝重視和禮敬的一些人身上。嚴助傳中謂枚臯、東方朔「不根持論，上頗俳優畜之」，枚乘傳中枚臯亦自述云「爲賦迺俳，見視如倡」，故「自悔類倡」，乃以自我嘲弄的筆調來爲賦，同時也嘲弄和他有同樣際遇的東方朔。司馬遷報任安書更明白說：「文史星歷，近乎卜祝之間，固主上所戲弄，倡優畜之，流俗之所輕也。」像這樣尷尬的身分，對這些志大才高的人而言，其屈辱感自是不言可喻，所謂「諒才韙而世戾，將逮死而長勤，雖有形而不彰，徒有能而不陳。」（司馬遷悲士不遇賦）卽是。這同樣的心情，我們在《史記》和報任安書之中也是隨處可見的。

在表現這種挫折感的所有作品中，特別值得我們注意的一篇，就是東方朔的「答客難」。這篇文章之所以重要，倒不見得是因爲它的文學價值有多高，而是因爲一則東方朔很清楚地道出了社會條件所加於游士身上命定的悲劇，他說：

聖帝流德，天下震慴，諸侯賓服，威震四夷，連四海之外以為帶，安於覆盂，天下平均，合為一家。動發舉事，猶運之掌，賢不肖何以異哉！遵天之道，順地之理，物無不得其所。故綏之則安，動之則苦，尊之則為將，卑之則為虜，抗之則在青雲之上，抑之則在深泉之下，用之則為虎，不用則為鼠。雖欲盡節效情，安知前後？夫天地之大，士民之衆，竭精談說，並進輻輳者，不可勝數；悉力慕之，困於衣食，或失門戶。使蘇秦張儀與僕並生於今之世，曾不得掌故，安敢望常侍郎乎？傳曰：天下無害菑，雖有聖人，無所施才；上下和同，雖有賢者，無所

立功。故曰時異事異。

這段話說來是有實感的，不可但以詼諧視之。在大一統的專制中，一切威權握於一人之手。不耐於固定官僚職事而思有以建功立業之游士，注定是要被壓抑的一羣。東方朔於此一態勢實有深入的洞見。再者，他則提出了游士所以面對這一悲劇的自處之道，所謂修身體仁，與義相扶，而不爲小人之匈匈易行。由此，我們深刻地感受到了這些近侍成員在面對掙扎時所表現的勇氣，一如司馬遷在報任安書中所表露的一段沉痛的宣言，所謂：

> 所以隱忍苟活，幽于糞土之中而不辭者，恨私心有所不盡，鄙陋沒世而文彩不表于後世也。古者富貴而名摩滅，不可勝記，唯倜儻非常之人稱焉。

也就是這樣一種由長期處於挫折感中，所醞釀出來的悲劇情調，以及不願自我放逐的精神，構成了「答客難」一文的基本意向，乃至於足以代表這些人意識的深層心理背景。

以上我們詳細說明了武帝以後賦的兩類蛻變，以及它與作爲武帝近侍的一群游士之關係。我們發現這一群近侍恰好正是武帝時所有賦家的集中地，也證明了由這一群人的內部緊張確可全面說明賦體的轉變。此一內部緊張我們很可以理解爲正是賦家們的某種「羣體意識」。換言之，我們也就從這一羣體意識中找到了漢賦蓬勃發展，其最大的歷史意義所在。同時，我們也可明確指出這個羣體意識起碼包含的兩項重要內容：一是基於游士一貫的政治關懷，他們仍積極尋求各種途徑以參與政治，表達其忠誠，並思有以助成教化。二是他們由中央集權的政治格局中，充分意識到了自己身分無法客觀化

的窘境，因此他們無不處處流露出強烈的危機意識，這在相當程度上的確形成了他們在精神上尋求提升的動力。

在確立了這個賦家的羣體意識之後，我們仍必須追問此一賦家團體在武帝之後是否依然存在？其屬性是否改變？其悲劇性的羣體意識是淡化了呢？抑或毫無改變？嚴格說，武帝之後的知識階層爲官僚系統吸收後，大致應已相當程度地固定了下來，但它並不意味著游士階層的全面消失，因爲客觀的誘因顯然仍是存在的。例如宣帝就頗好模倣武帝，也在內廷中養了和前述賦家們同樣性質的一批文士，如王褒傳所謂：「修武帝故事，講論六藝羣書，博盡奇異之好，徵能爲楚辭九江被公，召見誦讀。」即是；同時見徵者尚有王褒、劉向和張子僑等人。其實西漢帝室多有此好，它亦成了一個政治傳統，直到東漢方告取消。因此我們大致可以確定在武帝後以迄西漢末，這一團體事實上是一直存在的，只是他們存在的理由已漸由政治上的考慮，轉變爲純遊戲的性質了。例如宣帝就曾明白說道：

辭賦大者與古詩同義，小者辯麗可喜，辟如女工有綺縠，音樂有鄭衞，今世俗猶皆以此虞說耳目。辭賦比之，尚有仁義風諭，鳥獸草木多聞之觀，賢於倡優博奕遠矣。（《漢書・王褒傳》引）

這話表面上是客氣多了，但事實上顯然仍將賦家列於倡優一級，因此，他們的屬性似乎也不見改變。可想而知，在這種心態下圖存的賦家，他們的壓力和挫折感應當是不可能有什麼減退的。王褒的四子講德論便是最足以代表賦家意識緜續的一篇作品。這篇文章在形制上是很特別的，它似賦而非賦，基本形制是模擬司馬相如的上林賦，但又插入了類似於東方朔答客難的內容。換言之，也就是他利用一

篇文章同時卽表達了賦家的兩種心態。他開頭便藉著微斯文學和虛儀夫子之口說出了「才蔽於無人，行衰於寡黨，此古今之患」的話，而這正是士不遇賦的典型內容。但底下話鋒旋卽一轉，又藉著浮游先生和陳丘子之口，說出了歌謠賦頌如何而可助宣教化，漢德如何溥博滂沛，當然其中不免也就加上了他的諷諫，一如他在聖主得賢臣頌和洞簫賦中所爲。最後則以文學夫子之「醉于仁義，飽于聖德」來試圖解消其挫折感。㉓其實從這些地方，我們仍可深深地感受到賦家的羣體悲劇意識；他們不斷試圖肯定自己作品的政治價值，企圖藉此取得一些客觀地位，以改善其尷尬的身分。

但是對賦家們而言，直接由賦作以尋求客觀地位的努力，終歸是不成功的。就當時的政治現實，具賦家背景的人或猶能以個人身分謀得些許出身，但政治上卻早被經生集團所吞噬。由於宣帝以後，家法正式宣告成立，於是官僚系統幾爲各派經生所壟斷，以此之故，賦家們若欲尋求出路，勢必得另謀他途。此一轉變軌迹，我們由楊雄的幾篇告白便可明顯地看出來，如他在自序傳中說：

雄以為賦者將以風也，必推類而言，極麗靡之辭，閎侈鉅衍，競於使人不能加也。既迺歸之於正，然覽者已過矣。往時武帝好神仙，相如上大人賦欲以風，帝反縹縹有凌雲之志。繇是言之，賦勸而不止，明矣！又頗似俳優淳于髡、優孟之徒，非法度所存，賢人君子詩賦之正也。於是輟不復為。

「解嘲」一文亦云：

當今縣令不請士，郡守不迎師，羣卿不揖客，將相不俛眉。言奇者見疑，行殊者得辟。是以欲

談者卷舌而固聲，欲行者擬足而投迹。嚮使上世之士處虖今世，策非甲科，行非孝廉，舉非方正，獨可抗疏時道是非，高得待詔，下觸聞罷，又安得青紫？

楊雄所述，一則指出經生集團之壟斷仕途，游士之缺乏活動空間，另一面則指出賦之完全失去作用，故憤而不爲。然而他們若不作賦，又能做些什麼呢？

關於上述問題，劉向的例子應是值得注意的。劉向原是以賦見召，但因其宗室身分，宣帝特命他轉習穀梁，從而得以轉入博士系統，進而以此身分獲得了政治上的立足點。這例子顯然極富啓發性，我們可設想這是不是賦家最好的出路呢？但是我們在考慮這點時，也必須了解博士集團在家法的名目下，呈現了相當的封閉性；劉向以其特殊背景固能謀得出身，但其它人是否能如此幸運進入此一集團，進而得意宦途，恐怕是很成問題的。即使他們可以追附驥尾，這些游士性格的賦家是否甘心雌伏，以求熬到出人頭地，可能更是問題。因此，我以爲劉歆之求立古文經，推展古文學，正是基於前述背景所作的選擇。對於這一判斷，我們也不難找到一些證據。如楊雄《法言．吾子篇》云：

或問吾子少而好賦，曰：然，童子彫蟲篆刻，俄而曰壯夫不為也。或曰：賦可以諷乎？曰：諷乎！諷則已；不已，吾恐不免於勸也。……詩人之賦麗以則，辭人之賦麗以淫，如孔氏之門用賦也，則賈誼升堂，相如入室矣，如其不用何？……觀書者譬諸觀山及水，升東岳而知衆山之峛崺也，況介丘乎？浮滄海而知江河之惡沱也，況枯澤乎？舍舟航而濟乎瀆者，末矣！舍五經而濟乎道者，末矣！

這段話說明了楊雄由賦家轉爲一位經學家的心路歷程，而楊雄所宗者正是古文經，亦是無可置疑的。[24]再加上這一蛻變恰好發生在哀帝初，與劉歆爭立古文同時，這又豈是巧合？而也唯有根據這一背景，我們才能理解劉歆爭立古文，所以遭致如此大的反彈之故。[25]

根據前述判斷，我們乃獲得了一個十分令人驚訝的結論，原來古文派的成立，竟是由賦家蛻變而來，他們企圖以經學上的自立門戶，來取得客觀地位。這一結論似乎是以往所有討論「今古文問題」的學者從未注意到的。當然，類似這一「驚世駭俗」的判斷，必然有待更堅強的證據證明。以下我謹提供一項堅實的考據基礎。

假如我們把東漢初期和西京末年視爲一個整體的話，儘管東漢帝室已不再熱衷供養一批賦家，但以游士身分而存在的賦家，仍是一個不小的羣體。這些賦家仍在作一些爲朝廷裝飾門面的賦頌，也不斷有一些模擬「答客難」和「解嘲」的創作，但值得注意的是當他們在抒發悒鬱時，都不忘表明他們對經學的興趣。如班固答賓戲云：

> 枕經籍書，紆體衡門，上無所蒂，下無所根，獨攄意乎宇宙之外，銳思于毫芒之內。

崔駰達旨亦云：

> 韞櫝六經，服膺道術，歷世而游，高談有日，俯鉤深于重淵，仰探遠乎九乾，窮至賾于幽微，測潛隱之無源。

那麼他們所欲鑽研的經書是今文抑古文呢？大凡有一些經學史常識的，便知道班固、崔駰本來就是古

文家。而我更統計了嚴可均《全漢文》所收錄和安以前凡有殘篇隻字之賦頌流傳者，計有桓譚、馮衍、梁竦、班彪、班固、杜篤、王充、賈逵、黃香、傅毅、崔駰、李尤、張衡、王逸等，他們幾乎清一色俱爲古文家，或雖難證爲古文家，但亦多與古文家交往密切。這一統計絕不可能是一偶然現象，否則不致如此巧合。據此，我相信今古文之爭絕不止於是文字之爭，它根本就是政治上博士經生集團與賦家們劇烈鬪爭的產物。至此，我們乃發現了漢賦發展歷程中，更重要的歷史意義所在，同時也補足了今古文之爭其思想史意義上成因的說明。以上我一步步舖敍了漢賦在歷史流程中所扮演的角色，歷史誠然常是偶然的，但某些內在理路也是很鮮明的。現在，我相信人們將會承認章實齋所說，漢賦絕非苟作，史漢將之長篇錄入全傳，亦確有其深意在，要在我們善自認取而已。考證難，下判斷更難；此篇之作或不值方家一笑。然敢於刊布者，唯祈諸先進不以鄙陋見棄，其有以敎我，則幸甚焉！

【附　註】

① 景帝以前的賦家，照《漢書・藝文志》的著錄，如陸賈、賈誼、嚴忌、枚乘等人，均是著名的游士。他如散見其它篇籍的鄒陽、路喬如、公孫詭、羊勝、公孫乘、韓安國等亦然。

② 賈誼《新書・壹通篇》即言漢建函谷、臨晉等關，乃爲備山東諸侯。以出入仍有重重關防，則社會之流動性必小，是很可想像的。

③ 《漢書・文帝紀》載，文帝二年詔廢誹謗妖言之罪，也爲游士的批判傳統在遭到長期扼殺後，再重開一道生機。

④ 文帝十二年，詔廢關禁。亦詳文帝紀。

⑤ 如按《西京雜記》所云，則更有枚乘、路喬如、韓安國等人。然此書材料多在疑似之間，未必可爲確證。

⑥ Helmut Wilhel 在《學者的挫折感——論賦的一種形式》一文中，曾謂縱橫家的修辭訓練，亦是促成他們選擇賦的原因。不過這似乎不能解釋賦以楚辭這種特殊形制出現的原因。因此說賦是宗室好楚歌所致，仍爲較順適的說法，徐復觀亦採此說。說見《中國思想與制度論集》頁四一二，徐氏說見《西漢知識分子對專制政治的壓力感》一文，此文收於《兩漢思想史》卷一，頁二八一一二九四。

⑦ 西漢早期的重要章奏，十之七八均出自這批早期賦家之手，但他們的賦卻或者是個人的小品，或者是些無聊的遊冶詠物之作，如《古文苑》所錄的各篇皆是。

⑧ 武帝卽位之初，丞相衞綰卽奏所擧賢良方正中，凡治申韓蘇張之言者亂國政，一體皆罷。這顯然針對縱橫游士而來。詳見《漢書・武帝紀》。

⑨ 就政治上言，我曾判斷西漢初的統治型態頗類乎韋伯所述的「長老及原始的家父長制」，君主的自由度有限。當皇帝欲行中央集權時，他首先便須擺脫功臣宗室集團的挾制，建立自己的嫡系幹部。詔擧賢良方正正是文帝、武帝共同採用的方式。詳見拙著《從災異到玄學》頁八十三一八十六。

⑩ 大體來說，這些人進用的方式，一是上書詣闕，一是以賦作或詼諧技藝以進。前者如主父偃、徐樂、嚴安等，這些大抵是近於縱橫，不過像主父偃亦學易、春秋等，文飾了一些儒術氣氛，故武帝能接納他，其中唯有嚴助是唯一例外，他和董仲舒同時以賢良進，但特蒙武帝靑睞，而留爲近侍之臣。錢穆《國史大綱》敍漢廷官吏來源，列特殊技能一條，云爲皇帝私人，正是此一支系。

⑪ 一般判斷社會固定化程度之考證，多以「四民」順序的確立爲準。而四民順序之成今天的順序，據陳登原所考，大約可定在武帝前後（詳《國史舊聞》第一分册頁二二八—二二九）。余英時《古代知識階層的興起與發展》亦言至少在武帝後，士多已恆產化，亦即固定化（參《中國知識階層史論》頁八十六）。可見社會的固定化的確以武帝爲分水嶺。

⑫ 如《漢書》卷六十四，即載嚴助等人屢奉武帝之命，與外朝之公孫弘等辯論，「中外相應以義理之文，大臣數詘」。這是他們平日的工作之一，亦可顯見他們濃厚的縱橫色彩。後來嚴助出守會稽，數年無聞，武帝賜書云：「具以春秋對，毋以蘇秦縱橫」，這是對他們這一群人性格的清楚描寫。

⑬ 也許游士們的內部緊張，更可以上溯至七國亂後，因爲事實上在此之後，中央集權的態勢已隱隱在強化之中。

⑭ 司馬相如之因子虛賦而得蒙召見，已是衆所週知的史實。至於朱買臣，亦因「說春秋，言楚詞」，而得武帝的寵幸。（見《漢書》卷六十四買臣本傳）。

⑮ 武帝前的作品，今天可見的主要是鄒陽，枚乘他們的一些宴樂時的作品。雖說其中不無考證問題，如《四庫提要》即言《酉陽雜俎》已辨文木賦實出吳均之手，張心澂《僞書通考》亦言有此可能性。但其中多數作品應仍是可信的。

⑯ 今天的子虛賦事實上是割取上林賦的前半段而成，這應該已不是司馬相如客遊梁時的原作，但既是承武帝命而續作，應也不致有結構性的變動。

⑰ 子虛賦烏有先生責子虛之夸言云：「今足下不稱楚王之德厚，而盛推雲夢以爲高，奢言淫樂而顯侈靡，竊爲

足下不取也。」這話似也在勸誡梁王的誇奢。

⑱ 班固在司馬相如傳贊中云：「相如雖多虛辭濫說，然要其歸引之於節儉，此亦詩之風諫何異？揚雄以為靡麗之賦，勸百而諷一，猶騁鄭衛之聲，曲終而奏雅，不已戲乎！（戲，史記作虧）」他將賦之鋪陳只比之於虛辭濫說，則他顯然並不重視賦之文學性。

⑲ H. Wilhel 前引文於此一問題有很深刻的洞見，他注意到了這一現象所表現的群體心理。另外徐復觀前引文亦頗值得參考。

⑳ H. Wilhel 以為當溯至荀子賦篇，亦未必沒有道理。但是以楚辭的形制來表現此一題材，則斷乎始自賈誼。Wilhel 說參《中國思想與制度論集》頁四一五。

㉑ 在此，我們排除了「七」這類純模擬的作品，儘管這些作品中也可能寄寓了一些作者個人的感懷，但一則它缺乏了原創性，再則它的主題仍圍繞在屈原的遭遇上，我們很難分離出他們各自的特色，故只好從略。

㉒ 綜觀四子講德論，其基本意識仍不外是說漢化既已大行，則不必計較個人出處，只要能夠助宣教化，即已足證其存在價值，所謂「醉于仁義，飽于聖德，終日仰歎，怡懌而悅服。」事實上這當然只是一種解消壓力的形式而已。

㉓ 《法言・重黎篇》云：「或問周官，曰：立事。左氏，曰：品藻。」此為楊雄支持古文之確證。《法言》無一語及今文，其立場至為顯然。

㉔ 關此詳參拙著《從災異到玄學》頁一三七—一四〇。

諸子考釋讀後

喬衍琯

梁任公先生有「諸子考釋」①，收下列各篇：

一、先秦學術年表（十五年一月十七日）

二、莊子天下篇釋義

三、荀子評諸子語彙釋

四、荀子正名篇

五、韓非子顯學篇釋義

六、尸子廣澤篇、呂氏春秋不二篇合釋

七、淮南子要略書後（十五年一月二十二日）

八、司馬談論六家要指書後（錄自太史公自序）

九、史記中所述諸子及諸子書最錄考釋（十五年一月二十四日）

一〇、漢書藝文志諸子略考釋（十五年一月二十一日）

一一、漢志諸子略各書存佚眞僞表（附本志以外僞書）

一二、附考諸子略以外之現存子書

其中記有年月的僅四篇，而梁任公先生年譜長編初稿則均列於民國十五年，惟莊子天下篇釋義、荀子正名篇則置於最後，或有其依據。②

這本小書，其主要目的實在研討漢志諸子略，提示若干治簿錄之學的方法。今謹就研讀一得，就正於同道。

一、莊子等論諸子

近年討論目錄、分類之學，多以漢書藝文志爲起點，向下與隋書經籍志等作一比較，而本書則反其道而行之，向上探討，梁門高弟姚名達更略本師說，且向上推至論語、孟子之學術分類。③莊子以下各家所述諸子學說，計有：

莊子天下篇：儒家。④墨子、禽滑釐。宋銒、尹文。彭蒙、田駢、愼到。關尹、老聃。莊周。惠施。

荀子非十二子篇：它囂、魏牟。陳仲、史鰌。墨翟、宋銒。愼到、田駢。惠施、鄧析。子思、孟軻。附子張、子夏、子游。　天論篇：愼子、老子、墨子、宋子。　解蔽篇：墨子、宋子、愼子、申子、惠子、莊子。　韓非子顯學篇：儒學：子張、子思、顏氏、孟氏、漆雕、仲良、孫氏、樂正氏。墨學：相里氏、相夫氏、鄧陵氏。　尸子廣澤篇：墨子、孔子、皇子、田子、列子、料子。

呂氏春秋不二篇：老聃、孔子、墨翟、關尹、子列子、陳駢、陽生、孫臏、王廖、兒良。

淮南子要略：太公、周公、孔子、墨子、管子、晏子、縱橫、申子、刑名、商鞅。

司馬談：陰陽、儒、墨、法、名、道、

史記十二諸侯年表：鐸氏微、虞氏春秋、呂氏春秋、荀卿、孟子、公孫固、韓非。田敬仲完世家：騶衍、淳于髡、田駢、接予、愼到、環淵。管晏列傳：管氏牧民、山高、乘馬、輕重、九府，晏子春秋。老莊申韓列傳：老子（老萊子、太史儋）、莊子、申不害、韓非。司馬穰苴，孫子吳起列傳：司馬穰苴、孫武、孫臏、吳起。商君列傳：商君。孟子荀卿列傳：孟軻（子思、商君、吳起、孫子、田忌、合從連衡。）騶子（鄒忌、騶衍。）淳于髡、愼到、環淵、接子、田駢、騶奭。荀卿。公孫龍、劇子。李悝。尸子、長盧、阿之吁子。墨子。平原君虞卿列傳：虞氏春秋。呂不韋列傳：呂氏春秋。

並附論漢志以外僞書：儒家：孔叢子、六韜。道家：陰符經、子華子、亢倉子。從橫家：鬼谷子。雜家：於陵子。

諸子略以外之現存子書：孫子（兵書略兵權謀家）、吳子（同上）。司馬法（六藝略禮家）。山海經（數術略形法家）。黃帝素問、靈樞經（方技略醫經家）。

任公並略加論述：

自莊荀以下評隲諸子，皆比較其異同得失，獨淮南則尚論諸家學說發生之所由來，大指謂皆起

於時勢之需求而救其偏敝，其言蓋含有相當之真理。雖然其所謂時勢需求者，僅着眼於政治方面，似未足以盡之。政治誠足以影響學術，然不過動機之一而已。又其列擧諸家，若太公、若管仲、若晏子、若申子、若商君，皆非以治道術為職志。……淮南善於談玄，妙於辭令，至於籀學與論古，未為至也。⑤

從莊子到淮南子，歷時約近二百年，方由比較諸子異同得失，進而尙論諸家學說之所由來。而稍晚的⑥司馬談便能「檃括一時代學術之全部，而綜合分析之，用科學的分類法，釐爲若干派，而比較評騭。……談所分六家，雖不敢謂爲絕對正當，然……此六家者實足以代表當時思想界六大勢力圈，……無甚牾漏也。」⑦

二、諸子畧

司馬談又影響到七略及漢志的諸子略：

劉歆七略踵談之緒，以此六家置九流之前六。然以通行諸書未能盡攝也，則更立縱橫、雜、農、小說四家以廣之。彼為目錄學上方便計，原未始不可。若繩以學術上分類之軌則，則殊覺不倫。……故七略增多家數，雖似細密，實乖別裁，其不逮談也審矣。談剌擧六家學說特殊之點而批評其得失，亦頗能如莊子天下篇之直湊淵藪，亦可謂能持其平者。⑧

綜觀任公所論：莊子最精，淮南子富創意，司馬談長於分類，而劉歆七略最不合分類軌則。

然而漢書據七略刪其要以作藝文志，目錄之學，未之能先。宋王應麟漢藝文志考證，注重各書內容及其存佚眞僞，而已佚之書，則搜輯殘文。鄭樵校讎略，專務闡明流別，商榷其分類得失。明胡應麟、清章學誠分別繼王、鄭之學。王先謙漢書補注，采輯頗勤。而不免皆從其所好，各明一義，見仁見知，未必盡有當。任公因撰「諸子考釋」。

每書之下，首注其存佚，其存而篇卷有異同者必註之，

其佚之時代可考見者必注之。其僞書必詳加考證。……其分類失當，編次失序者，亦間以意繩糾焉。⑨

其所重在考定各書之眞僞及年代，在次年擴及四部，而有「古書眞僞及其年代」之作。至於圖書分類，任公也很注重，他在十四年十二月十四日致李仲揆、袁守和函中說：

宜自創中國之分類十進法，不能應用杜威原類，以强馭中國書籍，致蹈於削趾適屨之弊。……弟前頗欲由圖書館協會分類、編目兩組開會討論，惟現在交通梗塞，開會或不易，則合在京少數人作一次談話亦得。最好定一日作較長的談話，……但在談話之前，最好能預備具體方案，根據以為討論之資。⑩

惜這事未能實現，否則當能編成一適用的中國圖書分類表。僅由其所論漢志諸子略之淵源及得失，便可知頗能具辨章學術，考鏡源流的功能。

本書還論到漢志的體例，更有貶無褒。今就任公論漢志的辨僞、分類、體例三方面，分述於後。

三、辨僞書

任公在諸子略考釋序文中說：

研究漢志之主要工作，在考證各書真僞。本志不著錄而突然晚出者，如世俗所傳鬼谷子、亢倉子、子華子……之類，即以本志不著錄之故而證其僞。一也。本志中已佚之書後人僞補者，如文子、關尹子、鶡冠子……之類，以本志篇數異同，或其他方法以證其僞。二也。此皆置信本書而據以為辨僞之資者。雖然，本志自身，其所收僞書正自不少。……志中本注言「似依託」，言「六國時依託」之類頗不少，其於鑑別蓋亦三致意焉。雖然，竊意二劉之治學也，仍是抱殘守缺之意多，而鞫僞求真之術拙。……例如孟子，本志著錄十一篇，而經趙岐鑑定之結果，謂「外書四篇，不能宏深。」斷其為僞。又如莊子著錄五十二篇，而郭象謂「一曲之才，妄竄奇說，凡諸巧雜，什分有三。」故僅注三十三篇。使非有趙、郭之別裁，則孟、莊兩書，蕪穢或遠過今本。……故如管、商、墨、荀數大家，類皆有竄附痕跡，而竄者非必皆出向、歆以後，殆向歆過而存之焉耳。

瑄按：向、歆於所校各書，每「過而存之」，別錄中已有說明。當是班固刪削過甚，而顏注也未加採擇，則其責任不宜歸咎於向歆。今以晏子敍錄爲例，所定著八篇中：

六篇皆忠諫其君，文章可觀，義理可法，皆合六經之義。又有復重，文辭頗異，不敢遺失，復

> 列以為一篇。又有頗不合經術，似非晏子言，疑後世辨士所為者，故亦不敢失，復以為一篇。凡八篇。其六篇可常置旁御觀，謹第錄。臣向昧死上。⑪

晏子雖僅有八篇，尙且分爲三等，其合六經者六篇，可常供御觀。其他兩篇明知僅文辭頗異，或疑後世所爲。然而奉詔校錄，所以不敢遺失，祇好在敍錄中辨明。孟子、莊子遠較晏子重要，想錄、略亦必分別眞僞，甚至趙岐、郭象，卽是參考錄、略所辨，也未可知。是以任公所責，祇可施之班固漢志及顏師古注，而不宜株連向歆錄略。

又任公對諸子略中已佚各書，或推斷其亡佚時代。然每據太平御覽徵引，便說北宋時尙存。據通志藝文略著錄，便說南宋初尙存。然太平御覽每轉錄藝文類聚。藝文略則係鈔輯舊目，而不盡是鄭樵所藏所見。

任公對古籍辨僞的貢獻，在其釐訂義例，較前人如胡應麟、姚際恒等完備而周密。後人則大體遵循，僅能稍加增訂。至於所考各書的眞僞，多能比前人正確。而顧頡剛等人所編古史辨、張心澂編僞書通考及增訂本，鄭良樹編續僞書通考。則係彙集各家學說，所引資料，不乏後出轉精處。任公在辨僞學上，實有繼往開來之功。而所訂辨僞條例，條理分明，尤多啓發，度人金針，其改正前人多於後人改正任公對近幾十年來辨僞工作，影響很大。

四、論分類

任公對中國圖書分類的全部構想，雖不得而知。從本書中，則僅知其對漢志諸子略的得失。至其對分類系統之不易建立，則有深切的認識。他在孔老墨以後學派概觀一書中云：

> 古代學術，老、孔、墨三聖集其大成，言夫理想：老子近唯心，墨子近唯物，孔子則其折衷也。言夫作用：老子任自然，墨子尊人為，孔子則其折衷也。三聖以後，百家競作，各有其獨到之處。觀其一節，時或視三聖所造為深。然思想源淵，蓋罔不導自三聖。
>
> 以流派論諸子，起於漢人，前此無有也。莊子天下篇，……淮南子要略，皆臚列諸家主義學術，比較評隲，而未嘗冠以流派之名。至司馬談始標儒、墨、名、法、陰陽、道德之六家，而劉氏向、歆父子，更析為儒……縱橫、雜、農、小說之十家，命為九流，後之言學派多宗焉。夫對於複雜現象而求其類別，實學術界自然之要求。馬、劉之以流派論諸子，不可謂非研究進步之徵也。雖然分類之業，本已至難，而以施諸學派則尤甚。蓋前此一大師之興，全思想界皆受其影響，不必其直傳弟子而始然也。後此一大師之興，雖淵源有所自承，而其學說內容，決不盡同於其師。苟盡同焉，則不能自成一家矣。故謂後此學派與三聖有淵源則可，謂其為三聖所包含則不可。謂某派與某聖因緣較深則可，謂某派為某聖之支與流裔，而截然與他聖無關則不可。

所論係學術分類。如以這一標準論諸子略，其前六家沿自司馬談論六家要旨，固能知類而舉要，至於所增四家，則雖似細密，實乖別裁。論六家要旨書後說：

縱橫為對人談說之資，絶無哲理上根據以為之盾，云何可以廁諸道術之林。農為專技，與兵、醫等。農入九流，則兵、醫何為見外。至如雜與小說，旣不名一家，卽不得以家數論。

綜合任公所論諸子略的九流十家，可分四組：儒、道、墨，爲思想淵源。陰陽、名、法，均不能隸屬或合併於任何一派。從橫、農，不能入於道術。雜、小說，不名一家。

然而圖書分類，不能全從思想分類。姚名達卽認爲圖書分類與學術分類、思想分類有別。⑫甚至須酌篇卷之多寡。⑬

分類問題在類目多少及異同之外，其先後次序也很重要。⑭七略及漢志諸子略的前六略，名稱雖沿自論六家要旨，其次序則完全不同。司馬談的順序是陰陽、儒、墨、名、法、道德。而劉歆、班固的次序則是：儒、道、陰陽、法、名、墨。不但次序全然不同，而且相鄰的兩類也沒有相同的。其中名、法兩類雖都相鄰接，然次序則相反。司馬談的思想是道家的，他把道德家置於最後，正在突顯其重要性。然這一次序的調整，對談、歆兩家序列諸子的次序「完全不同」，並無影響。而論六家要指書後論六家的順序則是儒、墨、道、陰陽、名、法。與談、歆又都不同，而與歆、固較爲接近。

諸子略各家之中，有些書的類別，歸屬得是否正確，本書也提出一些不同的意見，今略舉數例如下：

晏子。諸子略列於儒家之首。任公以爲殆非春秋時書，尤非晏子自作，柳宗元謂墨子之徒有齊人者爲之，蓋近是。其依托年代似在漢初，似是劉向所校上之本，非東漢後人竄亂附益。其書撏撦成

篇，雖先秦遺文間藉以保存，然無宗旨，無系統。漢志列儒家固不類，晁、馬因柳子厚之言改隸墨家，尤爲無取。四庫入史部傳記，尙較適耳。

瑄按：晏子敍錄云：「六篇皆忠諫其君，文章可觀，義理可法，皆合六經之義。」列於儒家，豈不適宜。除非懷疑劉向等對晏子的內容缺少鑑別力，以致所寫的敍錄不相應，則其置晏子於儒家之首，不宜置疑。既然晏子經後人竄亂，而經竄亂的書，在時間上很難定出下限。執今本晏子議劉向等分類得失，需愼重從事。

周政六篇。周時法度政教。周法九篇。法天地，立百官。河間周制十八篇。似河間獻王所述也。

考釋云：

以上三種今佚，隋志皆已不著錄，蓋皆秦漢間人述周代制度之書，既不能入六藝略，則以附諸儒家也。竊疑周官六篇，其性質正與此同類，或劉歆將周政六篇改頭換面，作為周官，亦未可知。要之戰國秦漢間儒者喜推論周制，人各異說。如河間周制，卽河間獻王之徒所論列，周政、周法當亦此類也。

姚振宗漢志條理則在周政、周法之後先引校讎通義云：「二書蓋官禮之遺也，附之禮經之下爲宜，入於儒家非也。」章說似爲任公所本，而旁出劉歆以之作周官一節。姚氏在所引章說之後案云：

班氏仍錄略之舊，列於儒家，必有其故，後人未見其書，未可斷以為非。

原書及敍錄俱早已亡佚，班注僅十二字，文獻不足，據以立論，又從而推論，難以徵信。朱彝尊認爲

「似與周官相表裏，惜乎其皆亡也。」⑮簡約且出以疑詞，以供參考。較爲可取。也許正爲章、梁等說所從出。

高祖傳十三篇。高祖與大臣述古語及詔策也。考釋云：

今佚。隋志云：「梁有漢高祖手詔一卷。」

此及孝文傳，以入儒家，本無取義，殆因編七略時未有史部，詔令等無類可歸，姑入於此耳。

顧實漢志講疏於高祖傳及孝文傳後分別云：

高祖嘗手敕太子曰：「吾遭亂世，當秦禁學，自喜謂讀書無益。洎踐阼以來，時方省書，乃使人知作者之意，追思昔所行，多不是。」(見古文苑) 由此觀之，漢高與明祖，先後輝映矣。

史記文紀凡詔皆稱上曰，蓋卽此類之文。文帝黃老之治而入儒家，道儒固相通也。

琯案：唐志、宋志均以顏氏家訓入儒家。如不以帝王詔令看待，高祖傳也可比附其例入於儒家。而四庫簡目則以家訓「歸心等篇，申明佛法，非專以儒理立言，故今退置於雜家。」惟文帝詔令既係黃老之治，顧氏援道儒相通之說，認爲可入儒家。則道、儒之間，又如何分別。

管子八十六篇。諸子略考釋略云：

此書決非管子作，其中一小部分當春秋末年傳說，其大部分則戰國至漢初遞為增益，一種無系統的類書而已。志以入道家，殆因心術，內業等篇，其語有近老莊者。阮孝緒七錄以入法家，隋唐志以下皆因之。實則援呂氏春秋例入雜家，或較適耳。

琯案：漢志兵書略兵權謀下注云：省管子等九家。知七略在兵權謀有管子。今本管子，已不復分別道家的與兵權謀的管子，知劉、班所見既有異，今本管子又歷千餘年，其間竄亂增刪，又不能免。七略分入道、兵，漢志併入道家，七錄以後皆入法家。當以祇要有類可入，便不輕易歸於兼儒墨、合名法的雜家。

尹佚二篇。周臣，在成康時也。諸子略考釋引王應麟說，略云：尹佚，周史也，而爲墨家之首，今書亡，不可考。意者史角之後，託於佚歟？又啓超案云：

今所傳金文中，其册辭為逸所宣者甚多，似其人甚老壽歷數朝。左傳僖十五、文十五、成四、襄十四、昭元，及國語晉語皆引史逸，其言論蓋極為周世所重。但漢志何故以入墨家，則所未解也。史佚書馬國翰有輯本一卷。

琯案：馬氏輯本序略云：

據大戴記，則史佚固聖人之流亞。諸書所載亦皆格言大訓，不知班志何以入其書於墨家之首。意或以墨家者流出於清廟之守，佚為周太史，故探源而定之歟？

姚振宗漢志條理按云：

按史佚之後有史角，而墨子學於史角之後，其道盛行於世，遂以墨名其家。而其初出於清廟之守者也。清廟之守之為書者自尹佚始，故是類以尹佚為之首。

琯按：馬、姚所說，不免拘泥於墨家出於清廟之守。任公則疑而不斷。其論及金文中史逸之文獻，為

嚴、馬諸家輯佚書所未及。研究漢志，金文以及近年出土之文物，均爲重要資料。

尸子二十篇。名佼，魯人。秦相商君師之，鞅死，佼逃入蜀。諸子略考釋引劉向言「非先王之法，不循孔氏之術。」劉勰言「兼總雜術，術通而文鈍。」李賢言：「十九篇陳道德仁義之紀。」皆唐以前人曾見原書者所記述及批評。今所存佚文，多中正和平，頗類儒家言。原書在東漢時已佚其大部分，而魏晉間人依託補撰，勰所見本卽爲向所見本。穀梁傳隱五年引「尸子曰」，則其人似爲儒家經師。且今所存佚文，亦無一語與商韓一派相近者，班說恐未可信。

淮南內二十一篇、淮南外三十三篇。考釋云：

> 劉班以淮南次呂覽之後而並入雜家者，蓋以兩書皆成於賓客之手，皆雜采諸家之說，其性質頗相類也。……劉安博學能文，其書雖由蘇飛輩分纂，然宗旨及體例，……安自總其成亦未可知。……高誘序云：「其旨近老子，淡泊無為，蹈虛守靜，出入經道。……事物之類，無所不載，然其大較歸之於道。」此真能善讀其書者。故淮南鴻烈實可謂為集道家學說之大成，就其內容為嚴密的分類，毋寧以入道家也。

琯按：任公以雜家的尸子宜入儒家，淮南子宜入道家，係就其內容而言。不過尸子既有劉向、劉勰等所評述內容，可知已不是純然儒家，僅就佚文論其內容，自不足爲據。如書錄解題及四庫總目，對以儒家學說爲主的著述，略涉佛、道，便入雜家。這一概念，可說遠承劉、班。不過對管子入道家或法家而不入雜家，又無以說明。分類之不易，誠如上文所引任公之說。

諸子略考釋小說家之後略云：

右諸書與別部有連者：道家有伊尹五十一篇、鬻子二十二篇，此復有伊尹說、鬻子說。……考其區別所由，蓋以書之內容體例為分類也。桓譚新論云：「小說家者，合叢殘小語，近取譬論，以作短篇。」則道家之伊尹、鬻子，蓋以莊言發攄理論。小說家之伊尹、鬻子說，則叢殘小語及譬喻短篇也。餘可類推。

宋子十八篇，原注云：「孫卿道宋子。」然則卽荀子正論篇之子宋子──宋鈃也。其人為戰國一大思想家，其書乃入小說，頗可詫異。……宋鈃最好談而善用譬，殆為通俗演講體，專「取譬論以作短書。」劉、班不辨其書之實質而徒觀其形式，則入之小說宜耳。此書之佚，殆為我思想界最大損失之一矣。

琯按：漢志小說類小序論所收書的內容，任公則論其形式，並批評其分類，但依形式而不辨實質的缺失。這一缺失，後世以至現在，甚至將來，都在所難免，而且陷於這一缺失而不自知。任公在京師圖館「遷館事粗定後，卽當從事編目，但非編目方針確定，則無從着手。」⑯編目不應牽就形式而不究內容，當也是他的編目方針之一。

綜觀他對諸子略的分類，所論的缺失，其中亡佚各書，頗出自章學誠、馬國翰。而文獻不足，見仁見知，姚振宗等持較保守意見的，每以漢志爲是。今存各書，旣有憑據，便能提出具體意見。至於小說類，更能探求編目原則，指陳缺失。宋鄭樵曾說：

古今編書所不能分者五：一曰傳記、二曰雜家、三曰小說、四曰雜史、五曰故事。凡此五類之書，足相混亂。」⑰

除雜史一類，西漢，至少是諸子略中無書，其他四類，任公所論，都牽涉到。所以研治簿錄的，對這五類書，應特別注意。

五、論體例

本書論及漢志體例之處不多，實則也涉及分類，今特立一目，畧述於後。諸子略考釋序言云：

志中亦有自亂其例，無從為之辯護者，如六藝略中，諸經皆先列正文，後學傳注。（例如「易經十二篇，施、孟、梁丘三家。」）⑱「詩經二十八卷，魯、齊、韓三家，魯故二十五卷。……」等。今道家老子著錄鄰、傅、徐、劉四家傳注，而老子本書反不入錄。然則吾儕今日謂漢志中之老子，存耶？佚耶？兩無是處。又如陰陽家公檮生終始十四篇，本注云：「傳鄒奭（衍字之訛）始終書。」然鄒子終始五十六篇反列其後。又如墨家自田俅子以下四家，皆墨子弟子或後學之作，然皆列在墨子七十一篇之前。凡此之類，只能認為原著體例之舛駁，否則傳鈔者紊其原次。若曲為之解，恐無當也。

瑄按：老子有傳無經這一問題，出自校讎通義：

按老子本書，今傳道德上下二篇共八十一章。漢志不載本書篇次，劉、班之疏也。

姚振宗漢志條理引章說而加按語云：

> 鄰氏經傳四篇者，本經二篇，經傳合為一編，故下注：「姓李，名耳。」（琯按：原注尚有「鄰氏傳其學」五字，更能證成姚說。）漢志於篇數、章數多不及載，不獨此書。蓋其時有別錄，有七略，言之已詳。志在簡要，故悉從其略。是劉、班未見其疏，章氏蓋一隅之見爾。

姚氏所論，可以採信。然如將漢志「老子鄰氏經傳四篇」，改爲「老子經二篇、鄰氏傳二篇。」便很明白，不致引起誤解，且與六藝等略所著錄方式整齊劃一，也並不影響其「志在簡要」。

陰陽家公檮生終始一書，校讎通義論云：

> 陰陽家公檮生終始十四篇在鄒子終始五十六篇之前，而班固注云：公檮傳鄒奭終始書。豈可使創書之人，居傳書之人後乎。

漢志條理引章氏說按云：

> 考鄧氏姓氏辨證，班氏原注：傳黃帝終始書，今注乃轉寫之誤。是為傳終始之書最初者。又終始之書不始傳於鄒奭，而鄒奭之書亦不名終始。是亦足以證寫誤之實據。章氏以鄒衍、鄒奭為創書之人，非也。

琯按：姚氏在鄒子終始下，未再辨明「鄒奭之書不名終始」，且所引資料屢言鄒子終始。是否對這一說法也缺少自信。

至於墨家部分，姚振宗在田俅子條下引呂氏春秋高誘注云：「田鳩，齊人，學墨子術。」我子條

下引風俗通姓氏篇云：「六國時有我子，著書爲墨子之學。」隨巢子、胡非子則班氏自注明言「墨子弟子。」校讎通義論漢志未依時代序列。⑲姚氏未見徵引，似有意回護。

由本節所論，可知在分類上，先後次序的重要性。

六、考釋所據資料

在諸子略考釋序中，很推崇鄭樵、章學誠。然所考各書，則僅偶引章說。而其所論列，每出自校讎通義，而未言明。章氏書很通行，任公自然不會心存掠人之美。卻因此引起筆者一探其所採用的材料。

其主要材料，當係王先謙漢書補注。在圖書大辭典簿錄之部，述及漢志，對班固自注與顏師古注，皆有微詞。而對王應麟漢藝文志考證則頗推崇。淸人所注，僅列沈欽韓疏證、王先謙補注。然補注所引疏證甚多。考釋似未直接採及疏證。至所引補注，又不注出處，如魏文侯條下引葉德輝云云。葉氏對漢書或漢志並無專著，補注卷首列於參校人士之一，知考釋所引，當出於補注。

姚振宗漢志條理及拾補，圖書大辭典僅著錄浙江圖書館藏稿本。兩書到民國二十年才有排印本問世，⑳考釋自然不及採用。如果任公能夠利用到，以姚氏採錄之博，供其約取，必然能使內容更爲充實。不過姚氏所利用的材料，有很通行而又很重要的，如嚴可均所輯全上古三代秦漢三國六朝文，其中頗有諸子佚文，而與馬國翰所輯不盡相同，且有馬氏未輯之書。不僅考釋全未能徵引，連漢書補

注，其他研討漢志的，如顧實，也未加留意。研究漢志，輯佚資料也很重要。已輯者雖多然不盡完善，有待吾人加以整理、補正。

顧實有漢志講疏，民國十一年印行，圖書大辭典著錄而無評述，考釋則未見採用。顧氏所講，可說很保守，如論晏子，據孫星衍序以斥柳宗元。然也不乏可採之處，如力牧條下引淮南子、劉勰二說，接着論云：

其詞亦視班注為恕。故班注於道家文子、力牧之外，又如神農注云：「六國時，諸子託之神農。」小說家師曠注云：「其言淺薄，似因託。」天乙注云：「其言非殷時，皆依託。」黃帝說注云：「迂誕依托。」兵家封胡、風后、力牧、鬼容區皆注云：「依託。」此類語絕不施之於六藝，是其攻諸子甚矣。

這段話有三層意思：一、劉、班（班注多出自七略。）重經輕子。二、漢志論諸子中僞書較嚴。三、經部僞書，班注未能如論諸子之嚴。

考釋在陸賈、賈誼、管子三書下，徵引四庫提要，似可稍加剪裁。任公也偶騁其帶感情的筆鋒，如愼子條下：

江陰繆氏有一鈔本，云是明萬曆吳人愼懋賞所刻，分為內外篇。其書鄙俚蕪穢，將現存五篇改頭換面，文義全不相屬，諸書佚文則一無所采。又攀引孟子書中之愼滑釐為愼到，……晚明人譾陋而好作僞書，成為風氣，原不足責。繆荃孫輩徒講版本，而不知學術，乃至以「驚人秘

笈」相詫，而傳刻復從而張之。……是不可不痛斥而明辨之也。

繆荃孫是江南圖書館、京師圖書館創館的監督（館長），這兩館後來改爲北平圖書館、圖學圖書館，是南北兩大館，不妨說是現代的圖書館創始人。晚年助人刻書，如爲張鈞衡編刻適園叢書，以維生計，有藝風藏書記等，在目錄、板本界有其聲譽與地位，也有些頗有成就的門下士。對這僞本愼子，自難辭失察之咎。不過當時繆氏已去世六年，㉑似可省些筆墨，指出錯誤卽可。

結論

任公對劉、班，固多苛責，而也有恕詞。諸子略考釋序云：

分諸子為九流十家，不過目錄學一種便利，後之學者推挹太過，或以為中壘洞悉學術淵源，其所分類悉含妙諦而衷於倫脊，此目論也。反動者或又譏其鹵莽滅裂，全不識流別，則又未免太苛。夫書籍分類，古今中外皆以為難。杜威之十進分類法，現代風靡於全世界之圖書館，繩以論理，掊之可以無完膚矣。故讀漢志者但以中國最古之圖書館目錄視之，信之不太過，而責之不太嚴，庶能得其真價值也。

在圖書大辭典中，對漢志除肯定其功用多，且許其別裁有識：

此為現存書目之最古者，欲考先秦學術淵源流別及古代書籍存佚真偽，必以此志為基本。後世書目之編製方法及分類，皆根據或損益此志。

又云：漢志對劉略有所刪訂，非直鈔舊文。而不載僞書子夏易傳，足徵別裁有識。章宗源隋志考證卷三十，七略條下列舉劉略、班志異同，可供參考。

他對漢志的評價，肯定其是一部很有用的書目，而不足以辨章學術，考鏡源流。諸子略考釋序云：

研究漢志，最要者在其書目而已。其每家之結論——「某家者流出於某某之官」以下，殊不必重視。蓋其分類本非有合理的標準，已如前述。其批評各家長短得失，率多浮光掠影語，遠不如司馬談之有斷制，更無論莊子天下篇、荀子解蔽篇也。其述各派淵源所自，尤屬穿鑿附會。

評述任何事理，最要能本着好而知其惡，惡而知其美的態度。任公論諸子略，能探其本源，明其得失，從而給以公正的評價。是治流略者所應效法的。當時梁門「同學二三子，以重注全志爲請。今茲未能，僅成諸子略考釋一卷。」如果他能注全志，必然更能對漢志作一番更精到公允的評價。任公之後，六十多年來，仍缺少一部考論漢志，而令人滿意的著述。清人金榜說：「不通漢藝文志，不可以讀天下書。藝文志者，學問之眉目，著述之門戶也。」㉒顧實則說：「不讀天下書亦不可以通漢藝文志。」㉓筆者則以爲，當今之世，卽使讀遍天下書，仍不足以通漢藝文志。因爲志中所記的書，如今所存不過十分之一，還多經後人竄亂。所以論述漢志，文獻不足，客觀上有其無可克服的困難。

【附　注】

①　所據爲臺灣中華書局五十七年臺三版。版權頁記有二十五年初版。後又在收入新編之飲冰室專集，筆者所

為六十七年臺二版。

② 其所據當爲林宰平原編之飲冰室專集，此一專集雖知有兩所圖書館入藏，而均不便於查閱。各家書目亦不載飲冰室專集子目，致無從比較今本「諸子考釋」與原編本內容及次序是否有出入。又荀子正名篇一文，專釋該篇文義句讀，與其他各篇不同，頗疑任公不是此一時日所寫，而係編者收入。民國六十幾年新編印的專集，似有刪減。

③ 見姚著中國目錄學史分類篇。

④ 並未標明儒家或孔子。任公在「其明而在數度者，……春秋以道名分。」後注云：「此論儒家也。」

⑤ 見淮南子要略書後。

⑥ 參考本書卷首先秦學術年表、史記、漢書。

⑦ 見論六家要指書後。

⑧ 同注⑦。

⑨ 見諸子略考釋序。

⑩ 見丁文江輯梁任公先生年譜長編初稿民國十四年所引。

⑪ 見嚴可均輯全漢文卷三十七引晏子宋刻本。

⑫ 同注⑦。

⑬ 參見余嘉錫目錄學發微目錄類例之沿革。

⑭ 筆者另有專文，討論類目及同一類中圖書排列次序等問題。

⑮ 見經義考周禮類案語。

⑯ 同注⑩。

⑰ 見通志校讎略編次之訛論。

⑱ 本書原誤作四家，今從漢志各本逕改。

⑲ 承孝感昌瑞卿先生在講評時提示。

⑳ 有民國十八年至二十年浙江省立圖書館排印快閣師石山房叢書本。二十五年收入開明書店二十五史補編。

㉑ 繆荃孫（一八四四—一九一九），比任公長二十八歲。任公曾在民國十四年頃，擔任京師圖書館館長，可說是繆氏的後輩。

㉒ 見十七史商榷卷二十二引。

㉓ 見漢書藝文志講疏自序。

民國七十九年四月廿八日初稿，六月八日訂正。

漢代玉衣的始末

章成崧

玉衣是漢代皇帝及貴族死後所用的斂葬服飾，這種不見於其他朝代的玉衣，在我國喪葬禮俗上是一種極爲特殊的制度。這個制度是如何產生的，又是在何種情況下消失的，是本文探討的重點所在；至於玉衣本身的型式、製作技巧等，由於筆者所能見到的出土資料十分有限，因此不列入討論範圍。

一、玉衣的形成

左傳昭公二十年，齊景公曾問晏子：「古而無死，其樂如何？」由這兩句話，多少反映出齊景公曾經有過希望長生不死的慾望。受到這種「上有所好」的影響，自春秋以降，方士大力鼓吹神仙之說；尤其是齊、燕兩國都濱臨大海，受到海市蜃樓變幻的影響，神仙之說就特別興盛。史記封禪書就說：

自威、宣，燕昭，使人入海求蓬萊、方丈、瀛洲，此三神山者，其傳在勃海中，去人不遠，患且至，則船風引而去。蓋嘗有至者，諸僊人及不死之藥皆在焉，其物、禽獸盡白，而黃金銀為宮闕。未至，望之如雲，及到，三神山反居水下，臨之，風輒引去，終莫能至云，世主莫不甘

心焉。

齊國的威王、宣王，燕國的昭王，派人去尋找海中的三神山，想要向住在山上的仙人求取長生不死之藥，最後卻毫無所獲，不但這些國君不甘心，一般世人並不因此而死心，反而更廣加流傳。於是到秦始皇時，

齊人徐市等上書，言海中有三神山，名曰蓬萊，方丈、瀛洲，仙人居之。請得齋戒，與童男女求之，於是遣徐市發童男女數千人，入海求仙人。①

秦始皇憑其龐大財力，製造大船，準備充足的糧食，派遣徐市率領童男童女入海去求不死的仙丹，結果也是一去不返。秦始皇並未因此而放棄尋找仙丹的工作，別人不行，乾脆自己來：

後五年，始皇南至湘山，遂登會稽，竝海上，冀遇海中三神山之奇藥，不得。還，至沙丘，崩。②

看來秦始皇沒有找到仙藥，最後是死不瞑目。可見自春秋時代起，想求得長生不死的觀念，在社會上已頗爲流行，所以這些帝王才會深信不疑，派人去尋找不死的仙丹。這種想求得長生不死觀念的出現，正反映出當時社會的動盪不安。由春秋進入戰國，到秦始皇統一天下，而後羣雄並起反抗暴政，再到楚、漢相爭，社會一直處在戰爭狀況、暴政恐怖之下，在這種兵荒馬亂，戰爭頻繁的時代裏，人們對個人的前途，自身的安危，在現實生活中根本無法掌握，於是轉而尋求精神上的寄託，因此，神山、仙人，長生奇藥就更加流行了。有錢有勢的帝王貴族，藉着本身龐大的財勢，去尋找仙丹，最後

是毫無所獲，於是把希望寄託在未知的靈魂世界；一般百姓在世時，已飽受戰亂、暴政所帶來的痛苦，這些現實生活所無法逃脫的苦悶，自然不希期再帶入另一個世界；現實人生無法達成的願望，自然希望能在另一個世界完成。因此，不論貴賤貧富都對未知的世界充滿了希望。

在傳統觀念中，玉器一向具有通神的靈力，透過玉器的媒介，就能與神明溝通心中的意念。要想死者在另一世界能表達心意，首先要死者的五官能重新開啓，發揮各自的功能；何以認爲死者能復生呢？這和人類做夢的經驗，應有相當的關聯，在夢的世界裏，同樣有言語、動作等各類意念的表達，甚至能和早已亡故的親友溝通；夢是睡眠時的產物；從另一個角度來看，死亡不正是永久的睡眠嗎？於是把玉製成類似五官的形象，放在死者的臉部，爲的就是要幫助死者，能夠憑藉玉的靈力，重新開啓五官，展開新的生活。另一方面，玉器既有通靈的作用，全身上下佈滿玉器，死者就更容易成仙了，這和我國自古以來，天神與人鬼之間，沒有明確的界線有關，事實上許多天神就是由人鬼變成的。

爲人子女的人，看見父母在世時的辛勞，不忍心父母的遺體受到毀壞，期望透過玉器的保佑作用，使父母的遺體、靈魂能夠得到適當的安憩處所，更希望父母的靈魂能獲得祖先神明的接納，於是用能溝通神明的玉器來斂葬。社會上也多以玉器做爲致哀送死的禮物，來幫助喪家達成心願。在先秦典籍中有許多記載，可資證明，僅引數例做爲參考：

1.左傳・昭公八年

冬十一月壬午滅陳，輿嬖袁克殺馬毀玉以葬。

這是陳哀公死後，他的寵臣以馬和玉做爲陪葬品。

2.左傳・定公五年

六月，季平子行東陽，還未至。丙申卒于房，陽虎將以璵璠斂，仲梁懷弗與，曰改步改玉。

季平子死後，陽虎想以國君的佩玉璵璠來斂葬，仲梁懷不答應，認爲那是僭禮，要陽虎以臣禮來安葬季平子。可見雖是陪葬玉器也有身份、等級的分別。

3.周禮・天官・大宰

大喪贊贈玉、含玉。

爲先王辦理喪事時，由大宰協助新王將玉器放入棺內及先王口中。

4.周禮・天官・玉府

大喪共含玉。

遇到王喪，所使用的含玉由玉府提供。

5.左傳・文公五年

經五年春，王正月，王使榮叔歸含且賵。

魯僖公的母親去世，周天子派使者榮叔前往致贈含玉。

6. 禮記・文王世子

族之相爲也，宜弔不弔，宜免不免，有司罰之。至於賵賻禭含，皆有正焉。

公族之間相處之道，遇有喪事而不盡本分，該去弔慰而不去，應該掛孝而不掛，都會受到有司的責罰。至於賵、賻、禭、含這些致哀送死的禮物，都有定規。

7. 禮記・雜記

諸侯使人弔，其次：含、禭、賵、臨，皆同日而畢事者也，其次如此也。

諸侯使人弔喪的次序是含、禭、賵、臨，可見「含」在喪禮中已是一個固定的項目了。

8. 禮記・雜記

含者執璧將命曰：寡君使某含。……含者坐委于殯東南，有葦席；既葬，蒲席。……宰朝服，即喪屨，升自西階，西面，坐取璧，降自西階以東。

「含者執璧」：是奉命來致含的人捧着玉璧，可見「含」的主體，當爲玉器。死者尚未出殯，就把玉璧放在葦席上；如果已經埋葬，就放在蒲席上。由喪家的宰臣「坐取璧」，以統一管理運用。可見當做「含」的玉器，不一定眞的放在死者的口內。因爲來祭弔的不止一人，致送「含」的人當不在少數，這許多的「含」是不可能，也不需要全部放在死者口內的；更何況屍體僵硬，嘴巴也無法開啓。③所以「含」應是致贈給喪家玉器的一個專用稱謂，它可能被當做眞正的「含」來使用；也可能被當做死者的陪葬品。

由這幾段資料，可以知道春秋、戰國時代已流行用玉器做爲陪葬品；在習俗上，玉器也是致君送死的重要禮物。就出土資料來看，東周時期的「含」，不如商、西周二期的普遍，這或許和東周時期幎目的出現有關。

儀禮・士喪禮

幎目用緇，方尺二寸。

鄭玄注云：

幎目，覆面者也。

年代屬於戰國中晚期之際的湖北江陵馬磚一號墓出土一件絹巾：死者的面部覆蓋一件梯形的絹巾。絹巾裏、面都爲黃色，錦緣；上方有一條窄縫，露出眼部，下方正中有一個三角形孔，露出嘴部。④

這條絹巾的形狀、色澤，雖和士喪禮的記載有所不同，但就功用而言，它絕對是「幎目」。下方正中露出嘴部的三角形孔，就是爲了方便放「含」。

如洛陽中州路西工段，戰國初期的第一三一六號墓：

臉上有一組象人臉形的有穿石片，用像眉、眼、眼、鼻、口等形狀的石片，排列成人的五官。

> 在頭骨下放一圓角長方形石壁；在相當兩耳的地方各放一件圓形石片；在相當兩頰的地方排列六件獸形石片；這些石片的兩側和下邊排列十件長方形石片，下面再放兩件獸形石片。⑤

(圖一)

這些有穿石片，顯然具有宗教禮俗上的特殊意義，是經過設計後，放在幎目上，以開啓五官的。與此同一地區，屬於戰國中期的第一七二三號墓，也有相似的幎目(圖二)。又如同屬戰國中期的洛陽燒溝六三七號墓及六五一號墓的綴玉面飾(圖三及四)。這種在死者臉上放置像人五官玉石片的習俗，一定有它特殊的目的，或許是在期望藉着玉石片神秘的靈力，讓死者能重新開啓五官，獲得新生，並藉以和歷代祖先溝通，獲得接納，進入祖廟。

除了幎目及綴玉面飾之外，河南固始的侯古堆一號墓，爲春秋末至戰國初的貴族墓葬，此墓的墓室爲甲字型的大型墓，同時出有九鼎，編鐘、編鎛等禮樂器，這位年齡在三十歲左右的女性墓主，很可能就是宋景公的妹妹勾敔夫人。在這墓中發現有料珠：

> 打開內棺發現料珠散遍死者全身，可見當隨葬時係全身佩戴。穿線已朽，所以分布全身。小的直徑僅零點二厘米，而磨製非常工整。⑥

這種料珠散遍全身的現象，應是出於保全屍身的觀念。又如河南光山黃君孟夫婦墓，男棺出玉器五十四件，女棺出玉器一百三十一件⑦；山東沂水劉家店子一號墓，曾經被盜，但仍留有玉石器三百餘件⑧；曲阜魯城五十八號墓，屍身上下放置玉璧十六枚外，還有其他玉器二十多件⑨；湖北隨縣曾侯

乙墓有玉器三百餘件⑩；河南輝縣琉璃閣七十五號墓，除身體各部位配置了許多不同的玉器外，更有許多不成形的玉屑壓在屍身上，可能含有屍身防腐之意⑪，……顯見春秋、戰國時代已有以玉器陪葬的習俗。

墨子・節葬篇：

諸侯死者，虛庫府，然後金玉珠璣比乎身。

正是上述情景的描述，棺槨內放滿了青銅器，屍身上則佈滿了玉器。呂氏春秋・節葬篇也說：

國彌大，家彌富，葬彌厚，含珠鱗施。

鱗施應是指玉片（玉器）一塊一塊的排列起來，有如魚鱗一般。河北易縣燕下都四十四號墓，屬於戰國後期，出土一件鐵冑（圖五），它的頂部是用二個半圓形的鐵片疊成圓形平頂，二至七層多半爲圓角長方形鐵片，用上層壓下層，前面壓後面的疊法，經鐵片邊緣的穿孔，用皮條穿綴而成⑫。又如湖北荆門包山二號墓，屬於戰國中期的皮質髹漆馬甲冑（圖六），也是自前向後依次疊壓，上下排之間則是自下而上反向疊壓⑬。再如秦始皇陵一號兵馬俑坑裏武士俑身上所穿的鎧甲（圖七），也是以疊壓排列方式製成。這類疊壓的方式，可以防止甲片之間產生空隙，使敵人武器無法穿入。以達到保護戰士的目的。這種疊壓的排列方式，應該就是呂氏春秋所說的「鱗施」了。

韓非子・內儲說上：

夫矢來有鄉，則積鐵以備一鄉；矢來無鄉，則為鐵室以盡備之。備之則體不傷。

鐵室是指「甲之全者，自首至足無不有鐵」，這種鐵製的盔甲既能保護戰士不受到武器的傷害，那麼玉製的盔甲應該也能發揮作用，保護屍身不受侵害了。玉器比乎身或做成鱗施的型式，或多或少應受到盔甲的影響。

再看西漢武帝時中山王劉勝的玉衣（圖八）結構，全部由玉片排列，以金絲穿綴而成，與上述甲胄所不同的是玉片之間沒有叠壓現象，這是玉衣不需防備武器刺入的自然轉變。最值得注意的是玉衣頭罩的結構，「頂部爲一環形玉片，中有圓孔，其周圍爲一圈帶弧邊的小玉片，其次是一層層梯形的小玉片」⑭，這個玉衣的圓頂和燕下都四十四號墓鐵胄的圓頂，形象十分相似。同時玉片各角穿孔和甲胄鐵片邊緣穿孔。以穿綴的情況，亦相類似。

漢代的玉衣，多半稱爲玉匣或玉柙。說文解字：「柙，檻也，所以藏虎兕也。」又說：「匣、匱是。」注云：古亦借柙爲之。」柙，匣二字皆爲甲聲，也都有藏物之意。玉匣、玉柙應是同指一物，就也以玉器製成像甲胄一樣的衣服，來收藏死者的屍體，達到保護屍體的目的。取名爲玉匣、玉柙，也正反映出玉衣與盔甲的關係。

漢朝初年，「接秦之敝，諸侯並起，民失作業而大饑饉，……高祖乃令得賣子就食」，「自天子

不能具醇駟，而將相或乘牛車。」⑮社會經濟尚處於貧困階段，所以當蕭何修建未央宮時，「上見其壯麗，甚怒。」⑯文帝時，「嘗欲作露臺，召匠計之，直百金，上曰：百金中人十家之產也，吾奉先帝宮室，嘗恐羞之，何以臺爲。」「治霸陵皆瓦器，不得以金銀銅錫爲飾。」⑰「漢之爲漢幾四十年矣，公私之積，猶可哀痛」⑱倉廩之中毫無儲積，可見文帝初年的經濟並不寬裕；採用賈誼，鼂錯的建議，重農輕商，減省賦稅，才使經濟趨於穩定。至武帝時，「都鄙廩庾盡滿，而府庫餘財，京師之錢，累百鉅萬，貫朽而不可校；太倉之粟，陳陳相因，充溢露積於外，腐敗不可食。」⑲經濟上確實富裕了，跟着而來的，是「公卿大夫以下，爭於奢侈，室廬車服，僭上亡限。」⑳因此，在經濟上，武帝時已有製造玉衣的能力了。⑳

武帝即位後，先是尊崇李少君，因爲他「能使物卻老。……少君言於上曰：祠竈則致物，致物而丹沙可化爲黃金，黃金成，以爲飲食器，則益壽，益壽而海中蓬萊僊者可見，見之以封禪則不死。……臣嘗游海上，見安期生，食臣棗大如瓜；安期生僊者，通蓬萊中，合則見人，不合則隱。於是天子始親祠竈，而遣方士入海，求蓬萊安期生之屬。」㉑因而齊，燕的方士更加大力鼓吹海上神仙之說。接着又有「齊人少翁以鬼神方見上，……於是拜少翁文成將軍，……文成言曰：上卽欲與神通，宮室被服不象神，神物不至。乃作畫雲氣車，……又作甘泉宮，中爲臺室，畫天地泰一諸神，而置祭具，以致天神。」其後又有欒大，說武帝以「不死之藥可得，僊人可致」，神仙之說大爲盛行，武帝一方面「益發船，求蓬萊神人」，一方面「遣方士，求神怪，採芝藥」；在封禪之後又「東至海

上望，冀遇蓬萊」。又因爲「僊人好樓居，於是上令長安則作蜚廉桂觀，甘泉則作益延壽觀，……作通天臺，置祠具其下，將招來神僊之屬。」太初三年更「東巡海上，考神仙之屬」。花了無數的財力，費了不盡的心血，到頭來仍是一場空，「天子益怠厭方士之怪迂語矣，然終羈縻弗絕，冀遇其眞。自此之後，方士言祠神者彌衆。」司馬遷與武帝爲同時之人，武帝的做爲均屬親眼所見，且以其史官忠於史實的傳統職責，這些對武帝的記載，當不致虛假，自然是十分可靠的。可見武帝爲尋找神仙，求得長生，已到了執迷不悟的境地，至其末年，終於引發巫蠱之禍，導致皇后自殺，太子發兵，最後亦自經而亡的慘劇。

以玉衣爲葬，較早的記載，當爲史記·殷本紀：

> 甲子日，紂兵敗，走登鹿臺，衣其寶玉衣，赴火而死。

由這段記載，起碼可以相信，在武帝時社會上確實有這樣的傳說。況且以紂王的荒淫，貪圖享受的性格，在生前爲自己準備好以寶玉製做的壽衣，是可以理解的；所以當兵敗，自知必死之際，穿上玉衣自焚而亡，是合情合理的。因此，在武帝時，社會上應有君王以玉衣斂葬的觀念存在。

由經濟、思想各層面來看，漢代玉衣，至武帝時應已趨於成熟；再加上武帝好大喜功的個性，社會風氣遂由文景時代的儉約，變爲奢侈浪費。武帝眼見社會經濟繁榮，軍事上又北伐匈奴，打通西域，多少滿足了他的虛榮心。於是在現實生活之外，更興起了長生不死的念頭，冀望能夠永遠享受這些美好的滋味。同時，西域的打通，也使玉料的來源不虞匱乏。在各方條件的配合下，在武帝時應有

完整的玉衣出現，並漸趨制度化。

二、玉衣的制度

兩漢書中賞賜玉衣的有：

1. 霍光：

賜金錢、繒絮繡被百，領衣五十篋，璧珠璣玉衣、梓宮……皆如乘輿制度。㉒

武帝臨終時託孤於霍光，光扶佐昭帝，議立宣帝，有安定社稷之功，「光薨，上及皇太后親臨光喪」，他的玉衣、梓棺都比照天子的制度，可見在宣帝之前，皇帝駕崩時已有玉衣的制度了。而霍光去世時，距昭帝駕崩僅六年，距武帝駕崩亦不過十九年。昭帝八歲卽位，由霍光扶佐，在位僅十三年所以在施政及制度上應是承襲的多，開創的少，所以皇帝駕崩，使用玉衣的制度，應該在武帝時就確立了。

2. 董賢：

上方珍寶，其選物上第，盡在董氏，而乘輿所服廼其副也。及至東園秘器，珠襦玉柙，豫以賜賢，無不備具。㉓

董賢得到哀帝寵愛，享用器物超越天子，就連死後的葬服，也事先賞賜。

3. 匽皇后。

元嘉二年崩……斂以東園畫梓壽器，玉匣、飯含之具，禮儀制度比恭懷皇后。㉔

匽皇后原爲蠡吾侯翼的媵妾，生桓帝，桓帝卽位，先後被尊爲博園貴人，孝崇皇后。喪葬器具比照皇后的制度。

4. 耿秉

永年二年代桓虞為光祿勳，明年夏卒，……賜以朱棺玉衣。㉕

耿秉曾北伐匈奴，出擊車師，軍紀嚴明，戰功彪炳，故死後，皇帝特賜玉衣，以表其功。

5. 梁竦

備禮西迎竦喪，詔京師改殯，賜東園畫棺，玉匣衣衾，建塋於恭懷皇后陵旁，帝親臨送葬。㉖

梁竦爲和帝外祖，生前爲竇憲兄弟所譖，寃死獄中；和帝旣位，竇氏伏誅，乃得平反。和帝令人收其尸骨，賜以玉衣，爲之建塋改葬。

6. 梁商

及薨，帝親臨喪，……賜以東園朱壽之器，銀鏤黃腸，玉匣什物二十八種。㉗

梁商雖爲順帝的泰山大人，但日常行事「每存謙柔，虛己進賢」，「每有飢饉，輒載租穀於城門，賑與貧餧，不宣己惠」。其日常行誼足爲表率。

7. 夫餘國王

其王葬用玉匣，漢朝常豫以玉匣付玄菟郡，王死則迎取以葬焉。㉘

三國志亦有相似記載，並說：「公孫淵伏誅，玄菟庫猶有玉匣一具。」㉙夫餘國是漢朝的屬國，在光武帝時就開始奉貢稱臣了。

這些被賞賜玉衣、玉匣的人，有的是皇帝的母親、外祖父或岳父，有的是皇帝的寵幸，有些則是朝廷的功臣，有的是屬國的國王。除了皇帝的母親，母以子貴外，按照禮制其餘的人是不能使用玉衣的，但因其特殊的身分，或對國家的貢獻，皇帝做了例外的賞賜，不屬於正常體制，所以史官才對這些例外的賞賜加以記錄。

再如漢書外戚傳：「共王母及丁姬棺皆名梓宮，珠玉之衣，非藩妾服，請更以木棺代去珠玉衣，葬丁姬媵妾之。」㉚丁姬卽丁太后，爲哀帝生母；共王母卽傅太后，哀帝立爲太子時，由傅太后抱養。當傅太后、丁太后去世時，哀帝按太后喪禮，以玉衣、梓棺埋葬。當「哀帝崩，王莽秉政，使有司舉奏丁、傅罪惡，莽以太皇太后詔，皆免官爵，……貶傅太后號爲定陶共王母，丁太后號曰丁姬。」㉛於是王莽令人發掘共王母及丁姬的陵墓，去除珠玉衣，改以木棺，易地改葬，以符合媵妾的身份。

又如後漢書・朱穆傳：「有宦者趙忠喪父，歸葬安平，僭爲璵璠玉匣偶人。穆聞之，下郡案驗，吏畏其嚴明，遂發墓剖棺，陳尸出之，而收其家屬。」㉜這是身分不符，僭越禮法，私自使用玉匣，而被發墓剖棺。

這是不當使用玉匣而加以紀錄的，足見玉匣的使用，已有固定的制度。因此，按照禮制使用玉衣

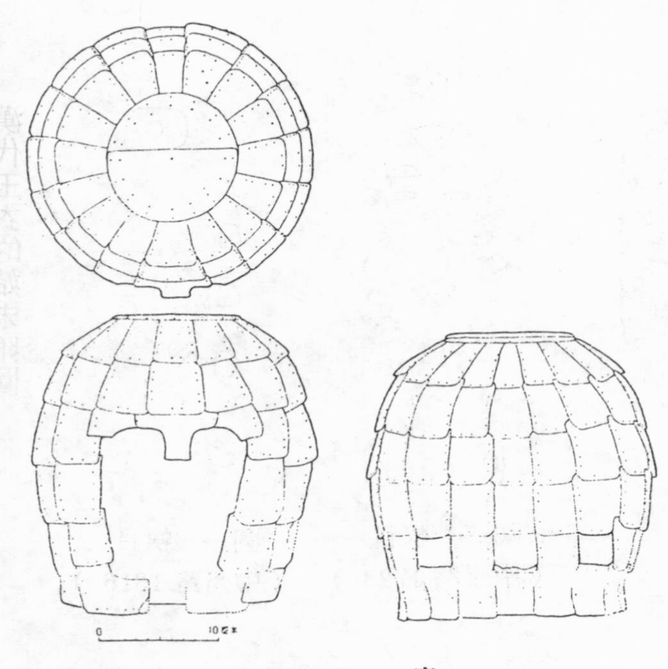

圖五　鐵　冑

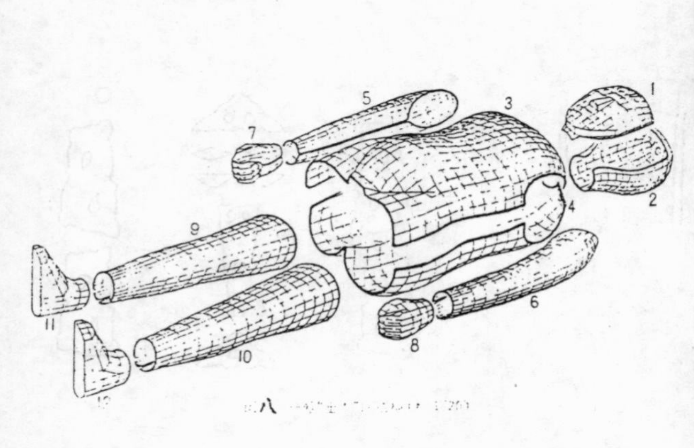

圖八　漢武帝時中山王劉勝玉衣結構圖

圖七　鎧　甲

漢代玉衣的始末附圖

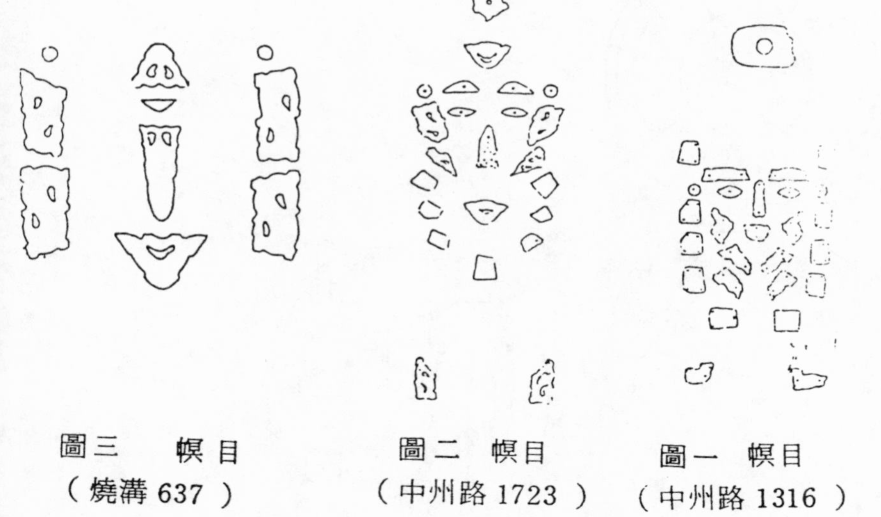

圖一 幎目
（中州路 1316 ）

圖二 幎目
（中州路 1723 ）

圖三 幎目
（燒溝 637 ）

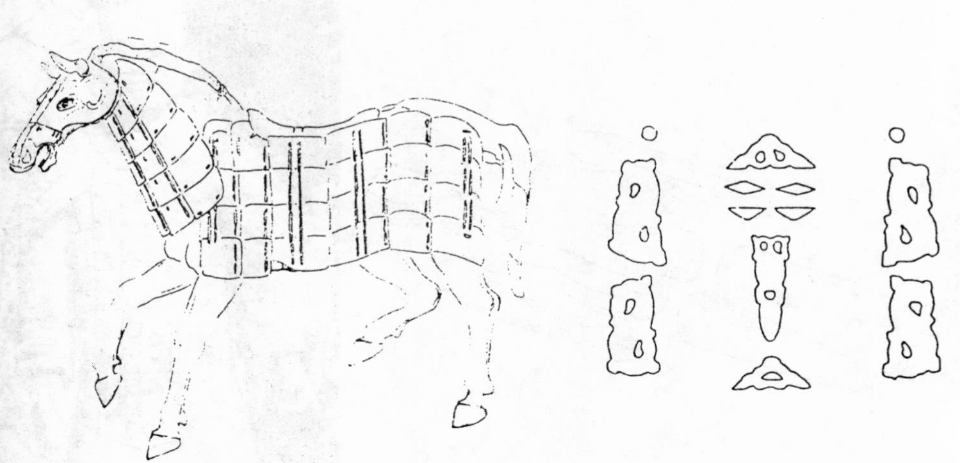

圖四 幎目
（燒溝 651 ）

圖六 戰國中期的皮質髹漆馬甲冑

的，就不需要再加以記載了。

這套使用玉衣的制度，在後漢書·禮儀志中有詳細的記載，在皇帝駕崩以後，「守宮令兼東園匠，將文執事，黃緜緹繒，金縷玉柙如故事，飯唅珠玉如禮。」㉝換成今天的說法，「如故事」就是循例辦理，「如禮」就是按照一般禮俗，可見金縷玉柙和飯唅珠玉已成爲一種禮儀制度。又云：「諸侯王、列侯始封、貴人、公主皆令贈印璽、玉柙銀縷；大貴人、長公主銅縷。」可見玉柙已按照爵位等級有金縷、銀縷、銅縷的分別了。

凡賞賜之玉衣葬具，除少數未說明出處外，餘皆出自東園。漢書·百官公卿表：「少府秦官，掌山海池澤之稅，以給共養，有六丞，屬官有……東織、西織、東園匠、十六官令丞。」師古注：「東園匠，主作陵內器物者也，」㉞可見東園匠是專門負責陵墓器物的。霍光、耿秉均爲朝廷功臣，皇帝賜與玉衣，當出自東園；夫餘國王爲稱臣的屬國，玉衣自是皇帝所賜，亦屬東園器物。至於宦者趙忠的父親所使用之玉衣，可大膽推測是來自東園，且經過皇帝的默許，不然的話，當朱穆收其家屬時，桓帝何須大怒，並「徵穆詣廷尉」，後經太學生數千人詣闕上書，皇帝才赦免朱穆。且桓帝即位後經過十三年才掌握實權，這是和宦官合作才得到的結果，宦官也因此而得勢；桓帝暗地賜一件玉衣給宦官，並非不可能。且以當日宦官的氣燄，花錢自行購買的可能亦不大。趙忠父親這件玉衣應該也是來自東園。

河北定縣四十號漢墓出土的金縷玉衣，由於死者體型較小，在服用時，把褲筒下過長的部分拆

下，分別墊在腹部的上下，而變成二塊小玉帘。㉟這情形正反映出玉衣是由朝廷統一製作的。因此，可以推測兩漢時期，官方所使用的玉衣，皆出自東園，亦即有專門負責製造的機構。至於王符所說郡縣豪家的玉衣，也不排除私人製造的可能。

三、玉衣的消失

玉衣在漢代雖是王公貴族的一種特殊喪服制度，但自始至終也不斷地遭到許多有識之士的反對。例如：在玉衣制度確立之前的漢文帝，「治霸陵，皆以瓦器，不得以金銀銅錫爲飾，不治墳，欲爲省，毋煩民。」㊱他的出發點是在節省費用，不去煩擾百姓；所以「遺詔曰：朕聞蓋天下萬物之萌生，靡不有死，死者天地之理，物之自然者，奚可甚哀。當今之時，世咸嘉生而惡死，厚葬以破業，重服以傷生，吾甚不取，……布告天下，使明知朕意，霸陵山川，因其故，毋有所改。」㊲這固然和文帝信仰道家，崇尚自然的思想有關，更重要的是他已看到厚葬足以破業，重服足以傷生的弊病，以他關愛人民，節儉過日的個性，自然要反對厚葬了。由此也可以確定，在文帝時是不可能建立以玉衣爲葬服的制度。

又如楊王孫是「孝武時人也，學黃老之術，家業千金，厚自奉養，亡所不致，及病且終，先令其子曰：吾欲贏葬，以反吾眞，必亡易吾意，死則爲布囊，盛尸入地，七尺既下，從足引脫其囊，以身親土。」㊳平日的生活是厚自奉養，而到病危臨終時，卻要贏葬，孩子們自然不忍心如此去做，於是

往見父執祁侯，請其相勸，使能爲之棺槨衣衾；楊王孫回答說：「蓋聞古之聖王緣人情，不忍其情，故爲之制禮，今則越之，吾是以臝葬，將以矯世也。夫厚葬誠亡益於死者，而俗人競以相高，靡財單幣，腐之地下，或廼今日入而明日發，此眞與暴骸於中野何異？」㊴楊王孫雖是黃老的信徒，臨終想要返樸歸眞，但也可以看出當時厚葬之風，已經違反了禮俗；不但浪費活人的生活資財，更引起不肖之徒的貪念，形成盜墓之風，間接敗壞了社會善良的習俗，更讓死者暴尸曠野，不得安息，此情此景實屬可悲。而造成這種現象的根本癥結，就在厚葬，所以楊王孫才想以臝葬來矯正世俗。

又如王符在浮侈篇中也指出，時人競相奢侈，「今京師貴戚，郡縣豪家，生不極養，死乃崇喪，或至金縷玉匣，……多埋珍寶，……造起大冢。」㊵爲了這些少數權貴人物的厚葬，弄得「費力傷農於萬里之地」㊶，這種只爲死者，不顧活人的做法，自然會造成百姓的不滿。所以王符明白指出世人對死者的尊崇，不是看在豐厚的葬品上，而是在他生前的做爲，因此「文帝葬芷陽，明帝葬洛南，皆不藏珠寶，不起山陵，墓雖卑而德最高。」㊷

又如鄧騭兄弟數人，皆「位次在三公之下，特進侯上，其有大議，乃詣朝堂，與公卿參謀。」㊸可算是位高權重了。但鄧弘「初疾病，遺言悉以常服，不得用錦衣玉匣，……五年悝、閶相繼竝卒，皆遺言薄葬，不受爵贈，太后竝從之。」㊹兄弟都不贊同厚葬，一方面固然是爲了遵從祖訓，另一方面更是爲了謹守分寸，避免子孫驕奢，招來災禍。

梁商在病篤時，「勅子翼等曰：吾以不德，享受多福，生無以輔益朝廷，死必耗費帑藏，衣衾飯

哈玉匣珠貝之屬，何益朽骨，……方今邊境不寧，盜賊未息，豈宜重爲國損，氣絕之後，載至冢舍，即時殯斂，斂以時服，皆以故衣，無更裁制。」㊺梁商身爲皇帝的泰山，死後的哀榮、厚葬是可以想見的，就告誡諸子不得厚葬，以免損傷國力，可見厚葬的花費是頗爲龐大的。

再以河北定縣四十號墓爲例，這個中山孝王劉興的墓葬，「僅墓中黃金就達六千多克，折合漢制爲二十四斤，當時一斤黃金，豐年可購糧千餘石，折抵八十多人的人頭稅。二十四斤黃金，則相當於二萬多石糧食和近兩千人的人頭稅。」㊻如果再加上玉器、銅器、五銖錢……等各類陪葬品，價值就更爲龐大了。而此墓早年曾經被盜，還遭到焚燒，原有的陪葬品比今日所見的自當更爲豐厚；再加上製造的人力，可能眞的會到損傷國力的程度。

這些反對厚葬的理由，雖不盡相同，但從破業、傷生、靡財單幣、費力傷農、耗費帑藏、重爲國損來看，最主要還是在經濟層面的考量。王莽的新法及貨幣改革，已把商業破壞了，使生計秩序大亂；接着而來的內亂，諸如綠林兵、平林兵、赤眉兵等各自叛立流竄，經過將近二十年的時間，終爲光武帝所平定，但已是社會敗壞，民生凋敝。光武帝即位後，致力於休養生息，退功臣，進文吏，政治上頗爲清明；然至章帝時又重用外戚，和帝時更與宦官合謀誅殺外戚，形成東漢最主要的亂源；再加上西北邊境的羌亂，年年勦辦，支出龐大的軍費，不僅西北一方凋敝至極，全國經濟亦深受重創。至東漢末年，地方割據，羣雄並起、征戰連年，經濟的敗壞自是可想而知，是否還有製造玉衣的人力、物力、財力頗值得懷疑。

另一方面赤眉兵進入長安以後，除了掠奪財物，收藏珍寶，縱火燒宮室以外，還「發掘諸陵，取其寶貨，遂汙呂后屍，凡賊所發，有玉匣殮者，率皆如生，故赤眉得多行婬孅。」㊼這幕慘絕人寰的情景，多麼令人痛心！原本用玉匣歛葬，是希望死者獲得保佑庇護，可是到頭來卻適得其反，而讓死者遭受莫大的侮辱，眞是懷璧之罪呀！所以曹操去世時，遺令「歛以時服，無藏金玉珍寶。」㊽魏文帝更在黃初三年冬十月作終制篇說：「吾營此丘墟不食之地，欲使易代之後，不知其處，……無藏金銀銅鐵，一以瓦器，……飯含無以珠玉，無施珠襦玉匣。……自古及今，未有不亡之國，亦無不掘之墓也，喪亂以來，漢氏諸陵無不發掘，至乃燒取玉匣金縷，骸骨並盡，是焚如之刑也，豈不痛哉，禍由乎厚葬封樹桑霍，爲我戒不亦明乎？」㊾魏文帝反對用金縷玉衣來厚葬，主要是害怕陵墓被發掘，遭受焚如之刑，這種心理因素要比經濟因素的效果來得更大。文帝駕崩後，「自殯及葬皆以終制從事。」㊿玉衣的制度也隨之消失，文帝的終制篇等於是玉衣的禁止令了。

【註　附】

① 史記，秦始皇本紀。

② 史記，封禪書。

③ 禮記喪大記：「始死……小臣楔齒。」注云：「爲將含，恐口閉急，故使小臣以柶柱張尸齒令開也」。檀弓篇：「復、楔齒、綴足、飯、設飾、帷堂並作。」注云：「楔齒，以角柶柱死者之口，使含時不閉也。」在

人將死時，把角柶放在口中，是為了防止死後嘴巴閉得太緊，無法把含放進口裡。可見一般人死後，嘴巴應是合攏的。

④江陵馬磚一號墓所見葬俗述略，文物，一九八二年，第十期。
⑤洛陽中州路西工段，科學出版社，一九五九年。
⑥河南固始侯古堆一號墓發掘簡報，文物，一九八一年，第一期。
⑦春秋早期黃君孟夫婦墓發掘報告，考古，一九八四年，第四期。
⑧山東沂水劉家店子春秋墓發掘簡報，文物，一九八四年，第九期。
⑨曲阜魯城勘探，文物，一九八二年，第十二期。
⑩湖北隨縣曾侯乙墓發掘簡報，文物，一九七九年，第七期。
⑪古玉新詮，郭寶鈞，中研院史語所集刊第二十本下冊。
⑫河北易縣燕下都四十四號墓發掘報告，考古，一九七五年，第四期。
⑬包山楚墓馬甲復原辨正，文物，一九八九年，第三期。
⑭漢城漢墓「金縷玉衣」的清理和復原，考古，一九七二年，第二期。
⑮漢書，卷二十四，食貨志。
⑯漢書，卷一，高祖紀。
⑰史記，孝文本紀。
⑱同註⑮。

⑲ 同註⑮。
⑳ 同註⑮。
㉑ 史記，孝武本紀。本段引文皆同，不另加註。
㉒ 漢書，卷六十八，霍光傳。
㉓ 漢書，卷九十三，董賢傳。
㉔ 後漢書，卷十下，匽皇后紀。
㉕ 後漢書，卷四十九，耿秉傳。
㉖ 後漢書，卷六十四，梁竦傳。
㉗ 後漢書，卷六十四，梁商傳。
㉘ 後漢書，卷一百十五，東夷列傳。
㉙ 三國志，魏志卷三十。
㉚ 漢書，卷九十七下，外戚傳。
㉛ 同註㉚。
㉜ 後漢書，卷七十三，朱穆傳。
㉝ 後漢書，卷十六，禮儀志。
㉞ 漢書，卷十九，百官公卿表上。
㉟ 定縣四十號漢墓出土的金縷玉衣，文物，一九七六年，第七期。

㊱同註⑯。
㊲同註⑯。
㊳漢書，卷六十七，楊王孫傳。
㊴同註㊳。
㊵後漢書，卷七十九，王符傳。
㊶同註㊵。
㊷同註㊵。
㊸後漢書，卷四十六，鄧騭傳。
㊹同註㊸。
㊺同註㉗。
㊻同註㉟。
㊼後漢書，卷四十一，劉盆子傳。
㊽三國志，魏書卷一，武帝。
㊾三國志，魏書卷二，文帝。
㊿同註㊾。

參考書目

周禮　漢鄭玄注，唐賈公彥疏　藝文印書館。
儀禮　漢鄭玄注，唐賈公彥疏　藝文印書館。
禮記　漢鄭玄注，唐孔穎達等正義　藝文印書館。
墨子　墨翟撰，清畢沅校註　新文豐出版社。
韓非子集釋　陳奇猷校注　河洛圖書出版社。
左傳　晉杜預注，唐孔穎達等正義　藝文印書館，
呂氏春秋　呂不韋撰，清畢沅集校　新文豐出版社。
史記會注考證　瀧川龜太郎　宏業書局。
漢書　文淵閣四庫全書正史類　臺灣商務印書館。
後漢書　文淵閣四庫全書正史類　臺灣商務印書館。
三國志　文淵閣四庫全書正史類　臺灣商務印書館。
說文解字注　蘭臺書局。

尊王黜霸主張在漢初的發展與意義

黃湘陽

一、前　言

自漢高祖劉邦卽位爲帝至景帝崩逝是爲漢之初期（前二〇六——一四一年）。這期間內的工作是建立國家制度、強化內部控制（蕩平內部叛亂）及促成經濟發展、與民休息。

尊王黜霸或稱尊王賤霸，是儒家政治主張中極重要的一環。其意本在指導執政者應以仁義治天下，貶斥以霸道立國的政權。

劉邦之起事先是以反抗秦之暴政爲號召，破秦之後則以反對項羽之不正不仁不義爲號召。就其號召言是合於尊王黜霸要求的。但開國之後，高祖並未改變他以軍事立國的心態，他視國家子民爲其私產，①對功臣將相總抱猜疑態度，總以爲他們有叛變奪產意圖，他這種心態也使得那些受封爲王侯的功臣將相疑懼不安，在互相猜疑防備的情況下，使得高祖在卽位後立刻展開收拾異姓王侯的行動。②而這種相互猜疑心理影響所及，使宗親王侯也捲入其中，以至擾攘征誅的行動，直到景帝平吳楚七國之亂後，方告一段落。③

檢討漢初政局的不安，可以發現，漢室雖以仁義爲號召，事實上卻是以霸道在治理天下。就因爲這種名實不符的情況造成了漢初近七十年的內部劇烈衝突。當時有心君子自然深知其中因果、因此而有對高祖及其子孫的諫正行動出現，這種行動和孔孟荀的週遊列國，諫說人君的努力，論其本質應是一致的。

由於時移世異，漢初尊王黜霸主張，應與春秋戰國時代有所差異。由差異處一則可見此觀念本身的某些發展，另方面又可見此主張由微而著的進展狀況。春秋戰國時代尊王黜霸的行動是不成功的。但在漢朝，由景帝崩武帝即位，不數年而明令罷黜百家獨尊儒家，此後政局穩定、不再君臣相疑相攻之結果看來，漢初的尊王黜霸行動則是成功的。這種成敗異變，功業相反的狀況，除了顯示此主張並非空言之外，更指明了政治惟有在合乎人心道德與社會樂利要求的學術指導下，纔能出現光榮盛世的意義。

二、尊王黜霸主張的由來

需要而生供應。政治主張的提出，通常也是在政治出現問題之後。東周時代，王綱不振，諸侯爭強，發生許多不合理的事件，孔子筆削春秋，因而有尊王主張的出現。但孔子眞正所尊在周禮，並不是只要天下諸侯去尊崇當時的周天子。周禮出於王道，故孔子要尊崇的也是王道。司馬遷史記自序說：

余聞董生曰：「周德衰廢，孔子為魯司寇，諸侯害之，大夫壅之。孔子知言不用，道之不行也，是非二百四十二年之中，以為天下儀表。貶天子、退諸侯，討大夫，以達王事而已矣。」子曰：「我欲載之空言，不如見之於行事之深切著明也。」夫春秋上明三王之道，下辨人事之紀。別嫌疑，明是非，定猶豫，善善惡惡，賢賢賤不肖，存亡國，繼絕世，補弊起廢，王道之大者也。

孔子對管仲攘夷之舉很贊美，對齊桓晉文等霸主則少有稱許。戰國時諸侯僭王，卻以齊桓晉文等霸王為羡慕學習對象，遂引起孟子的糾正，例如：孟子梁惠王上：

齊宣王問曰：「齊桓晉文之事可得聞乎？」孟子對曰：「仲尼之徒無道桓文之事者。是以後世無傳焉，臣未之聞也。無以則王乎。」……「德何如則可以王矣？」曰：「保民而王，莫之能禦也。」

孟子認定當時惟有實行王道才可以成功，因此他不贊成齊宣王對於齊桓晉文的重視。在公孫丑上篇，又說：

孟子曰：「以力假仁者霸，霸必有大國。以德行仁者王，王不待大，湯以七十里，文王以百里。以力服仁者非心服也，力不贍也，以德服人者，中心悅而誠服也。」

這一段話是王道和霸道的基本說明。以武力冒用仁義之名，攻取天下，使他人不敢不服的是霸道，以德行感人，實現仁義精神，使世人自動來受教化，欣喜不去的是王道。齊桓晉文以大國之力，

假借仁義之名以號召諸侯，終究還做了一些功德。戰國之君，卻惟以攻伐、謀詐、兼併人國，因此荀子分析他們的行爲不是王道、也不是霸道、乃是亡道，並以齊湣、宋獻（康）爲例，判斷他們必被消滅。荀子王霸篇說：

故用國者，義立而王，信立而霸，權謀立而亡。

以荀子的判斷來看戰國七雄的結果，無一不合。六國之亡，固無論矣；秦雖一統、不改其政，仍然虐用民力四方用兵，以權術督責羣臣，終在十四年的短時間內爲百姓所推翻。

這種結果其實是很合理的，荀子王霸篇曾分析其中道理說：

挈國以呼功利，不務張其義、齊其信。唯利之求，內則不憚詐其民，而求小利焉；外則不憚詐其與，而求大利焉；內不修正其所以有，然常欲人之有；如是，則臣下百姓莫不以詐心待其上矣。上詐其下，下詐其上，則是上下析也。如是，則敵國輕之，與國疑之，權謀日行，而國不免危削，綦之而亡，齊閔，薛公是也。

七國欲稱霸天下而不能以力假仁、終於淪於亡道遭致滅亡，他們自己固然咎有應得，但同時也把天下的風氣敗壞了。唐朱敬則五等論說：

自春秋之後，禮義漸頹，風俗塵昏、愧恥心盡、疾走先得者為上，攘奪知命者為能，加以八世専齊，三家分晉，子貢之亂五國，蘇秦之鬬七雄，苛刻薄與，經籍道息，莫不長詐術、貴攻戰、萬姓皆戴爪牙，無人不屬脣距，所以商鞅欺故友，李斯囚舊交，孫臏喪足於龐涓，張儀得

志於陳軫，一旅之衆，便欲稱王，再戰之雄爭來稱帝。先王會盟之禮，昔時樽俎之容，三代之風掃地盡矣。（唐文粹卷三十四）

便是天下風氣澈底敗壞的寫照。

三、漢初政權性格

性格通常指因其人的本性而形成的一定且難改的行動表現。政權由人組成，也可以有其性格。政權之性格表現以下述兩種情況出現時最爲明顯。其一：政權初成立之時期。此時因權力完全集中於少數人之手，一切大政皆由此少數人判斷決定。其二：當組成政權的份子因有同質性或一致心態而爲共同目的訴求時。此時因政權內意志與力量最集中，無衝突切裂，故政權之行動表現最明確，最足以顯現其性格。政權性格與個人性格之相異處，在於個人性格之一貫性通常十分固定，所謂江山易改，本性難移便是。但政權性格則可能前後有異。此因政權參與者有其新陳代謝所致。在君主專制時代，政權性格又有一最後控制者存在，卽最高權力的掌握者，他的決定，可以有風行草偃之效。

漢初爲開國時期，大政集中於劉邦及其功臣之手。初滅項羽時漢室政權並非穩固，此因衆人各起草莽，本不相屬，破秦滅楚，基本上又有同功一體之心，相互間難以多讓。因此雖然擁立劉邦，天下卻不能由他獨享。封王立侯以共治，是當時君臣相知共識的必然結果，④劉邦既爲皇帝，主持宰割天下之際，又必須爲自身安全顧慮，遂又有在功臣王侯領地之外，別立郡縣及建立關塞，以阻絕諸王的

交通聯合。漢之郡國制度，便是在以上的相互要求下成立的。⑤

漢初，君臣的同質性極高。據史漢傳記所見，助劉邦而原具貴族或社會上層家世者僅有韓（王）信（故韓襄王孽孫）、張良（祖、父相韓五世）、吳芮（秦時爲番陽令）三人而已。其他如屠狗爲事的樊噲、織薄曲吹簫給喪事的周勃，爲奴的欒布、漁夫爲盜的彭越，刑徒爲盜的黥布、性好豪舉的陳豨，沛之縣豪的王陵、睢陽販繒的灌嬰等，皆出身微賤、勇氣過人；其他或爲刀筆小吏，朋比勾結如蕭何（沛主吏掾）、曹參（沛獄掾）、任敖（沛獄吏）；或雖有才識但性喜反覆，家貧好利如韓信之流浪無行，陳平之盜嫂受金等等。他們出身多數和劉邦一樣，是不明仁義道德的社會小民。

出身低而欲享天下之富貴，當然不能直認自己無識，非以反暴抗秦伐楚爲號召不可。自陳勝、吳廣始，秦末起義的羣雄，一致的心態都是以力假仁爭奪天下，殊無例外。⑥而漢初功臣之不欲以關中爲都，諸侯王的分割天下，廣召豪俊，自行派官任職，⑦和項羽之不願錦衣夜行，⑧高祖之向劉太公誇耀富貴的心，⑨是完全相同的。

以力假仁是覇道，是出於急功近利的要求，以武力爲用，以富貴籠絡的取天下辦法，只比純武力及詐僞的使用略高一籌而已。它基本上仍是勢力和技巧的行使，利用人心中的弱點，以達自私目的手段而已。其中或有學術，卻不是眞正的學術，眞正的學術應是求眞求善美化人生社會的。

由以上敍述，可知漢初政權的性格，是一種覇道性格。是故君臣並無誠信，相虞相謀相害無日或止；劉邦分封甫畢，便不得不立即南征北討，不蕩平異姓侯王不能休息。可笑他最後仍要矛盾地發出

「安得猛士兮守四方」的感慨。高祖以後，武人功臣相繼爲相，最後至申屠嘉爲止。以上種種都是政權霸道性格的行動表現。

霸道政權性格使漢室必欲獨霸天下，不僅對異姓諸侯王有猜忌消滅之心，對同姓子孫也如出一轍。初封吳王劉濞，便疑其將叛，⑩呂后立諸呂爲王以害劉氏，淮南厲王長反於文帝之時，吳楚七國連兵於景帝之世，究其根源，都是霸道政權性格深中劉氏家族子孫所致。

就爭奪天下的表現言，陳吳發動，楚齊燕趙韓魏名號一時紛起，秦末世局宛若復回戰國七雄時代，漢之統一亦如秦之一統，全賴武力智謀。但漢之不像秦一般短期卽亡，一則在秦徒知一統，而漢有抗暴正義的號召。二則在漢初不興大役，又能減稅與民休息。取得民衆無論在心理上或實際生活上的信任。正如荀子說的「信立而霸」，這也是漢初政權性格爲霸道而非亡道的實證。

四、儒士的建言

自秦始皇三十四年（前二一三）焚書坑儒，下挾書律後，儒家學術不得不暫時隱退。儒學倡仁義、立廉恥、隆禮樂，功在指引人心以達大道。從孔子開始，儒生卽抱「知其不可而爲之」的精神，努力以救世爲務。故當陳涉初起，魯諸儒立卽抱持孔氏禮器前往效其死力。史記儒林傳說：

> 陳涉之王也，而魯諸儒持孔氏之禮器往歸陳王。於是孔甲為陳涉博士，卒與涉俱死。

陳涉只是個貪圖富貴的小人，並沒有眞正解救天下的仁心，此由他起事後隨卽稱王，自居深宅大

院傲其故人可知。⑪隨陳涉之後起事的本質上也莫不如此。⑫再以佐劉邦定天下的羣臣而言，漢書僅特指明申屠嘉「剛毅守節」，朱建「刻廉剛直」及婁敬不易其褐衣（羊裘）以見高帝。而於其他臣下則不載有何德行之美。天下風氣，作史者已充分暗示。⑬然而漢不淪爲亡秦之繼，能自亡道中振拔起來，全賴有心君子，不斷以儒家王道觀念向漢室進言，糾正其覇道政權性格所致。

由史漢記載觀察，第一個向漢室建議行禮樂教化，並制定禮儀，使劉邦得知帝王之樂的，是原爲秦博士的叔孫通。第二個則是雜有縱橫習氣的儒士陸賈。劉邦曾傲然地回應陸賈詩書之諫，他說「迺公居馬上而得之，安事詩書？」陸賈反問：「居馬上得之，寧可以馬上治之乎？」這話使劉邦不快，但也慚愧無言。於是令陸賈著書言興亡之道，「凡著十二篇，每奏一篇，高祖未嘗不稱善。左右呼萬歲。」⑭但劉邦雖曾聽過以上二人的勸諫，卻不能眞正接受，他的個性不喜儒士，出身低下，也不能明白學術的重要。司馬光於資治通鑑中曾批評說：

> 禮之為物大矣！用之於身，則動靜有法而百行備焉；用之於家，則內外有別而九族睦焉；用之於鄉，則長幼有倫而俗化美焉；用之於國，則君臣有敘而政治成焉；用之於天下，則諸侯順服而紀綱正焉；豈直几席之上，戶庭之間得之而不亂哉！夫以高祖之明達，聞陸賈之言而稱善，睹叔孫之儀而嘆息；然所以不能（比）肩於三代之王者，病於不學而已。當是之時，得大儒而佐之，與之以禮為天下，其功烈豈若是而止哉！」（通鑑卷十一、漢紀三、高帝七年）

劉邦崩逝後，蕭何曹參爲相，由於秦的虐用民力，秦末以至劉邦蕩平諸王叛亂的征討，天下凋

弊，因此政崇黃老、與民休息。由此以至孝文即位期間，又有諸呂之亂，漢室更無心於儒術。孝惠四年廢止挾書律，儒家學術才緩緩起於民間。漢書載劉歆移太常博士書說：

漢興，去聖帝明王遐遠，仲尼之道又絕，法度無所因襲。時獨有一叔孫通略定禮儀，天下唯有易卜，未有它書。至孝惠之世，乃除挾書之律，然公卿大臣，絳灌之屬咸介冑武夫，莫以為意。至孝文皇帝，始使掌故朝錯從伏生受尚書。尚書初出於屋壁，朽折散絕，今其書見在，時師傳讀而已。詩始萌芽，天下衆書往往頗出，皆諸子傳說，猶廣立於學官，為置博士。在漢之儒，唯賈生而已。至孝武皇帝，然後鄒、魯、梁、趙頗有詩、禮、春秋先師，皆起於建元之間。當此之時，一人不能獨盡其經，或為雅，或為頌，相合而成。泰誓後得，博士集而讀之。故詔書稱曰：「禮壞樂崩，書缺簡脱，朕甚閔焉。」時漢興已七八十年，離於全經，固已遠矣。（漢書卷三十六、楚元傳第六王）

劉歆所言，正是漢初以至武帝前儒學發展不振的全面說明。

依劉歆敍述，自孝惠以後，儒家之書雖有出現，但書缺簡脫，當然影響了儒學的振興。而公卿大臣，武夫不學，再加上當時「天下衆書往往頗出，皆諸子傳說，猶廣立於學官，爲置博士。」則如雪上加霜，對儒學之登上廟堂，又加一層阻礙。

詳細言之，漢初盛行的學術，有黃老之學，申商刑名，陰陽五行等三大類。黃老之學由張良、陳平佐劉邦取天下起始。申商刑名，承秦法而來。陰陽五行自秦時流行，後又與黃老結合，成神仙方士

之學。而這三類學術，又混有戰國策士縱橫之風。所以漢初學術，實是各家學術混雜的結果。就是儒家學者，也不免沾染而難有醇儒出現。史記稱陸賈爲「當世之辯士」（史記卷九十九本傳）就是顯例。

漢初以黃老之學治民，政尚清簡，蕭曹爲相，以此博得民間歌頌。⑮因此直到武帝初竇太后時代，治民之道始終不離黃老。但秦末天下風氣大潰，姦民盜賊必須以嚴法懲治。漢初雖除秦苛暴，曾與秦民約法三章，但蕭何爲相時已不得不將刑法擴爲九章（漢書刑法志）。漢文帝好道家之學⑯，也好刑名之言。⑰所以在黃老治道之外，又兼用刑名法治，形成黃老爲主，法治爲輔的治術⑱。政府既然作風如此，儒學之士，就更難爲力了。

漢之儒生，雖然處於上述艱難情況，有心君子卻並不氣餒。他們一有機會，總要奮力一試。文帝時主要有賈誼、賈山二人提出諫正。以下先言賈山，再述賈誼。

漢書卷五十一，賈山本傳說：

> 賈山，潁川人也。祖父祛，故魏王時博士弟子也。山受學祛，所言涉獵書記，不能為醇儒……孝文時言治亂之道，借秦為喻，名曰至言。其辭曰：「……秦政力并萬國，富有天下，破六國以為郡縣，築長城以為關塞。秦地之固，大小之勢，輕重之權，其於一家之富，一夫之彊，胡可勝計也！然而兵破於陳涉，地奪於劉氏者何也？秦王貪狼暴虐，殘賊天下，窮困萬民，以適其欲也。……文王好仁則仁興，得士而敬之則士用，用之有禮義。……臣不勝大願，願少衰射

獵，以夏歲二月，定明堂、造太學，修先王之道。風行俗成，萬世之基定，然後唯陛下所幸耳。」

賈山之諫，就漢書後文觀察，文帝並未採納，但予優容，以廣開諫諍之路。

劉歆以爲漢初文景時，「在漢之儒，唯賈生而已」。賈生卽賈誼。他生於高帝七年（前二〇〇年），卒於孝文帝十二年（前一六八年），享年三十三歲。史記漢書都有其傳記，而漢書更爲詳盡。漢書卷四十八，賈誼本傳說：

賈誼，雒陽人也。年十八，以能誦詩書屬文稱於郡中。河南守吳公聞其秀才，召致門下，甚幸愛。文帝初立，聞河南守吳公治平為天下第一，故與李斯同邑，而嘗學事焉，徵以為廷尉。廷尉乃言誼年少，頗通諸家之書。文帝召以為博士……超遷，歲中至太中大夫。誼以為漢興二十餘年，天下和洽，宜當改正朔，易服色制度、定官名、興禮樂。乃草具其儀法，色上黃、數用五，為官名悉更奏之。文帝謙讓未皇也。然諸法令所更定，及列侯就國，其說皆誼發之。

就上所引文看，其中重要者爲「能誦詩書屬文」、「頗通諸家書」，「誼以爲漢興二十餘年天下和洽，宜當改正朔易服色……乃革具其儀法……」、「然諸法令所更定，及列侯就國，其說皆誼發之」等句。依這些文句可勾勒出賈誼爲一博學多智、器識過人、才能卓絕的儒士，他有時代感，有進步意識，也拿得出一套辦法。⑲

賈誼不僅於中央制度有所建言，對農民生活也十分關心，可以說是他確立了漢朝的重農政策，對

恢復自秦末以來衰竭的民生經濟大有功績。漢書卷二十四，食貨志說：

漢興接秦之敝，諸侯竝起，民失作業而大饑饉，凡米石五千，人相食，死者過半，高祖乃令民得賣子，就食蜀漢。天下既定，民無蓋藏，自天子不能具醇駟，而將相或乘牛車。……孝惠高后之間，衣食滋殖，文帝卽位，躬修儉節，思安百姓，時民近戰國，皆背本趨末。賈誼說上曰：管子曰倉廩實而知禮節，民不足而可治者，自古及今未之有也……今背本而趨末，食者甚衆，是天下之大殘也，淫侈之俗，日日以長，以天下之大賊也。殘賊公行，莫之或止，大命將泛……夫積貯者，天下之大命也，苟粟多而財有餘，何為而不成……今毆民而歸之農，皆著於本。使天下各食其力，末技游食之民轉而緣南畝，則畜積足而人樂其所矣。」於是上感寤誼言，始開籍田，躬耕以勸百姓。

由於賈誼上疏建議足食積貯，文帝採納，乃開籍田、躬耕勸農，其結果是奠定了日後武帝功業的經濟基礎，及社會良好風氣。食貨志說：

民遂樂業，至武帝之初，七十年間，國家亡事，非遇水旱，則民人給家足，都鄙廩庾盡滿而府庫餘財。京師之錢，累百鉅萬，貫朽而不可校，太倉之粟，陳陳相因，充溢露積於外，腐敗不可食。衆庶街巷有馬，仟佰之間成羣。乘牸牝者擯而不得會聚。守閭閻者食粱肉，為吏者長子孫，居官者以為姓號。人人自愛而重犯法，先行誼而黜媿辱焉。

孝文帝三年，賈誼上疏以列侯宜就國，帝納其言，周勃免丞相、就國。孝文帝以為賈誼才學高

明，想提拔重用他，卻遭元老功臣們的反對，在老臣不喜賈誼的情況下，文帝只好放棄，漢書本傳說：

於是天子議以誼任公卿之位。絳、灌、東陽侯（張相如）、馮敬之屬盡害之，乃毁誼曰：「雒陽之人。年少初學，專欲擅權，紛亂諸事。」於是天子後之疏之，不用其議，以誼為長沙王太傅。

孝文帝五年，廢止盜鑄錢令，開放鑄錢許可，賈誼、賈山各自上疏諫正，文帝不聽。文帝七年，思念在長沙的賈誼，將他召至長安談話。文帝八年，徵拜賈誼爲梁懷王太傅。賈誼上疏陳政事（治安策）對國家政事有多項匡正和建言。而陳政事疏也是探討賈誼思想觀念的主要依據。漢書賈誼本傳中所載的陳政事疏，是班固從賈誼所著新書五十八篇中，取其切合世事的段落組合而成的。

陳政事疏中屬尊王黜霸主張的，可歸納爲：

㈠移風易俗以禮義仁恩爲立國根本

商君遺禮義，棄仁恩，並心於進取，行之二歲，秦俗日敗。故秦人家富子壯則出分，家貧子壯則出贅。借父耰鉏，慮有德色；母取箕帚，立而誶語。抱哺其子，與公併倨；婦姑不相說，則反脣而相稽。其慈子耆利，不同禽獸者亡幾耳。然並心而赴時，猶曰蹶六國，兼天下。功成求

得矣，終不知反廉愧之節，仁義之厚。信並兼之法，遂進取之業，天下大敗；衆掩寡，智欺愚，勇威怯，壯陵衰，其亂至矣。是以大賢起之，威震海內，德從天下。曩之為秦者，今轉而為漢矣。

夫立君臣，等上下，使父子有禮，六親有紀，此非天之所為，人之所設也。夫人之所設，不為不立，不植則僵，不修則壞。筦子曰：「禮義廉恥，是謂四維；四維不張，國乃滅亡。」使筦子愚人也則可，筦子而少知治體，則是豈可不為寒心哉！秦滅四維而不張，故君臣乖亂，六親殃戮，姦人並起，萬民離叛，凡十三歲，〔而〕社稷為虛。今四維猶未備也，故姦人幾幸，而衆心疑惑。豈如今定經制，令君君臣臣，上下有差，父子六親各得其宜，姦人亡所幾幸，而羣臣衆信，上不疑惑！此業壹定，世世常安，而後有所持循矣。

(二)治術應以禮義爲主、刑罰爲輔

以禮義治之者，積禮義；以刑罰治之者，積刑罰。刑罰積而民怨背，禮義積而民和親。故世主欲民之善同，而所以使民善者或異。或道之以德敎，或敺之以法令。道之以德敎者，德敎洽而民氣樂；敺之以法令者，法令極而民風哀。哀樂之感，禍福之應也。秦王之欲尊宗廟而安子孫，與湯武同，然而湯武廣大其德行，六七百歲而弗失，秦王治天下，十餘歲則大敗。此亡它故矣，湯武之定取舍審而秦王之定取舍不審矣。夫天下，大器也。今人之置器，置諸安處則

安，置諸危處則危。天下之情與器亡以異，在天子之所置之。湯武置天下於仁義禮樂，而德澤洽，禽獸草木廣裕，德被蠻貊四夷，累子孫數十世，此天下所共聞也。秦王置天下於法令刑罰，德澤亡一有，而怨毒盈於世，下憎惡之如仇讎，旤幾及身，子孫誅絶，此天下之所共見也。是非其明效大驗邪！

㈢注意太子的自幼以至成年後的管教

夏為天子，十有餘世，而殷受之。殷為天子，二十餘世，而周受之。周為天子，三十餘世，而秦受之。秦為天子，二世而亡。人性不甚相遠也，何三代之君有道之長，而秦無道之暴也？其故可知也。古之王者，太子乃生，固舉以禮，使士負之，有司齊肅端冕，見之南郊，見於天也。過闕則下，過廟則趨，孝子之道也。故自為赤子而敎固已行矣。昔者成王幼在繈抱之中，召公為太保，周公為太傅，太公為太師。保，保其身體；傅，傅之德（意）〔義〕；師，道之敎訓……此三公之職也。於是為置三少，皆上大夫也，曰少保、少傅、少師，是與太子宴者也。故乃孩提有識，三公、三少固明孝仁禮義以道習之，逐去邪人，不使見惡行。於是皆選天下之端士孝悌博聞有道術者以衞翼之，使與太子居處出入。故太子乃生而見正事，聞正言，行正道，左右前後皆正人也。夫習與正人居之，不能毋正，猶生長於齊不能不齊言也；習與不正人居之，不能毋不正，猶生長於楚之地不能不楚言也。故擇其所耆，必先受業，乃得嘗之；擇

其所樂，必先有習，乃得為之。孔子曰：「少成若天性，習貫如自然。」及太子少長，知妃色，則入於學。學者，所學之官也。學禮曰：「帝入東學，上親而貴仁，則親疏有序而恩相及矣；帝入南學，上齒而貴信，則長幼有差而民不誣矣；帝入西學，上賢而貴德，則聖智在位而功不遺矣；帝入北學，上貴而尊爵，則貴賤有等而下不踰矣；帝入太學，承師問道，退習而考於太傅，太傅罰其不則而匡其不及，則德智長而治道得矣。此五學者既成於上，則百姓黎民化輯於下矣。」及太子既冠成人，免於保傅之嚴，則有記過之史，徹膳之宰，進善之旌，誹謗之木，敢諫之鼓。瞽史誦詩，工誦箴諫，大夫進謀，士傳民語。習與智長，故切而不媿；化與心成，故中道若性。三代之禮：春朝朝日，秋暮夕月，所以明有敬也；春秋入學，坐國老，執醬而親餽之，所以明有孝也；行以鸞和，步中采齊，趣中肆夏，所以明有度也；其於禽獸，見其生不食其死，聞其聲不食其肉，故遠庖廚，所以長恩，且明有仁也。

(四)尊禮大臣、建立廉恥節操觀念

豫讓事中行之君，智伯伐而滅之，移事智伯。及趙滅智伯，豫讓釁面吞炭，必報襄子，五起而不中。人問豫子，豫子曰：「中行衆人畜我，我故衆人事之；智伯國士遇我，我故國士報之。」故此一豫讓也，反君事讎，行若狗彘，已而抗節致忠，行出乎列士，人主使然也。故主上遇其大臣如遇犬馬，彼將犬馬自為也；如遇官徒，彼將官徒自為也。頑頓亡恥，奊詬亡節，廉恥不

立，且不自好，苟若而可，故見利則逝，見便則奪。主上有敗，則因而挻之矣；主上有患，則吾苟免而已，立而觀之耳；有便吾身者，則欺賣而利之耳。人主將何便於此？羣下至衆，而主上至少也，所託財器職業者粹於羣下也。俱亡恥，俱苟妄，則主上最病。故古者禮不及庶人，刑不至大夫，所以厲寵臣之節也。古者大臣有坐不廉而廢者，不謂不廉，曰「簠簋不飾」；坐汚淫穢亂男女亡別者，不曰汚穢，曰「帷薄不修」；坐罷軟不勝任者，不謂罷軟，曰「下官不職」。故貴大臣定有其辠矣，猶未斥然正以謼之也，尚遷就而為之諱也。

賈誼的主張，受到文帝的重視和採納。本傳說：「上深納其言，養臣下有節。」文帝能如此做，朝廷士風應有所改變。故本傳又謂：「是後大臣有罪，皆自殺，不受刑。」

陳政事疏中已屢言諸侯王地廣勢強，十分堪慮，其後賈誼曾再度上疏建議及早將諸侯王領地削減或更動，以免在一傳再傳之後，因與中央血緣或情分疏遠，而生變亂。這也獲得文帝的重視：「文帝於是從誼計，乃徙淮陽王武爲梁王，北界泰山，西至高陽，得大縣四十餘城；徙城陽王喜爲淮南王，撫其民。」文帝封淮南厲王四子皆爲列侯，賈誼也上疏諫正。

賈誼逝世後，文帝深爲思念，終於採納他的意見，將諸侯國分封衆建。本傳說：

後四歲，齊文王薨，亡子。文帝思賈生之言，乃分齊為六國，盡立悼惠王子六人為王；又遷淮南王喜於城陽，而分淮南為三國，盡立厲王三子以王之。後十年，文帝崩，景帝立，三年而吳、楚、趙與四齊王合從擧兵，西鄉京師，梁王扞之，卒破七國。至武帝時，淮南厲王子為王

者兩國亦反誅。

如果不是文帝事先採納賈誼意見預爲防範，景帝時吳楚七國之亂，必然更難撲滅。

賈誼建言重視太子的管教，後來也實現了。漢書卷四十九鼂錯傳記鼂錯奉派受尚書於伏生後，文帝命他爲太子舍人、門大夫、博士；鼂錯也建言愼爲太子擇人，文帝乃拜鼂錯爲太子家令。

劉向班固對賈誼都十分推崇，而經由賈誼傳論贊，也可知文帝對賈誼的意見，總是接受而選擇時機推行的：

> 贊曰：劉向稱「賈誼言三代與秦治亂之意，其論甚美，通達國體，雖古之伊、管未能遠過也。使時見用，功化必盛。為庸臣所害，甚可悼痛。」追觀孝文玄默躬行以移風俗，誼之所陳略施行矣。

五　漢初政權性格的轉變

本文第三節曾述及政權性格不像個人性格之長久固定。當組成政權的核心人物改變時，政權性格也會改變。因爲政治力量是由執政的人在掌握的，他們的觀念或意識型態會左右政權的表現。漢初政權之核心人物，除劉邦之外，尚有呂后，異姓諸侯王，功臣諸侯，宗親諸王等，立國之初，實有共治意味，因而形成了霸道政權性格。人壽有限，不論諸侯王是否背叛，終必辭世。因而政權的性格，必有轉變的時刻。

高祖卽位七年而崩，十五年後呂后崩。當高祖晚年，已經擊滅背叛的異姓諸侯王，並和羣臣刑白馬、誓言：「非劉氏而王者，天下共擊之。」（史記呂后本紀）這是頭一批的政權組合變動。

高祖兄弟封王的有代王喜，薨於孝惠二年；荆王賈，薨於高祖十二年；燕王澤，薨於文帝三年，楚元王交，薨於文帝二年。高祖子輩封王的有齊悼惠王肥，薨於高后八年；趙隱王如意，薨於孝惠元年；趙幽王友，薨於高后七年；趙共王恢，薨於高后七年；淮南厲王長，廢死於文帝六年；吳王濞，孝景三年反誅。據以上記年，可知到孝文六年時，高祖所封建的宗親諸王已零落略盡。其中部分子孫繼立的，經孝文用賈誼議分封及吳王濞之亂後，更加削弱，遂無干政實力。這是宗室內部權力組合的變動。漢書諸侯王表敍文對此有清晰說明，而漢書卷三十高五王傳，對漢初宗親諸侯國的權力由大轉小，有更清楚的說明：

> 贊曰：悼惠之王齊，最為大國。以海內初定，子弟少，激秦孤立亡藩輔，故大封同姓，以填天下。時諸侯得自除御史大夫羣卿以下衆官，如漢朝，漢獨為置丞相。自吳楚誅後，稍奪諸侯權，左官附益阿黨之法設。其後諸侯唯得衣食租稅，貧者或乘牛車。

至於功臣方面，隨高祖起事，功大封侯的，如蕭何，孝惠二年卒；曹參，孝惠六年卒；張良，孝惠六年卒，陳平，孝文二年卒；王陵，高后八年卒；周勃，孝文十一年卒；樊噲，孝惠六年卒；酈商，高后崩時已因病不能視事；夏侯嬰，文帝八年卒；灌嬰，孝文五年卒；傅寬，孝惠五年卒；靳歙，高后五年卒；周緤，孝文五年卒；張蒼，孝景五年卒；周昌，孝惠四年卒；任敖，孝文元年卒；

申屠嘉，孝景二年卒。

漢初丞相，例由功臣武人擔任，依序爲蕭何、曹參、王陵、陳平、周勃、灌嬰、張蒼、申屠嘉。而申屠嘉之任丞相，是十分勉強的，他並無學術，純因他是僅存的高祖功臣。漢書卷四十二本傳說：

張蒼免相，文帝以皇后弟竇廣國賢有行，欲相之。曰：恐天下以吾私廣國。久念不可，而高帝時大臣餘見無可者，乃以御史大夫嘉為丞相。

此可見文帝只是不願更改舊法而已。

統計以上諸人的卒年，除異姓諸王外，共計二十七人，至文帝六年時，去世的已有二十四人。可見文帝五年後，確實已到政權性格可變的時候。

古代專制政權的基本性質，固然有其不可變的部分，但政權性格卻是要受組成者的轉移影響的。漢初重視功臣武人，或封王侯，或爲丞相，政權性格因他們恃勇持武而成霸道，是必然結果。但此後繼體守成的，智勇已有所不如，再經中央整肅，可以堅持霸道意識的更是日益零落。孝文六年以後，大政已完全集中文帝之手，政權性格也要隨文帝的治國態度改變了。

文帝十分寬厚愛民，重視學術，據史記孝文本紀，他愛民政績如：元年十二月，除收帑諸相坐律令。二年十二月，詔舉賢良方正能極諫之士。正月，開籍田。三月，除誹謗妖言之罪。十三年五月，除肉刑。其他如節省宮室用度、修好匈奴、南越、臨崩下令喪葬從儉等等，都與民生安樂大有關係。可見他確實改變了漢初以來恃武強行的霸道性格。史記第十文帝本紀，司馬遷稱讚他說：

太史公曰：孔子言必世然後仁，善人之治國，百年亦可以勝殘去殺。誠哉是言。漢興，至孝文四十有餘載，德至盛也。廩廩鄉改正服封禪矣。謙讓未成於今。嗚呼！豈不仁哉！

文帝崩，景帝繼立，本文帝之道治理國家，遂形成可與西周成康之治比美的文景之治。

六　尊王黜霸主張的發展及意義

漢初本以霸道君臨天下，經由叔孫通、陸賈、賈山、賈誼四人崇王道黜霸術的接續努力，到文景時代，顯然已有效果。漢武帝能尊儒崇學，武帝後政治能明白走向用「霸王道雜之」的制度治理天下的情況，都可見尊王黜霸主張，確實已爲執政者所接受，並用以造福民衆。

回顧此一主張在漢初的發展，在高祖時是以相機進行的方式提出暗示或諷喻，由叔孫通、陸賈爲之。在文帝時代，是以公開建言方式提出諫正，由賈山、賈誼爲之。

尊王黜霸本是儒家在政治上的基本主張。如今由它能在深信黃老、形名的漢初帝王心中產生影響，而提出建議的學者們又均非醇儒的特點看來，此一主張的本身，在漢初有以下的發展及意義：

第一、這一主張經戰國長久的挫折後，終於爲執政權者所接受。執政者明白在與民休息及箝制四海之外，尙應爲社會民生指出光明理想與積極作爲。這對舉國上下都有益。秦因無學而亡，漢行秦法，如不能用學術救任法之弊，情況將和亡秦是一樣的。

第二、這一主張是由非醇儒所提出的。此現象一則顯示戰國末的學術調和運動已經在學者身上出

現效果，使學術之士不易保持學派特色。一則也可說是在調和運動下，眞正合理，有益世道人心的學說，終必被各方所接受而向有關方面提出爭取。因此，尊王黜霸主張在漢初時已可說發展至不僅屬於儒家，且同時可以爲黃老、形名家所接受的時期。

第三、就實際施用而言，文帝採納了賈誼的許多建議，顯示此說已由紙上談兵發展爲行動，可見提倡此說在漢初的意義，等於是學術之士對武人集團的一種改造運動。武人集團本來無視於學士們的存在，倨傲惡劣，令人難以接受，但在儒生們不氣餒的努力下，終於產生影響，使大權在手的文帝，及時有一依循。而漢之能得長久，人民獲享安樂，實是賈誼等人有先知先覺所致⑳。

第四、一統之後，霸道只是一種治術指導，給民衆一些福利，壓制他們不可反叛而已。但是遇到封建侯王也奉行霸道，反而使一統天下要再經一番爭戰，帶給民衆許多痛苦。尊王黜霸主張是學者研究的心得，是學術表現，故此一主張，在漢初的意義是學術與治術之爭，而學術取得了勝利。由此也連帶讓人肯定政治是不可離開學術的㉑。

因爲學術一方獲勝，儒家學術才從此獲得政府的尊重。後來武帝立五經博士及弟子，雖非叔孫通、賈誼等的建議，儒家學術的振作，卻是自他們發軔。漢初叔孫通始定禮儀，而高祖晚年征陳豨，回師時自淮南過魯，以太牢祠孔子而去（漢書高帝紀下）。不知是否爲儒學振興的先兆？

【附註】

① 史記高祖本紀：「未央宮成，高祖大朝諸侯群臣，置酒未央前殿。高祖奉玉卮，起爲太上皇壽曰：始大人常以臣無賴，不能治產業，不如仲力。今某之業所就，孰與仲多？」這段話充分顯示高祖爭天下之目的。

② 漢書卷三十四，班固總結韓信，彭越、英布、盧綰、吳芮五人傳記說：「昔高祖定天下，功臣異姓而王者八國，張耳、吳芮、彭越、黥布、臧荼、盧綰、與兩韓信。皆徼一時之權變，以詐力成功，咸得裂土，南面稱孤。見疑強大，懷不自安，事窮勢迫，卒謀叛逆，終於滅亡。張耳以智全，至子亦失國。」

③ 詳見漢書卷十四，諸侯王表序。又見卷三十五荊燕吳傳論贊。

④ 漢書高帝紀下云：與功臣剖符作誓，丹書鐵契，金匱石室，藏之宗廟。而群臣之有心，又可於開國諸將之傳記中看出來。此外，司馬光也說：「臣以爲高祖用詐謀禽信於陳，言負則有之；雖然，信亦有以取之也。始，漢與楚相距滎陽。信滅齊，不還報而自王，其後漢追楚至固陵，與信期，共攻楚而信不至。當是此時，高祖固有取信之心矣，顧力不能耳。及天下已定，信復何恃哉。夫乘時以徼利者，市井之志也；醻功而報德者，士君子之心也。信以市井之志利其身，而以士君子之心望於人，不亦難哉。

⑤ 如賈誼新書益通篇：「所謂建武關、函谷關、臨晉關，大抵爲備山東諸侯也。天子之制在陛下。今大諸侯多其力，因建關而備之，若秦時之備六國也。……所謂禁游宦諸侯，及無得出馬關者，豈不曰諸侯得衆則權益重，其國衆車騎則力益多，故明爲之法，無資諸侯。」由這一段話可知，至文帝時，漢室並不把關東諸侯國視爲忠誠可信的，始終在仔細觀察防範中，所以要嚴密關卡，以防事變。

⑥ 如漢書三十二、論贊以張耳陳餘爲「勢利之交」。通鑑卷十二、漢紀四、高帝十一年，司馬光評「韓信以市井之志利其身，而以士君子之心望於人，不亦難哉！」

⑦ 如漢書高五王傳贊稱「時諸侯得自除御史大夫，群卿以下衆言如漢朝。漢獨爲置丞相。自吳楚誅後，稍奪諸侯權。」又趙翼二十二史劄記卷二有漢時諸王國各自紀年條。

⑧ 見史記項羽本紀第七。

⑨ 同①。

⑩ 見漢書卷三十五荆燕吳傳：「上患吳會稽輕悍，無壯王塡之，諸子少，乃立濞於沛爲吳王，王三郡五十三城。已拜受印，高祖召濞相之曰：若狀有反相。獨悔業已拜，因拊其背曰：漢後五十年，東南有亂，豈若耶？然天下同姓一家，愼勿反。濞頓首曰：不敢。

⑪ 見漢書三十一，陳勝傳。

⑫ 如陳勝傳載，武臣至邯鄲，自立爲趙王；韓廣自立爲燕王；田儋自立爲齊王等是。

⑬ 俱見漢書本傳。

⑭ 見漢書卷四十三，陸賈本傳。其書名「新語」。

⑮ 見漢書卷三十九，蕭何曹參傳。其歌曰：「蕭何爲法，講若畫一。曹參代之，守而勿失。載其清靜，民以寧壹。」

⑯ 見史記二十三禮書：「孝文好道家學，以爲繁禮飾貌」。

⑰ 見史記一百廿一儒林列傳：「孝文帝本好刑名之言。」

⑱ 錢穆先生亦主張「漢初政府純粹代表一種農民素樸精神……因此恭儉無爲，與民休息，遂成爲漢初政府之兩大信念。……無爲之實則爲因循，因此漢初制度法律一切全依秦舊。戰國晚年申韓一派的法家思想，遂繼黃老而爲漢治之指導。（國史大綱上册八十九頁）

⑲ 錢穆先生以爲「西漢政府的文治思想，最先已由賈誼發其端。賈誼陳政事疏……均針對當時病象，其議論漸從法律刑賞轉到禮樂教化，此卽由申韓轉入儒家，以後之復古更化，賈誼已開其先聲。（國史大綱上册一〇〇頁）牟宗三先生則對賈誼至爲推重，以爲賈誼是「開國之盛音，創建之靈魂，漢代精神之源泉也。」（歷史哲學二三九頁）

⑳ 如瞿兌之秦漢史纂總論：「然有識之士，當文帝時，已懍然若不可終日者，知漢朝之無治具而亡秦之覆軌可慮也。……必欲求所以自重，則惟有采儒術，尊六經。奠思想之大本，明受命於天。」（秦漢史三二三頁）

㉑ 如漢書卷九十酷吏列傳序：「法令者，治之具；而非制治清濁之原也。」欲得「制治清濁之源」則不能不求之於學術。如漢書卷二十二，禮樂志敍賈誼主張說：「夫移風易俗，使天下回心而嚮道，類非俗吏之所能爲也。夫立君臣、等上下，使綱紀有序，六親和睦，此非天之所爲，人之所設也，人之所設，不爲不立，不修則壞。」又敍董仲舒主張說：「今廢先王之德教，獨用執法之吏治民，而欲德化被四海，故難成也。是故古之王者，莫不以教化爲大務。」立教化，則學術之事。

從董仲舒、淮南子至王充的「天」與「命」

項退結

一、導引

以三千餘年中國思想史而言，先秦的春秋戰國時代誠係最富原創性的時代。梁啓超先生說得好，和這個時代相比，兩漢四百年的著述有一論之價值者唯董仲舒、淮南子、司馬遷、劉向、揚雄、王充、王符、仲長統等寥寥數人而已①。其中司馬遷是歷史學家，劉向是文學史家，並非創造性的思想家。儘管如此，漢代思想對後代所發生的影響卻不可忽視。試以《春秋繁露》與《白虎通》而言，它們就影響了後代二千年的專制政治。王充對命運的看法尤其深入人心，牢不可破。

本文將探索「天」與「命」二概念，由董仲舒、淮南子至王充的演變。表面上看來，董仲舒的天命似乎最與王充的命祿不相容。本文將指出，董氏對天的看法早已埋下了王充命祿觀的種籽。淮南子對天與命的看法則不僅與王充相近，而且替後者提供了理論基礎。

爲了一目了然，且先一述三位思想家的簡歷。

董仲舒（前一八三？－一一五？）廣川人（今河北棗強縣）。漢景帝時已成爲治春秋的博士；漢武帝卽位，舉賢良文學之士前後百數，董仲舒卽其中之一。對策三次，其最重要的建議是「興太學，置明師，以養天下之士」，而「諸不在六藝（本文作者案：指禮、樂、書、詩、易、春秋）六科，孔子之術者，皆絕其道，勿使並進」。②武帝接受了他的建議，並任命他爲武帝之兄易王爲江都相。易王雖驕而好勇，卻很尊敬以禮匡正他的董仲舒。除三篇對策以外，董氏的最重要著作厥爲《春秋繁露》。

《淮南子》的作者劉安之父劉良係劉邦庶子，與漢文帝爲兄弟，封爲淮南王；因抗皇帝命而被削職，絕食而死。其三子初封爲侯，以後改封爲王，劉安（前一七九－一二四）繼其父爲淮南王。漢景帝時尚未發生重大事故。漢武帝愛好藝文，起初對興趣相同而又高一輩的劉安非常敬重，但終因謀反罪而殺了他。漢書〈淮南衡山濟北王傳〉稱劉安爲人好書鼓琴，招致賓客方術之士數千人。《淮南子》一書大約係劉安與賓客的集體著作③。

王充則已是東漢時期的人（二七－九七？），生於會稽郡上虞縣。曾至京師太學受業，頗受贊賞。但宦途多舛，僅任功曹及「治中」而已。六十歲時，始有同輩謝夷吾上書力薦，蒙漢章帝徵召，惜因病未成行。約於七十歲逝世④。撰《論衡》一書應於漢章帝章和年號（八七－八八）以後，因爲〈講瑞篇〉結尾時有「永平以來訖於章和，甘露常降」等語。除《論衡》以外，另有《養性之書》十六篇⑤，似乎並未傳諸後世。

漢朝初年流行黃老思想，但治六經及儒學者亦頗不乏人，董仲舒卽其中之佼佼者。淮南子思想則比較靠近道家。王充雖自稱「幼讀論語、尚書「日諷千字」⑥，《論衡》中的思想顯然與儒家採取距離，而比較接近道家。

二、春秋繁露對「天」與「命」的看法

爲了方便，本文第二節將以「董書」二字代替《春秋繁露》。此書言「天」與「命」之處幾乎俯拾皆是。本文將集中焦點於最後七篇（祭義第七十六至天道施第八十二）及中間十六篇（五行對第三十八至人副天數第五十五，其中三篇缺如），因爲這二十三篇幾乎可以說是「天」與「命」的專題討論。

董書中的自然之天　首先可以確定的是：董書中的「天」並不超越自然界。無論董氏如何對祭事「致其中心之誠」（76：310）⑦，他所云的「天」就是表顯於春夏秋冬四季的大自然：「春者天之和也，夏者天之德也，秋者天之平也，冬者天之威也。」（29：326）「陰陽之氣在上天亦在人。在人者爲好惡喜怒，在天者爲暖清寒暑。」（80：327）「天有五行，木火土金水是也……水爲冬，金爲秋，土爲季夏，火爲夏，木爲春。」（38：220）「天之行也，陰與陽相反之物也。」（51：243）以上所引用以及不可勝數的其他句子都證明，董子心目中的「天」就是可見的大自然，絕不在大自然之外。大自然運行的常規就是天之道、天之經、天之義（38：220），表現於四季、陰陽、五行。

方才說「天」指大自然，卻應作一個小小的區別。董書一再說「天之大數畢於十旬」或「天地陰陽木火土金水九，與人而十者，天之數畢也。」（43：227；81：328）「天之大數畢於十旬」是以「天」表達大自然的整體；「天地陰陽木火土金水人」則是把「天」和其他九數分開講。天與地顯然就是最大的陽與陰，但陽與陰的關係卻並不限於天與地；天有春、夏、季夏、秋、冬五行，但五行又不限於天的季節。無論如何，董氏心目中的人一方面「超然萬物之上而最爲天下貴也」（81：329），另一方面又完全是大自然的一部份，因此必須「循天之道以養其身」。董氏深信天地陰陽相交創生萬物：「天者萬物之祖，萬物非天不生。獨陰不生，獨陽不生，陰陽與天地參然後生」（70：289）；而生萬物方式則相當於男女關係：「天地之陰陽，當男女人之男女當陰陽」；「天地之氣不致盛滿不交陰陽」，所以董書勸君子「甚愛氣而遊於房，」不可過度。（77：312－317）透過跟地的陰陽相交，天既係萬物及人之本，所以天堪稱爲「人之曾祖父」（41：223）。

上述所云足以證明，董書中的「天」無論是指自然界整體，或者指與地相對的天，都是內在於宇宙之中，而非超越於宇宙之上。就哲學史來說，這一觀點應該導源於荀子或荀學派。對此，本文同意梁啓超所下的結論：「故自漢以後，名雖爲昌明孔學，實則所傳者，僅荀學一支派而已」⑧。儘管李鳳鼎提出異議⑨，梁啓超所根據的汪中「荀卿子通論」，本文作者曾細心推敲，覺得荀子傳經說除易經的證據不足以外，詩、春秋與禮記三經，史籍方面的證據均有若干份量⑩。董書之強調老百姓由「天生之，地載之，聖人敎之」（41：224），非常符合荀子所云「天地生君子，君子理天地」（王制第

九65）⑪的想法，而天地陰陽創生萬物之說大約也來自荀子（天論篇第十七：8—10；禮論第十九：77）。這一想法的創始者則是道家思想（道德經二十五章；莊子大宗師第六：30；達生第十九：6）。此外，董書之一再言「天地之常」及「天之數」、「天之道」，大約也和荀子的「天有常道矣，地有常數矣」（天論篇第十七：23）有關。

自然之天卽出令之天 董氏卻並未一味採納荀子的見解，尤其不肯接受「天能生物，不能辨物」（荀子禮論篇第十九：78）的說法。對董氏而言，天雖與地相對而係宇宙的一部份，卻依舊是詩經書經所云的「上帝」；董書亦稱之爲「皇皇上天」（69：288—289）。剛引用的郊祀第六十九篇中「上帝」和「天」顯然意義一致：恰才用「上帝」一詞以後，接下去就說：「天若不予是家，是家者安得立爲天子？……天已予之，天已使之，其間不可以接天何哉？」依據這一思考路線，董氏肯定天子非舉行郊祭不可，郊祭事天以後才可以祭山川及百神乃至祖宗（69：288—289；68：286）。董書中的「百神」與「祖宗」似乎係獨立的個體，但作爲「百神之君」的「天」（66：284）卻並非脫離大自然而獨立的個體。

董書之把自然界的天與上帝融合爲一，這件事實最明顯的證據是它所引述的郊祭祝詞：「皇皇上天，照臨下土，集地之靈，降甘風雨，庶物羣生，各得其所，靡今靡古，維予一人某，敬拜皇天之祐。」引述祝詞以前，董氏說宣王自以爲「不中乎上帝」，不敢謹事天，顯然把「上帝」和「天」混爲一談。引述祝詞以後，格外強調「右郊祀九句。九句者陽數也。」意思是說：天旣屬於陽數，祭天

時必須用九句。可見郊祭確是祭大自然之天，而天本身就是皇天、上帝「69：288—289）。董仲舒會完全同意斯比諾撒所云「上帝卽大自然」（Deus Sive Natura）之說。

正因如此，「天」、「上帝」或「皇皇上天」能夠頒布命令，上文所云立某家爲天子就是最重要的例子。不僅如此，董書認爲天是仁的，而且給所有的人頒賜仁性及仁的任務：「仁之美者在於天，天仁也。天覆育萬物，既化而生之，有養而成之；事功無已，終而復始，凡擧歸之奉人。察於天之意，無窮極之仁也。人之受命於天也，取仁於天而仁也。」（44：231）這段文字不僅肯定天是仁的，而且在生人養人時賦以仁的天性及實現仁性的命令。

除《春秋繁露》一書以外，董仲舒針對漢武帝要求的第一次對策中就有「命者天之令也」一語，第二次又說：「天令之謂命」⑫。可見，對「天」與「命」的這一想法是他的一貫信念。

董氏以前似無此項融合　德國漢學家佛爾開認爲中國古人心目中的天同時具物質與精神雙重特質：一方面是所見的天空，一方面也具有位格性。他的理由是：中國古人在慘痛情況中往往向蒼蒼者天呼求（例如詩經第二〇〇篇〈巷伯〉：「驕人好好，勞人草草。蒼天蒼天！視彼驕人，矜此勞人！」⑬但這卻是片面之詞。無論是書經的盤庚（「茲殷多先哲王在天」）和詩經中的〈文王〉（第二三五篇）：「文王在上，於昭于天。……文王陟降，在帝左右」）及〈大明〉（「維此文王，小心翼翼，昭事上帝。……有命自天，命此文王。」）等篇都充分顯示出，商朝與周朝初期所信的上帝是超越於天以上的，並非可見的天。孔孟二子雖很少用「上帝」一詞而以「天」字代替，卻從未把自然

界的天等同於出令的天帝。眞正有案可查而把自然界的天與出令之天混爲一談的是董仲舒。也許「易傳」在董仲舒以先有了這一見解；但易傳的各部份很可能由不同時代的不同作者所撰，因此不像《春秋繁露》那樣明顯。

詩經二六〇篇〈烝民〉早已有「天生烝民」之說。但天以何方式生烝民呢？是的，我們沒有足夠理由相信，中國古人對「天生烝民」的信念和聖經創世紀所云上帝從無中創造天地的想法完全一致；但也沒有理由相信，中國古人以爲天生烝民的方式完全和男女生子一樣。一如上文所言，董書中卻顯然有了這樣的擬人構想。對董仲舒個人及當時許多中國人來說，這一構想一方面讓人接受道家對大自然常道常數的思想，一方面又不必放棄周初與孔孟所信位格性的天，表面上似乎是一個創造性的融合。但藉常道與常數運作的自然之天，如何又可能同時是會思想會發布命令的上帝呢？正因爲自然之天與發布命令之天的融合非常勉強而不穩定，所以早已埋下了王充命祿觀的種籽。下面將會討論到的王充，就覺得董仲舒的融合方式太不可信：對他來說，天既是依常道運作的物質之天，就不可能有思想有意願，也不可能發布命令，因之世間祇可能有偶然的命運。不僅是王充，宋代的理學家也不再相信能出令的主宰之天。

三、淮南子的「天」與「命」

導引中的簡歷表示出，淮南王劉安和董仲舒生活在同一時代。但他們的生活環境卻非常不同：董

仲舒自幼卽習儒術，尤喜春秋公羊傳；劉安則尙停留於漢初對道家思想的熱衷。但正如司馬談「論六家之要旨」所表示的態度，當時的道家雖自以爲能安定人的神與形，而且又「無成勢，無常形，故能究萬物之情，不爲物先，不爲物後，故能爲萬物主」，卻也肯吸收陰陽、儒、墨、名、法五家的優點⑭。其實，荀子在批評其他各家之餘，也早已融合吸收了陰陽、名、法、道各家精華。漢代由荀學派所傳的儒家思想，無形中也都混合着其他各家思想，尤其是陰陽家與道家。《淮南子》（下文將簡稱爲「淮書」）也逃不過這一趨勢：基本上此書雖採道家立場，並公然挖苦儒家（例如卷七精神訓：110）⑮，但也贊成儒家的六藝（卷二十泰族訓：353）。除去當時各家都互相吸收的風氣以外，劉安的賓客本來就不屬於一家；淮書內容之駁雜，因此更不足怪。

以自然爲主的天　淮書基本上既採道家立場，其所云的天除少數幾篇有「上告於天，下布之民」（卷九主術訓：148）等句子以外，都是指自然之天。這裏所謂「自然之天」，大致可分爲二種意義：其一是指自然之道，其二是指四時星辰日月雨晴的物質之天。試舉若干例如下。

「天」字指自然之道，淮書中屈指難數，下面是幾個明顯的例子：原道訓開宗明義就說：「夫道者，覆天載地」，「脩道理之數，因天地之自然」（卷一：1—5）。「天地之自然」亦卽「大地之道」（卷七：100）或「天之道」（卷十繆稱訓：153）。因此，對全書大體作出總結的〈要略〉，認爲〈原道訓〉旨在使人「尊天而保眞」（卷二十一：369）。事實上，〈原道訓〉的確說明了淮書中「天」字的根本義：「所謂天者，純粹樸素，質直皓白，未始有與雜糅者也」，這也就是「天地之性也，…

…自然之勢也」。其反面是對大自然施以「曲巧僞詐」的人工。下面的例子最足以說明天與人的對立：「故牛岐蹏而戴角，馬被髦而全足者，天也；絡馬之口，穿牛之鼻者，人也。」卷一：5—7）聖人「順於天」，「眞人者，性合于道」（卷七：103），以及「聖人無思慮，無設儲，來者弗迎，去者弗將（案：將送也）；……遵天之道，不爲始，不專己；循天之道，不豫謀，不棄時；與天爲期，不求得，不辭福；從天之則，不求所無，不失所得。」（卷十四詮言訓：239）等句子都是說應順自然之道。

淮書中的「天」字卻也指物質之天：「夫圓者天也」（卷十五兵略訓：253），「星列於天而明」（卷十四：235），「天設日月，列星辰」（卷二十：347），「天有四時」（卷十：165）等等。淮書也和《春秋繁露》一般，以爲天的四時與人的「四用」相當：四用指眼耳口心的功能：「目見其形，耳聽其聲，口言其誠，而心致之精。」（卷十：165）此外，淮書也說人體與天地相似：「故頭之圓也象天，足之方也象地。天有四時五行九解三百六十六日，人亦有四支五藏九竅三百六十六節。天有風雨寒暑，人亦有取與喜怒。」（卷七：100）

淮書卻並不排斥宗教意義的天。例如卷六〈覽冥訓〉也說有「上天之誅」（89）。卷五〈時則訓〉也說「上帝以爲物宗」及「上帝以爲物平」（86）。卷八〈本經訓〉認爲「靜潔足以享上帝，禮鬼神，以示民知儉節」（123）。可能因爲淮書的目標是談治國之道，所以強調自然之道。但同樣以政治爲目標的《春秋繁露》，其風格卻全不相同。

以順自然為主的命　淮書對天的理解既以自然之道為主，涉及「天命」與「時命」的句子，也都跟董氏「天之令」的意義大相逕庭。

「命」字在淮書中約可分為三義：其一指王命，例如「三軍矯命」（卷十三氾論訓：222），「舜禹不再受命」（卷十繆稱訓：160），「古聖王至精形於內，而好憎忘於外。……禽獸昆蟲，與之陶化，又況於執法施令乎？……人主之於用法，無私好憎，故可以為命」（卷九：130－131）。其二指生命，例如聖人「不憂命之短」（卷十九脩務訓：332），「歲民之命；歲饑，民必死矣」（卷十二道應訓：199），「強不掩弱，衆不暴寡，人民保命而不夭」（卷六覽冥訓：94），「恬愈虛靜，以終其命」（卷七：103）。其三指命運，這也正是淮書中「命」字應用最廣的意義。例如「性者所受於天也，命者所遭於時也。有其材不遇其世，天也。太公何力？比干何罪？循性而行止，或害或利，求之有道，得之在命。」（卷十：162）又如「知命之情者，不憂命之所無奈何」（卷二十：360；卷十四詮言訓：236）。

淮書中的「天命」之意亦頗接近「命」之第三義。詮言訓既認為「通命之情者，不憂命之所無奈何」，因此敦勸讀者「原天命，治心術」，因為「原天命，則不惑禍福；治心術，則不妄喜怒。」（卷十四：236）同篇又勸人「心常無欲，可謂恬矣；形常無事，可謂佚矣。遊心於恬，舍形於佚，以俟天命，自樂於內，無急於外。」（卷十四：247）縱觀詮言訓的天命觀，其思想基礎端在於此篇開始時「物以羣分，性命不同」（卷十四：235）一語，而性與命的區分，正是上文所已引用的〈繆務訓〉的

主張。一如上文討論淮書中自然之道時所云，此書的「天」旣指不糅雜人工的天地之性，「命」或「天命」大不了也祇能指「莫之命而常自然」（道德經五一章）的「自然之命」（莊子天運第十四），亦卽偶然的命運。詮言訓的性命之分以後爲王充全部吸收。

四、王充心目中的「天」與「命」

一、完全屬於偶然的命

完全起自偶然的命運思想一直到現在仍是極大多數中國人的信念，儘管它已經和佛教信仰中的業和輪廻連在一起。⑯《論衡》〈自紀篇〉中，王充自述幼年曾下工夫讀論語與尚書等書。然而，王充對「天」與「命」的看法與論語、尙書相去竟若天壤之別。這其中的原因，王充在同一〈自紀篇〉中提供了許多寶貴的訊息。他自稱「才高而不尙苟作，口辯而不好談對，非其人終日不言」，「常言人長，希言人短」，可見是相當孤高自賞而又仁厚的個性。儘管他才氣過人，一生卻祇做過別人的幕僚。而才能德性均不如他的許多別人卻能飛黃騰達。這些生活經驗遂使他深信，我人所生活的世界是荒謬不可究詰的。論語與尙書所云的天令、天命旣與他的生活經驗不合，所以他祇能相信偶然遇到的「命祿」：「達者未必知，窮者未必愚。遇者則得，不遇失亡。故夫命厚祿善，庸人尊顯，命薄祿惡，奇俊落魄。」（卷三十：1下，8下）

上文已提及淮南子書中已作了性與命的區分。命是人所無可奈何者，性則稟自天而人藉之能爲善

者。但無論如何爲善，卻不能「必其得福」或「以免其禍」（淮南子卷十：162）。

除去淮南子的影響以外，王充的命祿思想大約也受之於荀子。後者不僅在天論篇（第十七：7）肯定「天有其時」，而且在正名篇（第二十二：6）替「命」下了定義：「節遇謂之命」，意謂恰好遭遇到的事稱爲命；有坐篇（第二十八：39—40）更強調「遇不遇者時也。……今有其人，不遇其時，雖賢，其能行乎？苟遇其時，何難之有？」不消說，王充完全同意荀子與淮南子的這一說法，而且使之變本加厲。至於孔子的「死生有命，富貴在天」一語，雖一再爲王充引用（卷一：9上），其意義是否與《論衡》相同，則是必須澄清的一個問題。《論衡》幾乎可以說是討論「命」、「遇」、「時」的專著，尤其是最初三卷中的「逢遇」、「命祿」、「幸偶」、「命義」、「無形」、「偶會」等篇。

稱《論衡》爲討論「命」「遇」「時」的專著，也許有些過甚其辭。但命的問題是王充思想的重心，這句話卻完全正確。《論衡》殿後的〈自紀篇〉斤斤然以此爲言，而第一卷第一篇卽以「逢遇」爲題，第三篇「命祿」的主題也一目了然。這二篇都開門見山：〈逢遇〉篇一開始就說：「操行有常賢，仕宦無常遇。賢不賢才也，遇不遇時也」〈命祿篇〉也以下面幾句開始：「凡人遇偶及遭累害皆由命也，有死生壽夭之命，亦有貴賤貧富之命。」第一卷的其餘二篇是「累害」與「氣壽」，不過更詳細發揮命祿篇第一第二句的內容而已。因此，全書第一卷的四篇都澈頭澈尾主張，人的死生壽夭貴賤貧富及遭累害，均由命使然。

《論衡》對命、遇、時的討論可謂俯拾卽是。其要點如下：第一，對「遇」、「命」、「時」的定義；第二，對三命的見地；第三，對人命禀於天的看法。

第一，王充對「命」的定義是：「命吉凶之主也，自然之道，適偶之數」（卷三偶會篇第十：1上）。他對「遇」的定義是對「適偶」二字的發揮：「不求自主，不作自成，是名爲遇，猶拾遺於塗，摭棄於野。」爲了加強說服力，王充在這些話以前講了一則故事：「昔周人有仕數不遇，年老白首泣涕於塗者。人或問之何爲泣乎。對曰：吾仕數不遇，自傷年老失時，是以泣也。人曰：仕奈何不一遇也。對曰：吾年少之時學爲文。文德成就，始欲宦，人君好用老。用老主亡，後主又用武。吾更爲武，武主又亡。少主始立，好用少年，吾年又老。是以未嘗一遇。」（卷一逢遇篇第一：4上）關於「時」，王充僅輕描淡寫地說：「命則不可勉，時則不可力，知者歸之於天」（卷一命祿篇第三：7下）。

第二，東漢時盛行三命之說，卽「正命」、「隨命」、「遭命」：「正命」指本於所禀之氣而得吉；「隨命」是視人行爲善惡而得吉凶，書經的基本思想之一卽係如此；「遭命」則是無端遭到凶禍（卷二命義篇：5上）。約於同一時期問世的《白虎通》則稱爲「壽命、隨命、遭命」，意義與上述三命略同。⑰稍後的趙岐（一〇八—二〇一）則以「受命」（行善得善）、「隨命」（行惡得惡）、「遭命」（行善得惡）爲三命⑱。王充激烈反對隨命說（當然包括後起的「受命」之說（卷二命義篇第六：5—6），而主張只有偶然的「正命」與「遭命」。他所云「壽命」與「祿命」都可歸結於「

正命」，而所謂「所觸值之命」亦卽「遭命」（卷一命祿篇第三：10；氣壽篇第四：10下）。

第三，人的命究竟何從而來？王充的答覆如下：「凡人受命，在父母施氣之時已得吉凶矣」。人受孕這一刹那何以會如此重要呢？這裏，王充以天象來詮釋「死生有命，富貴在天」一語：「命則性也。至於富貴所禀，猶性所禀之氣，得似星之精。衆星在天，天有其象；得富貴象則富貴，得貧賤象則貧賤。故曰在天。在天如何？天有百官，有衆星。天施氣，而衆星布精。天所施氣，衆星之氣在其中矣。人禀氣而生，含氣而長；得貴則貴，得賤則賤。貴或秩有高下，富或貲有多少，皆星位尊卑小大之所授也。」（卷二命義篇第六：4—5）不僅個人的命繫於星象，「國命」亦繫於衆星：「列宿吉凶，國有禍福」。因此王充評論項羽與劉邦的勝敗說：「項羽且死，顧謂其徒曰：吾敗乃命，非用兵之過。此言實也。實者項羽用兵過於高祖，高祖之起有天命焉。」（卷二：4）

至於人所禀於天的吉凶之命，則可見於人的骨相（卷三骨相篇第十一：4下）：「人曰命難知。命甚易知。知之何用？用之骨體。人命禀於天，則有表候於體。察表候以知命，猶察斗斛以知容矣。表候者骨法之謂也。」至於國家的盛衰，王充則認爲可見於瑞應（卷十九驗符篇第五十九：12下）。

最令人驚奇不置的是：《論衡》用了這麼多次的「命」字，居然找不到一次是指命令：最大多數指盲目而偶然的命，也有幾次指人的壽命。這裏我必須承認，上述判斷是基於《論衡通檢》[19]。當然，我不可能對全書去作一次查核工作。

二、無知、無心、無意義的自然之天

天與地「不能辨物」又「不知善」之說，荀子早已言之（禮論篇第十九：78；堯問篇第三十二：35）。但大略篇（第二十七：75）與賦篇（第二十六：5）卻又承認「天之生民，非爲君也；天之立君，以爲民也」，以及「皇天隆物，以示下民」。王充卻把荀子對天、地的看法極端化，認爲天地不但無知，亦且無任何心意（十四：8下）。「天之與地皆體也」（七：3下）；天不能聞人言（四：12—13）；地既不能哭，天亦不能怒（六：14—15）；天既無心意，當然不可能以災異譴告人（十四：7—8），人也不可能感動天地（十五：2下）或求雨（二十九：2—3）。總之，「夫天道自然也，無爲。如譴告人，是有爲也，非自然也。黃老之家論說天道，得其實矣。」（十四：8上）最後所引數語可謂一針見血：王充對天與地的看法得之於道家思想。

不僅如此，王充還更進一步，認爲人生於天地之間完全出於偶然：「夫天地合氣，人偶自生也。……然則人生於天地也，猶魚之於淵，蟣虱之於人也；因氣而生，種類相產。」（三：16上）這也就是說，不但人之禍福來自偶然的遭遇，天地間的人與萬物也出於偶然，一切均無意義可言；用當代存在主義的用語，可以說一切都是荒謬的。

儘管如此，王充卻仍有所追求：「夫德高而名白，官卑而祿泊，非才能之過，未足以爲累也。……身與草木俱朽，聲與日月並彰。行與孔子比窮，文與揚雄爲雙。」除此以外，王充也頗用心於「養氣自守」，「庶幾性命可延」（三十：8下，10）。這使我聯想到卡繆（Albert Camus, 1913-60）的西西弗斯神話：西西弗斯天天不斷把一塊石頭滾至山頂，又讓它掉下，隨卽重新開始這無意義的努

力。但卡繆卻說：「必須想像西西弗斯是幸福的」⑳。

然而，王充引用孔子「死生有命，富貴在天」二語時卻犯了一個很大的謬誤，那就是完全用他自己對「命」與「天」二字的用法去理解孔子。實則依據論語所載，孔子的「天」多半指上帝；他所云的「命」因此亦與上帝之命脫不了關係。

五、董、劉、王「天」「命」思想的影響及哲學評估

從哲學觀點來看，董仲舒《春秋繁露》的特色，在於一方面相信人與宇宙均有意義，因爲宇宙的最高根源——天地具心意與目標；另一方面，包括宇宙萬物整體的天地又是遵循自然規律刻板運作的大自然。董氏相信天有無窮極的仁心，而人在宇宙之中佔特殊地位，因爲「人下長萬物，上參天地」（天地陰陽第八十一：329）。另一方面，他也把「天地」「陰陽」「木火土金水」之間的自然運作過程視爲心意的表示，隨時對這些自然運作賦以擬人意向，並以之爲人行爲的準則。例如他認爲「臣之義比於地，故爲人臣者視地之事天也。爲人子者，視土之事火」（陽尊陰卑第四十三：229）。同樣地，董氏以下述推論肯定重男輕女的原則：「知貴賤逆順所在，則天地之情著，聖人之寶出矣。……陽始出，物亦始出；陽方盛，物亦方盛；陽初衰，物亦初衰；物隨陽而出入，數隨陽而終始；三王之正，隨陽而更起。以此見之，貴陽賤陰也。……達陽而不達陰，以天道制之也。丈夫雖賤皆爲陽，婦人雖貴皆爲陰」（同篇：228）。

要如我們把《春秋繁露》的尊卑觀和《荀子》作一比較，就會發覺二種思想的尖銳對比：荀子把天（大自然）與人分得非常清楚：大自然依「天行」的常道（天道）刻板地進行着，需要人的智慧去管理，這就是〈天論篇〉的主旨所在。人的社會（羣）卻需要「聖人」與「人君」去「分」：「人之生不能無羣，羣而無分則爭。……而人君者，所以管分之樞要也」（富國篇第十：22—24）。荀子所云的「分」也就是君臣、夫婦、貴賤之分；但他完全從人類社會的需要着想。因爲，「欲惡同物；欲多而物寡，寡則必爭矣」（同篇：4—5）；爲了「養人之欲，給人之求」，荀子認爲社會必需有貴賤尊卑的禮義之分（禮論篇第十九：2）。荀子也主張專制政治及社會等級，但理由完全基於人與人之間的利害關係。董氏則把這一社會制度植基於天心天意天命，而天命又表現於天地陰陽五行的大自然運作過程。大自然的運作是經驗事實；「地事天」、「土事火」、「陽尊陰卑」則屬於擬人化的主觀構想。董氏之所以能把這些對大自然擬人化的構想視爲人行爲的準則，是因爲他把天與大自然視爲上帝。這樣，大自然的一應現象也就成爲上帝意旨的顯示。

不獨此也，這次研討會中曾春海先生的論文（五、正義的政治、經濟觀）充分指出，董氏從陽尊陰卑之說推演出絕對的尊君說，甚至主張「臣不奉君命，雖善，以叛言。」（70：291）這也就是說：即使帝王的命令違反理性，爲臣者也不得不「順命」。這顯然是替帝王的極權統治辯護。

很高興在研討會中聽到林聰舜與沈消松二位先生不約而同地指出，漢初服膺的黃老思想已蘊含了秦代的法家思想，藉以滿足統治者的支配需要。這一基本事實在漢武帝「獨尊儒術」以後也並未改

變。董氏絕對的尊君思想則一點不符合孔孟精神，也沒有荀子那麼高明，徹頭徹尾成爲專制政體的的工具。

值得注意的是：董氏綜合自然觀、人觀及宗敎觀爲一體的這一看法亦可見諸《易傳》與《白虎通》。〈繫辭〉一開始就說：「天尊地卑，乾坤定矣。卑高以陳，貴賤位矣。」〈繫辭〉又認爲「天地之大德曰生」，因此天地以生物爲目標；人則需要天的助佑：「自天祐之，吉無不利」（下1—2），「天之所助者順也」（上11）；同時卻又肯定在生生不已「一陰一陽」的常道（上4）。《易傳》這一思想與《春秋繁露》若合符節。但《易傳》既無五行思想，大約不曾受董仲舒影響，而後者很可能受前者影響。反之，《白虎通》把五行陰陽與東南西北、春夏秋冬混在一起，又說：「子順父，臣順君，妻順父何法？法地順天也。男不離父母何法？法火不離木也。女離父母何法？法水流去金也」（白虎通卷二上：1—9）：其論調完全取之《春秋繁露》。卽此可見董氏對後代影響之深。《淮南子》的著作時代雖與《春秋繁露》大致相同，卻比較側重自然之道。《淮南子》也說「天有四時五行九解」，而人與天地相參（卷七：100）；但他的「天」僅指大自然，並不與有心意的上帝相混。

《論衡》曾徵引「淮南書」，對淮南王「好道學仙」（七：2上）及「天柱折地」之說（二十九：8下）頗多貶詞，甚至斥爲「浮妄虛僞」。但本文曾指出，王充的性與命之分卻與《淮南子》的〈詮言訓〉（十：162）若合符節。《論衡》提董仲舒之處比提淮南王劉安至少在一倍以上。王充頗贊

賞董氏的對策之文（二十：6上），但對他的求雨之術頗不以爲然，認爲「人不能以行感天，天亦不隨行而應人」，「天之暘雨自有時也。……當其雨也，誰求之者？當其暘也，誰止之者？」（十五：6—8）

上面這些話充分表示出，王充的天祇是循刻板規律運行的大自然。循常道的大自然是人的經驗範圍所及，也是王充所信服的東西（卷十八，自然篇第五十四）。這以外，無論是書中所載，也無論是道聽途說的事，王充都持批判態度。因此，《論衡》中的許多篇都是對一般人所信表示懷疑：例如〈書虛〉是批判一些「虛妄之書」，〈變虛〉、〈龍虛〉、〈道虛〉、等一共九篇都屬這一類的篇章；〈語增〉、〈問孔〉、〈刺孟〉等篇亦然。董仲舒的天心、天意、天命尤被目爲無稽之談。一如上文所言，王充以爲不僅人的遭遇是偶然，宇宙間的萬物均不藉心意而自生。「天地合氣，萬物自生。……天動不欲以生物，而物自生，此則自然也」。至於何以可肯定天地均無心無意無爲，〈自然篇〉有下列推論：「何以天之自然也？以天無口目也。案有爲者口目之類也。……今無口目之欲，於物無所求，索夫何爲乎？何以知天無口目也？以地知之。地以土爲體，土木無口目。天地夫婦也。地體無口目，亦知天無口目也」（十八：1—2）。

王充的這一推論一方面基於經驗，另一方面基於他對無口目卽無心無欲，以及「天地夫婦也」的信念。但後一信念毫無事實根據；至於心靈生活是否必然與物質的口目共存亡，這也不是一句話就可解決的問題。基本上，王充認爲心靈生活必然與物質的口目共存亡，是基於終驗主義。而經驗主義在

知識論上是無法立足的。此外，宇宙有規律與次序，何以這一切都起源於盲目的偶然？王充這一想法非常相似莫諾（Jacques Monod, 1910-76）由偶然的累積產生必然規律的說法㉑。本文作者在另一論文中曾嘗試說明，莫諾此說無法成立㉒。此外，王充在許多篇章中雖表現出不平常的批判與懷疑精神，卻又迷信天象、星座、骨相與瑞應，與科學精神相差奚啻天壤？

然而，王充「人亦蟲物，生死一時」的虛無主義論調卻對魏晉時代影響深刻，而盲目的命運觀至今尚影響中國人的心靈。但相信宇宙與人生均爲無意義而荒謬的，這一想法無法滿足人心。這也許是佛學與佛教從此大盛於中國的背景之一吧：它們滿足了那時代中國人對人生意義的追求。

聰明的讀者也許會發覺，本文引用荀子之處特別多。本文這一作法並非偶然，因爲這正好證實梁任公的話：他認爲漢代以後的儒學僅係荀學一支。本文則更指出，荀學也影響到其他各家的思想。

【附　註】

① 梁啓超：中國學術思想變遷之大勢。飲冰室文集，臺北市：幼獅書局，民國五十二年，頁二四八。

② 班固：漢書卷五十六，董仲舒傳第二十六。臺北市：洪氏出版社印行，頁二五一二

③ 同書卷四十四，淮南衡山濟北王傳第十四，頁二一三五－五二。

④ 後漢書，卷七十九，王充王符仲長統列傳第三十九，王充傳。武英殿版二五史。臺北市：德志出版社影印，民國五十一年，頁六五六－七。

⑤王充：論衡，臺北市：臺灣中華書局，民國七十年，卷三十，頁十。

⑥全書，卷三十，頁一下。

⑦董仲舒：春秋繁露，臺北市：河洛圖書出版社，民國六十三年。以後引用此書時，僅在本文中加括弧，寫出本書篇數，冒號下面是總頁碼。可參考韋政通：董仲舒，臺北市：東大圖書公司，民國七十五年。

⑧梁啓超：中國學術思想變遷之大勢。飲冰室文集，頁二四五。

⑨李鳳鼎：荀子傳經辨。羅根澤編著：古史辨㈣，臺北市：明倫出版社，民國五九年，頁一三六－一四〇。

⑩項退結：中國人的路，臺北市：東大圖書公司，民國七十七年，頁五－一七。

⑪哈佛燕京學社：荀子引得，臺北市：成文出版社影印，民國五十五年。正文中加括弧，寫出篇名及引得中的行碼。

⑫漢書卷五十六，董仲舒傳第二十六，頁二五〇一，二五一五。

⑬Alfred Forke, Die Gedankenwelt des chinesischen Kulturkreises, Munchen: Verlag von R. Oldenbourg, 1927. S.40-42.

⑭史馬遷：史記卷一百三十，太史公自序第七十，臺北市：洪氏出版社，民國六十三年，頁三二八八－九二。

⑮劉安：淮南子，臺北市：世界書局，民國四十七年。正文中引用時，在括號中寫出卷數、篇名及全書總頁碼，或僅寫卷數及總頁碼。可參考李增：淮南子思想之研究論文集，臺北市：華世出版社，民國七十四年。

⑯王充：論衡。正文中引用時，僅於括號中寫出卷數及該卷頁碼，並寫明該頁之上下；有時亦寫出篇名。

⑰ 班固等撰：白虎通，北京：直隸書局影印，民國十二年，卷三下，頁十二。

⑱ 十三經疏：孟子注疏，臺北市：藝文印書館影印，民國七十年，總頁二五三。

⑲ 論衡通檢，臺北市：南嶽出版社影印。此書究竟由何機構編製，惜無從稽考。

⑳ Walter Kaufmann, Existentialism from Dostoevsky to Sartre Cleveland: World Publishing Co., 1956, pp. 312-3.

㉑ Jacques Monod, Le hasard et la necessité, Paris: Seuil, 1970.

㉒ 項退結：洪範面對非理性或自律的合理性——合理性終極起源的討論。哲學與文化月刊第十七卷第二期，一九九〇年二月，頁一一九—一二八。

漢墓出土黃帝四經所論道法關係初探

沈清松

一、黃帝四經與漢初思想

欲了解漢初思想，「黃帝四經」是十分重要的文獻之一。一九七三年長沙馬王堆出土漢墓帛書老子甲卷本和乙卷本，在乙卷本之前抄有《經法》、《十大經》①、《稱》、《道原》四篇，按卽《漢書》〈藝文志〉所謂「黃帝四經」。我們有理由相信，一直到獨尊儒術的武帝之前，黃老思想是漢初思想的主流。

關於「黃帝四經」，《漢書》〈藝文志〉言及道家者流計三十七家，其中有關黃帝者五：「黃帝四經四篇，黃帝銘六篇，黃帝君臣十篇，雜黃帝五十八篇，力牧二十二篇。」②按此所謂「黃帝四經四篇」應卽前述《經法》、《十大經》、《稱》、《道原》四篇，且此四篇常與老子二篇合觀，並稱「黃老」。爲此，《隋書》〈經籍志〉謂：「漢時，諸子道書之流，有三十七家……其黃帝四篇，老子二篇，最得深旨。」隋書所言正是近年漢墓出土黃老帛書先後之秩序。所謂黃帝四經應卽出土的四篇，抄於老子乙卷本之前，因而合稱「黃老帛書」。

所出土漢墓建於漢文帝十二年，由此可見，黃帝四經大約抄於漢文帝初。此書之抄錄與陪葬，證明該書在漢初深受貴族之重視，貴族之所以喜愛此書，與當時統治階層的思想取向很有關係。大約自惠帝之時至武帝尊儒之前，黃老思想頗具影響。按《史記》〈曹相國世家〉謂：「其治要用黃老術，故相齊九年，齊國安集，大稱賢相。」③太史公贊曰：「參爲漢相國，清靜，極言合道，然百姓離秦之酷，後參與休息無爲，故天下俱稱其美矣。」④

由此可見，漢初當權者之所以喜愛黃老，使得黃老思想盛行，其因在於漢初離秦酷政與伐秦之戰不久，百姓需要休養生息，因而統治者能了解百姓所需，較爲崇尚道家清靜無爲之思想。

然而，漢初統治者之所以喜愛黃帝四經，並不只是因爲其中含有清靜無爲的道家思想，而且也因爲其中含有法治思想。所謂「漢承秦制」，當然包含了法制，亦卽承接了秦代嚴酷的法家傳統。《漢書》〈刑法志〉謂：「漢興，高祖初入關，約法三章。……其後四夷未附，兵革未息，三章之法不足以御奸。於是蕭何攈摭秦法，取其宜於時者，作律九章。」⑤又曰：「漢初之興，雖有約法三章，網漏吞舟之魚，然其大辟，尙有夷三族之令。令曰：『當三族者，皆先黥、劓、斬左右止，笞殺之，梟其首，菹其骨肉於市。其誹謗詈祖者，又先斷舌。』」⑥至文帝時，刑罰大省，然而《漢書》〈刑法志〉仍謂：「外有輕刑之名，內實殺人。」⑦發展到了武帝，由於外事四夷之功，內盛耳目之好，徵發煩數，百姓貧耗，窮民犯法，此時「律令凡三百五十九章，大辟四百九條，千八百八十二事，死罪決事比萬三千四百七十二事。文書盈於几閣，典者不能徧睹。」⑧此時法治更爲煩繁殘酷矣。由約法

三章到作律九章到三百五十九章，法治思想可謂愈演愈盛。

由此可見，漢初統治者之所以喜愛黃老，除了其中有淸靜無爲之旨以外，還可以提供漢初法治以理據。「黃帝四經」非但主張順應精神，而且於《經法》篇開宗明義指出「道生法」，可謂深中漢初既道且法的思想趨勢。爲此惠帝、文帝、竇太后皆雅好黃老。《史記》〈外戚世家〉曰：「竇太后好黃帝老子言，帝及太子諸竇不得不讀黃帝老子，尊其術。」⑨按日人瀧川龜太郎於《史記會註考證》中考證謂此包含黃帝四經四篇等文字。此外，《史記》〈儒林列傳〉亦謂：「然孝文帝本好刑名之言，及至孝景，不任儒者，而竇太后又好黃老之術，故諸博士具官侍問，未有進者。」⑩可見，非但統治階層喜好黃老，而且影響知識階層，士人爲與當道相配合，亦趨附之。以是黃老之言在漢初鼎盛，亦可謂政界、學界共同尊崇之主流思想。

「黃帝四經」之所以能滿足當時統治者及士人，「道法關係」可謂極爲重要之議題，蓋其所涉及者，一方面爲如何將法治思想立基於形上基礎；另一方面則又使形上之道落實於法治制度。本文爲篇幅所限，僅剋就「黃帝四經」所論「道法關係」予以討論，藉以了解漢初思想之一端。

二、道、萬物與人

「黃帝四經」關於「道」的思想秉承自老子，但對之做了相當程度的修改。至於修改的方向爲何，必須在本節中予以確定。

老子的「道」概念總攝了其主要的形上思想。對於全體道家哲學而言，「道」概念佔極爲核心的重要地位。老子的「道」概念之提出在中國思想史中有其原創意義，取傳統的，尤其儒家的「天」概念而代之，成爲指涉終極實在的首要概念。在《詩經》、《尙書》等原始儒家典籍中，「天」乃指涉終極實在之核心概念，或指位格上帝，或指義理極則，天命下貫成爲人性，故《中庸》曰：「天命之謂性。」老子之世，戰亂頻仍，不義當道，人們很難再相信有一公正的位格之神或義理極則，人性亦不必有天做爲賦予存在的代理者，因而老子嘆謂：「夫莫之命而常自然。」「天」於是轉變爲自然之天，「天地」則爲一切自然現象所在之場域，「天道」則爲大自然所遵循之法則。「天」、「天地」、「天道」皆是由道所衍生、所開顯之結果。唯有「道」爲終極實在。人與天地中一切萬物同爲道之所生，同樣各具其「德」，並須復歸於道。如此一來，「道」概念的提出造成了中國古代形上思想的根本改變，由原先人類中心、人文取向的天人關係，轉變爲宇宙關懷、存有取向的道德關係。

按照吾人在〈老子的形上思想〉一文中的研究，老子所謂「道」，具有三層意義⑪。其一，指變化的規律，凡老子所謂「天道」——例如「見天道」、「天道無親」、「天之道，其猶張弓歟」——皆是指宇宙萬物變化的究極規律，此層意義屬宇宙論的層面；其二，指能生的根源，道亦指生成天地萬物的根源力量，例如老子所謂：「道生一，一生二，二生三，三生萬物。」（四十二章）此處所謂「生」並無基督教神學所言的「從無創造」(Creatio ex nihilo) 之意，而是以「開顯」爲「生」。由道而顯發成天地萬物，有由存有學過渡到宇宙論的意味；其三，指存有本身，老子亦將道的意義推

至玄之又玄之處，指那生生不息的存在活動本身，道本身，終極的存在活動，繩繩不可名，只能在復命之後體合之渾全。老子並且透過類似「道可道，非常道」之類的語詞來確立「道」和萬物之間的存有學差異⑫。

關於道的屬性，老子嘗謂：「有物混成，先天地生，寂兮寥兮。獨立而不改，周行而不殆，可以爲天下母。吾不知其名，強字之曰道，強爲之名曰大。大曰逝，逝曰遠，遠曰返。」可見，這些屬性皆是「強爲之名」的結果，因而皆是「模擬的屬性」，並非「描述的屬性」。就此而言，道是「混成」的「有物」，亦即未分化前的整全。道分化之後而有天地，然而在未分化之前，道乃混成的有物，因而是「先天地生」，此乃就存有學而言的屬性。其次，「寂兮」——無聲，不可聽聞的；「寥兮」——無形，不可視見的；「獨立」——自主不依的；「不改」——恒然不遷的；「周行」——徧在一切的；「不殆」——永不止息的；「可以爲天下母」——能生發天地萬物的。以上這些屬性不只停留於存有學層次，而是由存有學往宇宙論過渡的屬性，可以生發出天地萬物。接下來的，則全然是宇宙論層次的屬性了；「大」——無所不包；「逝」——周流不息；「遠」——擴充無已；「反」——循環往復。道在宇宙中越行越遠，越遠越返，顯然是一個循環、圓融的歷程。

究竟老子的「道」概念在黃老之學中，尤其在《黃帝四經》中，經歷了怎樣的改變呢？

一般而言，稷下的黃老思想傾向於用「氣」來詮釋老子所謂的「道」，並賦予它以老子所謂道的部分性質，並且由老子「道」概念的存有取向、宇宙關懷轉回到人文的關懷，至於其之所以討論宇宙

之法則，是爲了要給人類的政治社會法則奠基。

例如，在被認爲是稷下黃老著作的《管子》、〈內業〉中有謂：「凡物之精，此則爲生。下生五穀，上爲列星。流於天地之間，謂之鬼神。藏於胸中，謂之聖人，是故名氣。杲乎如登於天，杳乎如入於淵，淖乎如在於海，卒乎如在於已。是故此氣也，不可止以力，而可安以德……。」⑬由此可見，道就是物之精，亦卽氣也，能生五穀，能爲列星。〈內業〉又曰：「精也者，氣之精者也。」並認爲人的智慧實乃精氣之作用：「博氣如神，萬物備存……思之思之，又重思之。思之而不通，鬼神將通之。非鬼神之力也，精氣之極也。」⑭可見，〈內業〉以道爲精氣，而精氣既是宇宙論的原理，也是人類學的原理，因爲人藉之以獲得智慧。

至於道的屬性，黃老學者仍然保留了超越感官的屬性，所謂：「謀乎莫聞其音，卒乎乃在於心。冥冥乎不見其形。淫淫乎與我俱生。不見其形，不聞其聲，而序其成謂之道。」⑮此處言及其無形無聲，超越感官，但又能被心所把握，此有別於老莊通常對「心」採取貶義的傾向；同時又強調道的依序而成之性質，心旣可以把握道的性質，爲此而有與人心相合因而可知的屬性。爲此，黃老學者所言道之屬性，不再如老子般爲「模擬的屬性」，而變成「描述的屬性」了。〈內業〉曰：「几道無所，善心安愛，心靜氣理，道乃可止。彼道不遠，民得以產。彼道不離，民因以知……修心靜音，道乃可得。」⑯雖然強調道乃人心所可知，但仍然強調其宇宙論的屬性，尤其是道能生發天地萬物的屬性：「凡道，無根無莖，無葉無榮，萬物以生，萬物以成，命之曰道。」由此可見，道仍被視爲生成萬物

的根源。

稷下黃老思想以「氣」來詮釋道的方式，也同樣出現在「黃帝四經」之中。《道原》說：

「恒无之初，迵同大虛。虛同爲一，恒一而止。濕濕夢夢，未有明晦。神微周盈，精靜不巸（熙）。古未有以，萬物莫以。古无有刑（形），大迵无名。天弗能復（覆），地弗能載。小以成小，大以成大。盈四海之內，又包其外。」⑰

以上描述道在未經分化產生萬物之前，混同爲一，混沌未分，幌蕩未明，並且瀰漫一切的狀態，可謂以「氣」的模樣來設想道。道亦具「無形」的屬性——「古无有刑」、「莫見其刑」、「廣大弗能爲刑」；亦與老子之「道」一般具有「自主不依」的屬性：「獨立不偶，萬物莫之能令」；亦同樣具有「無所不包」、「周流不息」的特性：「神微周盈」、「盈四海之內，又包其外」。最後，道並能生發萬物：「萬物得之以生，百事得之以成。」

「黃帝四經」不但認爲道能生發萬物，而且肯定道並不因爲萬物的產生或消滅而增多或減少。《道原》曰：「天地陰陽，四時日月，星辰雲氣，蚑行蟯動，戴根之徒，皆取生，道弗爲益少；皆反焉，道弗爲益多。」由此可見，道和萬物之間有差異，不過此種差異多就宇宙論層面言之，而沒有提昇到存有學層面。遍尋「黃帝四經」，吾人找不到任何語詞確立「存有學差異」之觀念。

不過，就宇宙論層面而言，「黃帝四經」所言的道在萬物之先，並以分化的方式來生發萬物，這一點是和老子思想一致的。在分殊成爲萬物之前，道亦未分判爲明晦陰陽等對立狀態，道是這些對立

狀態的統一。《十大經》〈觀〉曰：「无晦无明，未有陰陽，陰陽未定，吾未有以名。今始判爲兩，分爲陰陽，離爲四〔時〕。」在老子思想裏面，道也是超越了有無，陰陽，善不善，美醜，前後等對立狀態而爲其統一。不同於老子的是，在「黃帝四經」之中，道做爲未分化之前的混沌之氣，直接透過分化的過程而分爲陰陽，離爲四時，並產生天地萬物。爲此，其宇宙生發論是以萬物爲氣直接分化的結果。然而，在老子思想裏面，由於強調道的存有學意涵，因而道並不直接生發爲天地萬物。老子原典顯示，自道開顯成宇宙萬物，則曰：「無，名天地之始；有，名萬物之母。」自萬物而追溯根源，則曰：「天下萬物生於有，有生於無。」由此可見，有與無乃由道顯發萬物，或由萬物溯源於道的兩個中介環節。而且，自存有學觀之，「無」表示潛能、可能性，超越；「有」則表示實現，實在性，具現。就老子而言，道先開顯爲無，爲潛能與可能性，再從諸種可能性、潛能之中具現爲實在性，並予以實現。然而一旦實現，便又立卽自行超越，邁向更高的可能性，提昇潛能，因而會出現「同謂之玄、玄之又玄，衆妙之門」的辯證進展歷程。這一對相互辯證的中介環節，正是「黃帝四經」所缺乏，後者也正因爲如此而缺乏深厚的存有學基礎，直接落實到氣分化而生萬物的歷程上去了。

「黃帝四經」除了強調道的宇宙論意涵之外，也特別重視道的人類學意涵，認爲道是人的精神作用與智慧的根據。《經法》〈名理〉曰：「道者，神明之原也，神明者，處於度之內而見於度之外者也。……靜而不移，動而不化，故曰神。神明者，見知之稽也。」此種看法和《管子》〈內業〉的觀

點，卽所謂「敬除其舍，神將自來」「非鬼神之力也，精氣之極也」的看法一致。例如，在《經法》〈論〉中就曾明白表示：「靜則平，平則寧，寧則素，素則精，精則神。至神之〔極〕，〔見〕知不惑」「服此道者，是謂能精」「乃通天地之精」。「黃帝四經」的確以道爲人智慧的根源，但似乎將此種智慧的獲取，限制在精英的身上，並不是一般人所能獲得的。《道原》曰：「故唯聖人能察无刑（形），能聽无〔聲〕。知虛之實，後能大虛。乃通天地之精，通同而无間，周襲而不盈。服此道者，是胃（謂）能精。明者固能察極，知人之所不能知，人服人之所不能得。是胃（謂）察稽知極。聖王用此，天下服。」由此可見，道非但僅少數人所能知，而且成爲統治者治理天下的依據了。

道成爲統治者精神修養的依據，尤其是處於爭端之世，統治者藉以處理爭端的依據。《十大經》〈五正〉曰：「道同者其事同，道異者其事異。今天下大爭，時至矣，后能愼勿爭乎？」此言是黃帝與閹冉對話時，閹冉對黃帝之勸語，其後黃帝止於博望之山，談臥三年，直到閹冉勸曰：「可矣，夫作爭者凶，不爭亦无成功。」黃帝於是出其鏘鉞，奮其戎兵，擒蚩尤。《十大經》隨後又引力黑之言曰：「作爭者凶，不爭〔者〕亦毋以成功。順天者昌，逆天者亡。毋逆天道，則不失所守。」由以上閹冉與力黑之言，可知道亦是統治者在面對爭端之時能採取積極態度的一種修養，也是參與爭端而能獲勝的依據。爲什麼道可以成爲爭勝的依據？其理由在於前面所言道是對立狀態之統一，並賦予陰陽晦明等對立狀態之變化以法則；而人在爭端之中必有對立，只有合乎道，合乎法則，合乎時間者，方得以成功。《十大經》〈姓爭〉有言：「天道環（還）於人，反爲之客，……爭作得時，天地與之；

爭作失時，天地奪之，夬天地之道，寒涅（熱）燥濕，不能並立。剛柔陰陽，固不兩行。兩相養，時相成。居則有法，動作循名，其事若易成。」這段話到了後來，提出「居則有法，動作循名」，已轉向法的強調與刑名思想了。

總之「黃帝四經」以「氣」詮釋道，使道的意義偏重於宇宙論層面而減失了存有學意涵；其所賦予道的屬性亦爲「描述的屬性」，而不再如老子所言爲「模擬的屬性」。宇宙論義的道爲人主或統治精英的修養奠基，不但成爲其智慧的依據，而且成爲其參與政治鬪爭之依據。

三、天地之法與統治之法

「黃帝四經」特別重視法。《經法》開宗明義便說：「道生法。法者，引得失以繩，而明曲直者殹（也）。□執道者，生法而弗敢犯殹。法立而弗敢廢也。□能自引以繩，然後見知天下而不惑矣。」此文很明確地指出道與法的關係在於「道生法」，並指出法是判斷得失曲直之標準，法的不可或缺，不可侵犯，以及法使認知具有確定性。

然而，「法」一詞在「黃帝四經」中大致具有兩層意義：其一是指衡量的標準，如《經法》〈道法〉所言：「天下有事，必有巧驗。事如直木，多如倉粟。斗石已具，尺寸已陳，則無所逃其神。故曰：度量已具，則治而制之矣。」此層意義的法較屬廣義，泛指一切存在及事件的衡量標準。其二是指治世的法律，一如《經法》〈君子〉所言：「法度者，正（政）之至也。而以法度治者，不可亂

也。」此層意義的法較屬狹義，指政治統治用的法度。

「法」的第一義，所謂衡量事物的標準，應卽指萬物的法則，這些法則是順道而生的，所謂「道生法」，便是指依循環著道本身的要求而開顯出法則來。順乎道，則謂「理」；逆乎道，則謂「失理」。《經法》〈論〉曰：「物各（合於道者）胃（謂）之理。理之所在胃（謂）之（順）。物有不合於道者，胃（謂）之失理。失理之所在，胃（謂）之逆。」理旣是道在宇宙萬物中表現的規則，而宇宙萬物是由對立狀態之轉換構成的，則理亦卽順著對立狀態之變化趨勢而形成。《經法》〈論約〉說：「始於文而卒於武，天地之道也。四時有度，天地之理也。日月星辰有數，天地之紀也。三時成功，一時刑殺，天地之道也。……（人）事之理也，逆順是守。功洫（溢）於天，故有死刑。功不及天，退而無名。功合於天，名乃大成。人事之理也，順則生，理則成，逆則死。」《經法》〈四度〉亦曰：「極而反，盛而衰，天地之道也，人之李（理）也。逆順同道而異理，審知逆順，是胃（謂）道紀。」

由上可見，「黃帝四經」所謂的法則，可以分析爲兩點：一、宇宙萬物皆由對立狀態構成；二、在變遷過程中事物會傾向於其對立面發展。前者是指結構的法則；後者則是變化的法則。《黃帝四經》所謂的「理」，便是順應變化的法則。

當然，「黃帝四經」此種看法基本上來自老子的思想。老子對於宇宙萬物的法則的看法，可以「反者道之動」一詞概括之。所謂「反」包含了「相反」和「返回」二義。就「相反」一義而言，由

於老子認爲道是透過有、無兩環節，並以分化的方式生成萬物，因而愈分化愈相反，以致萬物在結構上，郭是由一些對立狀態結構而成的。例如：美、惡；善、不善；有、無；難、易；長、短；高、下；前後；動、靜；輕、重；靜、躁；陰、陽；禍、福；正、奇等等。不過這些對立之彼此皆有著差異中互補，對立中統一的關係。例如：「萬物負陰而抱陽，沖氣以爲和」「禍兮，福之所倚；福兮，禍之所伏……正復爲奇，善復爲妖。」由於對立之的互補結構，使得萬物在變遷過程當中，某一狀態發揮至極，便傾向於向其對立面發展。其次，就「返回」一義而言，萬物越是發展便越復歸於道：「大曰逝，逝曰遠，遠曰返」。換言之，宇宙萬物的變遷發展乃一復歸於道之歷程。

一般言之，老子所言宇宙萬物的法則既出自道，復歸於道，因而是立基於存有學根源，然而法家所言的法則則至多僅具有宇宙論的意味，而失去其存有學意含。例如韓非所謂「道理」，亦卽萬物的法則：「道者萬物之所然也，萬理之所稽也。理者成物之文也；道者萬物之所以成也。故曰道理之者也。」

在「黃帝四經」裏面，萬物的法則乃道之所開顯，但具宇宙論意味，亦無存有學的基礎，而且宇宙論法則之設定，是爲了安立社會的法則。是故《經法》〈道法〉曰：「天地有恆常，萬民有恆事，貴賤有恆立（位），畜臣有恆道，使民有恆度。天地之恆常，四時、晦明、生殺、輮（柔）剛。萬民之恆事，男農，女工。貴賤之恆立，賢不宵（肖）不相放（妨）。畜臣之恆道，任能毋過其所長。使民之恆度，去私而立公。」天地的法則，百姓的職業，階級的貴賤，管理屬下的方法，運用百姓的法

度，皆有其恆常性，亦卽皆顯示法則的特性。其中除了天地的法則以外，其它四種皆是屬於社會的法則。由此可見，「黃帝四經」更將法則的重點放置在政治、社會層面，而天地的法則只是爲了顯示社會法則有其宇宙論基礎罷了。⑱

合乎天地的法則，人事可以有成；否則，人事難成。《經法》〈論約〉謂：「功不及天，退而无名。功合於天，名乃大成，人事之理也，順則生，理則成，逆則死。」很顯然的，雖然就基礎而言，「黃帝四經」重視天地的法則，但就功效而言，其所重視者實乃人事的成敗，尤其重視統治者或執政者可以運用社會法則，達致成功，避免失敗。若欲如此，必須其所運用之社會法則能以天地之法則爲基礎。爲此，〈論約〉繼續說：「伓（倍）天之道，國乃無主。無主之國，逆順相功（攻）。伐本隋（隳）功，亂生國亡。」「故執道者之觀於天下也，必審觀事之所始起，審其刑名。刑名已定，逆順有立（位），死生有分，存亡興壞有處。然後參之於天地之恆道，乃定禍福死生存亡興壞之所在。是故萬舉不失理，論天下而無遺策。故能立天子，置三公，而天下化之，之謂有道。」

由此可見，法的第二義，統治的法度，最後是總攝於統治者。所謂：「法度者，正（政）之至也，而以法度治者，不可亂也。」最後還是歸結於統治者順天地法則來施行法治。《經法》〈論〉曰：「人主者，天地之□也，號令之所出也，□□之命也。不天天則失其神，不重地則失其根，不順〔四時之度〕而民疾……〔事〕得於內，而得舉得於外。八正不失，則與天地總矣。」統治者運用法治，則可以統一天下。《道原》曰：「得道之本，握少以知多。得事之要，操正以政（正）畸（奇）。

前知大古，后□精明。抱道執度，天下可一也。」最後指點出來：統治者如果具有道的修養，又能運用法的統治，則天下終究可以統一。換言之，統治者是道和法兩者最爲具體的銜接者和綜合者。

在統治者的運用之下，「法」轉變成「術」，「黃帝四經」特稱之爲「王術」。《經法》〈六分〉曰：「然而不知王述（術），不王天下。」王術的內容大致包含了「六柄」、「六分」等。關於六柄，《經法》〈論〉曰：「帝王者，執此道也。是以守天地之極，與天俱見，盡□□四極之中，執六枋（柄）以令天下，審三名以爲萬事□，察逆順以觀於覇（霸）王危亡之理，知虛實動靜之所爲，達於名實□應，盡知請（情）僞而不惑，然后帝王之道成。六枋（柄）：一曰觀，二曰論，三曰僮（動），四曰轉，五曰變，六曰化。觀則知死生之國，論則知存亡與壞之所在，動則能破強興弱，槫（轉則不失諱（韙）非之□，變則伐死養生，化則能明德徐（除）害。六枋（柄）備則王矣。」此處觀、論、動、轉、變、化六柄皆是針對死生、存亡、強弱、是非、伐養、利害，朝向積極面，避免消極面的主要觀念。

至於所謂六分，則是《經法》〈六分〉所謂生殺賞罰之道：「主上者執六分以生殺，以賞□，以必伐（罰）。天下大（太）平，正以明德，參之於天地，而兼復（覆）載而無私也，故王天下。」六分又區別爲「六順」、「六逆」，即前面所謂「察逆順以觀於覇王危王之理」。所謂六順是：「主惠臣臣」、「主主臣臣」、「主執度，臣循理」、「臣肅敬，不敢敝（蔽）其主，下比順，不敢敝其上。」大致是合乎君臣之間應有之規範。至於「六逆」則是「適（嫡）子父」、「大臣主」、「謀臣

子、君臣之規範。

（在）外立（位）」，「主失立（位）」，「臣失處」、「主兩、男女分威」，則是違背男女、父

由以上看來，六柄較合乎道家對立之變化的道理，而六分既涉及君臣等倫常關係的順逆，反而比較接近儒家了。不過，基本上，六柄、六分皆是統治者依法統治所運用的王術，嚴格說來既非道家所言之道術，亦非儒家所言之倫理。因爲在像老子這樣的道家思想中，道術是由自然的法則轉變而來。由於老子肯定了「自然皆由對立狀態構成，並在變遷過程中傾向於其對立而發展」的自然法則，爲此，道術的基本原理就在於㈠若欲保存某種性質的事態，應先從容納其對立面開始；㈡若欲達到某種性質的狀態，應從與此一性質相對立的狀態開始著手。⑲所謂：「將欲歙之，必固張之；將欲強之，必固弱之；將欲廢之，必固興之，將欲奪之，必固興之。」「曲則全，枉則直，窪則盈，敝則新；少得，多則惑。」比較起來，「黃帝四經」似乎不重視對立元的相互轉換，而只想保積極面，除消極面，求生避死，明德除害，因此有別於老子。

至於六順六逆中雖以君臣倫常關係爲主，但主要以之爲君王的統治手段，因此亦有別於先秦儒家立基於人性的五倫思想。

總之，「黃帝四經」所謂的法，首指由道所分化而成的天地萬物的法則，其次則指君王統治的社會法則，後者是以前者爲基，而君王在運用後者之時，更形成王術，藉以治理國家，統御羣臣。很顯然的，整個「黃帝四經」關切的重心是在統治之法與術。

四、總結與檢討

綜合前面所論，「黃帝四經」所謂「道生法」，可以分析出「道」與「法」之間以下的幾點關係：

一、以氣的原初狀態來詮釋道，道經由分化的歷程而成爲萬物，並內在萬物之中，成爲萬物所遵循的法則，是爲第一義的法——天地的法則。

二、在天地萬物之中，「黃帝四經」以人的社會爲主要關切點，並認爲人的社會有其法則；社會的法則以天地的法則爲基礎，並由天地法則衍生，是爲第二義的法。

三、在人的社會中，「黃帝四經」以統治者及其作爲主要關切點，並認爲統治者從社會法則中可以衍生出統治的規範，亦卽「王術」。

我們可以將道與法的關係用以下的圖來表示：

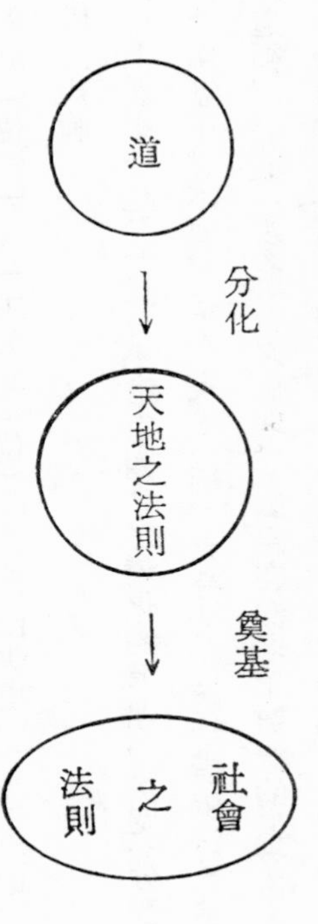

此圖表示由道經分化歷程而生天地萬物，天地萬物有法，是謂天地之法則；天地的法則爲社會之法則奠基。就此而言，由道分化爲天地之法則，由天地之法則奠立社會之法則，社會之法則乃整個歷程之結果，而道則爲整個歷程之根源。由根源至結果具有目的性的導向；由結果至根源則有溯源性的導向。

不過，在此圖之中，我們只看到單方向的由道分化爲天地萬物，在「黃帝四經」中，並沒有進一步說明，天地萬物對於道應具有何種關係。與此不同的是，在老子思想中，我們不但了解到「道生一，一生二，二生三，三生萬物」的生發歷程，而且閱讀到「夫物芸芸，各復歸其根」的復歸歷程。其次，我們在此圖中，亦看到天地之法則爲社會之法則奠基，然而並未有任何文字說明人究竟與萬物有何關係。在老子中，我們得知人與萬物皆由道所生，皆是由母所生之子，因此皆具有子與子之間的平等關係，莊子進一步提出「天地與我並生，萬物與我爲一」的齊平與交融之關係，然而這些觀念在「黃帝四經」中卻付諸闕如。

由於缺乏此種雙向辯證性的反省，「黃帝四經」轉而以統治者爲其關切的核心，因而轉出以下的道德關係：

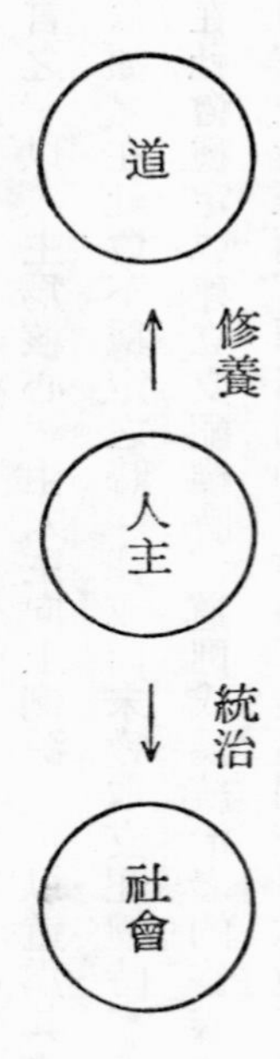

換言之，以人主爲核心，由人主向上溯源，可以道爲其修養依據；由人主向下支配，則可以法爲統治的依據。在社會不穩定之時，甚或尚未獲取支配權時，人主修道，亦可以成爲抗爭或討敵的修養依據；在社會穩定或建立支配權時，道則成爲統治者的修養依據。人主運用法度，則可以統御羣臣，組織社會，施行王術，順者則加以六順，逆者則施以六逆，並執六柄以避害趨利，存亡興壞，伐死養生。

由此可見，漢初統治者之所以喜讀「黃帝四經」，是由於這第二層的道法關係。其中，由人向道追索的清靜無爲之旨，可以滿足統治者修養上的需要；由人主向社會進行的統治之術，可以滿足統治者支配上的需要。由此亦可明白，爲何文帝好黃老，刑罰大省，但《漢書》〈刑法志〉仍謂：「外有輕刑之名，內實殺人」的譏評；亦可明白，何以由高祖初入關，約法三章，至蕭何作律九章，至武帝律令凡三百五十九章，死罪決事比萬三千四百七十二事，「文書盈於幾閣，典者不能徧睹」，其演變歷程，實皆出自統治者支配上的需要也！

【附　註】

① 依本人手邊的資料與高亨之文皆稱爲＜十六經＞，但金春峰所著《漢代思想史》及同事李威熊教授，皆以＜十六經＞爲正確，本人亦樂於同意，但由於手邊資料所限，且考證之事非我專長，故仍暫以＜十六經＞稱之，俟他日有更周延之資料與證據再改之。

② 漢班固撰，唐顏師古注，《新校漢書集注》第二册，臺北：世界書局，民六十七年三版，頁一七三○—一七三一。

③ 《史記》〈曹相國世家〉，見瀧川龜太郎著，《史記會注考證》臺北：洪氏出版社，民七十一年再版，頁八○一。

④ 同上，頁八○二。

⑤ 《新校漢書集注》第二册，頁一○九六。

⑥ 同上，頁一一○四。

⑦ 同上，頁一○九九。

⑧ 同上，頁一一○一。

⑨ 《史記全注考證》，頁七七六。

⑩ 同上。

⑪ 沈清松，〈老子的形上思想〉，刊於《哲學與文化月刊》第十五卷十二期，頁二四。

⑫ 所謂「存有學差異」（Ontological difference）一詞由德哲海德格（M. Heidegger）所提出，主要指存有（Sein）與存有者（Seiendes）之間的差異，在此指道和萬物之間的根本差異。

⑬ 尹知章注，戴望校正，《管子校正》臺北：世界書局，民七十年五版，頁二六八—二六九。

⑭ 同上，頁二七一。

⑮ 同上，頁二六九。

⑯ 同上。

⑰ 見〈道原〉，收於《帛書老子》，臺北：河洛圖書出版社，民六十四年排印初版，頁二三五。爾後所引「黃帝四經」原文皆出自該書，由於引文甚多，不另作注，僅於本文中列經名及篇名於引文之前。大致上，《經法》收於該書一九三—二〇八；《十大經》二一一—二二四；《稱》二二七—二三二；《道原》二三五—二三六。

⑱ 人的社會法則應以天地的法則爲其宇宙論基礎，而社會的法則是人關切的重心，但這不表示人爲決定性因素，因爲人仍須遵循天地的法則，爲此吾人不贊成高亨等人以人能勝天，人征服自然，因而以人爲決定因素的看法。見高亨等著，〈十大經初論〉，收入《歷史研究》一九七五年，一期，頁八九—九七。

⑲ 沈清松，〈老子的形上思想〉，刊於《哲學與文化月刊》十五卷十二期，頁二九。

詩經毛傳婚期以秋冬爲正時說之商榷

朱守亮

前　言

〈毛傳〉於〈邶風〉〈匏有苦葉〉「士如歸妻，迨冰未泮。」下云：「泮、散也。」①謂冰未釋解，係嚴寒隆冬季節。又於〈陳風〉〈東門之楊〉「東門之楊，其葉牂牂」下云：「言男女失時，不逮秋冬。」②這都很淸楚地表明了男女不失時，正常的結婚季節，當以秋冬爲準，所以〈孔正義〉云：「毛以秋冬爲昏之正時。」③但詩經中婚期，是否眞的是「婚娶正時，必以秋冬」④爲準呢？恐怕尚有甚多問題，深以爲詩經中的婚期，以春秋爲正時，〈毛傳〉只對了一半，現舉例說明於下：

一、證之星辰

我國古代，相當重視星象之學，所以在〈鄘風〉〈定之方中〉詩中，衞文公營建宮室時有「定之方中，作于楚宮，揆之以日，作于楚室。」⑤此由星辰的出現可以推知營建宮室的季節。同理，亦可由星辰的出現，推知結婚的季節。〈陳風〉〈東門之楊〉「東門之楊，其葉牂牂，昏以爲期，明星煌

煌」、「明皇晢晢」。⑥「煌煌」、「晢晢」僅能表示啓明星的光度如何，未可看出甚麼季節。但有的星辰就不同了。如〈唐風〉〈綢繆〉詩，不管是朱熹的「此但爲婚姻者相得而喜之詞。」⑦是姚際恒的「如今人賀人作花燭詩。」⑧王靜芝的「細審原詩，愚意以爲，當是新婚夫婦感婚姻結合之難，新婚之夜，驚且喜者也。」⑨還是張學波的「此當是新婚之夜，男女相得而喜之詞。」⑩其爲婚嫁詩無疑，詩有「三星在天」，「三星在隅」，「三星在戶」之三星。〈毛傳〉云：「三星、參也。在天、謂始見東方也。」〈孔正義〉云：「言在天、謂始見東方，十月之時。」〈鄭箋〉云：「三星、謂心星也。」又云：「在天、則三月之末，四月之中，見於東方矣」⑪聞一多曰：「參、爲晉星，唐、亦晉地，或毛說爲長；然亦難定，今姑不論。」⑫何以不論？卽使從〈毛傳〉，也僅是季秋或孟冬，並未至冰未釋解嚴冬季節。

二、證之河川

在〈毛傳〉解「泮、散也。」意謂婚期在冬曰冰未釋解溶化時，但檢視詩經中有關婚嫁的詩，所有河川，竟未發現有冰未釋解的記載。就拿〈毛傳〉「泮、散也。」〈匏有苦葉〉詩來說吧！第二章卽有「有瀰濟盈，有鷕雉鳴；濟盈不濡軌，雉鳴求其牡」的記載，旣沵水瀰然而盈滿不濡軌，明未有結冰。又第一章有「濟有深涉，深則厲，淺則揭。」末章又有「招招舟子，人涉卬否；人涉卬否，卬須我友」的記載，有這些涉字，亦明未有結冰現象。再看〈邶風〉〈新臺〉詩。雖非正式婚嫁詩，但

〈詩序〉有「刺衞宣公納伋之妻」之說。⑬而詩又有「魚網之設，鴻則離之，燕婉之求，得此戚施。」「燕婉之求，籧篨不鮮。」「燕婉之求，籧篨不殄。」云云，似與婚嫁不能完全脫離關係，故王質有「當是此地（新臺）之人娶妻，不如始言，故下有不悅之辭。本求燕婉，乃得惡疾者，爲可恨也。」⑭但詩有「新臺有泚，河水瀰瀰。」「新臺有洒，河水浼浼。」「瀰瀰」、「浼浼」，不是解爲「水盛」，就是解爲「水滿」⑮，那有結冰的現象？又〈衞風〉〈碩人〉，不管是豐道生的「衞莊公取於齊，國人美之。」⑯是姚際恒的「安知莊姜初嫁時何嘗不盛？孫文融曰：此當是莊姜初至衞時，國人美之而作者。」⑰是崔述的「其第三章云：大夫夙退，無使君勞，方且代體莊公『燕爾新婚』之情，而惟恐其過勞。」⑱還是屈萬里的「此當是莊姜嫁時，衞人美之之詩。」⑲其爲婚嫁詩無疑。詩有「河水洋洋，北流活活，施罛濊濊，鱣鮪發發。」「洋洋」是水盛大的樣子，「活活」是水流的聲音，而「濊濊」乃是魚網撒入水中碍阻水流所成的聲音，「發發」竟連鱣鮪魚初出水時撥動其尾的聲音也形容出了，⑳那有結冰的現象？又〈衞風〉〈氓〉「淇水湯湯，漸車帷裳。」屈萬里謂「二語追思來嫁時之情景。」㉑這「湯湯」，不管是「水盛貌」還是「水流聲」，有「漸」字的漬濕意，又那有結冰的現象，這也都未至冰未釋解嚴冬季節。

三、證之草木

在四季分明的黃河流域大平原地區，草木的發芽、抽葉、開花、結果、枯黃、飄落，最能表現出

四季更替的變化。在有關婚嫁詩的草木中，從未發現有後凋於歲寒的松柏，越冷越開花的梅花，知婚嫁正時不在冬天。又如〈周南〉〈桃夭〉詩，不管是〈毛傳〉的「男女以正，昏姻以時。」㉒是方玉潤的「咏新昏」，㉓還是屈萬里的「賀嫁女」㉔，其爲婚嫁詩無疑。但「桃之夭夭，灼灼其華。」自是初春時節，至第二章的「有蕡其實」，第三章的「其葉蓁蓁」，也當在暮春，最遲至初夏，沒有冬天的跡象。又〈鄭風〉〈有女同車〉詩，不管是季本的「蓋國君始娶夫人，妾媵同時俱至。」㉕是黃中松的「此夫婦新昏而誇美之也」。㉖還是屈萬里的「此蓋婚者美其新婦之詩」，㉗其爲婚嫁詩亦無疑。但「有女同車，顏如舜華。」「有女同車，顏如舜英。」舜爲木槿花，木槿的開花在春季，沒有冬天的跡象。又〈齊風〉〈南山〉詩的「蓺麻如之何？衡從其畝；取妻如之何？必告父母。」㉘明言娶妻，自是婚嫁，但蓺麻又是在春天，沒有冬天的跡象。婚期可推爲秋季的，如〈衞風〉〈碩人〉詩有「葭菼揭揭」，蘆荻高而挺秀，尚未開花，是秋季。即使蘆花滿野，也是深秋季節，未有冰未釋散嚴冬跡象。而〈齊風〉〈南山〉詩的「析薪如之何？匪斧不克；取妻如之何？匪媒不得。」〈豳風〉〈伐柯〉詩的「伐柯如何？匪斧不克。取妻如何？匪媒不得。」㉙明言取妻，自是婚嫁。但「析薪」、「伐木」的劈柴或伐樹，就「斧斤以時入山林」觀之，仍是深秋，最不得也是剛至初冬。這也都未至冰未釋解嚴冬季節。

四、證之禽鳥

在冷暖分明的黃河流域大平原地區，最能表現季節更替變化的是候鳥，在有關婚嫁詩的禽鳥中，也找不出專鳴於嚴冬的禽鳥，知婚嫁正時不在冬天。再拿〈毛傳〉解「泮、散也。」〈邶風〉〈匏有苦葉〉詩來看。首章有「有鷕雉鳴」，〈毛傳〉云：「鷕、雌雉聲也。」㉚雌雉聲自是春日的求偶和鳴聲。在「士如歸妻，迨冰未泮」同章，首句卽爲「雝雝鳴鴈」，但鴈係候鳥，冬寒南飛，春暖北回，故有「雁陣驚寒，聲斷衡陽之浦」之言，絕無在結冰嚴寒的冬天裏，北方黃河流域尚有雝雝和鳴的鴈聲。又〈邶風〉〈燕燕〉詩，不管是王質的「此詩當是國君送女弟適他國之詩。」㉛還是崔述的「詩稱『之子于歸』者，皆指女子之嫁者言之。恐係衞女嫁於南國，而其兄送之之詩。」㉜其爲婚嫁詩無疑。詩前三章首二句皆寫燕燕飛姿鳴聲，但燕又係候鳥，冬寒南飛，春暖北回，故有「舊時王謝堂前燕，飛入尋常百姓家」之句，也絕無在結冰嚴寒的冬天裏，北方黃河流域尚有「差池其羽」，「頡之頏之」，「下上其音」正在飛鳴的燕子。又〈豳風〉〈東山〉詩，有「倉庚于飛，熠燿其羽。之子于歸，皇駁其馬。親結其縭，九十其儀。其新孔嘉，其舊如之何？」描寫初婚時的情形，至爲詳盡。倉庚或謂黃鳥，黃鳥在詩經中出現者雖五詩十四見，㉝很難看出明確的季節。但就〈豳風〉〈七月〉「春日載陽，有鳴倉庚。」〈小雅〉〈出車〉「倉庚喈喈，采蘩祁祁。」與此「倉庚于飛，熠燿其羽」並觀之。則此熠燿其羽而于飛的倉庚，亦必是「春日載陽」，「采蘩祁祁」而鳴聲喈喈的倉庚了。又〈召南〉〈鵲巢〉詩，不管是何楷的「太姒來嫁於周，與媵俱來，詩人美之。」㉞是姚際恒的「大抵爲文王公族之女，往嫁于諸大夫之家，詩人見而美之。」㉟是吳闓生的「止是嫁女之樂歌。」㊱

是屈萬里的「此祝嫁女之詩。」㊲還是王靜芝的「詩中所咏，祇爲諸侯嫁女耳。」㊳說雖稍異，但爲婚嫁詩無疑。詩三章首二句分別爲「維鵲有巢，維鳩居之。」「維鵲有巢，維鳩方之。」「維鵲有巢，維鳩盈之。」鳩居鵲巢，當爲春天，又無異議。㊴又〈周南〉〈關雎〉詩，如採用方玉潤的「此蓋周邑之咏初昏者。」㊵屈萬里的「此祝賀新婚之詩。」㊶宮玉海的「婚禮贊歌。」㊷甚而朱熹雖語有不妥，但也以爲是咏新昏等說。㊸也是婚嫁詩。詩有「關關雎鳩，在河之洲。」〈毛傳〉云：「關關、和聲也。」㊹朱傳云：「關關、雌雄相應之和聲。」㊺仍是雎鳩鳥春日的求偶和鳴聲。也都未至冰未釋解嚴冬季節。

五、證之本書原有詩句

詩經中婚期究以何時爲正時，雖有上述四項，可證明是在春秋，不是〈毛傳〉所說的秋冬。但皆事係推測，如能再從詩經原詩句中，找出直接的證明，誰也就無可訾議了。關於此點，詩中很難找出類似今諺語所說的「有錢沒錢，娶個媳婦過年。」「歲聿其暮」，冬日婚嫁的記載。詩經中雖有「雨雪」，「履霜」詩句，聞一多謂「〈北風篇曰：北風其涼，雨雪其雱。又曰：惠而好我，攜手同車，蓋親迎之詩，詳〈泉水〉篇女子有行條，此則以冬日爲婚期者，特全書僅此一見耳。」㊻惟〈泉水〉及〈北風〉詩，雖有「同行」，「同歸」，「同車」，「女子有行」字眼。但〈泉水〉詩，自〈毛序〉起，即認爲是「衞女嫁於他國，思歸寧之詩。」㊼後人多無異說。而〈北風〉詩，王靜芝以爲「此衞

人避亂政，相偕出行之詩。」㊽〈毛傳〉〈朱傳〉亦有類似之言，二詩皆非聞一多所說的婚嫁詩。至〈魏風〉〈葛屨〉詩，詩有「糾糾葛屨，可以履霜，摻摻女手，可以縫裳。」〈毛傳〉云：「婦人三月廟見，然後執婦功。」〈鄭箋〉云：「言女手者，未三月，未成爲婦。」〈孔正義〉云：「魏俗趨利，言糾糾然夏日所服之葛屨，魏俗利其賤，至冬日猶謂之可以履寒霜；摻摻然未成婦之女手，魏俗利其工，新未嫁，猶謂之可以縫衣裳，又深譏魏俗。」㊾霜係深秋所有，卽如〈孔正義〉所說，也是初冬。未至冰未釋解嚴冬季節。所可喜者，詩經中竟有明著春秋婚嫁的記載。如〈豳風〉〈七月〉詩曰：「春日遲遲，采蘩祁祁，女心傷悲，殆及公子同歸。」有此記載，誰能有異議？又〈衞風〉〈氓〉詩曰：「匪我愆期，子無良媒。將子爲怒，秋以爲期。」有此記載。誰能有異說？由此知〈毛傳〉解「泮、散也。」而謂冰未釋解，婚期以秋冬爲正時，是眞有可商榷的必要了。

六、證之其他相關論著

古時婚期所以以春秋爲正時者，恐怕尚有其他理由，卽所謂著重在「順天時」，「合男女之道」，聞一多於此考之甚詳，其言曰：「夏小正『二月，綏多女士，』某氏傳曰：『綏，安也，冠子娶婦之時也，』周禮媒氏『中春之月，令會男女，於是時也，奔者不禁，』鄭注曰：『中春陰陽交，以成昏禮，順天時也，』白虎通義嫁娶篇亦曰：『嫁娶必以春，何？春者，天地交通萬物始生，陰陽交接之時也。』據此，疑自古昏姻本以春爲正時，故詩中所見昏期，春日最多。野有死麕篇曰：『有女懷

春，吉士誘之，』七月篇曰「春日遲遲，采蘩祁祁，女心傷悲，殆及公子同歸，』此明著春日者東山篇曰：『倉庚于飛，熠燿其羽，之子于歸，皇駁其馬，』燕燕篇曰：「燕燕于飛，差池其羽，之子于歸，遠送于野，』桃夭篇曰：『桃之夭夭，灼灼其華，之子于歸，宜其室家，』亦皆春日物候。其以秋爲昏期者纔兩見，本篇（指〈匏有苦葉〉詩）與氓篇『秋以爲期』是也。綢繆篇之三星，毛以爲參，十月始見，鄭以爲心，三月始見，參爲晉星，唐亦晉地，或毛說爲長，然亦難定，今姑不計。北風篇曰：『北風其涼，雨雪其雱，』又曰：『惠而好我，攜手同車，』蓋親迎之詩。詳（泉水篇女子有行條）此則以冬日爲婚期者，特全書只此一見耳。（〈泉水〉及〈北風〉皆非婚詩，見前。）總上所述，春最多，秋次之，冬最少，其所以如此，殆有故焉。嘗試論之，初民根據其感應魔術原理，以爲行夫婦之事，可以助五穀之蕃育，故嫁娶必於二月農事作始之時行之。鄭注周禮所謂『順天時，』白虎通所謂『天地交通，萬物始生，陰陽交接之時，』皆其遺說也。次之，則初秋亦爲一部分穀類下種之時，故嫁娶之事，亦或在秋日。然終不若春之盛，則以自農事觀點言之，秋之重要本不若春也。管子幼官篇曰：『春三卯十二始卯，合男女。秋三卯，十二始卯，合男女。』管子書雖非古，然此所記春秋合男女之俗，要不失爲太古之遺風，以其但言春秋，不及冬時故也。迨夫民智漸開，始稍知適應實際需要，移婚期以就秋後農隙之時。試觀冬行婚嫁之例，如北風篇所紀者，三百篇中僅此一見，知其時衹偶一行之，不爲常則。降至戰國末年，去古已遠，觀念大變，於是嫁娶正時，乃一反舊俗，而嚮之因農時以爲正者，今則避農時之爲正。荀子大略篇曰：『霜降逆女，冰泮殺止，』家語本命篇申其義曰：『霜降而婦功

成，嫁娶者行焉，冰泮而農業起，昏禮殺於此。』此所謂冰泮者，乃斥冰解而言。蓋『冰泮殺止』爲相傳古語，本謂嫁娶正時至冰合而止，今以冰合爲冰解者，乃曲解舊術語以迎合新事實耳，此誠古今社會之一大變也。」⑩裴普賢〈詩經時代嫁娶季節平議〉一文，附束晳五經通論中論嫁娶之候一篇，⑪於聞氏說或有補充匡正，但評爲「聞一多所論雖有未當，且不知春秋時代四時聽婚，詩經中亦有夏婚，是其疏失；但其論詩經以春婚最多，秋婚次之，追論初民婚期與農作之關係，以爲春秋合男女之俗，乃太古之遺風，其說亦持之有故，言之成理也。」⑫馬之驌也有「自出生到弱冠或及笄而婚姻甚至一生，凡人力所能控制的活動，無不應時而動，以求順適，男婚女嫁，如陰陽媾合，天地交泰，故必在萬物方生的春天爲吉時，以示恪遵應天順時的原則。」⑬皆深可證明前五項論點之不謬。

結　論

在讀詩經衞風氓一文中，關於詩經中的結婚時間，即未採取〈毛傳〉只對了一半，以秋冬爲婚期正時的說法，而認爲應以春秋爲正時，當時的體認，是我國係以農立國，在初春尚未東作農忙時可結婚，稍遲至暮春，甚或初夏農事不太忙時亦無不可。另一合適的時間就是秋收後無事時亦可結婚，稍遲至初冬，當然也沒有甚麼不可。但〈毛傳〉解泮爲冰解，謂古時習慣，男女結婚在冰解之前，當然不如解泮爲合，古時結婚以春秋爲正時，謂河結冰尚未封合時爲宜。⑭假如結婚時爲冰未釋解的嚴寒時節，恐有諸多不便。⑮現在就以上六點證之，知詩經中婚期，確是以春秋爲正時，而不是〈毛傳〉

的以秋冬爲正時。又所謂正時，是以此季節爲準的意思，並不是沒有任何權宜之計，絲毫不能改變，所以在古文獻中，亦多歧說，任何季節都有，只是春天最多，秋次之，夏又次之，冬最少吧了。春最多，冬最少，但〈毛傳〉卻捨春而言冬，所以才寫此文，以補其說之不足。

【附註】

①《毛詩》十三經注疏、卷三、頁八九。
②同前注書、卷十二、頁二五三。
③同前注。
④《詩毛氏傳疏》頁三三。
⑤同①書卷二、頁二二二。
⑥同①書、卷十二、頁二五三。
⑦《詩序辨說》、文淵閣四庫、總六九—二三。
⑧《詩經通論》頁一三二—一三三。
⑨《詩經通釋》頁二四五。
⑩《詩經篇旨通考》頁一四四。
⑪同①書、卷六、頁二二二。
⑫《詩經通義》頁一八五。

⑬ 同①書、卷三、頁一〇五。
⑭ 《詩總聞》、文淵閣四庫、總七二—四七〇。
⑮ 同①書、卷三、頁一六。
⑯ 引張學波《詩經篇旨通考》頁七四。
⑰ 同⑧書、頁八三—八四。
⑱ 《讀風偶識》卷二、頁三三。
⑲ 《詩經釋義》頁八九。
⑳ 《詩經評釋》頁一八三。
㉑ 同⑲書、頁九三。
㉒ 同①書、卷一、頁三六。
㉓ 《詩經原始》頁一八六。
㉔ 同⑲書、頁三一。
㉕ 《詩說解頤》、文淵閣四庫、總七九—一〇四。
㉖ 《詩疑辨證》、文淵閣四庫、總八八—二九一—二九二。
㉗ 同⑲書、頁一一七。
㉘ 同①書、卷八、頁一九六。
㉙ 同①書、卷八、頁一九七。及卷十五、頁三〇一。

㉚ 同①書、卷三、頁八八。

㉛ 同⑭書、總七二—四五八。

㉜ 同⑱書、卷二、頁二二。

㉝ 《詩經研讀指導》頁一〇〇—一〇一。

㉞ 《詩經世本古義》、文淵閣四庫、總八一—九三。

㉟ 同⑧書、頁三三。

㊱ 《詩義會通》頁十。

㊲ 同⑲書、頁三七。

㊳ 同⑨書、頁五六。

㊴ 同⑨書：「鴝鵒、（卽八哥）也。鵲每歲十月後遷巢、其空巢則鴝鵒居之。嚴粲、毛奇齡、焦循、馬瑞辰等、皆有此說。」頁三七。惟〈毛傳〉「鳩鳲不自爲巢，居鵲之成巢。」〈鄭箋〉「鵲之作巢，冬至架之，至春乃成。」〈孔正義〉「言維鵲自冬歷春，功著乃有此巢窠，鳲鳩往居之。」《毛詩》卷一、頁四六。卽如《詩經釋義》說，也不過是深秋或初冬。至後說則又爲春天了。

㊵ 同㉓書、頁一六七。

㊶ 同⑲書、頁二五。

㊷ 《詩經新論》頁八。

㊸ 《詩集傳》「周之文王，生有聖德，又得聖女姒氏以爲之配。宮中之人，於其始至，見其有幽閒貞靜之德，

故作是詩。」頁一。

㊹ 同①書、卷一、頁二〇。

㊺ 同㊸書、頁一。

㊻ 同⑫書、頁一八五。

㊼ 同①書、卷三、頁一〇一。

㊽ 同⑨書、頁一〇九。

㊾ 同①書、卷九、頁二〇六—二〇七。

㊿ 同⑫書、頁一八五。

51 同㉝書、頁一五六—一五八。

52 同㉝書、頁一五八。

53 《我國婚俗研究》頁九。

54 《古典新義》：「半聲字訓分，亦訓合。周禮朝士、『凡有責者有判書，』鄭注曰：『判，半分而合者。』媒氏、『掌萬民之判。』注曰：『判，半也，得耦而合，主合其半，成夫婦也。』儀禮喪服傳曰：『夫妻判合。』字一作胖，集韻引字林曰：「胖合，合其半以成夫婦也。』楚辭惜誦曰：『背膺胖合以交痛兮。』王注訓胖爲分，非是。又莊子則陽篇曰：『雌雄片合。』釋名飾首飾曰：『弁，如兩手相合抃時也。』片拚、與判胖聲近，亦並有合義。詩曰：『士如歸妻，迨冰未泮。』泮、當訓合，謂歸妻者宜及河冰未合以前也。古者本以春秋爲嫁娶之正時，此曰：『迨冰未泮，』乃就秋言之。舉凡詩中所紀，若瓠葉枯落，渡頭水深，

並雉雊雁鳴，皆秋日河冰未合以前景象。審如傳說，以冰泮為解凍，則與詩中物候相左矣。」頁一八四。

⑤⑤ 即結婚宴客一事，在冰未釋散的嚴寒時節裏，當時無大飯店，無暖氣設備，想舉行〈小雅〉〈車舝〉詩所謂「覯爾新婚」，「式燕且喜」。〈豳風〉〈伐柯〉詩所謂「我覯之子，籩豆有踐。」以酒食燕飲執事者或嘉賓，恐有許多不便。

參考書目

書名	作者	版本	出版
毛詩		十三經注疏	藝文
詩集傳	宋　朱熹		中華
詩總聞	宋　王質	文淵閣四庫	商務
詩序辨說	宋　朱熹	文淵閣四庫	商務
詩說解頤	明　季本	文淵閣四庫	商務
詩經世本古義	明　何楷	文淵閣四庫	商務
讀風偶識	清　崔述		學海
詩經原始	清　方玉潤		藝文
詩毛氏傳疏	清　陳奐		廣文
詩經通論	清　姚際恒		廣文
詩疑辨證	清　黃中松	文淵閣四庫	商務

詩經通義　民　聞一多　九思
詩經釋義　民　屈萬里　華岡
詩經通釋　民　王靜芝　輔仁
古典新義　民　聞一多　九思
詩經研讀指導　民　裴普賢　東大
詩義會通　民　吳闓生　河洛
詩經評釋　民　朱守亮　學生
詩經篇旨通考　民　張學波　廣東
詩經新論　民　宮玉海　吉林
我國婚俗研究　民　馬之驌　經世

漢樂府的雙璧

——〈羽林郎〉與〈陌上桑〉比較評析

沈謙

漢代的樂府民歌，多緣事而發，將當時的風俗民情，政教得失，充分流露。透過樸質自然，生動活潑的文字，深刻動人，有感而發的故事，唱出永遠活在人們心裏的聲音。令讀者有所感有所思。〈羽林郎〉與〈陌上桑〉就是其中最膾炙人口的代表作①。「不惜紅羅裂」的胡姬，「羅敷自有夫」的羅敷，不但具有美麗的天姿，且表現貞剛的志節，形象躍然，至今仍爲人所津津樂道。且看：

(一)辛延年〈羽林郎〉

昔有霍家奴，姓馮名子都。依倚將軍勢，調笑酒家胡。胡姬年十五，春日獨當壚。長裾連理帶，廣袖合歡襦。頭上藍田玉，耳後大秦珠。兩鬟何窈窕，一世良所無。一鬟五百萬。兩鬟千萬餘。「不意金吾子，娉婷過我廬，銀鞍何煜爚，翠蓋空踟蹰。就我求清酒，絲繩提玉壺。就我求珍肴，金盤膾鯉魚。貽我青銅鏡，結我紅羅裾。

「不惜紅羅裂，何論輕賤軀。男兒愛後婦，女子重前夫。人生有新故，貴賤不相踰。多謝金吾子，私愛徒區區。」

(二)無名氏〈陌上桑〉

日出東南隅，照我秦氏樓。秦氏有好女，自名為羅敷。羅敷善蠶桑，採桑城南隅。青絲為籠係，桂枝為籠鉤。頭上倭墮髻，耳中明月珠。緗綺為下裙，紫綺為上襦。行者見羅敷，下擔捋髭鬚。少年見羅敷，脫帽著帩頭。耕者忘其犂，鋤者忘其鋤。來歸相怨怒，但坐觀羅敷。使君從南來，五馬立踟躕。使君遣吏往：「問是誰家姝？」「秦氏有好女，自名為羅敷。」「羅敷年幾何？」「二十尚不足，十五頗有餘。」使君謝羅敷：「寧可共載不？」羅敷前置辭：「使君一何愚！使君自有婦，羅敷自有夫。」東方千餘騎，夫婿居上頭。何用識夫婿？白馬從驪駒。青絲繫馬尾，黃金絡馬頭。腰間鹿盧劍，可直千萬餘。十五府小吏，二十朝大夫。三十侍中郎，四十專城居。為人潔白皙，鬑鬑頗有鬚。盈盈公府步，冉冉府中趨。坐中數千人，皆言夫婿殊。

〈羽林郎〉與〈陌上桑〉並稱爲漢樂府的雙璧，也是中國古代敍事詩中兩齣馳名的喜劇。②尤其耐人尋味的，是這兩首傑作，有許多相同相近之處，眞是異曲同工，足資相互輝映，竝垂不朽，值得我們在密詠恬吟，沈潛陶醉之餘，作更進一步的探究。

第一，創作背景相近。〈羽林郎〉與〈陌上桑〉均屬東漢作品。反映當時的社會實況，其故事情節相似，同樣在民間流傳廣遠。

第二，運用體裁相同。〈羽林郎〉屬樂府中的「雜曲」，〈陌上桑〉屬樂府中的「相和歌」，兩首詩均爲語言通俗的樂府，且基本上運用形式整齊的五言。

第三，形式技巧相似。〈羽林郎〉與〈陌上桑〉同樣富有戲劇化的情節，人物描寫的方式，語言的表達，乃至於頂眞修辭法的運用等，均有相似之處。

第四，主題意識強烈。兩首詩的女主角形象凸出，躍然紙上。同樣表現了年輕女子不畏豪強，堅貞剛烈的精神，且以高度的智慧，化解危機，創造了膾炙人口的喜劇。

以下且分從創作背景、人物刻畫、形式技巧三方面予以比較評析。

壹、〈羽林郎〉與〈陌上桑〉的創作背景

〈羽林郎〉與〈陌上桑〉的體裁、時代背景與本事等，雖有異質，但大體相類似，頗有可資玩味之處。

(一)託古諷今的〈羽林郎〉

〈羽林郎〉始見於徐陵編《玉台新詠》，宋郭茂倩編《樂府詩集》收在「雜曲」中。「雜曲」是

指民間的歌謠，所含範圍至爲廣泛。《樂府詩集》卷六十一云：

雜曲者，歷代有之，或心志之所存，或情思之所感，或宴游歡樂之所發，或憂愁憤怨之所興；或敍離別悲傷之懷，或言征戰行役之苦；或緣於佛老，或出自夷虜，兼收備載，故總謂之雜曲。

此詩作者辛延年，東漢人，身世不詳。邱燮友先生《中國歷代故事詩・兩漢的故事詩》從詩的本事、語句、胡姬的衣著及職業等，推斷〈羽林郎〉應屬於東漢和帝（西元八九—一〇五年）年間的作品。③詩中鋪敍昔有霍家奴，仗勢調笑胡商賣酒的女子，其實是指東漢和帝時的羽林軍，至於本詩的題名「羽林郎」，則郭茂倩《樂府詩集》卷六十三已有說明：

《漢書》曰：「武帝太初元年，初置建章營騎，後更名羽林騎，屬光祿勳。」顏師古曰：「羽林，宿衞之官，言其如羽之疾，如林之多，一說羽所以為主者羽翼也。」《後漢書・百官志》曰：「羽林郎，掌宿衞侍從，常選漢陽、隴西、安定、北地、上郡、西河凡六郡良家補。」

無論是詩題的「羽林郎」，還有詩中的「金吾子」，均指當時皇家禁衞軍的軍官。此詩內容並非專寫羽林郎，而是歌詠胡姬拒絕貴族豪奴調戲之事。樂府詩有用舊題詠新事，詩題與內容不盡相同。〈羽林郎〉或係用舊題。④

至於〈羽林郎〉的本事，則朱乾《樂府正義》已有相當的考證：

漢以南北二軍相制。南軍，衞尉主之，掌宮城門內之兵。北軍，中尉主之，掌京城門內之兵。武帝增置期門羽林，以屬南軍。增置八校，以屬北軍。更名中尉為執金吾。南軍掌宿衞，當時

以二千石以上子弟及明經孝廉射第甲科博士弟子高第及尚書奏賦軍功良家子充之。期門羽林亦以六郡良家子選給，未有如馮子都其人者。自太尉勃以北軍除呂氏，於是北軍勢重。武帝用兵四夷，發中尉之卒，遠擊南粵。後又增置八校，募知胡事者為胡騎，知越事者為越騎。武騎紛然，將驕兵橫，殆盛於南軍矣。光武所以有仕宦當至執金吾之云也。題曰〈羽林郎〉，本屬南軍，而詩云「金吾子」，則知當時南北軍制俱壞，而北軍之害為尤甚也。案後漢和帝永元元年，以竇憲為大將軍，竇氏兄弟驕縱，而執金吾景尤甚。奴客緹騎，强奪財貨，篡取罪人，妻略婦女，商賈閉塞，如避寇讎。此詩疑為竇景所作，蓋託往事以諷今也。

再看〈羽林郎〉本文中有關男主角的敘述：

首段明言男主角的姓名、出身、行爲：

昔有霍家奴，姓馮名子都。依倚將軍勢，調笑酒家胡。

第三段則由霍家奴變成金吾子：

不意金吾子，娉婷過我廬。

首四句爲全篇的序曲，先撮述故事情節：從前有個大將軍霍光的家奴，叫做馮子都，依倚著主人的豪門權威，仗勢欺人，到酒店公然調戲賣酒的胡姬。

詩人在開端即以說書講古的方式，將故事情節簡要地勾勒出來。「昔有霍家奴，姓馮名子都。」指明男主角的出身、姓名。「依倚將軍勢，調笑酒家胡。」一語道破貴族豪奴的行徑。考察全詩，此

處用的是「借古諷今」的筆法。在此必須探討的是借古的「古」與諷今的「今」，究係何所指？也就是先弄清楚這首詩的故事背景。

「古」是指西漢大將軍霍光的家奴馮子都。

霍家，指西漢武帝時大將軍霍光家，馮子都是霍光的家奴。霍光，河東平陽（今山西臨汾）人，驃騎將軍霍去病的異母弟。有關霍光與馮子都的事，從《漢書・霍光傳》的記載中可見一斑：

去病死後，光為奉車都尉光祿大夫，出則奉車，入侍左右，出入禁闥，二十餘年……甚見親信。

光愛幸監奴馮子都，常與計事，及顯（霍光妻）寡居，與子都亂。

百官以下，但事馮子都、王子方等。

馮子都數犯法，上並以為讓。

馮子都爲霍光所寵幸之監奴，《漢書》顏師古注：「監奴，謂奴之監知家務者也。」由以上史書所言，可見馮子都不但監知家務，而且弄權淫亂，橫行犯禁。十足是個壞痞子。

「今」是指東漢和帝時大將軍竇憲。竇憲，扶風平陵人，竇融之曾孫。竇憲的弟弟竇景爲執金吾，最爲驕橫。《後漢書・竇融傳》云：

權貴顯赫，傾動京師。雖俱驕縱，而景為尤甚；奴客緹騎，依倚形勢，侵陵小人，强奪財貨，篡取罪人，妻略婦女。商賈閉塞，如避寇讎。有司畏懦，莫敢舉奏。

所謂奴客緹綺（穿丹黃色綢緞的馬隊），指霍家的豪奴與執金吾的部屬。所謂「強奪財貨，妻略婦女」，尤可見竇氏家奴橫行之一斑。故朱乾《樂府正義》云：「此詩疑爲竇景而作，蓋託往事以諷今也。」

至於「金吾子」，金吾，卽執金吾，官名，統率禁軍之一部，擔任京城的巡防任務。《漢書・百官公卿表》：「中尉，秦官，掌徼循京師。……武帝太初元年更名執金吾。」金吾，係一種兵器，卽銅製的金色棒。金吾子，禁衞軍軍官，卽題目的羽林郎，首段的貴族豪奴馮子都之流。或以爲，此詩中之男主角卽泛指仗勢欺人的武官。

如此託古諷今之作，當然是言之成理，但是我們也不必拘泥於一事一物，專指東漢竇氏家奴之事。如果將此詩主題設想爲貴族豪奴仗勢欺人，胡姬貞烈不屈，則其所反映的社會現實面，當更爲廣遠。託古諷今的手法，在中國古典詩中頗爲常見，最著名的是白居易的〈長恨歌〉：

漢皇重色思傾國，御宇多年求不得！

〈長恨歌〉詠唐明皇與楊貴妃之事，人盡皆知，卻託名「漢皇」，卽與〈羽林郎〉的「昔有霍家奴」，如出一轍。

㈡羅敷有夫（？）的〈陌上桑〉

〈陌上桑〉爲漢代民間敍事詩。最早著錄於《宋書・樂志》，題爲〈豔歌羅敷行〉，屬大曲類。

徐陵《玉台新詠》則題爲〈日出東南隅行〉。郭茂倩《樂府詩集》卷二十八相和歌辭錄此詩，題爲〈陌上桑〉，一曰〈豔歌羅敷行〉。所謂「相和歌」，是由民間採進的詩歌，本爲漢代街陌的歌謠，用絲竹伴奏。歌者手中持節，一邊擊節，一邊歌唱，如〈江南可採蓮〉、〈烏生十五子〉等。《宋書・樂志》云：

相和，漢舊曲也。絲竹更相和，執節者歌。

其器有笙、笛、節鼓、琴、瑟、琵琶、箏等七種。

此民間歌謠，作者無考。邱燮友先生《中國歷代故事詩》云：「陌上桑和羽林郎是同一類型的豔歌，且陌上桑在形式上、內容上更爲完整，在作品的產生時代上，羽林郎是東漢和帝時的作品，陌上桑便可能是東漢和帝以後的作品。」邱氏又從本詩的內容上推斷此爲東漢順帝（西元一二六至一四四年）年間流行於長安、洛陽一帶的民歌。⑤

〈陌上桑〉敍使君（太守）調戲採桑女羅敷而遭到嚴辭峻拒的故事，一則反映了漢代社會權貴荒淫無恥的面貌，一則塑造了美麗堅貞的女主角羅敷形象。至於其中的故事背景，主要有兩種說法。

一、宋郭茂倩《樂府詩集》卷二十八引崔豹《古今注》云：「陌上桑者，出秦氏女子。秦氏，邯鄲人有女名羅敷，爲邑人千乘王仁妻。王仁後爲趙王家令。羅敷採桑於陌上，趙王登臺見而悅之，因置酒欲奪焉。羅敷巧彈箏，乃作陌上桑之歌以自明，趙王乃止。」

二、唐吳兢《樂府古題要解》：「案其歌詞，稱羅敷採桑陌上，爲使君所邀，羅敷盛誇其夫爲侍

中郎以拒之，與舊說不同。」

第一種說法，卽吳兢所謂「舊說」，與史實不符，且偏離本詩故事情節。應當以第二種說法較爲合理。且如此民間歌謠，旨在反映社會民情，不必穿鑿附會專指某一人物，某一事件。

至於〈陌上桑〉詩中的男主角的身份—使君，係漢代對太守或刺史的稱呼。吳兆宜《玉台新詠注》云：「漢世太守，或稱君，或稱將，或稱明府。若使君之稱，則見《後漢（書）·郭伋傳》：『伋前在幷州，素結恩德，……，始至行部，到西河美稷，有兒童數百，各騎竹馬，道次迎拜。……曰：聞使君到，喜，故來奉迎。』此詩云『使君從南來』，其爲後漢人作無疑。」又羅敷夸夫之「四十專城居」，明言其夫的職位也是太守。官居太守爲一城之主，故曰「專城居」。

惟〈陌上桑〉中的羅敷之夫，頗有疑問，蕭滌非《漢魏六朝樂府文學史》云：「末段羅敷答詞，當作海市蜃樓觀，不可泥定看殺。以二十尚不足之羅敷，而自云其夫已四十，知必無是事也。」

貳、〈羽林郎〉的人物刻畫

〈羽林郎〉最膾炙人口的是人物刻畫。詩中的主角—春日獨當壚的胡姬，雖然只有十五歲，卻具有美麗的形象，與明媚的春光相互輝映。更具有剛烈堅貞的心志，堅守原則，峻拒貴族豪奴的調戲。詩人透過戲劇化的情節，顯現女主角凛然不可輕侮的態度，令人肅然起敬。而且表現有禮有節，剛中帶柔，拒中寓諷，分寸拿捏得恰到好處。王闓運《八代詩選》評云：

不惜紅羅裂，紙上如聞霹靂聲，不意豔詩中得此！

自從〈羽林郎〉行世之後，胡姬的形象躍然，精神長存，永遠活在廣大的中國人心目中，歷久彌新。

㈠春日獨當壚的胡姬

先看胡姬出場的形象，〈羽林郎〉第二段云：

胡姬年十五，春日獨當壚。長裾連理帶，廣袖合歡襦。頭上藍田玉，耳後大秦珠。兩鬟何窈窕，一世良所無。一鬟五百萬，兩鬟千萬餘。

此描敍當壚賣酒的胡姬：年輕貌美的胡姬，雖然才十五歲，卻十分能幹，一個人在市中當壚賣酒。在春光明媚的時候，胡姬的美貌與豔麗服飾，分外引人注目。且看她穿著入時，對襟的衣服，連理帶隨風飄曳，寬袖的短襖上，繡著合歡的圖案，令人眼睛一亮，精神振奮。再看頭上的首飾十分珍貴，有出自藍田的美玉，還有來自西域大秦國的珍珠。髮型更是十分考究，頭上挽著兩個鬟形的髮髻，十分俊俏，眞是世上難求。這兩鬟簡直價值千萬！

「胡姬年十五，春日獨當壚。」用第三人稱敍事觀點描敍女主角出場的情況。胡姬是漢代對當時西域或匈奴女子的稱呼。壚，放酒罈子的地方，當壚，卽賣酒。《漢書・司馬相如傳》：「相如盡賣車騎，買酒舍，乃令文君當盧。」文君當壚的故事，家喩戶曉。胡姬賣酒，也是漢唐盛世的盛景，在

古代詩歌中，不乏其例⑥。

以下八句著力描繪胡姬之服飾裝扮。可分爲三層。

第一層是穿著——「長裾連理帶，廣袖合歡襦。」裾，衣之前襟，或指下裳，卽裙子。襦，有裏的短衣，卽短襖。値得注意的是，長裾「連理帶」，廣袖「合歡襦」。用兩條對稱的帶子，搖曳生姿。再加上合歡的花紋圖案，顯示穿著華貴鮮豔，光采奪目的裝飾與明媚的春光相映成輝。連理帶，合歡襦，都帶著吉祥的喜氣。古卽有連理枝、合歡扇等。又古詩「文采雙鴛鴦，裁爲合歡被。」

第二層是首飾——「頭上藍田玉，耳後大秦珠。」藍田，山名，出產美玉，又名玉山，在今陝西藍田縣東。大秦，西域國名。《後漢書．西域傳》：「大秦土多金銀奇寶，有夜光璧、明月珠。」或謂大秦卽古羅馬帝國。可見胡姬的首飾都是大有來歷的珍品，非比等閒。

第三層是髮型——「兩鬟何窈窕，一世良所無。一鬟五百萬，兩鬟千萬餘。」鬟，將頭髮挽成環形的髻。窈窕，又作「窕」窕，美好貌。美心爲窈，美狀爲窕。前兩句言髮鬟美好，當世無人能比，後兩句言鬟上的飾物名貴，價値千萬。

此段描繪春日當壚的胡姬，從穿著的華麗到首飾的珍貴，乃至於髮型的美好，詩人特意用形容與夸飾的手法，使胡姬的形象栩栩若生，眞是出類拔萃，舉世無雙。

如此著力描繪美人的服飾，在古典敍事詩中，往往可見，如：

頭上倭墮髻，耳中明月珠。

緗綺為下裙，紫綺為上襦。〈陌上桑〉

繡羅衣裳照暮春，蹙金孔雀銀麒麟。

頭上何所有？翠微㔩葉垂鬢脣。

背後何所見？珠壓腰衱穩稱身。（杜甫：〈麗人行〉）

比較而觀，不但有異曲同工之妙，也可見後二詩或許受到〈羽林郎〉的影響與啓示。

(二)娉婷過我廬的豪奴

再看貴族豪奴的醜態。〈羽林郎〉第三段云：

不意金吾子，娉婷過我廬。銀鞍何煜爚，翠蓋空踟蹰。就我求清酒，絲繩提玉壺。就我求珍肴，金盤膾鯉魚。貽我青銅鏡，結我紅羅裾。

此描敍豪奴來此飲食，並進而想調戲胡姬：沒有想到一位驕縱橫行的貴族豪奴，竟然和顏悅色地來到我門前。鑲銀的馬鞍，光彩閃爍，頂蓋裝飾翠羽的馬車停在旁邊。眞是排場非凡，威風十足。豪奴進得店來，大模大樣的要酒，趕緊拿絲繩繫著的玉壺送上美酒。又吩咐點最拿手的好菜，趕緊用精美的金盤奉上鯉魚膾。豪奴飲食之後，漸漸輕薄起來，取出一面青銅鏡要送給我，並進而動手動腳，要將銅鏡繫在我的紅羅衣襟上。原來是醉翁之意不在酒，想動歪腦筋！

「不意金吾子，娉婷過我廬」以下，全係詩人擬胡姬的語氣敍述。金吾子，禁衞軍軍官，即題目

的羽林郎，指首段的馮子都之流的貴族豪奴。娉婷，姿容美好的樣子。婉容曰「娉」，和色曰「婷」。不意，出乎意料之外。意謂：沒想到驕縱橫行的豪奴，竟然變得和顏悅色，行爲反常，令人疑惑，其中必有蹊蹺。

「銀鞍何煜爚，翠蓋空踟蹰。」敍豪奴的車馬豪華驕貴，氣派非凡。煜爚，光彩閃爍貌。翠蓋，以翠鳥羽毛裝飾的車蓋。銀鞍輝煌，翠蓋耀目，很有架勢。踟蹰，徘徊不進。空踟蹰，顯示爲胡姬之美貌所吸引，所以逗留於此；也流露了金吾子心懷鬼胎，想打胡姬的主意。

「就我求清酒，絲繩提玉壺。就我求珍肴，金盤膾鯉魚。」用排比的句法，敍金吾子要好酒好菜，炫燿擺濶藉機和胡姬打交道；同時也顯示胡姬的酒器精美，佳餚考究，非一般尋常酒店可比。

「貽我青銅鏡，結我紅羅裾。」金吾子終於露出狐狸尾巴，取出銅鏡來送給胡姬，藉機挑逗。古代的鏡子用青銅製作，一般是圓形，背後有紐，可以照人，也可以掛在胸前作裝飾品。金吾子送胡姬珍貴的青銅鏡，顯然是想討好她，也許因胡姬不受誘惑，不肯接受，金吾子居然動手要將青銅鏡繫在胡姬的紅羅襟上，強迫中獎，言行之間，頗有輕薄之意，簡直是光天化日之下，公然調戲！

㈢不惜紅羅裂的貞剛

再看胡姬貞剛的意志，〈羽林郎〉末段云：

不惜紅羅裂，何論輕賤軀！男兒愛後婦，女子重前夫。人生有新故，貴賤不相踰。多謝金吾

子，私愛徒區區。

此敍胡姬拒絕之辭：你想送鏡子給我，萬萬不能接受，如果強迫一定要繫在我的紅羅裾上，不惜裂裾以抗拒，更別妄想對我有任何侵犯輕薄的舉動！雖然男子喜新厭舊，但身爲女子仍然要有念舊之情，從一而終。人生有新歡，有舊好。更何況你我家世身份不相稱，貴賤有別，我也不能踰越本分。你對我的厚愛，只有感謝心領，不得不辜負這一番美意！

在〈羽林郎〉全詩故事情節的發展上，首段是託古諷今的序曲，次段描繪女主角胡姬，前二段均爲詩人客觀的敍事。第三段敍男主角金吾子登場，末段則敍女主角的心志。後二段均爲詩人擬女主角的語氣說話。第三段末尾的「貽我青銅鏡，結我紅羅裾」，由金吾子對胡姬的調戲動作，已經產生了矛盾衝突，在全詩戲劇化的情節中，末段則爲情節發展的高潮。充分激發讀者的好奇心，吸引觀衆目光的焦點，在懸疑之中，大家都急欲知道結局：胡姬如何應付如此場面？故事如何了結？是悲劇還是喜劇？

末段的結局，剛柔並用，有亢有卑，頗見曲折，不但圓滿解決了矛盾衝突，更保全了胡姬的貞節。可見詩人高明之處。其中又可分爲三層。

第一層是嚴辭堅拒——「不惜紅羅裂，何論輕賤軀。」上句言不惜撕裂紅羅裾以抗拒，下言以死自誓，絕不容許任何無禮的侵犯。如此斬釘截鐵的堅貞剛烈之辭，斬斷了金吾子的癡心妄想。所以王闓運《八代詩選》評云：⑦

不惜紅羅裂，紙上如聞霹靂聲，不意豔詩中得此！

設想故事中仗勢欺人，千方百計想打胡姬主意的金吾子，也是如聞晴天霹靂。讀者更爲之擊桌稱快。「不惜」、「何論」，用詞強烈，語氣嚴峻，充分顯示胡姬心意已決，凜然不可輕侮。這兩句是全詩的關鍵，歷來詩評家多有闡論。

張玉穀《古詩賞析》⑧：「不惜紅羅裂，何論輕賤軀；言其勢可畏，若不惜此紅羅裙之裂者，輕賤之軀幾難保矣。」

王堯衢《古唐詩合解》⑨：「貞女爲婉辭以決絕之。言以紅羅之美，裂之不惜，何論微軀而肯改志！若男兒之所愛無定，女子則豈不重前夫！從一而終，婦之道也，何得於新故之際而貴賤踰節乎！」

潘重規《樂府詩粹箋》⑩：「此女子堅拒之辭。言不惜紅羅裾裂，輕賤之軀，更不足道矣。猶藺相如謂『今頭與璧俱碎也。』蓋女子堅拒金吾，以死自誓之辭。」

孫安邦、孫丕華在《漢魏晉南北朝隋詩鑑賞辭典》評云⑪：「二句寫胡姬面對金吾子的大膽調戲，即使撕碎貴重的紅羅裾，也不讓他結繫銅鏡；就是拚上青春的生命，也不許他玷汚凌辱。由『不惜』、『何論』兩個副詞限定的兩個並列句，表現了胡姬的剛烈堅貞。胡姬爲了保持自己的貞操，不惜裙毀身死，同金吾子的醜陋卑劣形成鮮明的對比。」

第二層是說理明志——「男兒愛後婦，女子重前夫。人生有新故，貴賤不相踰。」從強烈情緒的以死相抗中，轉爲冷靜的說理。儘管「男兒愛後婦」的喜新厭舊，胡姬仍然執著地堅持「女子重前

夫」。人生有新故貴賤，不能三心兩意，輕易變心。「人生有新故，貴賤不相踰」，也是擲地有聲的警句，一則表明胡姬與金吾子身分不相配，同時更表明了不能見異思遷。就小處而言，是愛情的堅貞自守，從一而終；就大處而言，更是有情有義的高尚情操，不因環境轉變而異心。在胡姬一個小女子身上，竟然表現了「貧賤不能移，富貴不能淫，威武不能屈」的大丈夫氣概，彌足可貴！

第三層是婉言辭謝——「多謝金吾子，私愛徒區區。」從以死自誓的嚴辭堅拒，到冷靜的說理明志，金吾子已經知道胡姬不可輕侮，準備打退堂鼓。到末二句又以委婉的言辭，鄭重地感謝金吾子的情意，以禮相待。如此在情勢上層遞以降，越來越和緩。在情節的推展上，獲致了圓滿的結局。使貴族豪奴的金吾子，有臺階可下，不好意思再藉機挑釁，找胡姬的麻煩。如此剛柔並用，亢卑得體，可見胡姬不但堅貞剛烈，具有高尚的情操；同時應對得體，具有高明的智慧。陸永品在《漢魏六朝詩歌鑒賞集》⑫評云：

> 「不惜紅羅裂」以下八句，寫胡姬利用軟硬兼施，剛柔結合的戰略，戰勝了金吾子，取得一種反抗强暴的勝利。這八句是整個故事的高潮，使故事的戲劇矛盾衝突達到頂點；然後又使矛盾由激化到和緩，經過回環曲折，使矛盾得到圓滿解決，胡姬保持了貞潔。全詩到此結束，給人留下美好的回味。

其實，不只是留下了美好的回味，更重要的是胡姬外表美麗的形象，與內在高尚的情操，高明的智慧，永遠活在廣大讀者的心目中。

總結而論，〈羽林郎〉在主題上反映了東漢豪奴驕橫的社會實況，成功地塑造了堅貞剛烈的胡姬形象，「不惜紅羅裂」的不屈精神，「女子重前夫」的執著，顯現了有情有義的高尚情操，令人激賞。

叁、〈陌上桑〉的人物刻畫

〈陌上桑〉最膾炙人口的也是人物刻畫。詩中的主角——採桑城南隅的羅敷，雖然二十尚不足，卻顯現無比的魅力，使衆人爲之傾倒。更具有堅貞的志節與高度的智慧，峻拒使君的脅迫，「羅敷自有夫」迄今仍爲大衆所津津樂道。

㈠採桑城南隅的羅敷

先看羅敷出場的情況，〈陌上桑〉首段云：

日出東南隅，照我秦氏樓。秦氏有好女，自名為羅敷。羅敷善蠶桑，採桑城南隅。青絲為籠係，桂枝為籠鉤。頭上倭墮髻，耳中明月珠。緗綺為下裙，紫綺為上襦。行者見羅敷，下擔捋髭鬚。少年見羅敷，脫帽著帩頭。耕者忘其犂，鋤者忘其鋤。來歸相怨怒，但坐觀羅敷。

此著力描繪羅敷之美貌：太陽從東南方升起，照耀著秦家的樓宇。秦家有個美好的女子，名字叫羅敷。羅敷不但美貌，而且能幹，擅長採桑養蠶，一早打扮得漂漂亮亮，到城南的郊外採桑。且看她所攜的桑籃，青絲爲絡繩，桂枝做提柄，眞是精美考究！再看她的服飾、穿著，頭上梳的是俏麗的墮馬髻，耳環掛的是名貴的明月珠。再加上杏黃色的細綾裙，紫色的緞花短襖，更是美貌非凡！羅敷所到之處，凝聚了大衆目光的焦點。行路人見羅敷美麗，都放下擔子，摸著鬍子目不轉睛；年輕人見羅敷可愛，紛紛脫下帽子，重整頭巾。耕田的人忘記了身邊的犂耙，鋤地的人忘記了手中的鋤頭，回家之後彼此抱怨，只緣貪看羅敷美貌而耽誤了工作。

「日出東南隅，照我秦氏樓。」是歌者對聽衆的開頭語。「我」是第一人稱歌者的口吻。李翔〈談談陌上桑中的日出東南隅照我秦氏樓〉以爲「我」字是省略掉「們」字的複數代詞，不但表現了對羅敷的親切熱愛，更帶給讀者親切感與認同感⑬。

「秦氏有好女，自名爲羅敷。」介紹女主角的姓名。好女，猶言美女，羅敷是古代美女的通名，秦是詩歌中美女常用的姓。所以余冠英《樂府詩選》以爲：「編唱這個故事的人隨便給女主人翁這麼一個名字，不一定實有其人。」⑭

「羅敷善蠶桑，採桑城南隅。」點明故事的場景、事件。善蠶桑，又作「喜」蠶桑。以下六句，極力描繪羅敷之美貌，分從用具、髮飾、服裝三方面著眼。

一、用具——「青絲爲籠係，桂枝爲籠鉤。」青色的絲帶做桑籃上的絡繩，十分精緻；桂樹枝做

桑籃上的提柄，取其香潔。

二、髮飾——「頭上倭墮髻，耳中明月珠。」倭墮髻，即墮馬髻，當時最時髦流行的髮型，其髻歪在一側，呈似墮非墮之狀，非常俏麗。明月珠，是產自西域大秦國的寶珠，爲耳環中的珍品。

三、服裝——「緗綺爲下裙，紫綺爲上襦。」緗，杏黃色。綺，有細密花紋的綾。襦，短襖。此言羅敷下身是杏黃綾的裙子，上身是紫綺的短襖。服裝高雅而豔麗。

從器物的精美香潔，到髮飾之俏麗時髦，乃至於服裝的高雅豔麗，這是「欲美其人，故美其物」。如此的描繪，在古代敍事詩中，屢見不鮮：

長裾連理帶，廣袖合歡襦。
頭上藍田玉，耳后大秦珠。
兩鬟何窈窕，一世良所無。〈羽林郎〉
著我繡夾裙，事事四五通。
足下躡絲履，頭上玳瑁光。
腰若流紈素，耳著明月璫。〈焦仲卿妻〉
繡羅衣裳照暮春，蹙金孔雀銀麒麟。
頭上何所有？翠微㔩葉垂鬢脣。
背後何所見？珠壓腰衱穩稱身。〈麗人行〉

可見漢唐詩人對美女服飾的描繪，有其一脈相傳，異曲同工之妙。

接下來的八句，運用側筆，分別從行者、少年、農人的眼中，呈現羅敷之貌美迷人。

一、行者——「行者見羅敷，下擔捋髭鬚。」行者，是過路的人，被羅敷的美貌吸引，放下擔子，摸著鬍鬚目不轉睛。

二、少年——「少年見羅敷，脫帽著帩頭。」帩頭，包頭髮的紗巾。古人光用紗巾將頭髮束好，然後再加冠。此言少年爲羅敷所吸引，呆立在當地重整頭巾。

三、農人——「耕者忘其犂，鋤者忘其鋤。」在田地裏工作的農人，放下工具，無心耕作。「來歸相怨怒，但坐觀羅敷。」坐，由於，此言耕者鋤者歸來互相抱怨，只因貪看羅敷採桑，耽誤了工作。「相怨怒」有好幾層意思，或解作男子痴看羅敷引起妻的憤怒，或解作緣觀羅敷，故怨怒妻妾之陋。我個人以爲，此乃當事者自我調侃之辭，略帶懊惱自責的意味，怎麼貪看羅敷如此入迷，竟誤了正事？懊惱中其實卻透露著若干興奮，並非眞的怨怒。

此段描繪羅敷之美貌，在藝術技巧上採烘雲托月的手法，匠心高妙，獨步古今。陳祚明《采菽堂古詩選》評云：

> 寫羅敷全須寫容貌，今止言服飾之盛耳。偏無一言及其容貌；特於看羅敷者盡情描寫。所謂虛處著筆，誠妙手也。

從環境、器物，到髮型、服飾，層層筆墨，處處都在襯托羅敷的美貌，再從行人、少年、耕者等

旁人傾倒之狀烘托羅敷之美，極奇宕詼諧之致。胡適《白話文學史》評云：「這種天眞爛縵的寫法，眞是民歌的獨到之處。後來許多文人模倣前十二句，終不能模倣後八句。」其實，如此的側筆虛寫，留給讀者莫大的想像「美」的空間，又豈只是民歌獨到之處而已，簡直是化工之筆，獨步古今！

㈡五馬立踟躕的使君

再看仗勢脅迫的使君與羅敷的婉拒之辭。〈陌上桑〉第二段云：

> 使君從南來，五馬立踟躕。使君遣吏往：「問是誰家姝？」
> 「秦氏有好女，自名為羅敷。」
> 「羅敷年幾何？」
> 「二十尚不足，十五頗有餘。」
> 使君謝羅敷：「寧可共載不？」
> 羅敷前置辭：「使君一何愚！使君自有婦，羅敷自有夫。」

此敍羅敷峻拒使君之邀：太守從南方而來，見羅敷美貌出衆，車馬徘徊不進。派府吏去打聽：「那位採桑的美女是那一家的姑娘？」府吏回告：「她是秦家的姑娘，名羅敷。」太守又問：「羅敷芳齡幾何？」府吏回告：「還不滿二十歲，大概十五歲多一些。」太守爲羅敷美貌所吸引，又派府吏邀羅敷：「妳可願上車跟我走？」羅敷親自上前回答：「太守何必如此想不開呢？您自有美婦，我也

有佳婿，我跟您走，成何體統？」

首段側寫羅敷之美貌，充分顯現了魅力無邊，衆人都爲之傾倒。中段又出現了嶄新的戲劇化情節。此情節係以對話爲主。「使君從南來，五馬立踟躕。」敍太守自南方而來，爲羅敷之美貌所吸引，遲疑不前。使君，指太守或刺史的稱呼。五馬，古代諸侯駕車用五馬，漢太守爲一方之長，故用五馬。「五馬立踟躕」，顯示太守的排場與氣勢。

自「使君遣吏往」以下均爲對話，三問三答，表現民歌特有的風味，在語氣上頗爲自然活潑，生動傳神。

一、「問是誰家姝？」（府吏問）「秦氏有好女，自名爲羅敷。」（羅敷答然後由府吏回報）

二、「羅敷年幾何？」（太守遣府吏又問）「二十尚不足，十五頗有餘。」（羅敷答然後由府吏回報）

三、「寧可共載不？」（太守遣府吏三問）「使君一何愚？使君自有婦，羅敷自有夫。」（羅敷上前親自對太守回話）

如此透過下人（府吏）的間接傳話，顯示太守雖惑於羅敷美色，卻自恃身分，架勢十足。或以爲前兩個問題係府吏向旁觀者打探，亦通。其中最精采的當然是羅敷的拒絕之辭。「使君謝羅敷」，謝，告，以辭相問。「寧可共載不？」寧可，豈可、其可。表面上是問是否願意登車同遊，實質上卻是欲納爲妾小。表面上是問其意願，其實卻帶有仗勢脅迫的意味。使君滿心以爲，想當然耳可以從心

所願。但沒想到遭到拒絕。「羅敷前置辭」，置辭，同致辭，猶置對，答話。此言羅敷爲鄭重起見，親自上前答話。「使君一何愚」，一，語助詞，一何，同何其，樂府詩中常見之口語，猶現代人口語「怎麼這樣」。「愚」舊注解作「愚蠢」，敝意以爲，宜解作「執著」、「看不開」較宜。「使君自有婦，羅敷自有夫。」是拒絕的理由。正如同〈羽林郎〉所云：「男兒愛後婦，女子重前夫。」惟〈陌上桑〉語氣上較爲和緩。語氣雖和緩，拒絕之意卻是斬釘截鐵，毫無置疑。吳文科在《中國歷代詩歌鑒賞辭典》評云⑮：

> 「五馬立踟躕」，實際上是這個官吏見色起意。「寧可共載不？」似為商量，實為逼迫。烈火見真金，真正的夜明珠，越是黑暗越是閃亮。此刻的羅敷，所表現出的不僅僅是令使君垂涎的容貌美和儀表美，而是由性格美和智慧美共同構成的品質美。「使君一何愚！」這大膽的斥責像是當頭棒喝。「使君」可能大怒，而讀者也免不了為她揑著一把汗：面對強權，一個弱女子，竟何以能如此？

無論如何，羅敷的拒絕使君，不但顯現她的道德堅貞，勇氣十足，更令讀者爲之稱快！

㈢鬑鬑頗有鬚的夫婿

最後看羅敷口中形容的夫婿，〈陌上桑〉末段云：

東方千餘騎，夫婿居上頭。何用識夫婿？白馬從驪駒。青絲繫馬尾，黄金絡馬頭。腰間鹿盧

劍，可直千萬餘。十五府小吏，二十朝大夫。三十侍中郎，四十專城居。為人潔白皙，鬑鬑頗有鬚。盈盈公府步，冉冉府中趨。坐中數千人，皆言夫婿殊。

此以羅敷自誇其夫婿位尊貌偉作結：我的夫婿在東方爲官，隨從上千。要辨認我的夫婿不難，騎著白色駿馬，後面跟著黑馬的長官，正是其人。夫婿的坐騎，尾部繫著青絲，頭上籠著金色的絡頭。他腰間掛著鹿盧劍，價值千萬。夫婿自幼嶄露頭角，十五歲在府郡爲吏，二十歲就到朝廷做大夫，三十歲高居侍中郎寶座，入侍天子，四十歲外放太守，爲一郡之長。他又是相貌堂堂的美男子，皮膚白皙，美鬚飄拂。且看他踱開方步，走到官府衙門，氣派十足，威儀出衆，在官員集會的場合中，舉座上千人，莫不誇讚夫婿人才傑出。

末段全係羅敷誇夫之辭，好讓太守斷絕妄念，死了心，以免再出花樣打她的主意。其中又可分爲三層：

一、敍夫婿服御光耀——「東方千餘騎，夫婿居上頭。」以隨從之多，夸飾夫婿之地位顯赫，神氣十足。「何用識夫婿？白馬從驪駒。」以騎著高駿的白馬，後面跟著黑馬，顯示夫婿目標顯著。採自問自答的提問句，使得詩句變化多姿。「青絲繫馬尾，黃金絡馬頭。腰間鹿盧劍，可直千萬餘」四句，亟言夫婿服御之豪華。馬尾繫青絲，金黃色的絡頭，由所騎之馬的裝飾，襯托出馬駿人更俊，馬的主人身份高貴，可想而知。鹿盧劍，言劍柄用絲帶纏繞，似轆轤形。腰間佩掛名貴的鹿盧劍，可見主人迥非尋常人物，必然大有來頭。

二、敍夫婿官運亨通——「十五府小吏，二十朝大夫，三十侍中郎，四十專城居。」十五歲就在府郡爲吏，出道甚早；二十歲就在朝廷做大夫，眞是英才早達；三十歲又在原有的大夫之外，特加侍中郎的榮銜，入侍天子，更是頗受重用的青年才俊；四十歲出爲太守，爲地方行政長官。如此官運亨通，地位顯赫，眞是舉世罕見！

三、敍夫婿人才出衆——「爲人潔白晳，鬑鬑頗有鬚。」以皮膚白晳，長鬚飄拂，顯示其夫婿形貌峻偉，雄姿英發。鬑鬑，長貌，白面長鬚爲當時美男子的標準。「盈盈公府步，冉冉府中趨。」盈盈、冉冉，皆緩步的樣子，以叠字狀貌。聞一多《樂府詩箋》：「古禮尊貴者行遲，卑賤者行速。太守位尊，自然舉趾舒泰，節度遲緩。此所謂『公府步』、『府中趨』者，猶今人言官步矣。」此二句言夫婿踱起官步，氣度雍容，架勢十足，頗具威儀。照現代的標準而言，一個大人物，必須具備三望——威望、資望、德望。羅敷的夫婿正是資望輝煌，威望十足，德望自然不在話下。「座中數千人，皆言夫婿殊。」以人人誇讚夫婿人才出衆作結。頗見羅敷炫耀夫婿，感覺與有榮焉，藉以嚇退太守的妄想。

如此三層炫耀夫婿出衆：第一層是服御光耀，標誌顯著，使讀者感覺精神振奮。第二層是官運亨通，地位顯赫，頗具震懾力，使「使君」不敢冒犯。第三層是相貌堂堂，人才出衆，足以使「使君」自慚形穢，喪氣而退。其中無一嚴辭厲語，卽使「使君」目瞪口呆，自動打退堂鼓，足以顯示羅敷不但貌美絕世，更具有高度的智慧。沈德潛《古詩源箋注》評云：「末段盛稱夫婿，若有章法，若無章

法，是古人入神處。」其筆法入神，尤足以使讀者觀之入神。

肆、〈羽林郎〉與〈陌上桑〉的形式技巧

〈羽林郎〉與〈陌上桑〉在形式技巧上，頗有可資玩味尋繹之處。⑯且表達方式大同小異，異曲同工，足資相互輝映。玆分三點予以探討：

㈠奇宕詼諧，妙絕古今

〈羽林郎〉采形式整齊的五言句法，共三十二句，一百六十字。全詩顯現濃厚的民歌風味，語言通俗，活潑生動，饒有韵味，約可分爲四段。

第一段爲首四句，撮述故事情節，是全詩的序曲。

第二段爲「胡姬年十五」至「兩鬟千萬餘」十句，敍胡姬當壚賣酒，著力描繪胡姬的裝扮。

第三段爲「不意金吾子」至「結我紅羅裙」十句，敍貴族豪奴來到酒店，要酒點菜，進而調戲胡姬。

第四段爲末八句，以胡姬堅拒之辭作結。

〈陌上桑〉采形式整齊的五言句法，共五十三句，二百六十五字。樸質自然，人間天籟，是民歌中的典範。原詩分三解，解，猶言章，是樂歌的段落。

第一解爲首二十句，極力描繪羅敷之美貌。

第二解爲中十五句，敍羅敷峻拒使君之邀。

第三解爲末十八句，敍羅敷盛誇其夫之辭。

在詩的結構與情勢的鋪展上，〈羽林郎〉與〈陌上桑〉基本上采同樣的筆法，除了詩開端的四句爲序曲之外，都採用三步曲的方式：

第一步曲是敍女主角的出場，著力描繪其靚妝之盛，以旁襯其美。

第二步曲是敍男配角的出場，貴族豪奴殷勤曲至，太守頻頻問訊，欲調戲女主角，使情節上有了嶄新的發展。

第三步曲敍女主角的峻拒之辭，使男方知難而退，也使得故事有了圓滿的結局。

比較而言，〈陌上桑〉在人物的描繪上，增添了衆人傾倒之狀，虛筆側寫羅敷之美，同時又增加了末段的夸夫一節。確實比〈羽林郎〉更加豐富而多采多姿。兩首詩都充滿了懸疑、矛盾、衝突，在戲劇化的情節之中，又獲致了圓滿的結局。且胡姬的「不惜紅羅裂，何論輕賤軀！」斬釘截鐵，紙上如聞霹靂聲！羅敷的「使君一何愚！」直探本心，一語阻斷了太守的癡心妄想，女主角慷慨豪放的置辭，表現性情貞亮。故事情節，極奇宕詼諧之致，構思奇譎，幽默俏皮，情趣盎然，耐人尋味。難怪潘重規先生要以「化工之筆，妙絕古今！」八字予以定評。⑰

(二)鋪排誇張，虛筆傳神

樂府民歌，語言通俗，多用對話，〈羽林郎〉前半首用第三人稱客觀的敍事觀點，由作者的語氣介紹馮子都、胡姬，令讀者感覺形象躍然。後半首改用第一人稱的敍事觀點，由詩人擬女主角胡姬的口吻陳述事件，⑱從「娉婷過我廬」到「就我求清酒」，「就我求珍肴」，乃至於「貽我青銅鏡，結我紅羅裾」，連用五個「我」字，將親身遭遇和盤托出，娓娓道來，分外親切。〈陌上桑〉則以羅敷與使君的對話，三問三答，將讀者帶到切身實感的境地，感覺盈盈如聞其聲音，歷歷如見當時情景，眞是「狀溢目前」！

當然，最精彩的還是人物形象的描繪。〈羽林郎〉敍胡姬之出場，由穿著、首飾、髮型三層，著力描繪，特意用形容與誇張的手法，使胡姬的形象栩栩若生，眞是出類拔萃，舉世無雙。〈陌上桑〉敍羅敷之出場，也由用具、髮飾、服裝三層著力描繪，可見其遞嬗傳承之跡與異曲同工之妙。就描繪人物的技巧而言，〈陌上桑〉較〈羽林郎〉尤勝一籌，關鍵卽在於用虛筆側寫，並無一字落實，且從行者、少年、耕者諸人旁觀的反應中旁襯烘托，衆人傾倒之狀，躍然紙上。羅根澤《樂府文學史》評云⑲：

> 言羅敷之美，妙在寫見羅敷者，為其美所攝取，搔耳抓腮，坐立不定，及神情稍靜，始知己事已廢，而互相戲怨曰：「你但坐觀羅敷」！姿態橫坐，真是眉飛色舞。

蕭滌非《漢魏六朝樂府文學史》亦評云⑳：

> 寫羅敷之美，分兩層：首從正面描摹，亦止言其服飾之盛。次從旁面烘托，此法最為新奇，然亦正以行者、少年、耕者、鋤者逗起下文使君。見得雅俗共賞，有「不知子都之美者無目也」意。

又張燕瑾〈鋪采摛文，虛實皆妙——談陌上桑〉評云㉑：

> 寫羅敷的器物服飾，寫觀羅敷者的種種表現，盛誇「夫婿」，都是逐項鋪排誇張，使文辭飛動，具有動人的藝術效果，手法很像「鋪采摛文」的漢賦，給人以酣暢淋漓，汪洋恣肆之美。

如此虛筆側寫，極盡傳神之妙，且留給讀者想像的空間，使詩篇「緣盡情未了」，眞所謂「含不盡之意，見於言外。」這不僅是〈陌上桑〉勝過〈羽林郎〉之處，且獨步古今。

後世當然也有模倣〈陌上桑〉用虛筆側寫女子美貌的作品。最著名的是董解元《西廂記》第一卷，崔相國夫人在普救寺替亡夫做佛事，夫人攜女兒崔鶯鶯、兒子歡郎來到佛堂時，透過衆僧神魂顚倒的表現，烘托崔鶯鶯的美貌：

> （雪裏梅）諸僧與看人驚晃，瞥見一齊都望。住了念經，罷了隨喜，忘了上香。選甚士農工商，一地裡鬧鬧攘攘，折莫老的小的，俏的村的，滿壇裏熱荒。老和尚也眼狂心癢，小和尚每挼頭束項，立掙了法堂，九伯了法寶，軟癱了智廣。
>
> （尾）添香侍者似風狂，執磬的頭陀呆了半晌，作法的闍棃神魂蕩颺。不顧那本師和尚，聒起

那法堂。怎遮當。貪看鶯鶯，鬧道場。

湯顯祖評此云：「文章之妙，全在借客形主，若只寫崔之奇豔，張之風狂，人皆能之，此卻把衆和尙鬧鬧攘攘之處極力指畫，正爲張生張本。」㉒董解元爲襯托崔鶯鶯之美，將衆僧顚倒之狀，活現在紙上，雖然精彩動人，但嚴格說來，未免誇張得有點過份，且有失厚道，略帶矯揉造作之嫌，總不如〈陌上桑〉化工之筆，妙造自然。

又王實甫《西廂記》雜劇第一本〈張君瑞鬧道場〉第四折㉓〈喬牌兒〉：「大師年紀老，法座上也凝眺；舉名的班首眞呆傍，覷著法聰頭做金磬敲。」〈折桂令〉：「……擊磬的頭陀懊惱，添香的行者心焦。燭影風搖，香靄雲飄；貪看鶯鶯，燭滅香消。」仍然是脫胎自〈陌上桑〉與董西廂。

㈢映襯頂眞，極態盡姸

在鑄句修辭上，〈羽林郎〉與〈陌上桑〉除了語言通俗，活潑傳神；對話生動，波瀾迭起之外，迭用排比、映襯、頂眞等表達方式，使得詩句規律中寓變化，多釆多姿，極態盡姸，蔚爲大觀。

就排比對句而言，〈羽林郎〉第二段的「長裙連理帶，廣袖合歡襦。頭上藍田玉，耳後大秦珠。」第三段的「銀鞍何煜爚，翠蓋空踟躕。」〈陌上桑〉首段的「靑絲爲籠係，桂枝爲籠鉤。頭上倭墮髻，耳中明月珠。緗綺爲下裙，紫綺爲上襦。」等，都令讀者感覺情味盎然。至若〈羽林郎〉的「就我求淸酒，絲繩提玉壺；就我求珍肴，金盤膾鯉魚。」與〈陌上桑〉的「行者見羅敷，下擔持髭

鬚；少年行羅敷，脫帽著帩頭。」用上下句兩兩相對的句型。在整齊規律中又錯落有致，音韻鏗鏘。其中又多用銀、翠、金、青、紅、青、緗（杏黃）、紫等顏色字，使得詩句增色生輝，極盡聲色之美。乃至於〈陌上桑〉末段的「十五府小吏，二十朝大夫，三十侍中郎，四十專城居。」用數字與官職層層遞進。還有〈陌上桑〉夸夫的「鬑鬑頗有鬚，盈盈公府步，冉冉府中趨。」以疊字狀貌傳神，無不使得詩句靈動變化，饒富風姿情韻。

就對比映襯而言，〈羽林郎〉詩中「昔有霍家奴」的馮子都與「娉婷過我廬」的金吾子，今昔對比，虛實互見。最強烈的對比是以仗勢欺人的貴族豪奴映襯貞剛不屈的胡姬，以意含脅迫的使君映襯義正辭嚴的羅敷。不但人物對比巧妙。且由胡姬中道出：「男兒愛後婦，女子重前夫！」由羅敷口中道出：「使君自有婦，羅敷自有夫！」女主角峻拒男方挑逗的理由，也出諸強烈的對比，頗具說服力，在讀者心目中留下深刻的印象。

至於頂眞的運用，更是兩首詩共同的特色。

〈羽林郎〉第一段段末「調笑酒家『胡』」，與第二段開端「『胡姬』年十五」，以「胡」字聯接；第三段段末「結我『紅羅』裾」，與末段開端「不惜『紅羅』裂」，以「紅羅」聯結。如此段與段之間的連環頂眞，藉重要字」的重疊，使上下段具連貫性，頗能顯現頭尾蟬聯的趣味。

〈陌上桑〉第一段「日出東南隅，照我『秦氏』樓，『秦氏』有好女，自名爲『羅敷』。『羅敷』善蠶『桑』，採『桑』城南隅。」開端六句，以「秦氏」、「羅敷」、「桑」等字詞連續三處頂

貞。」還有中段的「自名爲『羅敷』。」與「『羅敷』年幾何？」答句與問話之間用「羅敷」頂眞。如此句與句之間的連珠頂眞，也使得語言和諧，節奏緊湊，眞有磊磊如貫珠的情趣。

總結而論，〈羽林郎〉與〈陌上桑〉在形式技巧上均呈現了極高的藝術造詣。尤以人物描寫，戛戛獨造，化工之筆，妙絕古今！胡姬之形象躍然，貞剛自持，固無論矣。羅敷的虛筆側寫，尤稱一絕。一般而言，其魅力無邊，傾倒衆人的形貌美，已膾炙人口，爲衆所津津樂道，其實，還有峻拒調戲的貞節之美，剛柔互濟的智慧之美，衆美輻輳，美不勝收。且兩首詩對後世影響廣遠。曹植的〈美女篇〉，杜甫的〈麗人行〉，董解元的《西廂記諸宮調》、王實甫的《西廂記雜劇》等名作中，都可以找到〈羽林郎〉與〈陌上桑〉的影子。其並稱爲漢樂府的「雙璧」，眞是良有以也。

在主題意識上，〈羽林郎〉與〈陌上桑〉敍「年十五」的胡姬與「二十尚不足」的羅敷，峻拒豪強的仗勢欺人。如此貞亮剛烈，不畏強權的精神，不但爲衆所激賞。而且進退有節，不亢不卑，剛柔並濟。再加上「男兒愛後婦，女子重前夫。人生有新故，貴賤不相踰。」與「使君一何愚！使君自有婦，羅敷自有夫」的自誓。表現了有情有義的高風亮節，蔚爲天下女子的典範。比較而言，胡姬的「不惜紅羅裂，何論輕賤軀！」如聞紙上霹靂，具強烈的震撼力；羅敷的「使君一何愚！」雖較爲委婉，仍屬斬釘截鐵之辭。兩者剛柔雖殊，卻是異曲同工。胡姬與羅敷這兩位女主角雖係虛構人物，其形象與精神都永遠在後世中國人的心目中活躍如新，而〈羽林郎〉與〈陌上桑〉兩齣精彩動人的喜劇也同樣流傳廣遠，竝垂不朽。

【附　註】

① 蕭滌非《漢魏六朝樂府文學史・兩漢民間樂府》就其性質，析爲幻想、說理、抒情、敍事四類。〈陌上桑〉雖被歸入抒情之類，但仍以敍事爲主。（長安出版社）

② 漢代敍事詩多悲劇，如〈婦病行〉、〈孤兒行〉、〈十五從軍征〉等，如〈羽林郎〉、〈陌上桑〉之類以喜劇結局者，頗爲罕見。

③ 詳見邱燮友《中國歷代故事詩・兩漢的故事詩・辛延年的羽林郎》。（三民書局）

④ 北京大學中國語言文學系中國文學史教研室編《兩漢文學史參考資料・兩漢樂府詩・羽林郎》注：「或謂〈羽林郎〉是樂府舊題，本詩可能以舊題詠新事，亦可備一說。」（泰順書局）

⑤ 詳見邱燮友《中國歷代故事詩・兩漢的故事詩・陌上桑》。

⑥ 參考蘇其康〈唐詩中的依蘭裔胡姬〉，中外文學十八卷一期。

⑦ 見王闓運《八代詩選》。（廣文書局）

⑧ 見張玉穀《古詩賞析》，載《漢文大系》。（新文豐出版社）

⑨ 見王堯衢《古唐詩合解・古詩・漢樂府》。（文化圖書公司）

⑩ 見潘重規《樂府詩粹箋・雜曲歌辭・羽林郎》註。（人生出版社）

⑪ 見盧昆、孫安邦主編《漢魏晉南北朝隋詩鑑賞辭典・漢詩・辛延年羽林郎》。（山西人民出版社）

⑫ 陸永品〈人生有新故，貴賤不相踰——辛延年羽林郎賞析〉，載人民文學出版社編輯部編《漢魏六朝詩歌鑒

賞集》。

⑬李文原載《語文教學》，此轉引自《兩漢文學史參考資料》。

⑭見余冠英《樂府詩選・漢相和歌古辭・陌上桑》註。（華正書局）

⑮吳文科評見劉晉治、田軍、王洪主編《中國歷代詩歌鑒賞辭典・兩漢樂府・陌上桑》。（中國民間文藝出版社）

⑯沈德潛《古詩源箋註・漢詩・陌上桑》評云：「鋪陳穠至，與辛延年〈羽林郎〉一副墨。」（華正書局）

⑰見潘重規《樂府詩粹箋・相和曲・陌上桑》案語，該書僅極少數傑出詩篇有案語。（人生出版社）

⑱王久烈〈樂府詩羽林郎析賞〉曾特別指出該詩的寫作技巧，值得一提的有三點：㈠人稱的變換，㈡明顯與含蓄的對比運用，㈢散句駢句並用。《東方雜誌》復刊第十八卷第五期

⑲見羅根澤《樂府文學史・兩漢之樂府・豔歌羅敷行》。（文史哲出版社）

⑳見蕭滌非《漢魏六朝樂府文學史・東漢民間樂府・陌上桑》。（長安出版社）

㉑張燕瑾〈鋪采摛文，虛實皆妙——談陌上桑〉，載人民出版社編輯部編《漢魏六朝詩歌鑑賞集》。

㉒見湯顯祖評點《明刊本董解元西廂記》第一卷。（商務印書館）

㉓見王實甫〈西廂記〉第一本第四折。（文化圖書公司）

陸賈思想的研究

楊樹藩

前言——身世、背景與著述

陸賈楚人，生卒年不詳，曾以客的身分，從高帝平定天下，有辯才，顯名於朝，常侍高帝左右，屢使諸侯，斯時中國初定，尉佗平南越，擬以爲王。高帝十一年（西元前一九六年）遣陸賈賜尉佗印綬爲南越王。賈承命至尉佗之所，佗甚倨傲，不以禮見賈，賈遂以犀利的言辭，動之以利害，尉佗心懼，自認有失禮義，一改倨傲之態。於是賈卒拜佗爲南越王，令稱臣，承奉漢約。歸報，高帝大悅，遂拜賈爲大中太夫（主論議，備顧問）賈以職司所在，便時時晉見，稱道詩書。高帝頗不以爲然，罵之曰：「迺公居馬上得之，安事詩書」！賈曰：「馬上得之，寧可以馬上治之乎？」繼而諫之曰：「湯武逆取而以順守之，文武並用，長久之術也」。假如「秦以并天下，行仁義，法先聖，陛下安得而有之」？高帝聞賈之言，雖不愉快，但有慚色。迨惠帝時，呂太后用事，欲王諸呂，畏大臣反對，且怕有辯才之臣，犯顏直諫，賈自度不能抗爭，遂稱病辭官，歸田里自養。其後平諸呂之禍，迎文繼統，皆賈以在野之身分，獻計於公卿，始安劉漢。迨文帝元年（西元前一七九年），再以太中大夫使

越，並達成任務，後以壽終（漢書本傳）。

陸賈所處之時代，是秦亡羣雄蠭起，繼則楚漢爭霸，迨漢高平定天下，政局雖安，而社會困窘，惠帝初年因蕭、曹以休養生息之策，使民孳殖財力。諸呂亂起，政治再現危局，靠將相合作，平息亂源，迎文帝繼統，大局始告安定，賈在這段期間，助力不少。

陸賈固爲大儒，但並未寫成具有系統之專書。其所成之新語，只是向高帝所陳之諫言。計有：道基、術事、輔政、無爲、辨惑、愼微、資質、至德、懷慮、本行、明誡、思務等十二篇，概計數千言。

一、對史的看法

人們長期在歷史過程中生活，對影響生活的客觀自然事物，不免要加以探索，能夠探索自然事物的，不是一般無知無識的平凡人，大都是傑出的知識分子。探索雖同，結論不一，有的認爲自然事物的流變背後，有一個神秘的操縱者；有的認爲自然事物的流變，是物自身的儀則。中國古代的知識分子，因受傳統經史的影響，這些儒生，大都不願探求自然事物流變的根源，他們只觀察自然事物流變現象，和對人生的意義。陸賈是二千餘年前一位大儒，他對自然事物的流變，就是這樣的看法，請看他說：

天生萬物，以地養之，功德參合，而道術生焉。故曰：張日月，列星辰，序四時，調陰陽。布

氣治性，次置五行，春生夏長，秋收冬藏，陽生雷電，陰成雪霜，養育羣生，一茂一亡。潤之以風雨，曝之以日光，溫之以節氣，降之以殞霜，位之以衆星，制之以斗衡。……地封五嶽，畫四瀆，規誇澤，通水泉，樹物養類，苞殖萬根，暴形養精，以立羣生，不違天時，不奪物性。……蓋天地相承，氣感相應而成者也。（新語道基第一）

他把自然事物的流變，看做是有規律有秩序的，既不矛盾，也不衝突。萬物由天生，由地養，不止是一種分工合作，而且各有「功德」，因兩相合作，所以「功德參合」。「參合」的活動，就是「道」。道的延展，在上有天象，在下有五行，天象動，成「四時」（春、夏、秋、冬），顯示雷電雪霜，雷電爲「陽」，雪霜爲「陰」。五行分，列山川，養萬類，「羣生」孳長，這些成果，都是天地相承之功，氣感相應之力。言外之意，就是「人」應對自然親和，不違不奪。

人們在歷史的過程中，總是先經歷朦昧的階段，朦昧階段最後是要突破的，怎樣才能突破呢？陸賈以爲須有智德兼備的聖人出現，始奏其功。所以他說：

先聖乃仰觀天文，俯察地理，圖畫乾坤，以定人道，民始開悟。知有父子之親，君臣之義，夫婦之道，長幼之序，於是百官立，王道乃生。（新語道基第一）

他更認爲歷史是進化的，由朧昧不斷的向文明路上邁進。這種進化，也須有賢智之人，運用智慧，開創指導。他說：

民人食肉飲血衣皮毛，至於神農，以為行蟲走獸難以養民，乃求可食之物，嘗百草之實，察酸

苦之味，教民食五穀。天下人民野居穴處，未有室屋，則與禽獸同域，於是黃帝乃伐木構材，築作宮室，上棟下宇以避風雨。民知室居食穀而未知功力，於是后稷乃列封疆，晝畔界，以分土地之所宜，闢土殖穀以用養民，種桑麻致絲枲以蔽形體。當斯之時，四瀆未通，洪水為害，禹乃決江疏河，通之四瀆，致之於海，大小相引，高下相受，百川順流，各歸其所，然後人民得去高險，處平土。川谷交錯，風化未通、九州絶隔，未有舟車之用，以濟深致遠，於是奚仲乃撓曲為輪，因直為轅，駕馬服牛，浮舟杖檝，以代人力，鑠金鏤木，分苞燒殖，以備器械，於是民知輕重。（新語道基第一）

我們看陸賈這段話，已包括了人民生活要素進化的全部，其順序首爲「食」，次爲「住」，次爲「衣」，最後爲「行」。由此觀之，民生四要素，陸賈已早言之矣。

二、爲政的原則

陸賈是深明經史之儒生，故瞭解古之人君治政整民的原則，及其成敗的原因。所以他主張治國宜以仁義爲本。如：

夫人者，寬博浩大，恢廓密微，附遠寧近，懷來萬邦。故聖人懷仁仗義，分明纖微，忖度天地，危而不傾，佚而不亂者，仁義之所治也。（新語道基第一）

至於以仁義爲治，其效果如何？陸賈認爲：

行之於親近而疏遠悅，修之於閨門之內，而名譽馳於外。故仁無隱而不著，無幽而不彰者，虞舜蒸蒸於父母，光耀於天地，伯夷叔齊，餓於首陽，功美垂於萬代，太公自布衣昇三公之位，累世享千乘之爵。（新語道基第一）

反之，不以仁義爲治，那將遭到「知伯仗威任力，兼三晉而亡」（道基）的命運了。由此觀之，人君求治，固應以仁義爲本，更要在施政過程中，掌握道德的原則。如他說：

是以君子握道而治，據德而行，席仁而坐，杖義而彊。（新語道基第一）

至於「道」在爲政致治的效果上如何？他說：「天地之性，萬物之類，懷道者衆歸之。」（新語至德第八）然則「德」對政治之作用又如何？他說：「德盛者威廣」。（道基）那末人君如果不用「道」而任刑以求治，則又如何？他說：「恃刑者衆畏之」，「畏之則去其域」。（至德）而且他更認爲尚刑是爲虐民「虐行則怨積」。（道基）故「秦二世尚刑而亡」。（道基）然則治國也不能不用刑，就此點來說，陸賈自不否認刑罰的必要，但他主張不可太重。所謂「設刑者不厭輕」，「刑罰者不患薄。」（至德）

陸賈更認爲人君在上，只能握道據德，席仁杖義，尚不足以建大功立大業，尤須求得賢良之臣以爲輔佐。如他說：

聖人居高處上，則以仁義為巢，乘危履傾，則賢聖為杖。故高而不墜，危而不仆者，堯以仁義為巢，舜以禹稷契為杖，故高而益安，動而益固。（新語輔政第三）

他又舉出賢良之臣輔助君主立功建業的典型實例。他說：

聖人王世，賢者建功。湯舉伊尹，周用呂望，行合天地，德配陰陽，承天誅惡，尅暴除殃。」（新語道基第一）

反之，人君不能用賢良之臣以輔政，必會導致滅亡，他更舉出史例為證：

秦以刑罰為巢，故有覆巢破卵之患。以趙高、李斯為杖，故有傾仆跌傷之禍。何哉？所任非也。故杖聖者帝，杖賢者王，杖仁者霸，杖義者强，杖讒者滅，杖賊者亡。（新語輔政第三）

賢良之輔佐，可以致君於堯舜，導政於清平。即或平庸之君主也知道這個道理，然而他始終不能羅致賢良人士以輔政，其原因安在？陸賈認為由於「觀聽之臣，不明於下」。也就是說代君主訪賢求才之臣，不知求賢之法，以及缺乏求賢之襟懷。如他說：

人君莫不知求賢以自助，近賢以自輔，然賢聖或隱於田里而不預國家之事者，乃觀聽之臣，不明於下，則閉塞之譏歸於君。閉塞之譏歸於君，則忠賢之士弃於野。忠賢之士弃於野，則佞臣之黨存於朝。佞臣之黨存於朝，則下不忠於君。下不忠於君，則上不明於下。上不明於下，是故天下所以傾覆也。（新語資質第七）

輔臣不能代國君羅致賢才，而會產生上述一連串的後果，是知賢良之材，對國家是何等的重要。由此可知西漢之世，皇帝屢次下詔，廣求賢良方正之士，其受陸賈諫言之影響乎？

陸賈登仕於高帝初年，秦政之弊害，必也深知，生民之貧困，必也身歷。究其所以致民貧困之由，起自兵連禍結，故其有鑑於此，以為當時之急務，在於與民休息，所以他提出「無為」的治術。

如他說：

夫道莫大於無為，行莫大於謹敬。何以言之？昔虞舜治天下，彈五絃之琴，歌南風之詩，寂若無治國之意，漠若無憂民之心，然天下治。周公制作禮樂，郊天地，望山川，師旅不設，刑格法懸，而四海之內，奉供來臻，越裳之君，重譯來朝，乃無為也。（新語無爲第四）

然而陸賈所謂之「無爲」，並非放浪無覊，毫無作爲。他的「無爲」之意，包含兩點：第一、希望君主政尚寬簡，治行中和。如他說：

君子尚寬舒以苞身，行中和以統遠。（新語無爲第四）

第二、希望君主與民休息，減少興作，不逞欲，不奢求。如他說：

國不興無事之功，家不藏無用之器，所以稀民力而省貢獻也。（新語本行第十）

假如君主太重有爲，不免窮求極索，繼而貪權無度，以至兵橫法苛。如此者，將危在旦夕矣。如他說：

秦始皇帝設為車裂之誅，以斂姦邪，築長城於戎境，以備胡越，征大吞小，威震天下，將帥橫行以服外國。蒙恬討亂於外，李斯治法於內，事逾煩，天下逾亂，法逾滋，而姦逾熾，兵馬益設，而敵人逾多，秦非不欲為治，然失之者，乃舉措暴衆，而用刑太極故也。（新語無爲第四）

究竟陸賈的「無爲」境地如何？如他說：

君子之為治也，塊然若無事，寂然若無聲，官府若無吏，亭落若無民。閭里不訟於巷，老幼不

愁於庭，近者無所議，遠者無所聽，郵驛無夜行之吏，鄉閭無夜名之征。犬不夜吠，烏不夜鳴，老者息於堂，丁壯者耕耘於田，在朝者忠於君，在家者孝於親。於是賞善罰惡而潤色之，興辟雍庠序而教誨之，然後賢愚異議，廉鄙異科，長幼異節。上下有差，强弱相扶，小大相懷，尊卑相承，鴈行相隨，不言而信，不怒而威。（新語至德第八）

陸賈這種「無爲之治」的意境，似乎皆針對秦時之土木興作，焚書坑儒的暴政而發，希望漢有天下，不再步其後塵，而提出他心目中清靜之治的理想。文帝以降至景、武、宣諸朝，在政治制度方面，大體已見諸實施。如鄉里置「三老」之官，加強敎化，置孝悌、力田之吏，美化民風，鼓勵生產，中央設太學培育人才，地方舉賢良方正，助君行道，更拔取「茂材」激勵氣節，察舉「孝廉」提振良俗，這些均是顯例。

三、世務的處遇

人生在世，必然接觸世道衆務。這些世務，有正面的，也有負面的，有導引向善的，也有誘惑趨惡的，若任其自然發展，可能有劣幣驅除良幣的現象。怎樣使世務之中的良性長，劣性消？陸賈認爲須靠正義大力領導。如他說：

（人民）好利惡難，避勞就逸，於是皋陶乃立獄制罪，懸賞設罰，異是非，明好惡，檢奸邪，消佚亂。民知畏法而無禮義，於是中聖乃設辟雍庠序之教，以正上下之儀，明父子之禮，君臣

之義，使强不凌弱，衆不暴寡，弃貪鄙之心，興清潔之行。禮義獨行，綱紀不立，後世衰廢，於是後聖乃定五經，明六藝，承天統地，窮事「察」微，原情立本，以緒人倫。宗諸天地，「□」修篇章，垂諸來世，被諸鳥獸，以匡衰亂，天人合策，原道悉備。智者達其心，百工窮其巧，乃調之以管絃絲竹之音，設鐘鼓歌舞之樂，以節奢侈，正風俗，通文雅。（新語道基第一）

世務的大綱大法雖然確立，但人類的心理傾向，難於從善，易於趨惡，有「綱」未必遵守，有「法」未必奉行，所以世務難免不流於混亂。此情此勢，陸賈未嘗不知，但是他本諸儒者之風範，要在混亂的世道中，建立道德標準。所以他說：

故察於財而昏於道者，衆之所謀也，果於力而寡於義者，兵之所圖也。故君子篤於義而薄於利，敏於事而愼於言。（新語懷慮第九）

在前引事例中，陸賈提出「君子」一稱，他在此處所謂之「君子」，就是守正不阿，不爲混亂的世務所汚染的正義之士。這樣的「君子」遇到義、利俱呈的情況，則斷然取義而捨利。然世務繁複，光怪陸離，義利並具而欠明，正邪交現隱若顯，這時如何取捨？因此陸賈提出「敏於事」的方術。也就是對「事體」的詳析細檢，義利自然顯現。但在未明義利眞相之前，不可輕言妄斷，故他提出「愼於言」的方術。

他很欣賞有若的風格，正道而行，不阿權貴。如他說：

哀公問於有若曰：年飢用不足，如之何？有若對曰：盍徹乎？蓋損上而歸之於下，則忤於耳而

不合於意，遂逆而不用也，此所謂正其行而不苟合於世也。有若豈不知阿哀公之意為益國之義哉？夫君子直道而行，知必屈辱而不避也。故行不敢苟合，言不為苟容，雖無功於世，而名足稱也。（新語辨惑第十五）

陸賈曾於高帝、文帝兩朝做過太中大夫（掌論議）之官，士大夫階層的事物他很清楚。高層次的政治人物，他也常與之往來，人心世態，也都有深入的體會。所以他提出下面的看法：

夫居高者，自處不可以不安，履危者，任杖不可以不固，自處不安則墜，任杖不固則仆。（新語輔政第三）

因他曾做過太中大夫，這個官位，無業務職掌，只向皇帝獻言諫事，所以他有充分的時間觀察朝政，故而他就臣僚們的材幹，下一評斷：

小慧者不可以樂大，小辯者不可以說衆。（新語輔政第三）

又說：

朴直質者，近忠；便巧者，近亡。（新語輔政第三）

陸賈是深明世道的大儒，講求濟世拯民，鄙棄離世遯上。所以他對求仙學道之人，深不以爲然。如他說：

人不能懷仁行義，分別纖微，忖度天地，乃苦身勞行，入深山，求神仙，弃二親，捐骨肉，絶五谷，廢詩書，背天地之寶，求不死之道，非所以通世防非者也。（新語愼微第六）

由上述可知，陸賈處世的原則是：入世而不出世，重義而不重利，本固而後操事，不以小而禦大，故而他之所爲，無失敗者。

四、做人的態度

人的性格不同，所處的環境不同，所受的教育不同，往往他的人生觀點也不完全相同。陸賈性格坦蕩，飽讀儒書，見微知幾，進退合節。所以他的爲人態度，寓於富貴而不驕，退歸江湖而不怨。身在野而心忠於朝，志優游而氣宇恢宏。讀古書而不泥古，居田園而不逃世。如賈出使南越有功，高帝「拜賈太中大夫，賈時時前說稱詩書，高帝罵之曰：迺公居馬上得之，安事詩書？賈曰：馬上得之，寧可以馬上治之乎」？繼諫之曰：「鄉使秦以並天下行仁義，法先聖，陛下安得而有之？高帝不懌，有慚色。」（漢書本傳）這種話，非賈所具有之坦蕩胸懷，孰肯言之？又如：「孝惠（帝）時，呂太后用事，欲王諸呂，畏大臣及有口者（師古曰：有口謂辯士），賈自度不能爭之，迺病免，以好畤田地善，往家焉。」（漢書本傳）此非賈之見微知幾，進退合節乎？太中大夫之官，備天子顧問，秩比二千石，地位親近君王，秩祿不爲不厚，但其坦蕩而無驕氣。政情一變，馬上退歸田里，不出一句怨言，優游自在。當「諸呂擅權欲刼少主，危劉氏，右丞相陳平患之，力不能爭，恐禍及己，平嘗居深念」。（漢書本傳）這時賈以在野之身，不請而謁，建議陳平「交驩太尉，深相結，爲陳平畫呂氏數事，平用其計，」（漢書本傳）後來卒安漢室，這可謂其身在野而心懷朝。他謁丞相，不請而入，不拘

小節，又是何等的恢宏心境？他飽受古書之洗禮，但不重古輕今。如他說：

世俗以為自古而傳之者為重，以今之作者為輕，淡於所見（今事），甘於所聞（古事）。（新語述事第二）

他何以不重古輕今？他認爲：

古人之所行者，亦與今世同。（新語述事第二）

他更列舉史例以證之：

周公與堯舜合符瑞，二世與桀紂同禍殃，文王生於東夷，大禹出於西羌，世殊而地絕，法合而度同。（新語述事第二）

因古今雖有別，但「法合而度同」，既明乎此，所以處理問題，只要掌握其重心，察知其關鍵，古今同理，何必非古不可？故而他說：

道近不必出於久遠，取其至要而有成。（新語述事第二）

他更以爲大凡人的體力與知識，都有其最高限度，不論以體力運作，或用頭腦思考，都不要超過極限。而且要專一職守，不可兼行別務。如他說：

目以精明，耳以主聽，口以別味，鼻以聞芳，手以之持，足以之行。各受一性，不得兩兼，兼則心惑，二路者行窮。正心一堅，久而不忘，在上不逸，為下不傷，執一統物，雖寡必衆，心佚情散，雖高必崩。氣泄生疾，壽命不長，顛倒無端，失道不行。（新語懷慮第九）

作事專其一心，思考專其一志，這樣不僅把事能夠作好，把問題想的周全，而且可以節省精力。此外更要養精蓄銳，不示人知，己雖有能，不表其態，循序而進，不躐其等，保和保泰，不躁不急。如他說：

懷剛者久而缺，持柔者久而長，躁急者為厥速，遲重者為常存，尚勇者為悔近，溫厚者行寬舒，懷促急者必有所虧，柔懦者制剛強。（新語輔政第三）

陸賈這種想法，無疑的是受了道家思想的影響。不過他雖有點接近道家，只是保身之術，但另一方面，絕不退避消極，他還批評那些隱居的高士爲「避世」，而非「獲道者」。如他說：

夫播布革，亂毛髮，登高山，食木實，視之無優游之容，聽之無仁義之辭，忽忽若狂痴，推之不往，引之不來，當世不蒙其功，後代不見其才，君傾而不扶，國危而不持，寂寞而無鄰，寥廓而獨寐，可謂避世，非謂獲道者也。（新語愼微第六）

他批評那些假獲道者的話，眞是一針見血。旣批評他們，但是總宜指出一條正路纔對！於是他說：

是以君子居亂世則合道德，採微善，絕纖惡，脩父子之禮，以及君臣之序，乃天地之通道，聖人之所不失也。（新語愼微第六）

結　語

由這段話看來，陸賈該是一位守正、忠君、孝親之大儒。

人恒評定陸賈爲醇儒，我看陸賈爲通儒。我所謂通者，非博通萬事之「通」也，乃通儒、道、法三家思想之精華也。他以儒術爲本，故主張「握道」，「據德」，「席仁」，「杖義」（道基），「脩父子之禮」，「君臣之序。」（愼微）並以道家爲輔，曾謂：「道莫大於無爲。」（無爲）講到君子之爲治，則曰：「塊然若無事，寂然若無聲，官府若無吏，亭落若無民，」（至德）純係道家清靜無爲之境況。至於「聽之無聲，視之無形」（術事）之語，也是道家見微知幾的道術。但亦不排斥法家的看法，如他明白指出人們都有趨利避害，好逸惡勞的根性，所以贊同行罰治罪。如：「（人民）好利惡難，避勞就逸，於是皐陶乃立獄制罪，懸賞設罰，異是非，明好惡，檢奸邪，消佚亂。」（道基）正因陸賈通達三家的學術思想，則能進退有度。及其進也，輔君濟世，時上忠言。洞悉政局將變，不利於棲身廟堂時，則急流勇退，毅然辭官，歸隱鄉里。俟風雲卽將變色，以在野之身分，獻策於朝臣，扶漢室，平呂亂。倘若扶漢平亂成功，雖在野仍有其名，如果失敗，因在野則免其禍。其非明哲保身之法術乎？正好呂亂平定，文帝繼統，他看出大局已定，可以久安，則又出爲太中大夫。文帝知其有定策扶漢之功，自然對其寵重有加。他又不謀實權高位，只做天子顧問，故不見嫉於宰臣。且職無專掌，輕閒自由，可優游自得。五子皆因其分舍而富有，乘車僕從傳食於諸子之門，豈不樂乎？故史傳云：「後以壽終」。

王充的科學思想

韓復智

一、前　言

英國現代實驗科學的代言人、哲學家弗蘭西斯·培根（Francis Bacon）（一五六一—一六二六）和法國啓蒙運動思想家都認爲，在一般的歷史研究中應當包括對於科學和技術的歷史研究。在外國，將科學史當作一門學科，正式成熟於二十世紀二十年代至三十年代。在科學史學科化的過程中，出生於比利時的喬治·薩頓（George Sarton）（一八八四—一九五六）的功績是舉世公認的。現在哈佛大學是世界性的科學史研究中心，這和薩頓的開創性活動有直接的關係。①

喬治·薩頓說過：「科學史是唯一可以反映出人類進步的歷史」，「科學史（或知識的歷史）應該是所有人類活動的歷史的核心」。這話雖然未免失之偏頗，卻能充分強調了科學史的重要意義。②他同時又指出，如果一個科學家不了解他所從事的科學分支的歷史，就沒有資格說對該學科有深刻和完備的知識。同時，也不能達到科學的水準。尤其是科學史具有很大的啓發性，那些既熟悉現代科學趨勢，又了解古代科學流派的人所寫作的科學史更是如此。舊的科學發現的順序，向科學家提示類似

的連繫，使他能夠做出新的發現。其次，科學史也富有教育意義，例如向學生詳細追述一項發現的全部歷史，向學生說明在發明者的道路上經常出現的各種困難，以及他怎樣戰勝它們、避開它們，最後，又怎樣趨近於那從來沒有達到的目標，再也沒有比這種做法更適於啓發學生的批判精神，檢驗學生的才能了。③由此可知，科學史是多麼重要了。

在臺灣有的大學開設《中國科技史》課程，是近幾年的事。臺灣大學文、理、工、醫等學院的幾位同仁，早已鑒於科技史的重要性，並有不少的書文相繼問世，然而聯合講授《中國科技史》，正式成爲學校的一門新課程，是事先經過兩年的準備，直到去年（民國七十八學年度）才付諸實現的。由於課業上的需要，便迫使我對科技史資料閱讀的加強。首先讀的是《論衡》一書。

王充是我國東漢初期一位傑出的科學家、哲學思想家和文章理論家。④然而學術界歷來評價和分析王充思想的，幾乎都偏向於他的著述、《論衡》的篇數、以及哲學思想、政治思想、教育觀點、文學觀點等問題，很少研討他的科學思想的。⑤因此，我想藉此機會對他的著作透過粗略的研讀，探索出他的科學思想之內容，再評價他在中國科學技術史上所起的作用。

以上所說，就是我寫本文的緣起和動機。

二、王充的生平和著述

㈠王充的生平事迹

王充，字仲任，會稽上虞（今浙江省上虞縣）人，生於東漢光武劉秀建武三年（西元二七年），卒於和帝劉肇永元八年至十六年（西元九六年—一〇四年）之間。享年七十餘歲。

他的原籍是魏郡元城（今河北省大名）。其遠祖因爲從軍有功，封在會稽陽亭，便遷居到會稽。但不到一年就被削去官職。他的祖先便在陽亭務農，一直傳到他的祖父和父親。這時正值西漢末年的亂世，王充的祖父在陽亭「橫道殺傷，怨仇衆多，會世擾亂，恐爲怨仇所擒」。於是帶著全家老少又遷居到會稽郡的錢塘(今杭州市)，「以賈販爲事」。王充的父親王誦和伯父王蒙，因「勇勢凌人」，「與豪家丁伯等結怨」，於是遷居上虞，王充就在上虞出生，幼年時，因家「貧无一畝庇身」，而過著貧困的生活。⑥

王充大約在十五六歲的時候，「到京師（洛陽），受業太學，師事扶風（今陝西省扶風縣）班彪。好博覽而不守章句。家貧無書，常游洛陽市肆，閱所賣書，一見輒能誦憶，遂博通衆流百家之言。」⑦大約在三十二歲以後（卽漢明帝元明二年後）回到故鄉敎書，其間曾擔任上虞縣和郡功曹（掌管人事及參與政務）以及州從事（刺史的屬官），因與長官的意見不合，又遭到別人誣陷而辭去官職。從漢章帝元和三年（西元八六年，時王充六十歲）起，先後攜家到丹陽郡（治所宛陵，在今安徽宣城）、九江郡（治所壽春，在今安徽壽縣。一說治所陰陵，在今安徽鳳陽南）、廬江郡（治所舒，在今安徽廬江西）做屬官。後來又到揚州（治所歷陽，在今安徽和縣）做治中(州刺史的助理)。漢章帝章和二年（西元八八年），「罷州家居」。⑧友人謝夷吾上書推薦王充，漢章帝「特詔公車徵，病不

行，」⑨晚年「儔倫彌索，鮮所恃賴，貧無供養，志不娛快，」⑩處境相當潦倒。後病卒于家。關於王充生平事迹的詳情，希參看蔣祖怡《王充卷》第四部〈王充年譜〉，及黃暉《論衡校釋》第四册附編二《王充年譜》。⑪

(二)王充的著述

關於王充著述方面的研究，也和王充生平事迹的研究一樣，同是四十年來學術界所關心並論爭的問題之一。近人張宗祥在他的《論衡校訂三卷附記》中說：

> 充之著作，凡分四部：一、《譏俗》之書；二、《政務》之書；三、《論衡》之書；四、《養性》之書。皆見《自紀》。《譏俗》之書十二篇，《養性》之書十六篇，《政務》之書不悉篇數，所可考者，《乏備》、《禁酒》二篇耳。然諸書皆不傳，所傳者獨《論衡》之書八十五篇耳。則知古人著述湮沒不傳者多矣。

由上可知，張氏認爲：一、王充這四部著作，均已亡佚。現存僅《論衡》八十五篇。二、《論衡、對作篇》中所舉的《備乏》、《禁酒》二篇，是《政務》之書中的篇名。這兩種意見，是歷來學術界多數人的公論。但張右源認爲：王充的全部著作，已混雜在今本《論衡》之中。民國五十一（西元一九六二）年，朱謙之在他的《王充著作考》裏，更伸張了張右源的說法。

《王充卷》的作者蔣祖怡氏，在他的《論王充的〈政務〉之書》和《論王充的〈養性〉之書》兩文中，不贊同朱氏的論點，認爲王充的《養性》、《政務》、《譏俗》三書，到現在都已亡佚，雖然

它們的基本觀點，在今本《論衡》中可以探知，但今本《論衡》中實未包括上述三種著作。

陳叔良氏則指出，《論衡》共八十五篇，《隋志》有目，今惟缺《招致》一篇，《養氣篇》決不可能是《論衡》中的篇名。⑫

《論衡》一書是王充傾畢生精力的代表作。關於此書的篇數問題，歷來也有不少的論爭，約分爲兩種意見。一種認爲《論衡》原來不止八十五篇，到現在亡佚的很多。另外一種認爲《論衡》中有好多篇是後人僞造的。蔣祖怡在《論衡篇數考》一文中指出：《論衡》原書八十五篇，至今缺《招致》一篇，歷來書目著錄，均無異辭。因爲他這篇文章主要論點是針對劉盼遂的《論衡篇數殘佚考》而作，所以根據劉文，詳加分析。⑬是想正確的明瞭這個問題的很值得參考的文字。

總之，王充的《論衡》一書，在今天，仍是我們研究王充的哲學思想、科學思想和文學理論批評很重要而且可靠的文獻和資料。蔣氏認爲：其中有佚文，這是事實，但是，原來總八十五篇。除掉在宋元間佚去《招致篇》一篇外，再也沒有其它的佚篇，其中也有不少脫奪、衍文和錯亂的地方，這也是事實，但是，現存的八十四篇之中，沒有任何的僞篇。⑭我們認爲：蔣祖怡氏對於《論衡》的篇數和佚文問題所下的結論應是十分正確的。

《論衡》的撰成，歷時三十餘年，即從漢明帝永平元年至和帝永元八年（西元五八——西元九六年），從三十三歲開始寫，到七十歲時始纂成。《論衡》中以《對作篇》爲全書總敍。《自紀篇》最晚寫成，因篇中提到《養性之書》十六篇，《自紀》當寫于《養性書》之後，是王充畢生最後的著

作。⑮在《對作篇》中，王充說明了寫作《論衡》的動機和目的，他反復強調寫《論衡》不是爲了「調文飾辭」，是由于時勢的要求，不得不寫。因爲當時社會上，「衆書并失實，虛妄之言勝眞美也」。當老師的人「賦奸僞之說」，做大官的「讀虛妄之書」，弄得「是反爲非，虛轉爲實」，「世人不悟，是非不定，紫朱雜厠，瓦玉集糅」，自己面對著這種情況，「疾心傷之」，「心濆涌，筆手擾」，「不得已，故爲《論衡》。」他並明確的指出，自己寫作之目的是「銓輕重之言，立眞僞之平」，「解釋世俗之疑，辯照是非之理，使後進見是非之分」，⑯希望自己的主張能得到君主的採納，俾便對政治和敎化有所補益。此外，他在《佚文篇》裏，也概括而明白的道出了他著書的動機：「詩三百，一言以蔽之，曰：『思無邪』。論衡篇以十數，亦一言也。曰：『疾虛妄』。」《論衡校釋》的撰者黃暉把《論衡》全書，就王充的思想體系，列爲六組：第一組是說性命的。第二組是說天人的關係。第三組論人鬼關係及當時禁忌。第四組論書傳中關於感應之說違自然之義和虛妄之言。第五組是程量賢佞才知的。第六組當作自序和自傳的。黃氏說：「這八十五篇書，今缺招致一篇。反復詰辯，不離其宗，眞是一部有體系的著作。可惜這部大著，宋以後的人就忽略它了。

三、王充的科學思想形成的背景

思想往往是環境的產物。誠如徐復觀氏所說，一個人思想的形成，常決定於四大因素。一爲其本人的氣質。二爲其學問的傳承與其功夫的深淺。三爲其時代的背景。四爲其生平的遭遇。⑰這種看法

很有道理，因此，我們認爲，從當時的社會環境和東漢科學發展的情形來剖析王充的科學思想，應當是一種正確方法。其次，研究王充的科學思想，要從他整個思想作全面的考察。但是在這裏受篇幅的局限，只能粗略的陳述如下。

王充生存的時代，歷經光武帝、明帝、章帝、和帝四朝，是東漢的鼎盛時期。同時，也是儒家思想和讖緯神學最盛行的時代。所謂「讖」，是一種預言，假托是「天神」的啓示。因爲說這種預言是符合「天意」的，所以又稱爲「符」。出於「天命」，所以又稱爲「符命」。有的「讖書」染成綠色，所以又稱作「符籙」。上面有圖有字，所以又稱作「圖讖」。緯是對於經而言，織錦的縱絲爲經，橫絲爲緯，「緯」是用神學的觀點來解釋「經書」的書，例如，《春秋》被尊作「經」，另外就有一部《春秋緯》。總之，這些都是漢代人假造的神學迷信的書⑱，目的是利用宗教迷信預言之類以達到取得政權和維持其統治的慾望。王莽造作符命圖讖，就是想當皇帝。漢光武以赤伏符受命，又用了西狩獲麟讖來折服公孫述，統一天下；所以他對於讖緯有極強的信仰，很相信如李通等說讖的人，甚至用圖讖來決定嫌疑。於中元元年（西元五六年），又宣布圖讖於天下，定爲功令必讀之書。精明的明帝仍繼續父業。到了章帝，更將圖讖提高到和經書同等重要的地位。自建初四年(西元七九年)，在白虎觀舉行會議以後，命班固把這次會議的記錄寫成了《白虎通德論》（後世簡稱《白虎通》），由皇帝欽定頒行，這不但進一步加強了儒家神學思想的統治地，而且從此以後，東漢文人都得通讖緯，在他們的墓碑上，或是《後漢書》的列傳中，往往有「博貫《五經》，兼明圖讖」這一類的話，

就可瞭解到在東漢一代此風氣之盛了。在光武帝時雖有桓譚、鄭興、尹敏極力反對圖讖的迷信，並沒能發生效果。生在這種環境中的王充，便毅然高舉起了「疾虛妄」、「求實誠」的大旗，勇敢的同讖緯神學的天人感應的理論展開了強烈的抗爭。王充的哲學思想就是在這種情況下形成和發展起來⑲。

如果說，王充的思想是建立在當時科學發展的基礎上的。⑳那就是他對當時科學成就關心的結果。我們都知道，兩漢的社會，是由重農抑商轉變為重農輕商的社會，致力農業的發展，均是兩漢的統治者所不遺餘力的事。由於農業生產的發展和需求，自然科學，特別是和農業生產有密切關係的天文曆算得到了進一步的發展，使漢代成為我國古代天文學的黃金時代。秦代在天文曆法方面沒有什麼建樹，只採用了當時比較接近實際的《顓頊曆》。漢初沿用未改，但經長期使用之後，曆面和實際的節氣，以及朔望的狀態漸漸不一致，實際狀態都比曆面所記載的早些。漢武帝乃於太初元年（西元前一〇四年）頒行《太初曆》。西漢末年，劉歆把《太初曆》改稱《三統曆》。到東漢初期，已發覺《三統曆》和眞實天象不相符合，倡議改曆。章帝元和二年（西元八五年）二月改用新曆，就是《四分曆》。當時，主持改曆工作的是賈逵。王充著述之時正當《四分曆》和《三統曆》爭論最激烈的時期，他又很佩服賈逵，所以自然很關心當時天文學上的問題，例如在《論衡・說日篇》中，他論述日食的成因，又提出了交食周期，就是受了當時天文學方法的影響而產生的。㉑

我國農業史上精耕細作的優良傳統，大約形成於秦漢時期。當時由於土地私有制的發展，政府提倡重農思想和推行重農政策，不但提高了農民的生產意願，同時更促進了農業生產的發展。尤其冶鐵

業進一步的發展，使農具完全鐵製化，爲農業實行精耕細作奠定了穩固的基礎。在漢代，除了廣泛的使用鐵犂、大力的推廣牛耕以及發明了耬車外，加以農田水利的興修和擴建，輪作復種的發展與旱作技術的提高，改土和施肥技術的提高，以及栽培技術和管理技術上的進步，凡此等等，都促使農業生產有了重大的發展。㉒然而在王充一生七十餘年中，水、旱、雹、蝗、疫之年，近四十年。明帝永平末年到章帝建初之間尤甚，水旱瀕仍，流民滿道。加以兵連禍結，民不聊生。㉓王充生在這個時代，對於農事和百姓的衣食相當關心，就自然激起了他對地力和改土問題的看法，並且提出了防治害蟲的方法。㉔

此外，如上所述，王充在晚年撰有《養性書》十六篇，這是他從醫學的角度來談如何保健和養身祛病的。這和漢代醫學理論和臨床實踐方面的發展很有關係。其次，從物理學的角度而言，儘管《論衡》都是從側面，即作爲哲理的論據提出，但卻涉及到了物理學中的力學、聲學、熱學、光學和電磁學等。㉕其詳情容在下面討論之。

四、王充的科學思想

如前所述，王充的著作相當豐富，《論衡》爲一部理論著述，今人將它列入改變中國歷史的十大書之一。然其中如《談天》、《說日》、《商蟲》等篇，包含了不少有關科學方面的見解，可從中勾勒出他的科學思想概貌。今分述於下：

產生並促進我國古代天文學發展的因素，主要是由於農業的實際需要；其次，諸如祭神、祀祖、安排宗教節日以及占星術等需要，也是有關係的。隨著文化的發展，又產生了鑽研天文眞理和探索自然規律的願望，從而使天文學更加發達了。㉖

(1) 天文學

據陳遵嬀氏的研究，我國古代天文學在春秋戰國時期，就初步確立了自己的獨立體系。隨著天文觀測資料的積累，人們逐步認識了天體運行的一定規律，進而做出理論上的概括，產生了對宇宙起源、結構和演化的推測，出現了關於宇宙的各種理論。這些宇宙論的各種思潮與流派，一方面反映了不同政治主張的差異，另一方面，也給後世宇宙論的發展以一定的基礎。㉗日本學者新城新藏指出中國天文學在戰國時代最爲進步；後來受戰亂影響而停頓，到了漢代，才又復興。㉘

漢代人對天地結構的探索，也就是論天，主要是蓋天說和渾天說的爭論。蓋天說最初主張天是圓形的，地是方形的。就是通常所說的「天圓地方」。後來又被修改成「天象蓋笠，地法覆槃。天地各中高外下」，這意思是天像圓形的斗笠，地像扣著的盤子，都是中間高四周低的拱形。陳遵嬀氏說，蓋天說起自《周髀算經》，到了揚雄以後，因受渾天說的影響，有所發展；它論天地的形狀高低，稱「天圓如張蓋，地方如棋局。」渾天說發展於前漢的落下閎，而完成於後漢的張衡；他主張「天體圓如彈丸，地如鷄中黃，孤居於內，天大而地小，天之包地，猶殼之裹黃」。從現代球面天文學的觀點

來看，渾天說比蓋天說進步；由於兩個學說的爭辯，促進了天文曆法的發展。㉙到東漢時，對於天文曆算的研究，已分成幾個學派，除蓋天說、渾天說外，有宣夜說，以及王充的「方天派」。宣夜說主要的討論天空的性質，所謂宣夜，就是「宣勞午夜」。這說明宣夜說是著重對天空的觀測，不強調假說、推測。宣夜說有一個十分重要的看法，就是認爲，宇宙是不能用數字來測量的，宇宙本身是一個無窮無極的空間，天之蒼蒼，並不是它的眞正顏色。在茫茫的太空中，運行著各種天體，這些星宿的運行，是氣的運動。㉚

王充對天地的看法，深受荀子的影響，和蓋天說、渾天說都不相同。他明確的指出：「天地，含氣之自然也」，「天，體，非氣也」。㉛王充認爲，天地都是平正無邊的，地不動，天旁轉，日月麗天而行。關於太陽的出沒，晝夜的明晦，他反對儒家說是由於太陽出陽中入陰中。他說：

> 夫夜，陰也，氣亦晦冥。或夜舉火者，光不滅焉。夜之陰，北方之陰也。朝出日，人所舉之火也。火夜舉，光不滅，日暮入，獨不見，非氣驗也。夫觀冬日之出入，朝出東南，暮入西南。東南、西南非陽，何故謂之出入陰中？且夫星小猶見，日大反滅，世儒之論，竟虛妄也。㉜

王充對天體運行晝夜更替的現象，係從如上面所說的天平地方的觀念來解釋，他指出，天的平正和地沒有什麼不同。「然而日出上、日入下者，隨天轉運，視天若覆盆之狀」，所以看太陽的出入就像一上一下的樣子，恰似從地中出入一般。然而人們看見太陽出來，是由於它離得近的緣故；「其入，遠，不復見，故謂之入」。太陽運行出現在東方，距離人們近了，所以叫日出。用什麼方法來檢驗

呢？把明月之珠繫在車蓋頂上的弓形輻條上，轉動車蓋，珠子的本身就轉動了嗎？人們向前方眺望，不會超過十里，天地就合在一起了，這是因爲遠的緣故，其實並不是眞正合在一起的。「今視日入，非入也，亦遠也」。當太陽落入西方之時，正處在太陽下邊的人，也將會認爲是中午。從日落的地方，向東望我們現在所處的天下，天地或許也合在一起了。「如是，方（今）天下在南方也，故日出於東方，入於（西方。）北方之地；日出北方，入於南方。各於近者爲出，遠者爲入」。實際上太陽並沒有進入地裏，而是離開人們遠了。到湖泊的水邊，瞭望四邊邊緣就好像和天連結在一起，其實不是相連結的，因爲遠了，看起來好像連在一起的樣子。「日以遠爲入，澤以遠爲屬，其實一也。」湖那邊有陸地，人們望不見。陸地雖然存在，但察覺不出來，太陽也是存在著的，但看起來好像落入，都是因爲距離人們遠的緣故。泰山的高度，進入雲霄與天相等，然從百里以外的地方看泰山，連土堆那麼大小的形狀都看不見。在百里以外的地方，看不見泰山，何況太陽距人的距離要用萬里爲單位來計算呢！「太山之驗，則旣明矣。試使一人把大炬火夜行於道，平易無險，去人十里，火光滅矣。非滅也，遠也。今日西轉不復見者，非入也。」[33]王充以泰山、火炬爲例，所闡述的日出非出，日入非入，都是因爲距離遠的緣故，才使人們感覺到天與地相連。有人說，王充這個遠則合的觀點，卻不自覺地道中了宇宙是無限大，地球是圓形的。[34]這話很有道理，但王充對天文的研究，仍舊堅持「天平正與地無異」的方天說。王充很尊敬桓譚，但是桓譚主張渾天說，王充並沒有受到他宇宙思想的影響，從這方面看，王充是不如桓譚的。因爲如前面所說，漢代論天，主要是蓋天說和渾天說的爭論。

從現代球面天文學的觀點來看，渾天說遠比蓋天說進步。㉟更遑論方天說了。

其次，王充對太陽的出入距人遠近和寒溫的問題，用火炬近人爲明，遠人爲滅；近人爲溫，遠人爲寒爲例，並以竿樹立在屋下加以驗證，認爲太陽出入距人遠，故寒；日中去人近，故溫。他在《論衡·說日篇》中曾詳細地說明這種現象和道理。

儒者或以旦暮日出入為近，日中為遠；或以日中為近，日出入為遠。其以日出入為近、日中為遠者，見日出入時大，日中時小也。察物近則大，遠則小，故日出入為近，日中為遠也。其以日出入為遠、日中時為近者，見日中時溫，日出入時寒也。夫火光近人則溫，遠人則寒，故以日中為近，日出入為遠也。二論各有所見，故是非曲直未有所定。如實論之，日中近而日出入遠。何以驗之？以植竿於屋下。夫屋高三丈，竿於屋棟之下，正而樹之，上扣棟，下抵地，是以屋棟去地三丈。如旁邪倚之，則竿末旁跌，不得扣棟，是為去地過三丈也。日中時，日正在天上，猶竿之正樹去地三丈也。日出入，邪在人旁，猶竿之旁跌去地過三丈也。夫如是，日中為近，出入為遠，可知明矣。試復以屋中堂而坐一人，一人行於屋上，其行中屋之時，正在坐人之上，是為屋上之人與屋下坐人相去三丈矣。如屋上人在東危若西危上，其與屋下坐人相去過三丈矣。日中時，猶人正在屋上矣；其始出與入，猶人在東危與西危也。日中去人近，故溫；日出入遠，故寒。然則日中時日小，其出入時大者，日中光明，故小；其出入時光暗，故大。猶晝日察火，光小；夜察之，火光大也。既以火為效，又以星為驗，晝日星不見者，光耀

滅之也，夜無光耀，星乃見。夫日月，星之類也。平旦、日入光銷，故視大也。㊱

王充的「日中去人近，故溫；日出入遠，故寒」觀點，雖然相當正確，但若以這種觀點來支持他的方天說，並解釋太陽的運行，就難以令人信服，因爲他缺乏在天文方面的實際觀測，只用感性知識和邏輯推理來認識宇宙，所以他對宇宙的認識比較落後於當時天文科學的發展。㊲總之，王充對宇宙的認識，雖自有一套說辭，但誠如陳遵嬀氏評論他說：「王充立論詭譎，頗能自圓其說。但是倘若利用他的說法來解釋星辰，則立刻可以看出破綻。二十八宿在天空的移動，好像地上車轂的轉動一樣，這個部分沒下去，另一部分升上來；難道星辰東西出沒前後，也西轉而繞北極嗎？他並沒有論到這一點，否則或將自破其說。」㊳王充的方天說或對宇宙的認識有上述的缺點，但他堅持天是客觀存在的物質，反對漢儒在天地問題上的神祕主義的說法，勇敢的批判鼓噪于天文學中的天人感應之說，用地上的蒸氣來解釋雨雪露霜的形成，這在當時也的確是進步的。㊴我們知道，漢代流行的天人感應說，是由「爲儒者宗」的董仲舒所建立的。董氏把天解釋爲有意志、有作爲的神，自然界日月的運行，四季的更替，國家的治亂，和人的吉凶禍福，都是由于天神的意志所安排，而且是永遠不變的。又因爲君權是神授的，所以自然界的一切災異、祥瑞，都是天神對他的兒子（卽天子）的示意。㊵漢代的天人感應說，亦就是災異說，是在政治上對皇帝而言，本是董仲舒爲實現他以人民爲主體的理想政治，假借天以約束君權及其行爲的，其用心之良苦，是很值得尊敬的。自漢元帝起，災異增強了對皇帝的壓力。到了光武以圖讖代災異，所以災異說的影響，在東漢的分量，雖然不及西漢元帝及其以後的嚴

重；但其對皇帝行爲的約束性，依然相當存在的。㊶但另一方面，在《漢書・五行志》上引〈贊語〉中，已露出董氏所建立的天的哲學，在方法上、在徵驗上、在結果上，至西漢之末，已不復爲學術界所完全信服。㊷更糟糕的是，所謂「君權神授」或「圖讖」竟成了統治者或野心家用來達到他們維持政權或獵取政權的手段，「天人感應」已完全變成了眞正的神學迷信，這就是王充大膽起而推翻它的原因。他的自然科學思想，有許多是批判神學或讖緯迷信而激發出來的。例如在《論衡・雷虛篇》中批判了漢儒把打雷說成是上天發怒、有意識懲罰「陰過」的虛妄之言。他舉出五件事實證明雷是火，不是上天發怒。他說：

> 夫雷，火也，……何以驗之？雷者，火也。以人中雷而死，即詢其身，中頭則鬚發燒燋，中身則皮膚灼焚，臨其尸上聞火氣，一驗也。道術之家以為雷（意即道術之家因為仿造雷）。燒石色赤，投于井中，石燋井寒，激聲大鳴，若雷之狀，二驗也。人傷于寒，寒氣入腹，腹中素溫，溫寒分爭，激氣雷鳴，三驗也。當雷之時，電光時見，大若火之耀，四驗也。當雷之擊，時或燔人室屋及地草木，五驗也。夫論雷之為火有五驗，言雷為天怒無一效。然則雷為天怒，虛妄之言。

這種批駁，在當時是非常有力的。有人稱贊他關於雷的原理的論述，爲我國自然科學史寫下了光輝的一頁。㊸値得注意的是，由此也可知道王充是很重視「效驗」的。所以他在《知實篇》中一開頭就說：「凡論事者，違實不引效驗，則雖甘義繁說，衆不見信。」所謂「效驗」，就是證據。「甘義繁

說」，就是道理講得再動聽，話說得再多。「衆不見信」，乃是大家還是不相信的。王充重視效驗，就是重視證據，這就是處理問題的科學態度。

此外，據《論衡・說日篇》的記載，關於日食的成因，在當時有三種說法。第一、儒者謂：「日蝕，月蝕之也。」第二、或說：「日蝕之變，陽弱陰強也。」第三、或說：「日食者，月掩之也。日在上，月在下，障於月之形也。日月合相襲，月在上，日在下者，不能掩日；日在上，月在日下，障於月，月光掩日光，故謂之食也。障於月也，若陰雲蔽日月不見矣。其端合者，相食是也。其合相當如襲辟者，日既是也。」王充對於這三種說法都不贊同。首先他不認爲如儒者所說的，日食是因爲月亮侵蝕了太陽的緣故。他指出：日食的成因是：「彼見日蝕常於晦朔，晦朔月與日合，故得蝕之。」在春秋時代，日食的次數很多，太陽的被侵蝕，不一定就是月亮侵蝕的，既然知道是月亮侵蝕的，爲什麼要忌諱不說月亮呢？其次，他駁斥日蝕之發生，係陽弱陰強所致。他說，世界上的人與動物，力氣強大的，才能夠欺壓力氣弱小的。「案月晦光既，朔則如盡，微弱甚矣，安得勝日？」日食與月食是一樣的，如果說，日食是月亮侵蝕了太陽，那麼在月食時月亮又被誰侵蝕了呢？事實上沒有侵蝕月亮的東西，是月光本身削弱了。拿月亮論斷太陽，也可以知道日食，實是日光自己削弱的。大概每隔四十一、二月，就會發生一次日食；一百八十天，就會發生一次月食。日食和月食的出現，都有一定的時節，不是一定的時節就是變異，至於它的發生變異，也是由於氣自然而然造成的。日食的時間總是在農曆的月底和月初，這也是月亮造成的嗎？太陽理當實滿，虧損了就是變異，必定說有侵蝕它

的，那麼山崩地動，又是誰侵蝕它的呢？最後，王充指出：「日月合於晦朔，天之常也。」他批評日食是因爲受月球遮掩的說法，是不正確的。拿什麼作效驗呢？假使日月重合，月亮遮蔽了日光，開始時所遮掩的那邊，應當和將要恢復的時候所遮掩的地方不同。假令日在東邊，月亮在西邊，月亮運行的快，向東到達太陽所在的地方。遮掩了日邊，一會兒，繞過太陽向東運行，西崖最初遮掩的地方之光應當恢復，東崖本來沒遮掩的那一邊應當繼續被食。現在觀察日之被侵蝕，月亮移動過去遮掩太陽東邊之時，西邊就恢復了光亮，怎麼說成是月亮和太陽相重疊遮掩呢？㊹

從上面看來，王充認爲日食和月食的發生，都是因爲太陽與月亮的光按照一定的周期本身虧損而形成的。他這種見解，不但在今天看來是錯誤的；就是在他那個時代，這種意見也不正確。成書於西漢中期的《周髀算經》曰：「月光生於日所照，當日則光盈，就日則明盡。」京房也說：「月有形無光，日照之乃有光。」㊺到了稍晚於他的張衡（西元七八—一三九年），測出了太陽和月球的角直徑爲半度；繼承了京房和王充的見解，認爲月光是太陽光的反照，月食是由於地球遮住太陽而發生。㊻總之，王充對日食的成因的解釋雖然是錯誤的，但在儒生竭力鼓吹天人感應說的當時，認爲日食是一種災變，是因爲陰侵犯了陽所引起的，王充的這種批判，是時代進步的表現。㊼至於王充又提出的交食周期，在司馬遷的《史記》中就已經有了交食周期的初步認識，到西漢末年，劉歆總結出一種周期，一百三十五個月有二、三次日食。㊽東漢時，曆家對於推算月食，更爲重視，其起算的曆元和周期的數值常有改革。㊾王充所提出的交食周期，當爲其中之一。總之，這說明了我國也是世界上較早

發現交食周期的國家之一。㊿

天文學是用科學的方法來解釋宇宙現象的。㉛我們從《論衡・說日篇》中就可正確的明瞭了王充的宇宙觀。㉜

(2) 農業技術

在農業知識和技術方面，王充也有深刻的認識和經驗。例如他在《論衡・效力篇》中指出，地力的高低，對農作物的生育和產量有密切的關係。地力高的農田，莊稼生長的好，產量高，一畝地的產量，能當中等肥力農田五畝的產量。「苗田，人知出穀多者地力盛」。《論衡・率性篇》係說人的本性是可以通過教導而改變的，也就是王充強調後天環境對人性的改造作用，他以地力和改土問題做實例，說明這個道理。他說：

夫肥沃墝埆，土地之本性也。肥而沃者性美，樹稼豐茂。墝而埆者性惡，深耕細鋤，厚加糞壤，勉致人功，以助地力，其樹稼與彼肥沃者相類也。

王充這段話受到研究中國農業科技史的學者很高的評價，被視爲對地力和改土問題的精闢之言論。他們認爲王充在這段話裏，主要闡述了以下幾個觀點：一、在自然狀態下，土壤是有肥沃和墝埆（瘠薄）之分的，這是它的自然特性；二、土壤性美與性惡的自然特性，不是固定不變的，是可以用人工加以改造的；三、「深耕細鋤，厚加糞壤」，是用人工培肥地力，改良土壤的有效措施；四、經過人

工改良培肥的瘠薄土壤，可以和肥沃土壤一樣，長出豐盛繁茂的莊稼。王充在這裏，實際上是闡述了自然土壤和耕種土壤的本質區別，即自然土壤只有自然肥力，而耕種土壤則是自然肥力和人工肥力的結合。53我們臺灣地區近幾十年來農業生產的高度發展，主要的由於改土和施肥技術十分進步的結果。在將近兩千年前，王充就已有了這樣高明的見解。由此可看出了他的科學思想的卓越性。

王充在《論衡・率性篇》中又說：

地之高下，亦如此焉。以钁、鍤鑿地，以埤增下，則其下與高者齊。如復增钁、鍤，則夫下者不徒齊者也，反更為高，而其高者反為下。使人之性有善有惡，彼地有高有下，勉致其教令之善，則將善者同之矣。善以化渥，釀其教令，變更為善，善則且更宜反過於往善，猶下地增加钁、鍤，更崇於高地也。

王充指出，遇到高低不平的土地，人們可以用工具來挖高墊低，使低的地方和高處齊平，如果繼續做下去，就會使低的地方反而比原來高的地方還高，高處反而變低了。他用這個比喻，論證人性可以改變的觀點，可以說是相當正確的，因爲他認爲，「教告率勉」就是人性「善可變爲惡，惡可變爲善」的重要關鍵。這就像用挖高墊低的辦法，使高低不平之地齊平一樣。

如前面所說，秦漢時期（西元前二二一年～西元二二〇年）是我國農業史上精耕細作優良傳統的形成時期。當時的人們，對農業害蟲的發生發展規律有了初步認識；創始了挖溝捕蝗的方法；總結了防治倉貯害蟲的經驗。他們發現害蟲的發生發展和風向以及溫度、濕度之間有極密切的關係。因此，

當時曾流行過「蟲由風生」的說法。[54]但漢儒說是蟲吃穀物是地方官吏侵奪人民造成的，只要君主「使加罰於蟲所象類之吏，則蟲滅息，不復見矣。」[55]王充在批判這種荒謬的言論時，乃指出，蟲是自然界的生物，蟲的生死自有本身的規律，「生出有日，死極有月，使人君不罪其吏，蟲猶自亡。夫蟲，風氣所生，蒼頡知之，故「凡」、「虫」爲「風」之字。」[56]「然夫蟲之生也，必依溫濕。溫濕之氣，常在春夏。秋冬之氣，寒而乾燥，蟲未曾生。」[57]王充在這段話裏，明白而進一步的闡述了害蟲的發生發展和溫度及濕度的密切關係。更值得一提的是，他不但以蠱蟲爲例，說明蟲因溫濕而產生，「穀乾燥者，蟲不生；溫濕饐餲，蟲生不禁」。[58]更提出了一種貯藏麥種防止蟲吃的方法，那就是「烈日乾暴，投於燥器，則蟲不生。」[59]據今日研究中國農業技術史的學者指出，現代的科學實驗結果業已表明，害蟲的發生發展，確與風向和溫濕度有密切關係。如粘蟲的發生就與風向有關，因爲粘蟲由南向北遷飛，就受風向和風力大小的左右，南風或西南風則是粘蟲由南向北遷飛的助力。而溫濕度的高低和大小，又同害蟲的化蛹、卵化與繁殖生息有密切關係。[60]此外，王充在《論衡・商蟲篇》裡，還轉引了神農、后稷收藏種子的方法，即是煮馬屎汁浸種子，使得禾苗不生蟲。在《汜勝之書》中亦有類似的方法。蓋皆因於《周禮・草人》糞種之法也。[61]總之，由上所述，可見秦漢時期農業科技的進步狀況，以及王充的科學思想之不同凡響了。

根據統計，在兩漢時期，蝗災共發生四十次[62]，可說比較頻繁，因而政府也就比較重視捕蝗，如漢平帝時曾由官府派出捕蝗使者，發動民衆捕捉蝗蟲，並且按照捕蝗數量的多少給予獎勵，藉以鼓勵

民衆樂意捕蝗。到了東漢，又創始了「挖溝捕蝗」的方法，提高了捕蝗的效率。王充總結了前人捕蝗的經驗，提出了他的看法：

> 蝗蟲時至，或飛或集。所集之地，穀草枯索。吏卒部民，塹道作坎，榜驅內於塹坎，把蝗積聚以千斛數。正攻蝗之身。⑬

其方法是那裏發生蝗災，就發動當地的民衆，在路上挖濠溝作坑穴，用扑打並驅逐的方法，把蝗蟲趕到濠溝和坑穴裏，再把蝗蟲耙在一起，堆集了上千斛之多，就直接攻殺它們。⑭這種挖濠溝捕蝗的方法，直到近四十多年前，在北方農村還沿用著。

(3) 醫學

在醫學方面，到了漢代，無論在醫學理論、臨床醫學、藥物學、針灸學等各方面都有了長足的進步，爲我國醫學奠定了基礎。當時的醫學、藥物學之著作已有很多。⑮王充也是精通醫學的，他在晚年所寫的《養性書》十六篇，是談如何保健和養身祛病的。因爲該書已亡佚，只能在《論衡・自紀篇》中略知其梗概。《自紀篇》云：

> 充……章和二年，罷州家居。年漸七十，時可懸輿……乃作《養性》之書凡十六篇。養氣自守，適食則酒。閉明塞聰，愛精自保，適輔服藥引導，庶冀性命可延，斯須不老。

所謂「養性」，意思就是養生。「適食則酒」之「則」，劉盼遂《論衡集解》說：「則」，當作

「節」。古「則」和「卽」同聲通用，「節」從「卽」聲。而北京大學《論衡》注釋小組解釋爲：適，適量。則：法，指有定量。適食則酒：指講究吃飯和飲酒的數量適宜，不多也不少。這兩種解釋可說相同。「適輔服藥導引」，蔣祖怡氏引孫人和云：「適輔服藥引導」句有竄脫。⑯所謂「引導」，意卽導引，就是「導氣令和，引體令柔」。也就是莊子所倡導的以「吹呴呼吸，吐故納新，熊經鳥伸，爲壽而已矣」的模仿禽獸的姿態和吐納相結合的導引。所謂「斯須不老」，斯須意卽須臾，就是短時間。整句的意思是，不至於很快的就老死。所以正如蔣祖怡說：「王充的《養性書》的內容，是有關「養生」、「養氣」、「導引」、「節欲」、「愛精」等具體問題的，其宗旨既與道家方士的「養生不死」之說絕不相侔，也與《逢遇》等十六篇的內容迥然不同。其說頗合我國醫家之理，是科學的而非神學的。」⑰例如他在《論衡・道虛篇》中，用科學知識批判了道家（秦漢方士）「服食藥物，輕身益氣」，「辟穀不食」，「恬淡无慾」等可以使人「度世不死」的虛妄之言。就是一個明證。王充認爲，「人之所生者，精氣也，死而精氣滅。」⑱所以只要「養氣自守，閉目塞聰，愛精自保，服藥導引」⑲，就可收到延年益壽的效果。

歷史上也證明了王充這種養身祛病的理論是非常正確的。譬如東漢末年，著名的醫學家華佗告訴他的學生吳普保健長壽的道理，並叫吳普做他編造的「五禽之戲」。吳普遵照老師的敎導，勤加鍛鍊，活了九十多歲，耳聰目明，牙齒完堅。⑳就是一個很好的例證。

又如古時，在「六十不夭壽，七十古來稀」的情況下，道人們則能活到七、八十年以上，有的高

壽到九十多至一百多歲。例如全眞道的祖師之一張紫陽享年近百歲，唐代傑出的醫藥學家孫思邈享年一百零二歲（西元五八一－六八二年），他的醫學巨著《備急千金要方》中記載：「道人蒯京，已年一百七十八歲，而甚丁壯。」這顯然和他們自身養生修煉的得法有密切的關係。⑪

總而言之，王充的科學思想，除上述三項外，他在批判漢儒的「天人感應」和各種的迷信思想時，他所應用的科學利器尙涉及到物理、生物以及冶金等範疇，這不但說明了王充有淵博的科技知識，同時也說明了當時科技的發展水準。關於他在理化方面的知識，已有人介紹過，在此暫不討論，留到將來再談。

五、結　語

自東漢至今，學術界對王充思想的評價，成爲兩個極端，一種是非常仇視他，罵他是「名教之罪人」；一種是十分推崇他，稱贊他爲「漢得一人」。⑫近人胡適氏與徐復觀氏更是對王充思想評價的兩個極端的代表人物。胡先生特別強調王充的批評精神和科學態度。徐先生則反對胡先生將王充視爲有科學態度的思想家。胡先生指出，東漢時的天文學者最注重效驗，王充的批評方法也最注意效驗，徐先生反對王充受到天文學的科學方法的影響之說。他指王充所用的效驗很少是直接的觀察，大部分是類推的方法，而這種方法，只是名學或理則學，不算科學，說王充具有批評的精神和懷疑的態度是可以成立的；但說他有科學的態度，甚至說他是科學家則是值得商榷的。胡適所謂的科學方法有三個

步驟，即⑴要能疑問，⑵提出假設，⑶搜求證據來證明假設。王充在第三步驟上，常是用類推的方法，把耳目直接所及的現象，拿來解釋本非耳目所能及的問題，這反而阻塞了進一步追求眞實之路，王充的方法近於古希臘的自然哲學，以思辯推理的方法處理自然宇宙的問題；而不近於西方近代的自然科學，由設定的條件進行實驗。所以不能說王充有科學的態度，也不能稱他爲科學家。⑬我們認爲，在王充的思想中，其科學思想雖嫌薄弱，雖不能稱他爲科學家，但從他對天文學、農業技術等見解而論，卻也不能說他沒有科學思想。此外，近幾十年來，一些研究古代科學史的學者，都吸取《論衡》中的有關篇章，寫成了如前面所引用的書文，則是不爭的事實。⑭如以我國地區來分，大陸學者多推崇王充，臺灣地區的學者較傾向贊成徐復觀先生的說法。誠然由於王充缺乏在天文方面的科學實踐，只就感性知識和邏輯推理來認識宇宙，所以他對宇宙的認識比較落後於當時天文科學的發展。⑮不過也不否認的，他那一些批判漢儒散佈「天人感應」的言論，對於當時迷信的空氣，確有摧陷廓清之功。其次，他在農業科技方面的見解，則贏得了今世學者很高的評價。⑯又如他那保健和養身袪病的思想，也和對天文、農技方面的認識一樣，都是總結了過去的經驗而形成的。

王充很重視效驗，效驗就是證據。所以他說：「事莫明于有效，論莫定于有證」⑰。他還強調「辨僞以實事」⑱，就是要用「實事疾妄」⑲，這就是說「效」和「證」必須是「實事」，用這個作標準才能辨別出虛妄或眞美來。總之，王充在《論衡》中對自然科學的問題，闡發了不少科學思想，但也發表了一些錯誤的看法。這是受了他的科學的水平及思想方法的弱點和局限性⑳。我們知道，科

學的本質，在於觀察現象，提出假設，進行實驗，做出結論。王充的態度已經足有科學的精神。懷疑主義在科學上扮演重要的角色，但科學不能用記憶，必須把眞理放在自己的邏輯中思考過。王充的缺點，缺乏天文上的實際觀察，只依據邏輯來推演，因此缺乏科學的主要精神中十分重要的實驗。又科學基本上是要追求眞理，但眞理是不能從單方面來思考的。但是，王充敢勇於向當時的權威挑戰，批判當時的神學迷信，也可說是具有科學中的懷疑精神，對於不合理、不經邏輯推演的說法提出強烈的質疑，這也堪稱在漢代思想史上一個傑出的人物了。誠如李約瑟（Joseph Needham）所言：「吾人今可辨識王充之作品，彼爲中國任何一時代最偉大之人物之一，往往被稱爲中國之路癸夏（Lucretius），彼在中國科學史上之功績，已深爲近代中國科學家與學者所認識……。」[81]

【附註】

① 喬治・薩頓（George Sarton）著，陳中人譯《科學的生命》（The Life of Science）譯者前言，臺北，結構群文化事業有限公司，民國七十九年二月二十五日。

② 郭金彬、王渝生《自然科學史導論》序，福建教育出版社，一九八八年八月。

③ 前揭書《科學的生命》，頁四八－五〇。

④ 參看蔣祖怡《王充卷》，頁五二，中州書畫社，一九八三年十月。另參看李約瑟（Joseph Needham）著，陳立夫主譯《中國之科學與文明》，臺灣商務印書館。

⑤ 參看《王充卷》(八)三十年來對王充的研究，另參看王錦光、洪震寰《中國物理史話》頁二〇七云：「研究他（王充）對自然科學的貢獻，不過是近年的事。王充在《論衡》中所記載的有關物理方面的知識，更有待於進一步研究和發掘。」臺北，明文書局，民國七十三年四月。

⑥ 參看前揭書《王充卷》，頁一一二。

⑦ 《後漢書・王充王符仲長統列傳》，頁一六二九（《新校後漢書注》，臺北，世界書局，民國六十一年九月），下同。

⑧ 前揭書《王充卷》，頁一九四。

⑨ 前揭書《後漢書・王充王符仲長統傳》，頁一六三〇。

⑩ 前揭書《王充卷》，頁一九六。

⑪ 前揭書《王充卷》，頁一七六―一九九。

⑫ 以上轉引《王充卷》頁五三―五五。

⑬ 前揭書《王充卷》，頁一三六―一五一。

⑭ 前揭書《王充卷》，頁一五五。

⑮ 前揭書《王充卷》，頁八三，頁一九七。

⑯ 《論衡・對作篇》（另見黃暉，《論衡校釋》，北京大學歷史系《論衡》注譯小組《論衡》注釋，頁一六四八，北京，中華書局，一九七九年，下同）。另參看徐敏《王充哲學思想探索》，頁四三，北京，三聯書店，一九七九年九月。

⑰ 參看徐復觀《兩漢思想史》卷二，頁五六三，臺灣學生書局。
⑱ 參看《王充卷》，頁八；《王充哲學思想探索》，頁一二；《胡適選集》㈠，頁一五一——一五五；顧頡剛《漢代學術史略》，頁一七七——二一三。
⑲ 同上。
⑳ 前揭書《王充卷》，頁一〇。
㉑ 參看陳遵嬀《中國天文學史》第一册，頁二〇三——二〇五，臺北，明文書局，民國七十三年二月。《胡適選集》㈠，頁一五六——一五七。
佚名《中國天文史話》，頁二六七，臺北，明文書局，民國七十二年七月。《論衡》校釋本第二册，頁五〇四——五〇六。
㉒ 郭文韜等《中國農業科技發展史略》，頁一三〇——一八〇，北京，中國科學技術出版社，一九八八年八月。
㉓ 《後漢書·明帝紀》《後漢書·章帝紀》，頁九五——一五九。《後漢書·五行志三》注引《古今注》、《東觀漢書》，頁三三〇六——三三〇七。
㉔ 參看《論衡·率性篇》、《論衡·商蟲篇》。
㉕ 參看前揭書《中國物理史話》，頁二〇六——二〇七。
㉖ 陳遵嬀《中國天文學史》，第一册，頁一七八。
㉗ 同上，頁二〇一。
㉘ 同上，頁二八〇。

㉙ 同上，頁二一〇。
㉚ 參看徐敏《王充哲學思想探索》，頁一四—一五。
㉛ 《論衡・談天篇》，校釋本頁四七三，頁四八二。
㉜ 《論衡・說日篇》，校釋本，頁一六八。
㉝ 以上見《論衡・說日篇》，校釋本，頁四九一。
㉞ 徐著《王充哲學思想探索》，頁五六。
㉟ 陳遵嬀《中國天文學史》第一册，頁二一〇。
㊱ 侯外廬等《中國思想通史》第二卷〈兩漢思想〉，頁三〇〇—三〇二，將此篇誤記爲《論衡・物勢篇》。
㊲ 《論衡》注釋本，頁六一七、六〇二—六〇三。
㊳ 陳遵嬀《中國天文學簡史》頁一六五，臺北，木鐸出版社，民國七一年四月。
㊴ 《論衡》注釋本，頁六〇二—六〇三，六一七—六一八。
㊵ 前揭書《王充卷》，頁六一七。
㊶ 徐復觀《兩漢思想史》卷二，頁六二一—六二二。
㊷ 同上，頁四二一。
㊸ 《論衡》注釋本，頁三八一。
㊹ 以上參看《論衡・說日篇》，校釋本第二册，頁五〇四—五〇七。
㊺ 《論衡・說日篇》論衡校釋本，頁五〇六。

㊻前揭書《中國天文學史》結論篇，頁二一〇—二一一。

另見前揭書《中國天文史話》，頁一一五—一一六。

㊼《論衡·說日篇》，校釋本，頁五〇六。

㊽前揭書《中國天文史話》，頁一一六。

㊾陳遵媯著《中國天文學簡史》，頁一一二。

三經曆以一百三十五日爲交食周期，四分曆也採用它。……

㊿前揭書《中國天文史話》，頁一一六。

51前揭書《中國天文學簡史》，頁一七八。

52參看田昌五《論衡》導讀，頁一九七，他這種說法是不錯的。

53轉引《中國農業科技發展史略》，頁一五五。

54前揭書《中國農業技術發展史略》頁一六三。

55《論衡·商蟲篇》，注釋本，頁九三七—九三八。

56同上，注釋本，頁七一五。

57同上，頁七一九。

58同上，頁七一九—七二〇。

59同上，頁七一九。

60前揭書《中國農業科技發展史略》頁一六四。

⑥① 前揭書《論衡・商蟲篇》校釋本，頁七一六。
⑥② 陳高傭等編《中國歷代天災人禍表》上，頁一六一一六八，上海書店影印出版，一九八六年六月。
⑥③ 《論衡・順鼓篇》，校釋本，頁六八五。
⑥④ 前揭書《中國農業科技發展史略》頁一六四。
⑥⑤ 佚名《中國醫學史略》頁八四一一〇八・臺北，啓業書局，民國七十二年一〇月。
⑥⑥ 前揭書《王充卷》，頁一〇四。
⑥⑦ 同上書，頁一二。
⑥⑧ 前揭書《論衡・論死篇》校釋本，頁八七一。
⑥⑨ 前揭書《王充卷》頁三〇四引虞翻《會稽典錄》。此段引用比《自紀篇》省略有「適輔」二字。
⑦〇 《三國志・方技傳》云：「廣陵吳普、彭城樊阿皆從（華）佗學。普依準佗治，多所全濟。佗語普曰：『人體欲得勞動，但不當使極爾。動搖則穀氣得消，血脈流通，病不得生，譬猶戶樞不朽是也。是以古之仙者爲導引之事，熊經鴟顧，引輓腰體，動諸關節，以求難老。吾有一術，名曰五禽之戲，一曰虎，二曰鹿，三曰熊，四曰猨，五曰鳥，亦以除疾，並利蹄足，以當導引。體中不快，起作一禽之戲，沾濡汗出，因上著粉。身體輕便，腹中欲食。』普施行之，年九十餘，耳目聰明，齒牙完堅。」（《新校三國志注》本下，頁八〇四，臺北，世界書局。
⑦① 參看邊治中《中國古代養生長壽術》，頁五一六，上海翻譯出版公司，一九八六年六月。
⑦② 前揭書《王充卷》，頁五八。

⑬ 參看前揭書《胡適選集》(一)頁一五一—一七八，《王充的哲學》。
另參看前揭書《兩漢思想史》卷二，《王充論考》，頁五六三—六四〇。

⑭ 如前揭書《中國物理史話》、《中國天文史話》、《中國天文學簡史》、《中國天文學史》第一册、《中國農業科技發展史略》等。

⑮ 《論衡·說日篇》注釋本，頁六一七。

⑯ 前揭書《中國農業科技發展史略》頁一五五—一六四。

⑰ 《論衡·薄葬篇》校釋本，頁九六二。

⑱ 《論衡·自紀篇》校釋本，頁一二〇一。

⑲ 《論衡·對作篇》校釋本，頁一一八五。

⑳ 《王充和自然科學》，頁四八。

㉑ 前揭書李約瑟（Joseph Needham）著，陳立夫主譯《中國之科學與文明》(三)，頁三七。

誰道君王薄賈生

——試從思想角度探討賈誼與漢文帝之關係

孫鐵剛

一

賈誼是位有爭議的歷史人物。關於賈誼的爭議可從三方面來說。一是關於賈誼的政治見識與才能的爭議。二是關於賈誼是否懷才遇時的爭議。三是關於賈誼思想歸屬於儒家與法家的爭議。

首先，看看關於賈誼的政治見識與才能的爭議。讚揚賈誼政治見識與才能的，如漢劉向。劉向稱「賈誼言三代與秦治亂之意，其論甚美，通達國體，雖古之伊、管，未能遠過也。」①如唐代皮日休稱賈誼爲「眞命世王佐之才」②。然而也有對於賈誼的政治見識與才能持否定態度的，如宋代司馬光生學不純正，雖有儁才，任之爲治，必不效矣。」③又如宋丁奉云：「或曰：（賈誼）通達國體，劉認爲「賈向比諸伊管，子何以料其未形之遇。曰：始以痛哭自薦，終以哭泣自亡，觀其氣象，必非動心忍性者矣。不能動心忍性，則必不能當大任也。而伊、管豈若是班乎？」④由此可見對於賈誼的政治見識與政治才能的爭議是極端相左。

再看賈誼是否懷才遇時的問題。太史公的《史記》中對於賈誼有沒有懷才遇時並沒有明確的表示；但由賈誼與屈原合傳來看，賈誼應當是懷才不遇的。這是可由《屈原賈生列傳》中太史公曰：「余讀離騷、天問、招魂、哀郢，悲其志。適長沙，觀屈原所自沈淵，未嘗不垂涕，想見其爲人。及見賈生弔之，又怪屈原以彼其材，游諸侯，何國不容，而自令若是。讀〈服鳥賦〉，同死生，輕去就，又爽然自失矣。」⑤這段話和《史記・自序》中「作辭以諷諫，連類以爭義」合起來看，太史公司馬遷是認爲賈誼不遇時的。但是班固卻對司馬遷的看法提出異議，班固說：「誼亦天年早終，雖不至公卿，未爲不遇也。」⑥後世，也就跟着這兩種意見打轉。有人認爲賈誼遇明君，有人認爲賈誼懷才不遇。例如：漢荀悅說：「以孝文之明也，本朝之治，百寮之賢，而賈誼見逐，張釋之十年不見省用，馮唐白首，屈於郎署，豈不惜哉；夫賈誼過湘水，弔屈原，惻愴慟懷，豈徒忿怨而已哉？與夫荀患失之者，異類殊意矣。及其傅梁王，梁王薨，哭泣而從死，豈可謂不忠乎？然人主不察，豈不哀哉！」⑦荀悅就認爲賈誼不遇時。宋歐陽修批評班固以賈誼「未爲不遇也」的說法，他說「班固不譏文帝之遠賢，痛賈生之不用，但謂其天年早終。且誼以失志憂傷而橫夭，豈曰天年乎？則固之善志，逮與春秋褒貶萬一矣。」⑧然而與歐陽修同時代的王安石詠賈誼詩就持相反的意見，詩云：「一時謀議略施行，誰道君王薄賈生？爵位自高言盡廢，古來何啻萬公卿」，⑨就不認爲漢文帝薄遇賈誼。

關於賈誼第三項爭議，就是賈誼思想的歸屬問題。司馬遷《太史公自序》說：「自曹參薦蓋公言黃老，而賈生、晁錯明申商，公孫弘以儒術顯。」⑩以賈誼爲法家人物，而劉歆則認爲「在漢朝之儒，

唯賈生而已。」⑪以賈誼爲儒家人物。一把賈誼列入法家，一把賈誼歸之儒家。儒家與法家相距是不可以道理計的。

關於賈誼的這三種爭論。第一種爭論，賈誼的政治見識與才能是否高超，見仁見智，不易論斷。至於，賈誼是否遭遇明君，受漢文帝重用，倒是可以探討。其實，賈誼是否受漢文帝知遇，與賈誼的思想關係密切。這篇文章就是想探求賈誼與漢文帝的關係。並且想從思想的角度來解釋賈誼和漢文帝的關係。

二

根據《史記》和《漢書》上的賈誼傳來看，賈誼一生不太得志，他謫居長沙爲長沙王太傅，當他渡湘水時，做了《弔屈原賦》，表達了他自己的處境。賈誼爲長沙王傅第三年，有鵩鳥飛到了他的住處，他暗自傷悼，認爲他活不長，因此又做了《鵩鳥賦》來安慰自己。好不容易漢文帝想起了他，把他徵召回京師長安，賈誼滿心歡喜回到長安。漢文帝在宣室接見他，一邊接受祭神的福胙；一邊和賈誼討論陰陽造化，鬼神之本⑫，一直討論到半夜。然後，漢文帝很悵然地說道：「吾久不見賈生，自以爲過之，今不及也。」於是漢文帝授予賈誼梁懷王太傅的官職。賈誼爲梁王太傅時，一方面多次上疏表達他對時政的意見，一方面小心翼翼，輔佐梁王。那曉得梁王竟然墮馬而死，賈誼因此自責失職，而悲從中來，時常飲泣。不多久，賈誼也憂傷而死，享年三十三。⑬不論別人如何看賈誼的遭遇，

他認爲自己卻一直是懷才不遇。

關於賈誼爲什麼懷才不遇。一般的說法，因爲周勃、灌嬰等人的關係。證據是：「於是天子議以賈生任公卿之位。絳、灌、東陽侯馮、敬之屬盡害之，乃短賈生曰：『雒陽之人，年少初學，專欲擅權，紛亂諸事。』於是天子後亦疏之，不用其議，乃以賈生爲長沙王太傅。」⑭宋蘇軾就是持這種看法。蘇軾在《賈誼論》上說：「若賈生者，非漢文之不用生，生亦不能用漢文也。夫絳侯親握天子璽而授之文帝，灌嬰連兵數十萬，以決劉呂之雌雄，又皆高帝之舊將，此其君臣相屬之分，豈特父子骨肉手足哉。賈生洛陽少年，欲使其一朝之間，盡棄其舊而謀其新，亦已難矣。爲賈生者上得其君，下得其大臣，如絳灌之屬，優游浸漬而深交之，使天子不疑，大臣不忌，然後舉人下，吾唯吾之所欲爲，不過十年可得志，安有立談之間而遽爲人痛哭哉！」⑮在這裏明白可以看出，蘇軾認爲賈誼之不得漢文帝重用的關鍵在於「絳、灌之屬」，並以爲如果賈誼能夠「優游浸漬而深交」周勃、灌嬰等人，就能夠得到漢文帝的重用。

然而，有的人認爲周勃、灌嬰等人還算得上是正人君子，應該不會阻礙文帝進用賈誼，於是提出鄧通是阻礙賈誼仕進的人物。淸王耕心就持這種看法，他說：「賈子之進退不在絳、灌，而在鄧通，劉子政所記詳矣。或疑其說爲不然，不知但求諸《漢書》已有二證，至今猶可佐子政之說。賈子之諫放民鑄錢，其論至精，而孝文不聽者，所以爲鄧通也。賈子之復召，孝文自以爲不能及，終不肯留，仍出爲太傅，其不留者非他，亦所以爲鄧通也。」⑯

我們先看看賈誼不得漢文帝重用，是不是因「絳、灌之屬」作梗。歐陽修在《賈誼不至公卿論》認爲賈誼「天下以爲可任公卿，而劉向亦稱遠過伊、管；然卒以不用者，得非孝文初立日淺，而宿將老臣方握其事，或艾旗斬級矢石之勇，或鼓刀販繒賈豎之人，朴而少文，昧於大體，相與排斥，至於謫去。則誼之不遇，可勝歎哉。」⑰從這可看出歐陽修認爲「孝文初立日淺，害將老臣方握其事」是賈誼不受重用的因素。蘇軾也有類似的看法，他說：「絳侯親握天子璽而授之文帝，灌嬰連兵數十萬，以決劉呂之雌雄。又皆高帝之舊將，此其君臣相屬之分，豈特父子骨肉手足哉！」⑱在此也在在說明周勃、灌嬰等人手握大兵，文帝對他們十分敬畏。

然而，賈誼不爲漢文帝重用究竟與文帝登基日淺，權力掌握在周勃等人的手中，政權不鞏固，有無密切關係呢？

文帝是位政治天才，政治能力極強。這從他的登基可以看得出來。當周勃、陳平等大臣剷除諸呂之後，爲求自保，共議推立代王（卽漢文帝）。當時，漢文帝也有些遲疑，召大臣商議，最後採行了中尉宋昌的意見前往長安，踐天子位。於是，漢文帝遣太后弟薄昭往長安，見絳侯周勃，一究虛實。薄昭見過周勃後，還報，「可信，無疑」。但是，漢文帝前往長安，小心翼翼，步步爲營，先在高陵休止，並派宋昌前往長安觀變，認爲一切沒有問題，才馳至渭橋接受羣臣的拜謁稱臣。在這種場面中，太尉周勃想表示他與衆人不同，想私下和漢文帝談談，然而，宋昌立刻說道，「所言公，公言之；所言私，王者無私。」給了周勃一個下馬威。太尉周勃於是跪着呈上天子的璽、符。日暮卽至代

邸，就天子位。入夜，趕到了未央宮，讓太尉周勃撤換了原來持戟的衞士。夜晚，緊急任命親信宋昌爲衞將軍，親信張武爲郎中令。衞將軍宋昌統帥南北軍。南北軍是京師的禁衞軍。南軍守衞皇宮，由衞尉掌管；北軍守衞京城，由中尉掌管。郎中令張武總管宮殿內一切事務，旣管宿衞侍從，也管傳達接待。當夜，分別派人去梁王、淮陽王、恆山王及少帝的宅邸，把他們殺了。文帝徹夜不眠，坐在殿中，處理政事，頒發詔書，大赦天下，讓世人知道新皇帝已經登基，在發號施令了⑲。這一連串迅雷不及掩耳的措施，在在表現了漢文帝的政治才能。

對政治有高度敏感的陳平，把文帝登基以來的舉動一一看在眼裏。或許是爲了避禍，在文帝登基不滿一個月之中，因病請辭右丞相，文帝問他的辭職的理由，陳平很技巧地回答：「高祖時，勃功不如臣，及誅諸呂，臣功不如勃；願以右丞相讓勃。」十一月，文帝發佈人事任命，陳平遷爲左丞相，太尉周勃爲右丞相，大將軍灌嬰爲太尉。

起初，周勃上朝時候，意氣昂揚，文帝對他恭敬有禮。後來，文帝改變作風，日益莊嚴，周勃也就越來越敬畏文帝。周勃也感覺出嚴肅的政治氣氛。漢文帝經過半年的政治學習與歷練，愈來愈能把握住國家的政事。在文帝元年下半年的羣臣上朝的時候，文帝問右丞相周勃：「國家一年有多少司法案件？」周勃請罪，表示不知道。文帝又問「國家一年有多少錢穀收入？」周勃認錯，表示不知。這時候，周勃深感慚愧，汗流夾背。等到文帝問左丞相陳平同樣的問題。陳平的回答倒很簡單，去問那些事情的主管官員。關於司法案件，去問廷尉；國家一年有多少錢穀收入，去問治粟內史。文帝又

問：「既然各種事情都有人掌管，那麼你做丞相的管什麼事情。」陳平謝罪回答：「陛下不知道我才能薄弱，任命我爲宰相。其實，做宰相的是要輔助天子，修理自然造化，順應四季節氣；讓萬事萬物發展得宜。對外要鎭撫四夷，對內要使百姓親附，卿大夫各級官吏得盡職守。」漢文帝對於陳平的回答，連聲稱好。弄得在旁的右丞相周勃更加慚愧。下朝之後，周勃責備陳平說：「你爲什麼不敎我應對。」陳平笑着答道：「你居丞相高位，居然不知道該做什麼。如果陛下問長安有幾個盜賊，你難道想勉強回答嗎？」」於是周勃知道他自己的才能遠不如陳平。不久，有人告訴周勃，說他「誅諸呂，立代王，威震天下。」而他又「受厚賞，處尊位」，恐怕會「禍及身矣」。這時周勃也意識到自己的危機，以病爲理由，請辭丞相之職，歸還相印。漢文帝立卽答應了周勃。秋，八月辛未日，周勃免右丞相職，而專任陳平爲丞相。

文帝二年十一月，也就是周勃罷相後的三個月，由於陳平去世，周勃又復相職。文帝三年十二月，周勃遭受免職，遣回封地的命運。這次周勃復職只有一年一個月。太尉灌嬰任命的丞相。文帝四年冬十二月，灌嬰去世。灌嬰任丞相職也只有一年時間。就在灌嬰死後不多久，被告謀反而入獄。雖然，文帝調查淸楚周勃並無謀反的意圖，赦免了周勃，並恢復了他的爵邑。然而，周勃在獄中受驚不小，出獄之後，感慨說道：「我曾經統領百萬大軍，那裏知道獄吏的尊貴。」自以以後，周勃就在絳，不問世事，安享餘年，文帝十一年去世。⑳

在這裏之所以詳述這段歷史，就是要檢討賈誼之不得漢文帝的重用，是不是因爲「絳、灌、東陽

侯、馮敬之屬盡害之」的緣故。從這段歷史，不難看出漢文帝很快掌握政治大權，要周勃退，周勃就退；要周勃進，周勃就進；要周勃退職回封邑，周勃就回封邑；要周勃入獄，周勃俯首就擒；赦免周勃，周勃就恢復了原來的爵邑。文帝完全把周勃玩弄於指掌之上。文帝三年，免周勃丞相職，遣回封邑，還是聽了賈誼的「列侯就國」的建議。所以太史公《史記、屈原賈生列傳》：「於是天子議以爲賈生任公卿之位。絳、灌、東陽侯、馮敬之屬盡害之，乃短賈生曰：『雒陽之人，年少初學，專欲擅權，紛亂諸事。』於是天子後亦疏之，不用其議」是有破綻的，是不可以相信的。

況且，賈誼爲長沙王太傅在文帝四年，那時灌嬰已死，不可能說賈生壞話。周勃在絳邑，「自畏恐誅，常被甲」，求自保都唯恐不及，那有心情去說賈誼的長短；還有，周勃居絳，不在長安，所以也不可能去說賈誼。

因此，我們可以得到賈誼之所以不被文帝重用的關鍵不在「絳、灌之屬害之」。

至於，漢文帝不重用賈誼的關鍵在不在鄧通呢？王耕心提出二個證據，認爲賈誼之不被重用，關鍵在鄧通。第一個證據是：「賈子之諫放民鑄錢，其論至精，而孝文不聽者，所以爲鄧通也。」賈誼「令禁鑄錢」的建議，固因文帝賜給鄧通蜀嚴道銅山，使他鑄錢，而賈誼的建議不得施行；但是，並不能據此而論斷賈誼是鄧通的關係而不得重用。第二個證據：「賈子之復召，孝文自以爲不能及，而終不肯留，仍出爲太傅，其不留者非他，亦所以爲鄧通也。」這是說賈誼自長沙召回京師，文帝和賈誼討論了許多「鬼神」問題之後，自以爲不能及，仍出賈誼爲梁王太傅。其實，從這裏也無法推論出

賈誼是否因爲鄧通而防礙了他的仕途。因此，這二項證據不能明證賈誼不受文帝重用，是因爲鄧通的關係。

旣然，「絳、灌之屬」不能害賈誼，鄧通也不一定是賈誼仕途的絆腳石，賈誼不得重用的關鍵在漢文帝本人。從賈誼召回長安後，「不問蒼生問鬼神」這件事，很明顯地看出漢文帝沒重用賈誼的意思。漢文帝對於自己的政治才識很有自信，他不向賈誼請益有關政治方面的事情，他只向賈誼討教「鬼神之本」的事情。賈誼能爲漢文帝說出鬼神「所以然之狀」，致使文帝才感慨說了「吾久不見賈生，自以爲過之，今不及也。」文帝之所不及，並非政治才識不及，而是不及對於鬼神「所以然之狀」。因此，漢文帝不重用賈誼。

三

賈誼不受重用的關鍵在於漢文帝。漢文帝。漢文帝何以不重用賈誼，我們認爲在於思想路數不同。

漢元帝爲太子時，「見宣帝所用多文法吏，以刑名繩下，大臣楊惲、蓋寬饒等坐刺譏辭語爲罪而誅，嘗侍燕從容言：『陛下持刑太深，宜用儒生。』宣帝作色曰：『漢家自有制度，本以覇王道雜之，奈何純任德教，用周政乎！且俗儒不不達時宜，好是古非今，使人眩於名實，不知所守，何足委任！』乃歎曰：『亂我家者，太子也！』繇是疏太子而愛淮陽王，曰：『淮陽王明察好法，宜爲吾

子。』」㉑由此，我們固知漢宣帝的思想路數；同時，由「漢家自有制度」來看，漢文帝也是位實行「霸、王道雜之」的君主，而不是位「純任德教」的君主。

賈誼的思想屬儒家，還是屬法家，自古以來向有爭議。我們認爲賈誼的思想屬於儒家。司馬遷以「賈生、晁錯明申商」，梁玉繩就說：「史公言賈生明申商，與鼂錯並稱，似未當。」㉒何以賈誼會被認爲法家呢？一有師承的關係。賈誼年十八時，「以能誦詩屬文稱於郡中。河南守吳公聞其秀才，召置門下，甚幸愛。文帝初立，聞河南守吳公治平爲天下第一，故與李斯同色，而嘗學事焉，徵以爲廷尉。」㉓賈誼是吳公的學生，吳公是李斯的學生，因此，賈誼就師承上說是法家人物。二、賈誼在《治安策》上所說：「屠牛坦一朝解十二牛，而芒刃不頓者，所排擊剝割，皆衆理解也。至於髖髀之所，非斤則斧。夫仁義恩厚，人主之芒刃也。權勢法制，人主之斤斧也。今諸侯王，皆衆髖髀也。釋斤斧之用而欲嬰以芒刃，臣以爲不缺則折。」㉔這很顯然是法家精神。這也難怪司馬光大肆抨擊賈誼，他說：「(賈生)又曰：仁義者人主之芒刃也，法制者人主之斤斧也。不能以道輔人主，鎭撫諸侯綏之以德、齊之以禮；而欲疏骨肉斬慈惠，視仁義爲虛器，操刑法爲利柄，翦周孔之夷塗，樹申商之險術。由此觀之，所學豈得爲純正耶？世人不察其所之術，苟見其才之茂，學之博，其言嘩嘩可觀，而不得施於世，因從而嘆之。不知夫駮濫深刻，非吾黨也。夫唯材高而道不正者，君子惡之。」㉕

賈誼做過吳公的門下，自然會受到法家學說的影響。受到法家學說的影響，未必屬之於法家。吳

公在文帝前推薦賈誼的時候，並沒說他「明申商之術」，而說他「頗通諸家之書」。㉖

儒家與法家學說的基本差別在人性觀。韓非子認爲自私、貪利爲人類的本性。人類之自私，雖骨肉之親也不能免，《韓非子・六反》：「父母之於子也，產男則相賀，產女則殺之。此俱出父母之懷衽，然男子受賀，女子殺之者，慮其後便，計之長利也。故父母之於子也，猶用計算之心以相待也，而況無父子之澤乎。」㉗人類之貪利，利之所在，皆爲勇士。《韓非子・內儲說上》。「鱣似蛇，蠶似蠋。人見蛇則驚駭，見蠋則毛起。然而婦人拾蠶，漁者握鱣，利之所在，則忘其所惡，皆爲賁、諸。」㉘

儒家的人性觀，孔、孟荀三家的看法不同。孔子說：「性相近也，習相遠也。」㉙孔不認爲人性相差不遠，變好與變壞和他的學習和學習環境關係密切。孔子言性不言善，但是孔子認爲人的可塑性是很高的。孟子便創「性善說」，說「人之性善猶水之就下。」㉚荀子卻認爲人性是惡的。荀子在《性惡篇》開宗明義說道：「人之性惡，其善者僞也。今人之性，生而有好利焉，順是，故爭奪生而辭讓亡焉；生而有疾惡性，順是，故殘賊生而忠信亡焉；生而有耳目之欲，有好聲色焉，順是，故淫亂生而禮義文理亡焉。然則從人之性，順人之情，必出於爭奪，合於犯分亂理而歸於暴。故必將有師法之化，禮義之道，然後出於辭讓，合於文理而歸於治。」㉛

孔子、孟子的人性觀與法家的人性觀不同，孟子的人性觀與法家的人性觀尤其不同。可以不在此討論。至於，荀子的人性觀則與法家的人性觀，有點形似。荀子的人性觀雖與法家的人性觀形似，其

實，也是不相同的。法家認爲人是自私好利到了無可救藥的地步。仁恩德教是沒有用的；而只怕威勢，並舉例說：「今有不才之子，父母怒之弗爲改，鄉人譙之弗爲動，師長敎之弗爲變。夫以父母之愛，鄉人之行，師長之智，三美加焉，而終不動其脛毛，不改；州郡之吏，操官兵、推公法而求索姦人，然後恐懼，變其節，易其行矣。故父母之愛不足以敎子，必待州部之嚴刑者，民固驕於愛、聽於威矣。」㉜荀子雖說人性是惡的，但人性是可以用禮樂教化來改造的，所以荀子說：「枸木必將待檃栝烝矯然後直，鈍金必將待礱厲然後利；今人之性，必將待師法然後正，得禮義然後治。」㉝

由於，法家認爲人性的自私及貪利，不可以仁恩德教來改變，而認爲「民者固服於勢，懷能懷於義」，只有用「賞」、「罰」的辦法。所以，韓非子說「故十仞之城，樓季弗能踰者，峭也；千仞之山，跛牂易牧者，夷也。故明主峭其法而嚴其刑也。布帛尋常，庸人不釋；鑠金而溢，盜跖不掇。不必害則不釋尋常，必害乎則不掇百溢，故明主必其誅也。是以賞莫如厚而信，使民之利；罰貞如重而必，使民畏之。」㉞荀子認爲人性雖惡，但可以用禮樂敎化來改變，所以荀子重視禮樂敎化和學習。荀子說：「禮起於何也？曰：人生而有欲。欲而不得，則不能無求；求而無度量分界，則不能不爭；爭則亂，亂則窮。先王惡其亂也，故制禮義以分之，以養人之欲，給人之求，使欲必不窮乎物，物必不屈於欲，兩者相持而長，是禮之所起也。」㉟在荀子思想中「禮」論是他主要的命題。荀子非常重視學習，在《荀子》開宗明義第一篇《勸學》對於學習的重要和如何學習有很清楚而明確的說明。因此，卽使是荀子的人性觀與法家的人性觀也是有很大差異的。法家之所以重法，是因爲法家認爲人是

不可改造的。儒家之所以重禮樂敎化，是因爲儒家認爲人因學習可以改造。

賈誼之所以會被歸屬於法家，是因他沒有完全否定「法」的重要，他說：「若夫慶賞以勸善，刑罰以懲惡，先王執此之政，堅如金石，行此之令，信如四時，據此之公，無私如天地耳，豈顧不用哉！」在他看來堅定執行慶賞、刑罰是必要的。但是賈誼認爲禮樂是更重要的，禮樂有防微杜漸、遷善遠罪的功用，他在《治安策》上說：「然而禮云禮云者，貴絕惡於未萌，而起敎於微眇，使民日遷遠罪而不自知也」。孔子曰：『聽訟，吾猶人也，必也使毋訟乎！』。」同時，他又以湯武與秦始皇做比較，認爲「德敎」優於「法令」，他說：「世主欲民之善同，而所以使民善者或異。或道之以德敎，或敺之法令。道之以德敎者，德敎洽而民氣樂；敺之以法令者，法令極而民風哀。哀樂之感，禍福之應也。秦王之欲尊宗廟而安子孫，與湯武同，然而湯武廣大其德行，六七百歲而弗失，秦王治天下，十餘歲則大敗。此無它故矣，湯武之定取舍審，而秦王之定取舍不審矣！」㊱又《新書・大政》「敎者政之本也，道者敎之本也，有道然後敎也，有敎然後政治也，政治然後民勸之，然後國豐富也。」㊲賈誼認爲敎化是政治的前提。這在在證明賈誼的思想基本上屬於儒家。

我們可以說賈誼因思想與漢文帝不同是他不得漢文帝重用的原因。這可以從太子敎育一事看得很清楚。太子敎育是賈誼上疏論時政很重要的一個項目。玆將《治安策》由賈誼論太子敎育一段抄錄於後：

夏為天子，十有餘世，而殷受之。殷為天子，二十餘世，而周受之。周為天子，三十餘世，而

秦受之。秦為天子，二世而亡。人性不甚相遠也，何三代之君有道之長，而秦無道之暴也？其故可知也。古之王者，太子乃生，固舉以禮，使士負之，有司齊肅端冕，見之南郊，見於天也。過闕則下，過廟則趨，孝子之道也。故自為赤子而敎固已行矣。昔者成王幼在繈抱之中，召公為太保，周公為太傅，太公為太師。保，保其身體；傅，傅之德（意）〔義〕；師，道之敎訓：此三公之職也。於是為置三少，皆上大夫也，曰少保、少傅、少師，是與太子宴者也。故乃孩提有識，三公、三少固明孝仁禮義以道習之，逐去邪人，不使見惡行。於是皆選天下之端士，孝悌博聞有道術者以衞翼之，使與太子居處出入。故太子乃生而見正事，聞正言，行正道，左右前後皆正人也。夫習與正人居之，不能毋正，猶生於齊不能不齊言也；習與不正人居之，不能毋不正，猶生長於楚之地不能不楚言也。故擇其所耆，必先受業，乃得嘗之；擇其所樂，必先有習，乃得為之。孔子曰：「少成若天性，習貫如自然。」及太子少長，知妃色，則入於學。學者，所學之官也。學禮曰：「帝入東學，止親而貴仁，則親疏有序而恩相及矣；帝入南學，上齒而貴信，則長幼有差而民不誣矣；帝入西學，上賢而貴德，則聖智在位而功不遺矣；帝入北學，上貴而尊爵，則貴賤有等而下不隃矣；帝入太學，承師問道，退習而考於太傅，太傅罰其不則而匡其不及，則德智長而治道得矣。此五學者既成於上，則百姓黎民化輯於下矣。」及太子既冠成人，免於保傅之嚴，則有記過之史，徹膳之宰，進善之旌，誹謗之木，敢諫之鼓。瞽史誦詩，工誦箴諫，大夫進謀，士傳民語。習與智長，故切而不媿；化與心成，

故中道若性。三代之禮：春朝朝日，秋暮夕月，所以明有敬也；春秋入學，坐國老，執醬而親餽之，所以明有孝也；行以鸞和，步中采齊，趣中肆夏，所以明有度也；其於禽獸，見其生不食其死，聞其聲不食其肉，故遠庖廚，所以長恩，且明有仁也。

夫三代之所以長久者，以其輔翼太子有此具也。及秦而不然。其俗固非貴辭讓也，所上者告訐也；固非貴禮義也，所上者刑罰也。使趙高傅胡亥而教之獄，所習者非斬劓人，則夷人之三族也。故胡亥今日卽位而明日射人，忠諫者謂之誹謗，深計者謂之妖言，其視殺人若艾草菅然。豈惟胡亥之性惡哉？彼其所以道之者非其理故也。

鄙諺曰：「不習為吏，視已成事。」又曰：「前車覆，後車誡。」夫三代之所以長久者，其已事可知也；然而不能從者，是不法聖智也。秦世之所以亟絕者，其轍跡可見也；然而不避，是後車又將覆也。夫存亡變，治亂之機，其要在是矣。天下之命，縣於太子；太子之善，在於早諭教與選左右。夫心未濫而先諭教，則化易成也；開於道術智誼之指，則教之力也。若其服習積貫，則左右而已。夫胡、粤之人，生而同聲，耆欲不異，及其長而成俗，累數譯而不能相通，行者〔有〕雖死而不相為者，則教習然也。臣故曰選左右早諭教最急。夫教得而左右正，則太子正矣，太子正而天下定矣。書曰：「一人有慶，兆民賴之。」此時務也。

漢文帝看過賈誼的《論太子教育》之後，並沒有什麼特別的反應。與賈誼同時的另一位青年才俊鼂錯也曾上疏文帝論及太子教育一事。鼂錯說：

又上書言：「人主所以尊顯功名揚於萬世之後者，以知術數也。故人主知所以臨制臣下而治其衆，則羣臣畏服矣；知所以聽言受事，則不欺蔽矣；知所以安利萬民，則海內必從矣；知所以忠孝事上，則臣子之行備矣：此四者，臣竊為皇太子急之。人臣之議或曰皇太子亡以知事為也，臣之愚，誠以為不然。竊觀上世之君，不能奉其宗廟而刼殺於其臣者，皆不知術數者也。(皇太子所讀書多矣，而未深知術數者也。）皇太子所讀書多矣，而未深知術數者，不問書說也。夫多誦而不知其說，所謂勞苦而不為功。臣竊觀皇太子材智高奇，馭射伎藝過人絕遠，然於術數未有所守者，以陛下為心也。竊願陛下幸擇聖人之術可用今世者，以賜皇太子，因時使太子陳明於前。唯陛下裁察。」

文帝看過鼂錯上疏，連連稱善，立刻把鼂錯派任爲太子家令。鼂錯由此「得幸太子」。

我們從賈誼和鼂錯論太子教育，而有不同的際遇來看，就不難發現鼂錯之所以重用，而賈誼之所以不重用的原因了。賈誼的太子教育除智育之外，非常注重太子的德育，要太子知道「上親而貴仁」、「上齒而貴信」、「上賢而貴德」、「上貴而尊爵」、「承師問道」，如此太子才能「德智長而治道得」。鼂錯則不然，他認爲皇太子所急的是「知所以臨制臣下而治其衆，則羣臣畏服矣；知所以聽言受事，則不欺蔽矣；知所以安利萬民，則海內必從矣；知所以忠孝事上，則臣子之行備矣」。又說：「上世之君，不能奉其宗廟而刼殺於其臣者，皆不知術數也」。漢文帝認爲這才該是太子教育的重要內容，而起用鼂錯。至於，賈誼的太子教育，若套用漢宣帝的話說，眞是「俗儒不達時宜」，怎能聽

從呢？賈誼的言論並不合漢文帝的胃口。「漢家自有制度」，「本霸、王道雜之」，「奈何純任德教」。我們的看法是，霸道是根本，王道只不過是裝飾門面的。賈誼是個聰明人，根本看出了這點，他在給漢文帝的《治安策》已委婉地說出「人之言曰『聽言之道，必以其事觀之，則言者莫敢妄言。』今或言禮誼不如法令，教化不如刑罰，人主胡不引殷、周、秦事以觀之也？」但是賈誼並不因他自己的仕途，而修正他的看法，他選了堅持自己的理想，長年鬱悶不得志，以三十三歲英年早逝。

【附　註】

①《漢書・賈誼傳》

②皮日休《皮氏文藪》卷二。

③司馬光《司馬文正公傳家集》卷六十五。

④據朱隆本《賈太傅新書總論》引。

⑤《史記・屈原賈生列傳》

⑥《漢書・賈誼傳》，頁二二六五。

⑦荀悅《漢紀》卷八。

⑧歐陽修《歐陽文忠公集》，《外集》卷二十。

⑨王安石《臨川先生集》《詩集》卷十六。

誰道君王薄賈生

⑩《史記・太史公自序》

⑪《賈太傅新書・總論》引文

⑫「鬼神事」，宋眞德秀《西山讀書記》云：「鬼神者何？陰陽造化之謂也。帝之問及此，其有意窮理之學乎？誼俱道所以然之故，帝爲之前席。必深有感於心矣。惜史氏之不載也，然鬼神之事，至難言也。在孔門惟季路問事鬼，宰我問鬼神，其他門人高弟大抵問仁、問孝、問政而已。蓋幽明一致，而其理一原。知仁義則知陰陽，能盡性則能至命。誼之對亦嘗及此否耶？厥後，新垣平以詭詐進，帝爲之惑，是未嘗知鬼神之情狀也。帝有窮理之心，誼無造理之學，故鬼德成就，終有愧於古，吁可惜哉！」眞德秀「鬼神事」，卽陰陽造化之事，也就是窮理之學。此處卽採用其說。

⑬參見《史記・屈原賈生列傳》，《漢書・賈誼傳》。

⑭《史記・屈原賈生列傳》，《漢書・賈誼傳》同。

⑮蘇軾《論賈誼》，《東坡先生全集》《應詔集》卷九。

⑯王耕心《賈子次詁》卷十五。《緒紀》

⑰歐陽修《歐陽文忠公集》《外集》卷二十五。

⑱蘇軾《論賈誼》。

⑲《史記・孝文帝本紀》，《漢書・文帝紀》，《資治通鑑》卷十三。

⑳《史記・孝文帝本紀》，《絳侯周勃世家》，《資治通鑑》卷十三。

㉑《漢書》卷九，《元帝紀》。

㉒《史記會注考證》卷一三〇，頁五九。

㉓《漢書》卷四十八，《賈誼傳》。

㉔《漢書》卷四十八，《賈誼傳》。

㉕《司馬文正公傳家集》卷六十五。

㉖《漢書》卷四十八，《賈誼傳》。

㉗《韓非子・六反》。

㉘《韓非子・內儲說上》。

㉙《論語・陽貨篇》。

㉚《孟子・告子篇》

㉛《荀子・性惡篇》

㉜《韓非子・五蠹篇》。

㉝《荀子・性惡篇》。

㉞《韓非子・五蠹篇》。

㉟《荀子・禮論》。

㊱《漢書・賈誼傳》。

㊲《新書》卷九《大政下》。

王著〈漢代的古史系統〉讀記

黃彰健

討論我國的古史系統，我認爲左氏昭公十七年傳：

黃帝以雲紀，故為雲師而雲名；炎帝氏以火紀，故為火師而火名；共工氏以水紀，故為水師而水名；大皞氏以龍紀，故為龍師而龍名。我高祖少皞摯之立也，鳳鳥適至，故紀於鳥而鳥名。……自顓頊以來，不能紀遠，乃紀於近，為民師，而命以民事。

這一段話應値得特別重視。

太史公五帝本紀提到：黃帝「官名皆以雲命，爲雲師」，卽根據左傳此處。太史公五帝本紀所列五帝爲黃帝、帝顓頊、帝嚳、帝堯、帝舜，其根據爲〈五帝德〉及〈帝繫姓〉。

太史公雖說：「〈五帝德〉及〈帝繫姓〉，儒者或弗傳」。「予觀春秋國語，其發明五帝德、帝繫姓章矣」，但事實上，他仍忽略左傳此處言：「自顓頊以來，不能紀遠，而以民事」命官，很明顯的少皞的時代應在帝顓頊之前。而且《國語・楚語》也說：「少皞之衰，……顓頊受之」。太史公數五帝，未數少皞，卽與左傳國語牴觸。

太史公五帝本紀提到，黃帝「與炎帝戰於阪泉之野」，此係依據五帝德，「而〈五帝德〉並未說炎帝卽神農氏。太史公論古史，考信於六藝，而〈易傳〉言：「神農氏沒，黃帝堯舜氏作」，很可能史記五帝本紀卽因此而釋炎帝與神農氏爲一人，而謂黃帝係代神農氏而爲天子。

但〈易傳〉是說的：「伏羲氏沒，神農氏作。……神農氏沒，黃帝堯舜氏作」，則太史公未據〈易傳〉而釋大皞爲伏羲氏，顯然亦係其立說之缺憾。

彌補此二缺憾的，則爲劉歆所著〈世經〉。劉歆〈世經〉所列古代帝王次序爲：大昊帝伏羲氏、炎帝神農氏、黃帝軒轅氏、帝少昊、帝顓頊、帝嚳、帝堯、帝舜。劉歆〈世經〉於引左氏昭公十七年傳後，卽說：「稽之於易，炮義神農黃帝相繼之世可知，」此卽說明他的排列的根據。他是將左傳與〈易傳〉綜合爲說的。

劉歆〈世經〉所列古代帝王沒有共工氏。此因禮經〈祭法〉說：「共工氏伯（霸）九域」，故棄共工氏不數。這是與左傳不合的。左傳說：「黃帝氏以雲紀」、「大皞氏以龍紀」，其符瑞亦與金木水火土五行無關。而劉歆說，帝大昊以木德王，亦與左傳不合。

在漢代，學者言古史，考信於六藝，並相信五德終始之說。劉歆〈世經〉能綜合〈左傳〉〈易傳〉爲說，故其說卽爲後世儒者所尊信。晉杜預注解左氏昭公十七年傳，卽依從〈世經〉，釋大皞爲伏羲氏。孔穎達《左傳正義》認爲：左氏昭公十七年傳提到黃帝炎帝共工大皞，是「向上逆陳」，卽左傳行文，於時代較晚的黃帝先說，於時代最早的大昊反最後敍述。

由於黃帝、炎帝稱帝，故劉歆〈世經〉於大昊亦稱帝。所排列古帝，計帝大昊伏羲氏、炎帝神農氏、黃帝、帝少昊、帝顓頊、帝嚳、帝堯、帝舜，共八人。並沒有三皇五帝這種稱呼。但三皇五帝之說，在戰國時卽已有之。故東漢順帝時，張衡卽認爲：宜稱伏羲、神農、黃帝爲三皇，帝少昊、帝顓頊、帝嚳、帝堯、帝舜爲五帝。張衡所排列古代帝王次序仍與劉歆相同，不過，他用了三皇五帝這一名稱，與劉歆不同而已。

三皇五帝之說，始於戰國時。《周官》：「外史掌三皇五帝之書」；《莊子・天運篇》：「三皇五帝之法度」；《呂氏春秋・貴公篇》：「此三皇五帝之德也」，卽其證據。但戰國時之三皇五帝，據伏生《尚書大傳》：

> 遂人為遂皇，伏羲為戲皇，神農為農皇。遂人以火紀，……故託遂皇於天；伏羲以人事紀，故託戲皇於人；神農悉地力，……故託農皇於地。人道備，而三五之運興矣。

及《莊子・繕性篇》：

> 古之人，……莫之為而常自然。逮德下衰，及燧人伏戲始為天下，是故順而不一。德又下衰，及神農黃帝始為天下，是故安而不順。德又下衰，及唐虞始為天下，……然後民始或亂，無以反其性情而復其初。

三皇應指燧人、伏羲、神農，而五帝則應卽〈五帝德〉所舉之黃帝、帝顓頊、帝嚳、帝堯及帝舜。易傳說：「包犧氏之王天下也，……作結繩而爲網罟，以佃以漁。……神農氏作，……耒耨之利

以教天下」。《韓非子・五蠹篇》說：

> 上古之世，……有聖人作，構木為巢，以避羣害，而民悅之，使王天下，號曰有巢氏。……有聖人作，鑽燧取火，以化腥臊，……使王天下，號之曰燧人氏。

而有巢氏一詞亦見於《莊子・盜跖篇》。在巢居鑽燧取火的時代，根本不可能有人「王天下」，故有巢氏、燧人氏、伏羲氏、神農氏之王天下，這只是戰國時人的上古史觀。他們認爲：這是上古人類歷史演進應有的四個階段，應發生於黃帝之前而已。有巢氏、燧人氏、伏羲氏、神農氏，是戰國時人心裏想出的上古時應有的人物，與左氏昭公十七年傳所說的黃帝氏、炎帝氏、共工氏、大皞氏、大皞氏之爲古代眞實人物，是不同的。

《左傳》《國語》均未言伏羲、神農。左傳於黃帝則說：「黃帝以雲紀」，「黃帝戰於阪泉之兆」。於炎帝則說，「炎帝以火紀」，「姜姓其後也」。於大皞則言：「任、宿、顓臾，風姓也，實司大皞之祀」。《國語・晉語》則言：「黃帝之子二十五宗，其得姓者十四人爲十二姓。昔少典娶於有蟜氏，生黃帝炎帝。黃帝以姬水成，炎帝以姜水成，成而異德，故黃帝爲姬，炎帝爲姜。二帝用師以相濟，異德之故也」。此所謂「二帝用師以相濟」，韋昭注：「濟當爲擠。擠，滅也」，即說的黃帝與炎帝戰於阪泉之事。

黃帝炎帝爲少典之子，成而異德，故黃帝爲姬姓，炎帝爲姜姓，此正可說明「黃帝之子二十五宗，其得姓者十四人爲十二姓」，其得姓之可以不同。而所謂「成而異德，故黃帝爲姬，炎帝爲姜」，

亦正可用以說明左傳所說：「天子建德，因生而賜姓」，此「德」有神秘意義，不可解釋爲後世所謂「道德」之德。

左傳說：「少皞摯之立也，鳳鳥適至，故以鳥紀」，而以鳥名命官。其以鳥紀，正係古人之神道設敎。「自顓頊以來，不能紀遠，乃以民事」命官，明顓頊以前爲我國的神權時代。《國語・楚語》記：少皞時，「民神雜糅，不可方物。……顓頊受之，乃命南正重司天以屬神，命火正黎司地以屬民，使復舊常，無相侵瀆，是謂絕地天通」。而「重黎絕地天通」一語亦見於《尙書・呂刑篇》。左傳國語之成書，顯較《莊子》《韓非子》〈易傳〉爲早。我們講中國的古史系統，還是以根據《左傳》《國語》講爲好。

左氏昭公十七年傳所提到的古代的帝，我們不可取與易傳拼合，將大皞講爲伏羲，炎帝講爲神農。我們仍應根據左傳原文，黃帝以雲紀，炎帝氏以火紀，共工氏以水紀，大皞氏以龍紀，少皞氏以鳥紀，認爲：左傳行文仍按黃帝等人時代先後的次序敍述，而不是「向上逆陳」。黃帝與炎帝係同時人，不過因黃帝戰勝，故左傳行文先數黃帝而已。

《國語・魯語》記：

> 黃帝能成命百物以明民共財，顓頊能修之，帝嚳能序三辰以固民，堯能單均刑法以儀民，舜勤民事而野死。

此處提到黃帝、帝顓頊、帝嚳、帝堯、及帝舜，當爲太史公所根據之〈五帝德〉之所本。太史公五帝

本紀之採信〈五帝德〉，亦正可能受國語此處的影響。論我國的古史系統，仍應據左氏昭公十七年傳及國語，於黃帝之後，顓頊之前，增列炎帝、共工、大皞、少皞四帝。

有巢、燧人、伏羲、神農，這是戰國時人的古史觀，不可據以講中國的古史。《莊子》《管子》所謂無懷氏、大庭氏、容成氏，此係道家之古史觀，係寓言，不可據以講古史。《史記・大宛列傳》說：「禹本紀、山海經所有怪物，余不敢言之」，亦不可據以講我國的古史系統。

《史記・始皇本紀》，「古有天皇，有地皇，有泰皇，泰皇最貴」。近人已指出，泰皇與太一之神有關。亦不可據以講古史。

王仲孚先生此文末尾提到：李濟之先生曾說：「歷代傳下來的秦朝以前的記錄，……是研究中國上古史最基本的資料」。彰健認為：我們仍應沿續司馬遷以來的史學傳統，對這些古史資料，審愼甄別，而決定其是否可以採用。

拙著《經今古文學問題新論》(頁一六六——一七三)曾討論司馬遷劉歆的古史系統；仍依從劉歆，將左傳的大皞講爲伏羲氏。現在因讀王先生此文而修改拙說，認爲：講左氏昭公十七年傳，不應綜合〈易傳〉爲說。我根據左傳國語，重建我國的古史系統，或許較漢代司馬遷、劉歆、王符等人所建立的爲好吧！

謹提出拙見，以就正於王仲孚先生及在座各位先生

民國七十九年六月一日於南港舊莊。

從說文讀若中考東漢聲類

謝雲飛

一、前言

漢代的韻部，近年來已有不少人在歸納考證，成績也相當可觀。①所用的語料是兩漢的詩歌及其他韻文的韻腳。漢代的聲類，因限於資料的欠缺，卻是至今無人注意。自然，這裡面是有著相當重要原因的：其一是漢代沒有像後代韻書那樣完整的全面注音資料；其二是韻文及詩歌只適用於考查漢代的韻部，與聲母的研究是完全無關的；其三是形聲字的諧聲偏旁只適用於歸納上古韻母和上古聲母，也許你可以說有些形聲字可能是漢代人創造的，但卻無人能檢出究竟哪些字是漢代人所創造的，因此歸納諧聲偏旁也就不宜用於研究漢代的聲母了。

因此，直到現在爲止，在漢代的聲母考證方面，仍然是一片空白。王力先生曾寫過一本〈漢語語音史〉②，書中列了一個「歷代語音發展總表」③，在〈漢語語音史〉這本書中，王氏用了二十七頁的篇幅（頁八二—一〇八）來敘述漢代的韻部，但在敘述漢代的聲母時，卻簡簡單單地只用了四十八個字，其言云：

關於漢代的聲母，我們沒有足夠的材料可供考證，這裡缺而不論。可以假定，漢代聲母和先秦聲母一樣，或者說變化不大。④

在王力的「歷代語音發展總表」中，他對歷代語音的分期是這樣的：

先秦、西漢、東漢、南北朝、隋唐、五代、宋、元、明清、現代。

就這個分期來看，漢代還必須分爲「西漢」和「東漢」兩個時期才行。王力這個分期的想法應該是對的，因爲兩漢加起來有四百多年，西漢自西元前二〇六年到孺子嬰的西元後八年，其間有二百多年；而東漢自西元二五年到漢獻帝的西元二一九年，其間也接近於二百年的光景。語音是易變的，不能歷二百年而無改於始初，所以前漢二百年與後漢二百年把它們析分爲兩個時期是完全正確的。

個人曾這樣想：我該爲兩漢的這四百年找出一些資料來，試著考查這個時期有什麼語料可以作爲尋求「聲母」之用的。前文說過，韻語沒有用，諧聲偏旁也只適用於考求上古聲韻，經籍異文也只是研究上古聲韻的材料而已。於是我想到了漢儒常用的「音訓」和「讀若」注音，但是這必須把握一個基本原則，那就是：所蒐羅的「音訓」和「讀若」必須確定是「西漢」的，才可用以考求「西漢音」；確定是「東漢」的，才可用以考求「東漢音」。想來想去，覺得比較有系統的材料，只有東漢許愼的〈說文解字〉，和大約是建安時期的劉熙〈釋名〉。這兩本書中的材料是比較有系統的，因此決定先來整理〈說文解字〉中的「讀若」音，以後再整理〈釋名〉中的「音訓」。

二、說文的時代與讀若的含義

許愼（西元三〇—一二四）生於漢光武帝建武六年，卒於漢安帝延光三年，書成於漢和帝永元十二（西元一〇〇）年。書中的材料既爲許愼本人一手所編，而所有的「讀若」擬音也全部出於許氏一人之手。其所擬的「音讀」應是他那個時期的讀書人的標準語音，所以，利用這些材料來研究當時的「聲母」，應該是最爲可靠的。

〈說文〉全書用了八一〇個「讀若」擬音，「讀若」的含義是這樣的：

〈說文解字〉一篇上示部𥛠字下云：「讀若春麥爲𥛠之𥛠。」段玉裁注云：「凡言讀若者，皆擬其音也；凡傳注言讀爲者，皆易其字也。注經必兼茲二者，故有讀爲、有讀若。讀爲亦言讀曰，讀若亦言讀如。字書但言其本字本音，故有讀若無讀爲也。讀爲、讀若之分，唐人作正義已不能知爲與若兩字，注中時有譌亂。」

「凡言讀若者，皆擬其音也。」這裡所說的「擬其音」，其實就是當今的「注音」，也就是把一個不知「音讀」的字，用另外一個字來標注出它的音讀來。「字書但言其本字本音，故有讀若無讀爲也。」「讀爲」是注經時要改易一個通假字的音義，使其還本字之原而採用的一種方法，如「不亦說乎？」注云：「說讀爲悅。」則不僅是「說」字的音要讀爲「悅」，連它的意義也要改易成「喜悅」的「悅」。「讀若」則不同，它只是一種注音的方式而已，與字義毫不相關，而〈說文〉是一本字書，

字書的職責只在解說本字，標注本字的音讀，故止用「讀若」而不必用「讀爲」。「讀若」既然只是單純地標注音而已，而以許愼本人一手所標注成的八百多個字音，若把它們作有系統的歸納分類，不僅可以用作探索東漢韻部的資料，同時也必然是可以用作探索東漢聲母的絶好資料。

至於「讀若」注音的基本方式則是：

某讀若某。

前一「某」是本字，後一「某」則是用作擬音的字。「擬音」應該是完完全全地對本字字音之描寫，而不是如一般人所說的「像某字之音」或「近似某字之音」。不過，「讀若標音法」的注音方式，也不是單純地只用「某讀若某」而已，歸納全本〈說文〉的「讀若」，從基本「讀若」方式所衍生出來的，計有如下的幾種方式：

㈠**某，讀若某**：

如：〈說文〉一篇上玉部：「瑂，讀若眉。」即用「眉」來標注「瑂」字的音。

㈡**某，讀若某某某之某**：

如：〈說文〉一篇上示部：「𥜽，讀若舂麥爲𥜽之𥜽。」即用「𥜽」來標注「𥜽」字之音。又〈說文〉七篇下宀部：「𡦹，讀若虞書曰『竄三苗』之竄。」所言稍繁，但方式則完全相同。

㈢**某，讀與某同**：

如：〈說文〉一篇上玉部：「玒，讀與私同。」段玉裁注云：「凡言讀與某同者，亦即讀若某也。」則知此係用「私」來標注「玒」字之音。

㈣某，讀若某同：

如：〈說文〉五篇上豆部：「䜹，讀若鐙同。」此與第（三）例同義。

㈤某，讀若某某某：

如：〈說文〉二篇上口部：「哽，讀若井汲綆。」此言「哽」音同「綆」，若比之第二條則知應作「讀若井汲綆之綆」，但此例卻省去了「之綆」二字，在這種情形之下，其音有時可能是「井」，有時可能是「汲」，有時可能是「綆」，三者之間，必須由讀之者自加抉擇。又〈說文〉二篇上走部：「趫，讀若王子蹻。」此言「趫」音「蹻」。又〈說文〉三篇上言部「証，讀若正月。」此言「証」音「正月之正」。又〈說文〉四篇上目部：「眍，讀若詩云泌彼泉水。」此則蓋言「眍」音「泌」也。

㈥某，讀若某，一曰讀若某：

如：〈說文〉三篇上丵部：「𡔛，讀若頒，一曰讀若非。」此蓋一字有二音，如「𡔛」既音「頒」又音「非」也。

㈦某，讀若某，又若某某某某：

如：〈說文〉四篇上䀠部：「䀠，讀若拘，又若良士瞿瞿。」此言「䀠」音「拘」，又音「瞿」也。

(八)某，讀若某某物名：

如：〈說文〉十三篇上虫部：「蠸，蟲也。一曰大螫也。讀如蜀都布名。」段玉裁注云：「糸部云：纗，蜀細布也。此謂大螫之讀若纗。」蓋言「蠸」之音「纗」也。又〈說文〉十二篇下女部：「嬽，讀若蜀郡布名。」段玉裁注云：「即讀若纗也」例同。

三、分類考析：

本文考析東漢聲類的第一步，還是依據切韻時代的聲母系統作爲分類的初步標準，然後再比對近人對先秦聲母系統所提出來的一些學說，將〈說文〉的八百多個「讀若」擬音依類屬之異而予以分別歸類，而後再考查各類屬之間的相互關係，而定出東漢聲母之可能系統，若某兩系資料是顯然可歸併爲一的，自然合之爲一類，如合「幫系」與「非系」爲一是也；若某兩系在一般學者認可合而爲一者，但在整理〈說文〉「讀若」資料的結果卻是實在不可合，則本文仍據資料之分而予以分開，如王力先生「歷代語音發展總表」東漢聲母中的「端系」和「知系」擬測音值是完全相同的，但〈說文〉的「讀若」擬音資料卻實在合不起來，於是本文訧依資料之不能合而予以分開。以下是本文的考析分類及序次。

(一)脣音：

1. 幫類：

先錄〈說文〉讀若擬音如下，每二字爲一組，二字中之第一字爲本字，第二字爲用以「擬音」的

字，其不加注者表示兩字聲母完全相同，其兩字聲母不同者則注聲母於該字之後，別以括弧爲記。下文各類均此說明，不另解說。

玤、菶，薄、傅，輩、匪，唪、菶，癶、撥，跛、彼，誧、逋，攴、彬。

眍、泌，翇、紱，旆、方，鼈、鷩，牑、邊，帔、撥，濮、粉，八、弗。

匚、方，奰、頒，奰、非，皕、祕，坌、糞，紴、波。

紴、被（並），玤、蚌（並），跛、罷（並），熛、摽（並），紕、玭（並）。

髀、罷（並），袢、普（滂），鑼、嫣（見），瞏、頑（疑）。

〈說文〉於「幫」母字計用了三十二個「讀若」音，其中本字與擬音字完全同聲母的有二十三個，不同聲母的九個。九字之中，用「並」母字擬音的有六個，用「滂」「見」「疑」三母字擬音的各一個。「幫」與「並」的關係，只在清濁之異，差別很小，所以爲數最多；用「滂」也是因爲同系發音，只在送氣與否之異罷了。同系互變，爲一般的音變現象，不足爲奇。「見」「疑」二母僅有一字之音，無特殊之現象可釋，僅涉於韻母相同而用之爲擬音罷了。

2. 滂類：

逢、䍀，闠、繽，啚、膊，俌、撫，頨、翩，㡞、敷，狛、洦，霏、膊，

嫳、擎，攴、撫。

朩、輩（幫），鏺、撥（幫），媻、幡（幫），狛、檗（幫），畐、伏（並），

夆、縫（並），朩、髕（並），厎、稗（並），婄、箁（並），醅、樊（並），犪、馮（並），竽、彄（溪），膘、繇（喻）。

〈說文〉於「滂」母字計用了二十三個「讀若」音，其中本字與擬音字聲母完全相同者十個，另十三字中用「並」母擬音者七字，用「幫」母擬音者四字，而用「溪」「喻」二母擬音者各一字。其用「溪」「喻」二母字之音，因涉於於韻母而有互變之現象；其用「幫」「並」二母字之音，則因同系清濁送氣之互變，無其他特殊理由可說。

3.並類：

趞、匐，跁、彭，殳、摽，夌、僕，橎、樊，槐、枇，鄙、陪，穬、穳，䰈、槃，崑、費，鐇、樊，扶、伴，緐、飯，琿、服，鮊、白，掤、軿，凭、馮，範、犯，鬻、費，釆、辨，倗、陪，犇、弻，曩、虙，㯝、虙。跰、匪（幫），䮔、撥（幫），覢、幡（幫），扮、粉（幫），髟、檗（幫），蹁、徧（幫），庳、逋（幫），藨、剽（滂），靤、朴（滂），皀、香（曉）。

〈說文〉於「並」母字計用了三十四個「讀若」音，其中本字與擬音字完全同聲母者二十四個，其餘十字中之七個用「幫」母字擬音，兩個用「滂」母字擬音，另一個用「曉」母字擬音。其用「幫」「滂」二母字擬音，係因發音同屬「幫系」而有清濁送氣互變之故，而用「曉」母則可謂無理可說，只是涉於韻母而如此耳。

4.明類：

咙、尨，叒、沬，芇、宀，苜、末，萈、蔑，肈、霧，䶦、鼏，皿、猛，

模、嫫，鄚、蔓，鼆、黽，盁、猛，㒼、蠻，覭、苗，䫉、昧，鬗、蔓，

瑂、眉，玫、没，䰲、冖，默、墨，𢘓、侮，忞、旻，瞀、渳，娒、母，

娓、媚，呡、盲，糸、覛，輓、閔，夢、萌，敉、弭，楙、髦，𡧈、瞑，

冃、莓，覭、迷，惘、沔，瞀、靡。

屎、伯（幫），夌、范（奉），遾、隴（來），勱、厲（來），蚼、赧（泥），

𥎦、頊（曉）。

〈說文〉於「明」母字計用了四十二個「讀若」音，其中本字與擬音字完全同聲母者三十六個，其餘六字中有兩個用「來」母字擬音，是可能牽涉到遠古[ml-]複聲母的關係，但複聲母之說，至今仍無定論而不知其所以然；用「幫」「並」二母字來擬音的各一字，則是因「明」與「幫」「並」同屬「幫系」而互變之故；另一用「曉」母擬音的字，則應是偶然特例，無勞深究。

(二)齒頭音：

1.精類：

纘、鑽，𢦏、載，𦘒、津，雀、爵，臇、纂，㸑、焦，潐、勦，揫、晉，

賫、資，璡、津，姐、左，鐫、瀸。

𡭴、輟（知），嗛、集（從），䪞、酋（從），緁、捷（從），艛、莘（莊），𢦏、攕（疏），𩃬、芟（疏），𢦏、咸（匣）。

〈說文〉於「精」母字計用了二十個「讀若」音，其中本字與擬音字完全同聲母的有十二字，餘八字則分別用「從」母字擬音者三個，用「疏」母字擬音者兩個，用「知」「莊」「匣」母字擬音各一個。「精」「從」同系，清濁互變，事屬常理；「精系」與「莊系」於上古音有同源之說⑤所以〈說文〉用「莊」「疏」二母擬「精」類之音，也就有了必然的牽連關係；用「知」「匣」二母擬音者各一字，爲數極少，事屬偶然，大約都是涉於韻母之相同而發生的問題。

2.清類：

黼、切，鼜、戚，朿、刺，竅、竄，㹅、毳，畝、蹴，龘、龘，璁、葱。

婧、菁（精），繰、喿（心）。

〈說文〉於「清」母字計用了十個「讀若」音，其中本字與擬音完全同聲母的有八個字，另二字則分別以「精」「心」二母字擬音，「精」「心」二母與「清」母同屬一系，互有音變，事屬常理，毋庸詳述。

3.從類：

萃、瘁，趡、匠，譙、嚼，奴、殘，虘、鄌，亼、集，秨、昨，銂、齊，笮、錢。

瀳、尊（精），䑺、鰌（清），惢、瑣（心），自、鼻（並），鬵、岑（牀）。

〈說文〉於「從」母字計用了十四個「讀若」音，其中本字與擬音字完全同聲母的有九個，餘五字中用「精」「清」「心」三母擬音者各一字，此三母因與「從」母同屬一系之故，音有清濁送氣之互變，乃音理之常。另二字則分別以「並」「牀」二母字擬音，其中之「自」字與「鼻」字，除因韻母相同以外，別有形聲字發展之「子母」關係；另一以「牀」母字擬音之「鬻」字，止因涉於韻近而已。

4.心類：

䐜、遜，算、筭，宋、送，僁、偦，卸、寫，廙、枲，舄、寫，慫、悚，[illegible]、瑣，繻、需，　、偰，祘、筭，玌、私，丨、囟，珣、宣，壻、細，毨、選，[illegible]、斯。

靸、沓（定），楈、疋（疏），迣、郅（照），燮、溼（審），迣、拾（禪），馺、岌（疑），銛、鎌（來），銛、棪（喻），奞、睢（曉），郇、泓（影）。

〈說文〉於「心」母字計用了二十八個「讀若」音，其中本字與擬音完全同聲母者有十八字，其餘十字則分別以「疏」「曉」「定」「照」「審」「禪」「疑」「來」「影」「喻」母字擬音，除部分字有涉於韻母之關係外，以各擬音均僅纔一字，爲數過少，大多出於偶然的現象，没有特殊的道理可說。但其中「疏」母一音，一般討論上古音的人，都以爲它們在上古有同源的關係⑥；至「曉」母與「心」母之關係，則如「愃」（曉）從「宣」（心）聲，「恤」（心）从「血」（曉）聲，似也偶有某種特定的關係，但終因資料不足，無法作有系統的來檢討。

5.**邪類**：

趨、紃。

像、養（喻），斜、荼（定）。

〈說文〉於「邪」母字計用了三個「讀若」音，爲數太少，難作深入的檢討。三字中有一字的本字與擬音同爲「邪」母字；另一字擬音用「喻」母字，又另一字擬音用「定」母字。前人論上古聲母，有「邪」「喻」古歸「定」之說⑦，於東漢而言，未必與上古音有何深切的關涉，以字數過少之故，此處不作進一步之深究。

㈢**舌頭音**：

1.**端類**：

趙、顛，鳭、雕，罹、到，𦐇、鐙，筥、篤，樀、滴，耑、端，禱、篤，覘、兜，喦、蔦，炟、馰，氐、氐，霸、墊，拂、蝴，埵、朵，玎、丁，祁、雕。

娺、唾（透），擣、毒（定），者、耿（見）。

〈說文〉於「端」母字計用了二十個「讀若」音，其中本字與擬音完全同聲母的有十七個字，其餘三字則分別以「透」「定」「見」三母字擬音。「透」「定」與「端」爲同系親屬關係，音有互變，理所宜然；只是屬「端」母的「者」字卻以「見」母的「耿」字擬音，事顯怪異而不可解，以字數過少之故，相互間之關係，無法考定。

2.透類：

𣥂、撻，悇、滔，㐁、沾，䯾、惕，貒、湍，夲、滔，縕、聽，醍、瑱，貶、扇，榙、甛，欿、貪。

羍、達(定)，㐁、導、(定)，臬、薄(並)，㐁、誓(禪)。

〈說文〉於「透」母字計用了十五個「讀若」音，其中本字與擬音完全同聲母者十一字，其餘四字中，以「定」母字擬音者兩字，以「並」「禪」二母字擬音者各一字。「透」「定」之間，爲同系互變，毋庸深究；「透」「禪」相變，則因上古原有少數「禪」母歸「定」的例子⑧，而形成「透」「定」同系之後，就有同系相變之理可說了。至「透」「並」之間，則自古音而論，原亦有少數互變的例子，如「乏」於古爲「並」母，造成了形聲字「貶」字之後乃爲「透」母；「㐁」爲「透」母，而「弻」爲「並」母，也是「透」「並」的牽連。但這究竟是少數的現象，於聲母之分合應無必然之關係。

3.定類：

悇、塗，譶、沓，敷、杜，眹、跌，甹、亭，𠷎、譸，郤、塗，卤、調，

糟、鄿，倓、剡，驔、簟，潒、蕩，戾、鈦，撣、驒，揞、眔，鉵、同，

眔、隶，龖、沓，隫、洞。

薵、督(端)，窕、挑(透)，錟、聃(透)，匋、包(幫)，徲、遲(澄)，

逗、禪(禪)，筡、絮(心)，腧、紐(泥)，犢、糗(溪)，墮、陸(曉)，

咍、含(匣)，牏、俞(喻)，酴、盧(來)。

〈說文〉於「定」母字計用了三十二個「讀若」音，其中本字與擬音完全同聲母者有十九字，餘十三字則以「透」母擬音者兩個，以「端」「幫」「澄」「心」「禪」「泥」「溪」「喻」「曉」「匣」「來」諸母擬音者各一字。其與「端」「透」「泥」本屬一系，容有清濁送氣互變之現象。至「定」母與其餘各母門之關係，則限於字數之少而無法深考，不易說明其相互間牽連因素。

4.泥類：

「泥」「娘」二母，於中古音原只在介音洪細之別，於現代語音學中「音位學」(phonemics)的觀點，根本沒有分開的必要，況且切韻系的韻書中「泥」「娘」二母的切語上字都是可以系聯為一類的，因此在這裡我們把「泥」「娘」合為一個「泥」母來歸類析論。

咠、聶，　檷、柅，　柮、貀，　囡、聶，　郓、寧，　㬎、赧，　䯀、嬭，　魌、儺，

夒、偄，　獳、槈，　夲、籋，　愵、惄。

臑、儒(日)，　乃、仍(日)，　休、溺(日)，　毄、穰(日)，　匿、笍(知)，

嬗、深(審)，　巎、温(影)，　夲、瓠(匣)。

〈說文〉於「泥」母字計用了二十個「讀若」音，其中本字與擬音完全同聲母者十二字，其餘八字中有四字用「日」母字擬音，餘四字則各以「知」「審」「影」「匣」諸母字擬音。二十擬音中有四字用「日」母，佔了整整百分之二十的比率，於此而論，章太炎先生論上古聲母的「娘日古歸泥」⑨之說，

就很值得我們去特別注意了。於東漢聲母而言，「日」母雖有百分之二十的比率，但還不能貿然把「日」「泥」歸併，因爲究竟還是以用「泥」母字來擬「泥」母字的音比較多。其餘四音，僅各有一字而已，不能用以說明任何音理。

5.來類：

𨘢、躒，　劙、剌，　睩、鹿，　𤔔、亂，　寽、律，　豊、禮，　掕、陵，　鎌、溓，

龓、聾，　𥡍、廉，　秝、歷，　瘵、勞，　僇、𨿭、　儡、雷，　覠、鎌，　鬑、濫，

瞰、鬲，　堇、氂，　葴、婪，　蠣、厲，　𠪚、鹵，　磏、鎌，　閔、粦，　獠、燎，

灑、林，　纚、聾，　䦨、闌，　虘、盧，　埶、戾，　絡、柳，　蠣、賴，　颲、烈，

料、遼，　醨、離，　癘、隸，　厱、藍，　蜦、萈，　颲、栗。

坴、逐（澄），　覶、池（澄），　婪、潭（定），　䜌、鑾（明），　頪、嚣（疑），

畬、甚（禪），　螊、嗛（匣），　鄰、淫（喻）。

〈說文〉於「來」母字計用了四十六個「讀若」音，其中本字與擬音字完全同聲母的有三十八個，餘八字中，以「澄」母字擬音的有兩個，以「定」「明」「疑」「禪」「匣」「喻」諸母字擬音者各一字。「來」母字向來是比較單純的一個聲母，但卻又有遠古可能爲複聲母的傳說，因之前舉八個例外的擬音，又有牽涉到複聲母[dl-]，[ml-]，[ŋl-]，[ʑl-]，[ɣl-]⑩的可能；又據「澄母古歸定」之說，則「澄」與「定」都可能涉及了[dl-]的古音，如此而論，則「來」母字又似乎不如想像中的單純了。但無論

如何，以東漢聲母而言，「來」母應是單純的，上舉八個擬音之所以產生例外現象，只是古音遺留的殘痕罷了。

㈣舌上音：

1.知類：

夂、黹，棆、屯，𢅥、盾，吒、輒。

沚、窋（端），漸、䵂（澄），腏、啜（穿）譸、醻（禪）。

〈說文〉於「知」母字計用了八個「讀若」音，其中本字與擬音字完全同聲母的有四個，另四個則分別用「端」「澄」「穿」「禪」四母字擬音。「澄」母與「知」母同系，只在清濁之異而已，此爲音變常理，不勞多說。「端」與「知」研究上古音的學者有同出一源的說法⑪，自然是關係非常密切的兩個音。至其餘二字則因涉於韻母之同而有互變的現象。

2.徹類：

屮、徹，亍、畜，䵹、騁，覘、郴，闖、郴，綝，郴，蚩、騁，趩、敕，飭、敕。

辵、躇（澄），趁、塵（澄），蟄、摯（照），婼、懾（照），逴、掉（定），欪、卉（曉）。

〈說文〉於「徹」母字計用了十五個「讀若」音，其中本字與擬音完全同聲母者有九字，餘六字中有二字以「澄」母字擬音，另有二字以「照」母字擬音，又用「定」「曉」二母字擬音者各一字。「澄」「徹」因同系互變，理有可說；「歂」字音「卉」段玉裁以爲「卉」應作「屮」，則「曉」母一音已可無論之；餘三字則均因涉於韻而爲擬音，毋勞深究。

3.澄類：

謘、遲，　柔、杼，　杝、阤，　鮦、襱，　𠕑、嗽，　鈂、沈，　𧽤、秩，　𧺝、池，　褫、池，　𢧜、秩。

兆、洮（透），　沖、動（定），　鼂、朝（知），　竚、煮（照），　紖、弞（審），　蚳、祁（群），　茜、俠（匣）。

〈說文〉於「澄」母字計用了十七個「讀若」音，其中本字與擬音完全同聲母的有十字，另「鼂」字的擬音「朝」有「知」「澄」二母，若以「澄」母爲音，則完全同聲的就有十一個字。餘六字則分別以「透」「定」「照」「審」「群」「匣」諸母字擬音，其用「透」「定」二母，乃因「透」「定」與「知系」字上古音有同源之涉⑫，故其互有音變發生，亦屬自然現象；至「照」「審」「群」「匣」四母之被用以擬音，則均因涉及韻母同部而互有音變之現象也。

4.日類：

瓔、柔，　芮、汭，　羊、飪，　𧅰、耎，　肰、然，　朷、仍，　㹜、緌，　腝、柔，

鮞、而，　輀、茸。

龔、儁（精），　耎、偄（泥）。

〈說文〉於「日」母字計用了十二個「讀若」音，其中本字與擬音完全同聲母者十字，餘二字則一字用「精」母字擬音，另一字用「泥」母字擬音。「日」「泥」間的關係、章太炎先生論上古聲母時有「娘日古歸泥」⑬之說，但以〈說文〉「讀若」來說，僅有一字顯示「日」「泥」相關，不足以說明可能的現象，所以本文不敢說在東漢時期「日」「泥」之間有什麼特殊的關係。至以「精」母字擬音，應是涉於韻而然，但終因爲數過少而無法作較深入的探究。

㈤正齒音：

1.**莊類：**

咠、戢，　譖、笮，　扭、樝，　轃、臻。

綷、旌（精）。

〈說文〉於「莊」母字計用了五個「讀若」音，其中本字與擬音完全同聲母的有四字，餘一字以「精」母字擬音，「精」「莊」於上古有同出一源之說⑭，互有音變現象發生，理所宜然。

2.**初類：**

齭、楚，　扨、創，　羙、齹，　纔、讒。

纂、荃（清），　訬、毚（牀），　婡、數（疏）。

〈說文〉於「初」母字用了七個「讀若」音，其中本字與擬音完全同聲母的有四字，餘三字則分別以「清」「牀」「疏」三母擬音，「牀」「疏」與「初」同系，容有互變的現象；「清」母字則在上古音中有與「初」母同源之說⑮，其互有音變，也應算是正常的現象。

3.牀類：

齜、柴，　鄛、讒，　僝、潺，　丵、浞。

牑、粗（從），　輂、遲（澄），　猎、笮（莊）。

〈說文〉於「牀」母字計用了七個「讀若」音，其中本字與擬音完全同聲母的有四字，另三字則分別以「從」「澄」「莊」三母字擬音。「莊」「牀」同系，容有互變；「牀」「從」則有上古音同源之說⑯，互變亦爲常情；至用「澄」母字擬音之字，則因涉於韻母而然也。

4.疏類：

啐、馭，　鯜、疏，　森、參，　眂、所，　桬、莘，　褻、濇，　帴、殺。

䝊、迅（心），　槮、藪（心），　楷、驪（來）。

〈說文〉於「疏」母字計用了十個「讀若」音，其中本字與擬音完全同聲母的有七字，用「心」母字擬音的有兩字，另有一字則用「來」母字擬音。「疏」「心」二母有上古同源之說⑰，音有互變，事屬自然；但以「來」母字擬音，似頗離奇，然若知遠古有涉及[sl-]，複聲母的關係⑱，則相互間之牽連關

係，自較易解也。

5.照類：

𠕁、祝，　趨、燭，　証、正，　讋、慴，　㲉、贅，　騅、箠，　狂、注，　炪、拙，

抧、抵，　𡝩、摯，　迣、寘，　𦣞、指，　䶑、捶，　鷙、郅，　馬、注，　墇、準，

鋻、至。

孎、倨（見），　椆、丩（見），　𩑋、骨（見），諄、庉（定），　慴、疊（定），

孨、翦（精）。

〈說文〉於「照」母字計用了二十三個「讀若」音，　其中本字與擬音完全同聲母者有十七字，以「見」母字擬音的有三個，以「定」母字擬音的有兩個，以「精」母字擬音的有一個。六個以不同聲母的字來擬「照」母的字，都是因爲涉於韻的關係。

6.穿類：

㲋、侈，　鉹、擿，　鉹、侈，　痑、襜。

諯、專（照），　姑、占（照），　譲、振（照），　誃、哆（端），　痑、栭（日）。

〈說文〉於「穿」母字計用了九個「讀若」音，其中本字與擬音完全同聲母者有四字，餘五字則以「照」母字擬音的有三個，以「端」母字擬音的有一個，以「日」母字擬音的也是一個。「照」「穿」同屬一系，音有互變，事理之常；其與「端」「日」二母之關係，則因涉於韻而如此者也。

7.**神類**：

疣、焮。

〈說文〉於「神」母字只用了一個「讀若」音，且這一個音的本字與擬音所用的字也不同聲母，在這種現象當中，無法看出任何信息，如要深入討論，只好等待日後再找到其他資料之後再說了。

8.**審類**：

戠、施，飾、式，豙、弛，倏、叔，睒、苫，亶、適。

豖、狶（曉），奭、郝（曉），嫣、隓（曉），啻、媞（端），突、導（定），

覘、馳（澄），獡、愬（心）。

〈說文〉於「審」母字計用了十三個「讀若」音，其中本字與擬音完全同聲母的有六個，餘七字中，以「曉」母字擬音者有三個，以「端」「定」「澄」「心」諸母字擬音的各一字。至「審」與「曉」的關係是可能涉及遠古漢語有複聲母的說法，「審」「曉」之間的複聲母同源關係，是說遠古時可能有[sx-]的聲母⑲；至「審」與「端」「定」「澄」的關係，則又牽涉於上古音同源的理論⑳而如此了；而「審」「心」之間，因兩音均屬擦音，且發音部位只在「舌尖」「舌面前」之別，互有轉變，自是音理之常。

9.**禪類**：

逝、誓，八、殊，雔、疇，脣、丞，臺、純，叵、樹，襡、蜀，尌、樹，

歗、軨，欿、㞩，奄、䭇，劭、詔，鏨、誓，璹、淑，裖、㞩。

尌、駐（知），輂、抍（照），軨、饌（牀）。

《說文》於「禪」母字計用了十八個「讀若」音，其中本字與擬音完全同聲母的有十五個，餘三字中，則分別以「知」「照」「牀」三母字擬音。「知」「照」「牀」三母字的發音部位極為接近，都在舌面前與前顎的閉塞和摩擦，且將近二十個「讀若」擬音，僅有三字例外，且三字均因韻母相同而致如此，這就顯得十分正常而無奇的了。

㈥牙音：

1.見類：

哽、綆，玖、句，玽、苟，芨、急，唊、莢，趉、屈，邀、九，逜、括，

迀、干，蹶、厥，諱、戒，弆、卷，𩰫、過，丮、斡，㽵、誑，㪊、嬌，

卟、稽，䀠、瞿，㗊、卷，丫、乖，𣪠、概，肤、決，丰、介，𠔁、箕，

迡、記，鬳、隔，根、賈，楇、過，郹、薊，囧、獷，毌、冠，宂、軌，

岋、蛤，裾、見，兜、瞽，蕀、規，勼、鳩，𡧍、軌，磺、穬，彑、廏，

教、狡，夰、蓋，懁、絹，𥳑、簡，渮、哥，魧、岡，羋、乖，𡣲、糾，

乑、厥，蚰、昆，埂、綆，鋏、莢，趌、結，鷃、嫣，鬮、糾，䀠、拘，

瞿、句，棄、繭，䀏、貴，兢、矜，歀、叫，㝠、丫，嫈、癸，乾、棘，叠、几，鉣、劫。

脘、患（匣），昬、函（匣），格、皓（匣），稽、皓（匣），珁、洪（匣），鋏、挾（匣），玖、芑（溪），剫、鍥（溪），杲、槀（溪），瞿、𢡱（溪），幾、饑（群），赳、鐈（群），𩐏、𥂕（喻），邉、繘（喻），鈪、跛（幫），囧、明（明），乚、罬（知），鼓、屬（照），薊、芮（日），丨、退（透），丨、囟（心），姰、旬（邪），刉、殪（疑），該、餩（影），鶤、運（爲）。

〈說文〉於「見」母字計用了九十一個「讀若」音，其中本字與擬音所用的字完全同聲母的有六十六個，其餘二十五字中，用「匣」母字擬音的有六個，用「溪」母字擬音的有四個，用「群」「喻」二母字擬音的各有兩個，用「幫」「明」「知」「照」「日」「透」「心」「邪」「疑」「影」「爲」諸母字擬音的各一字。此間「見「溪」「群」「疑」係因發音同部位而有互變現象；「見」與「影」「匣」「喻」「爲」則錢大昕論上古聲母謂「古喉牙雙聲」㉑，此或即古音衍變之遺痕也；其餘各字之擬音，大體上都在韻母相涉之故，且以字數甚少，無法作進一步之深究。

2. 溪類：

噲、快，趫、蹻，趣、菣，𧼯、愆，趌、跬，辛、愆，鞃、穹，攷、扣，

檠、刊，顅、魁，掔、鏗，圣、窟，㦉、𩑺，輴、鏗，輴、掔，䫏、庫，

歁、坎，　竘、齵，　臤、鏗，

𦏧、決(見)，　鬷、擊(見)，　檜、裹(見)，　烓、冋(見)，　掔、几(見)，

彉、郭(見)，　堅、賢(匣)，　𥃦、攜(匣)，　殼、孛(滂)，　赾、堇(群)，

〈說文〉於「溪」母字計用了二十九個「讀若」音，其中本字與擬音所用的字完全同聲母的有十九個，其餘十字則用「見」母字擬音者佔了六個，用「匣」母字擬音者兩個，用「滂」「群」二母字擬音者各一個。「見」「群」二母與「溪」母同系，音有互變，理所宜然；「匣」與「溪」在上古音中有「古喉牙雙聲」之變㉒，則有此現象亦理出自然者矣；，至「殼」以「孛」擬音，則因上古同韻部之故也。

3. **群類**：

𡙍、權，　跻、逵，　尯、求，　詰、競，　弃、逵，　鈙、琴，　肍、舊，　𥨇、悸，

妓、跂，　垍、泉，　𥵊、犖，　輊、狂，　趯、劬，　趍、犖，　虔、矜。

极、急(見)，　盔、紟(見)，　黚、紺(見)，　亅、槩(見)，　絇、鳩(見)，　君、威(影)，

具、杞(溪)，　㢆、拏(泥)，　頎、鬢(幫)，　蠸、緒(邪)，　脙、休(曉)。

〈說文〉於「群」母字計用了二十六個「讀若」音，其中本字與擬音字完全同聲母者有十五個，餘十一字中以「見」母字擬音者有五個，以「影」「溪」「泥」「幫」「邪」「曉」諸母字擬音者各一字。「見」「溪」與「群」爲同系音，宜有互變現象；而「影」「曉」與「群」則有錢大昕之「古喉牙雙聲㉓相互關涉，音有相變，古即有之，至東漢而仍有牽連，亦勢所自然也；至「群」與「幫」「邪」「

泥」間之關係，不易知其所以關涉之故，乃闕而不論。

4.疑類：

奇、櫱，雁、鴈，歺、櫱，齧、㥾，囮、譌，㬥、唫，𠂹、崟，刖、兀，嵒、吟，广、儼，㘙、鴈，厺、齗，奡、傲，忍、顡，聉、孼，妍、研，義、錡，甗、言，眚、臬，𡗝、嶷，喦、巖，狋、銀，𣐈、銀，隉、蜺，隒、儼。

堨、謁（影），兀、𩠐（曉），勢、豪（匣），輑、褌（見），鼓、豤（溪），輑、帬（群），𡗝、存（從）。

〈說文〉於「疑」母字計用了三十二個「讀若」音，其中本字與擬音字完全同聲母者有二十五字，餘七字則分別以「影」「曉」「匣」「見」「溪」「群」「從」諸母字擬音。七擬音中以「從」母字擬音之「𡗝」與「存」聲母韻母俱相異而略無關涉，事出偶然，無緒可尋；至「見」「溪」「群」與「疑」則因音屬同系，故有互變現象；「影」「曉」「匣」與「疑」則又涉及錢大昕之「古喉牙雙聲」之古音說㉔，其相互間之變化自古而然者也。

(七)喉音：

1.影類：

唉、埃，趨、鄔，眢、宛，雩、隱，餩、恚，圛、驛，圦、偃，裻、縈，甈、豋，𧼯、燿，瞏、傿，泑、㰻，邕、雝，㘥、幽，㚈、阿，婀、阿，㛄、依，婠、宛，婐、騧，毐、娭，乚、隱，竭、瘞，鏕、奧，哇、醫，鞥、麐，邑、窈，㵝、㪉，媪、奧，妜、炔，瘟、掩，皛、皎（見），婐、騧（見），瞥、邮（心），銎、銑（心），臒、靃（曉），瘟、脅（曉），裻、靜（從），嬽、繕（邪），欲、麔（郡），綰、卵（來），遏、蝎（匣）。

〈說文〉於「影」母字計用了四十一個「讀若」音，其中本字與凝音字完全同聲母者有三十個字，餘十一字則以「見」「心」「曉」二母擬音者各二字，以「從」「邪」「群」「來」「匣」諸母字擬音者各一字。「影」與「曉」「匣」爲同系互變，事屬常理；「影」與「見」「群」則涉於上古之喉牙互變㉕，事亦常見；而與「從」「心」「邪」「來」諸母之關係較爲疏遠，其中「裻」音「靜」、「瞥」音「卹」、「綰」音「卵」，應是涉於上古韻同部而有互變；但「銎」音「銑」、「嬽」音「繕」，則聲韻兩殊，無緒可尋了。

2. **曉類**：

吅、讙，還、讙，囂、讙，䝗、馨，旻、𩗬，嘻、禧，眓、濊，𪕬、玄，隸、虺，叡、郝，䡊、讙，㔾、呵，鄦、許，旭、勖，㡆、荒，䨪、欷，

玉、畜，　歋、歆，　㚃、㴒，　忏、吁，　鑕、熏，　珛、畜，　楥、撝，　昕、布，

瘚、洫，　欻、忽。

譪、畫（匣），　訇、玄（匣），　唬、蒿（匣），　襾、晉（影），　膴、謨（明），

䍦、䌛（邪），　㲉、構（見），　邗、區（溪），　𡕒、䕩（群），　洓、㮦（疏），

詯、睞（來）。

〈說文〉於「曉」母字計用了三十七個「讀若」音，其中本字與擬音字完全同聲母者有二十六個字，另十一字中以「匣」母擬音者三個，以「影」「明」「邪」「見」「溪」「群」「疏」「來」諸母字擬音者各一字。「影」與「曉」「匣」爲同系，容有互變；「曉」與「見」「溪」「群」則涉與「古喉牙雙聲」之上古音學說㉖關涉，自古以來即有有互變現象，至東漢而仍牽連不斷，則其來也有自矣；「膴」音「謨」，或涉於古韻、「洓」之音「㮦」似亦與古韻相涉，唯「詯」音「睞」、「䍦」音「䌛」，則誠無緒可尋，宜不論之。

3.匣類：

琥、鎬，　瑋、曷，　瑎、諧，　趕、孩，　達、害，　龢、和，　颯、踝，　閔、縣，

斛、汗，　翌、皇，　萑、和，　臽、陷，　觳、斛，　號、鎬，　賫、回，　雗、皇，

樺、華，　生、皇，　楎、渾，　栙、鴻，　马、含，　仜、紅，　碣、夥，　戉、環，

豲、桓，　𠆣、瑕，　馬、環，　馬、玄，　莧、丸，　䶃、含，　蜍、浣，　慘、朕，

槼、學，　匚、傒，　綷、陘，　繷、畫，　繷、絓，　螝、潰，　郎、奚，　獑、檻，　涸、貀。

譽、鬊（泥），　顈、楔（心），　顣、懥（知），　嗑、甲（見），　蕻、陸（曉），　楎、緯（爲）。

〈說文〉於「匣」母字計用了四十七個「讀若」音，其中本字與擬音字完全同聲母者有四十一個字，餘六字則分別以「泥」「心」「知」「見」「曉」「爲」諸母字擬音。「匣」與「曉」「爲」同系互變；「匣」與「見」則涉於錢大昕「古喉牙雙聲」㉗之上古音學說而互有關涉，其來有自；以「泥」「心」「知」擬音之三字，皆因古韻母相同而用之也。

4. **爲類：**

趙、又，　韗、運，　圓、員，　䡝、鄖，　覞、運，　䫻、隕，　忧、祐，　娟、祐。

𧇹、闕（見），　霣、昆（見），　㿽、賄（曉），　㿽、灰（曉），　沄、混（匣），　鏏、慧（匣），　鄅、榘（群）。

〈說文〉於「爲」母字計用了十五個「讀若」音，其中本字與擬音字同聲母者有八個，另七字中以「見」「曉」「匣」三母字擬音者各有兩個；以「群」母字擬音者一個。「爲」與「曉」「匣」爲同系互變，與「見」「群」則係「古喉牙雙聲」㉘之遺痕耳。

5. **喻類：**

珁、貽，琟、維，莠、酉，㕣、沇，异、余，改、已，敫、龠，卣、攸，
鬻、庸，賣、育，嗁、虒，瓜、庾，覰、攸，畝、酉，籲、籥，屵、躍，
鬄、煬，⿰忄虒、移，嬩、余，鋊、浴，鈗、允，⿸厂欠、移，乁、移。
希、弟（定），棪、導（定），槽、糗（溪），佁、騃（疑），繇、燒（審）。

〈說文〉於「喻」母字計用了二十八個「讀若」音，其中本字與擬音字同聲母者有二十三個，另五字則以「定」母字擬音者兩個，以「溪」「疑」「審」三母字擬音者各一字。其以「定」母字擬音，則曾運乾氏有「喻四古歸定」㉙之上古音學說，「喻」「定」相涉，自古而然，至東漢而仍有牽連，蓋古音之遺也；「喻」「與」「溪」「疑」之關係，則涉於錢大昕「古喉牙雙聲」㉚說，亦上古聲韻衍變之痕跡；「喻」與「審」之相涉，則本師許詩英先生有「審三古歸定」㉛之說，而「喻」又歸「定」，則其相涉之端緒可得而知矣。

四、可能的聲母音位及音值擬測：

王了一先生東漢聲母是據現代音、近代音、近古音、中古音向上推衍；再又從上古音向下推衍而擬測出來的。這從語音發展的歷程上來看，應該不會有什麼問題，只可惜沒有具體的語言資料作證，所以，本文作者才有尋覓語料爲之作證的動機。

(一)王力先生的東漢聲母：

王先生在他的〈漢語語音史〉的「歷代語音發展總表」中所定的「東漢聲母」是這樣的：

1.脣音：

幫p　滂p'　並（平）b　明m

並（病）b

非p　敷p'　奉b　微m

2.齒類：

精（臧）ts　清（倉）ts'　從（藏）dz　心（桑）s　邪（隨）z

精（將）ts　清（蹌）ts'　從（牆）dz　心（相）s　邪（祥）z

從（臟）dz

從（匠）dz

3.舌頭音：

端t　透t'　定（同）d　泥n　來l

定（獨）d

知（卓）t　徹（逴）t'　澄（幢）d　娘n

澄（濁）d

知(竹)t 徹(畜)tʻ 澄(蟲)d

澄(逐)d

4.正齒音：

莊tʃ 初tʃ 牀(鋤)dʒ 山ʃ 俟ʒ

牀(助)dʒ

牀(士)dʒ

照(支)ȶ 穿(蚩)ȶʻ 神(船)ȡ 審(詩)ɕ 禪(常)ʑ 日m

照(章)ȶ 穿(昌)ȶʻ 神(繩)ȡ 審(商)ɕ 禪(尚)ʑ

5.牙音：

見(剛)k 溪(康)kʻ 群(狂)g 疑(昂)ŋ

見(姜)k 溪(羌)kʻ 群(共)g 疑(吾)ŋ

群(強)g 疑(迎)ŋ

群(竟)g 疑(牛)ŋ

疑(齧)ŋ

6.喉音：

影(安)o 曉(漢)x 匣(寒)ɣ 喻(于)ɣ

影（烟）j　曉（獻）x　匣（完）ɤ　喻（余）ɣ

影（彎）w　　　　　　匣（賢）ɤ　喻（爲）ɤ

　　　　　　　　　　　　　　　喻（維）ɣ

上列東漢聲母，在王先生原書的列表中並未冠上發音部位的名稱，這裡的「五音」名稱是本文作者爲分類稱謂之便而冠上去的。王先生對某些字母有分析爲兩個、三個、四個、甚或如「疑」母分析爲五個，那是因爲這些聲母的擬測音值在東漢時期看來似都如一而無別，但不同的類別衍變到後代往往有不同的結果，事實上，如「喻」母就是在東漢也已有不同的兩種音值出現，至如「疑」母的五個類，則衍變至元代時已變成了[〇]（昂）、[w]（吾）、[j]（迎）、[j]（牛）、[n]（齧）四類，到現代的標準語則其中的第四類[j]（牛）也變成[n]（牛）了。

至於其中的「影（安）」母，則王先生特別聲明：有時標作[ʔ]，有時標作[o]，但從音位的觀點來看，[j][w][o]都是[ʔ]的變體㉜。因爲無聲母的字音或半元音起首的字音，在發音的開頭總是有一個「緊喉作用」要發生的，這個「緊喉作用」正是[ʔ]的音質。

㈡本文擬測的東漢聲母：

本文純以東漢的〈說文解字〉一書中的「讀若擬音」爲準，參考王力先生的東漢聲母而擬測出下列的各類聲母音值。凡各類「讀若擬音」有明顯分類，而我們卻無法尋求不同的兩類間之可合而爲一的理

由者，則仍其可分之類而定以為兩個聲母，如「端系」與「知系」在所錄出的「讀若」資料中，是無法併合為一的，因此本文分「端」「知」為二；又如「幫系」與「非系」在所錄出的「讀若」資料中是輕重脣混用的，因此也就合二系為一系了。至於有少數聲母在〈說文〉中所見的「讀若」資料過少，則各從其發音系屬，參考中古聲母的分類也列出他們的聲母及音值，如「牀三（神）」母只有一個「讀若擬音」，「照二（莊）」母只有五個「讀若擬音」，「穿二（初）」「牀二」兩母只有七個「讀若擬音」，「知」母只有八個「讀若擬音」，這幾個類的資料都嫌太少了些，也許不能證明什麼，但以整個發音系屬來看，以其它聲類較多的資料，用連類並及的推想，也訖可以訂出一個架構了。茲將整理〈說文〉八一○個「讀若擬音」資料之後的分類，用字母並以所擬測的音值排列如下：

1.脣音：

幫[p]；　滂[pʻ]；　並[b]；　明[m]；

2.齒頭音：

精[ts]；　清[tsʻ]；　從[dz]；　心[s]；　邪[z]；

3.舌頭音：

端[t]；　透[tʻ]；　定[d]；　泥[n]；　來[l]；

4.舌上音：

知[ȶ]；　徹[ȶʻ]；　澄[ȡ]；　日[ȵ]，

5.正齒音：

莊[tʃ]；　初[tʃ']；　牀[dʒ]；　疏[ʃ]；

照[tɕ]；　穿[tɕ']；　神[dʑ]；　審[ɕ]；　禪[ʑ]；

6.牙音：

見[k]；　溪[k']；　群[g]；　疑[ŋ]；

7.喉音：

影[ʔ]；　曉[x]；　匣[ɣ]；　爲[ɣj]；　喻[〇]；

五、結論

〈說文〉是完完整整的一部書，書中所收九千餘字，固然都是前人所創造的，但全書的「讀若」擬音卻是許愼一人據東漢當時的語音所記錄下來的，段玉裁說：「言讀若者，皆擬其音也。」所以，本文作者相信這是最足以代表當時語音的一套上好資料。〈說文〉全書用了八一〇個讀若」擬音，雖不能說夠多，但也可以整理出一個相當完整的聲母系統來了，這便是撰述本文的基本用心。

王了一先生在他的〈漢語語音史〉一書中，對歷代語音的發展，已有完整而系統的分代語音構擬，但兩漢語音的聲母卻因限於資料之缺如而沒有作詳細的敘述和考證，在也的「歷代語音發展總表」中，只有音值的溝擬，卻無具體的語料爲證，本文之作，正可補王先生東漢聲母資料之不足，也可以爲王先

生的東漢聲母作證。當然，單以〈說文〉「讀若」作證還是不夠的，日後還須更尋找多一些的類似資料來作更爲精密的佐證，則私意以爲〈釋名〉的「音訓」也是相當有統一性的一套資料，不過，這得俟諸異日了。

無論如何，這只是一個抛磚引玉初探工作，日後如能深入群籍，蒐羅到比現在更多的同類資料，能作更深入的途程前進，是所深切期望的，尤望同道君子們，能多多指教。

【附註】

① 羅常培，周祖謨有「漢魏晉南北朝韻部演變研究」，一九五八，北平。于海晏有「漢魏六朝韻譜」，一九三六，北平。王力有「漢代音系」（見「漢語語音史」第二章），一九八五，北平。

② 一九八五年，中國社會科學出版社出版。

③ 見王著「漢語語音史」頁四九〇—五二五。

④ 見王著「漢語語音史」頁八二。

⑤ 黄季剛先生〈音略〉以爲「照系二等紐古歸精系」。參見拙著〈中國聲韻學大綱〉頁三三三—三三五。

⑥ 黄季剛先生〈音略〉以爲「疏紐古歸心紐」。參見拙著〈中國聲韻學大綱〉頁三三五。

⑦ 戴君仁先生有〈邪母古讀考〉，曾運乾氏有〈喻母古讀考〉。參見拙著〈中國聲韻學大綱〉頁三三六—三三

九。

⑧ 參見拙著〈中國聲韻學大綱〉頁三三三。

⑨ 參見章氏〈國故論衡〉上。

⑩ 參見竺家寧著〈古漢語複聲母研究〉頁七二—七四。

⑪ 清錢大昕〈十駕齋養新錄〉卷五有「舌音類隔不可信」一說，參見拙著〈中國聲韻學大綱〉頁三三一—三三三。

⑫ 同前註⑪。

⑬ 參見拙著〈中國聲韻學大綱〉頁三三三—三三四。

⑭ 宋元等韻圖有「精照（二）互用」之門法，黃季剛先生〈音略〉主之。參見拙著〈中國聲韻學大綱〉頁三三三—三三五。

⑮ 同前註。

⑯ 同前註。

⑰ 同前註。

⑱ 同前註⑩。

⑲ 見李方桂先生〈上古音研究〉頁七—二〇。（清華學報新九卷一、二期，頁一—六一，一九七一，台北）。

⑳ 參見拙著〈中國聲韻學大綱〉頁三三〇—三三六。

㉑參見拙著〈中國聲韻學大綱〉頁三三二—三三三。
㉒同前註。
㉓同前註。
㉔同前註。
㉕同前註。
㉖同前註。
㉗同前註。
㉘同前註。
㉙見〈古聲韻討論集〉頁五三—七五（楊樹達輯，台灣學生書局，一九五五，台北）。
㉚同註㉑。
㉛參見拙著〈中國聲韻學大綱〉頁三三二—三三三。
㉜參見王著〈漢語語音史〉頁四九六。

參考書目

丁邦新　一九七五　魏晉音韻研究，中央研究院歷史語言研究所專刊六五，台北。

　　　一九七九　上古漢語的音節結構，中研院史語集刊五〇，頁七一七—七三九，台北。
王　力　一九五六　漢語音韻學，中華書局，上海。
　　　一九五七—八　漢語史稿，科學出版社，北平。
　　　一九八五　漢語語音史，中國科學出版社，北平。
左松超　一九六〇　古聲紐演變考，台灣師範大學國文研究所集刊四期，頁一三七—二一七，台北。
李方桂　一九七一　上古音研究，清華學報新九卷一、二期，頁一—一六，台北。
周　何　一九六二　說文解字讀若文字通叚考，台灣師範大學國文研究所集刊六期，頁一—二一七，台北。
竺家寧　一九七九　釋名複聲母研究（譯著），中國學術年刊三，台北。
　　　一九八一　古漢語複聲母研究，中國文化大學中文研究所出版，台北。
章炳麟　一九六〇　文始，中華書局，上海。
　　　一九六三　國故論衡，廣文書局，台北。
張世祿　一九三八　中國音韻學史，商務印書館，上海。
陳新雄　一九七五　古音學發微，文史哲出版社，台北。
　　　一九八〇　重校音略證補，文史哲出版社，台北。
　　　一九八二　聲類新編，台灣學生書局，台北。

黃　侃　一九六四　音略（論學雜著），中華書局，上海。
楊樹達　一九五五　古聲韻討論集，台灣學生書局，台北。
董同龢　一九六二　中國語音史，華岡出版社，台北。
錢大昕　一九五八　十駕齋養新錄，商務印書館，上海。
　　　　一九五八　潛研堂文集，商務印書館，上海。
謝一民　一九六六　蘄春黃氏古音說，嘉新研究論文第二十七種，台北。
謝雲飛　一九八七　中國聲韻學大綱，台灣學生書局，台北。

U0104375
9789575470760